Due Return	Due Return
Date Date	Date Date

1

VALLE-INCLÁN:
INTRODUCCIÓN
A SU OBRA

TEMAS Y ESTUDIOS

MANUEL BERMEJO MARCOS

VALLE-INCLÁN: INTRODUCCIÓN A SU OBRA

anaya

A Clarté

*Quiero hacer pública mi gratitud a mis anti-
guos maestros de la Universidad de Salamanca,
don Alonso Zamora Vicente y don Fernando
Lázaro Carreter, quienes con sus cariñosos
alientos y valiosísimos consejos me ayudaron a
llevar a cabo esta obra; a mis queridos colegas
y amigos del Departamento de Español de la
Universidad de Leeds y del «Trinity and All
Saints College», Horsforth, a quienes durante
no pocos años he cansado con lo que alguno
de ellos llamaba benévolamente «mi obsesión
valleinclaniana» y tuvieron siempre la paciencia
—¡y la generosidad!— de escucharme y alen-
tarme. Sin olvidar tampoco a mis alumnos de
aquellos lejanos cursos, que con su entusiasmo
me forzaron a ser claro y a buscar, con ellos,
la verdad.*

M. B. M.

EL ESPERPENTO:
INTENTOS DEFINITORIOS

1. ¿QUÉ ENTENDEMOS HOY POR «ESPERPENTO»?

E SPERPENTO: m. fam. Persona o cosa notable por su fealdad, desaliño o mala traza.//2. Desatino, absurdo.»

Tal es la escueta definición que del término «esperpento» encontramos en el *Diccionario de la Lengua Española* de la Real Academia Española (18a, ed., 1956).

Para el hombre de la calle, para el hablante hispánico medio, «esperpento» es sinónimo de adefesio, de persona o cosa rematadamente fea. Decimos de una señorita cuyos encantos personales dejan bastante que desear: «Fulanita es un esperpento.» O de la que lleva un vestido de dudoso gusto, mal corte o llamativo color: «Va hecha un auténtico esperpento», para significar que tal prenda la convierte en un verdadero mamarracho.

Sin embargo, para el aficionado a la literatura, para el estudioso y el crítico, el término «esperpento» ha dejado de significar lo que la Real Academia y el uso corriente de la lengua entienden que significa. Ha pasado a designar, además, un título genérico, un apartado literario, muy peculiar, dentro del cual se encuentra una buena porción —no siempre muy exactamente delimitada— de las obras literarias de don Ramón del Valle-Inclán.

La palabra «esperpento», nos informa J. Corominas, no tiene una tradición literaria muy antigua. La documenta por primera vez en la carta *Currita Albornoz, al P. Luis Coloma*, de don Juan Valera, publicada en 1891 [1]. Significa «persona o cosa muy fea», «desatino literario» y es «palabra familiar y reciente de origen incierto».

Sin duda alguna, el uso del término debía de remontarse muchos años atrás en el lenguaje conversacional, de donde pudo extraerlo Valera, aunque hubiera podido leerlo —de no haber tenido los recelos que al autor de los *Episodios* confesaba tenerle por entonces en carta a su amigo Menéndez Pelayo— en una obra literaria anterior en casi una decena de años. Me refiero a la novela de Galdós, *La de Bringas,* publicada en 1882.

En dicha obra —en dos ocasiones lo hemos anotado— ya figura el término empleado por Galdós con idéntica significación. En el capítulo XVII escuchamos murmurar a Pez, luego de haber hecho unas alabanzas exageradas del cuadro «de pelo» que Bringas está realizando: «Vaya una mamarrachada... Es como salida de esa cabeza de corcho. Sólo tú, grandísimo tonto, haces tales esperpentos...» Un poco más adelante, en el capítulo XXI, volvemos a encontrarnos el vocablo, esta vez aplicado no a una cosa, sino a un ser humano, una mujer exactamente: «¡Ah!, ella tiene la culpa con sus obras de pelo. ¡Qué esperpento de mujer!» [2].

La palabra, pues, debía de ser de uso relativamente frecuente en el último tercio del siglo XIX para que novelistas de tan diferentes «maneras literarias» como Valera y Galdós se sirviesen de ella con tanta naturalidad.

Ya bien entrado nuestro siglo, Valle-Inclán se sirvió del término para designar con él una especie de género literario de su propia creación. Cuenta Ramón Gómez de la Serna en la biografía que le consagró [3], que hacia 1920, al encontrarse una noche por la calle con Luis Bello le dijo éste: «Pues Valle-Inclán va a escribir esperpentos.» Unos meses más tarde veía la luz una obra denominada así: *Luces de bohemia.*

Me ha parecido siempre un tanto extraño el que la crítica, por lo general, haya dado tan poca o ninguna importancia al hecho de que

---

[1] Véase J. COROMINAS, *Diccionario crítico etimológico de la lengua castellana,* Ed. Francke, Berna, 1954, vol. II, pág. 389. La obra de VALERA —cuyo título completo es *Pequeñeces. Currita Albornoz, al P. Luis Coloma,* Ed. Dobrull— vio la luz, en forma de folleto anónimo, el año 1891. Fue recogida posteriormente en *Obras Completas,* de D. Juan Valera, Ed. Aguilar, Madrid, 1949, vol. II, págs. 848-863.

[2] BENITO PÉREZ GALDÓS, *La de Bringas,* en *Obras Completas,* Ed. Aguilar, Madrid, 1954, vol. IV, págs. 1601 y 1611, respectivamente.

[3] Véase RAMÓN GÓMEZ DE LA SERNA, *Don Ramón del Valle-Inclán,* Ed. Espasa-Calpe, Buenos Aires, 1948, pág. 151.

Valle-Inclán se tomase la molestia —¡el cuidado!— de bautizar a estos hijos suyos con un nombre nuevo.

Se ha gastado mucha tinta, sin embargo, tratando de clasificar y estudiar el género a que pertenecen todas y cada una de las obras valleinclanianas. La mayoría de los críticos acaba por perderse en sutilezas divisorias, cuando no dogmatizando acerca de si las obras dramáticas de Valle-Inclán son «teatro para leer»; los esperpentos, «dramas novelados», o las novelas, «meras historias dramatizadas». La mayoría de las veces —y salvo excepciones honrosas— este volver a poner las vallas y apartados que su autor se había empeñado cuidadosamente en ir eliminando a fuerza de genio creador, llevó a conclusiones poco acertadas, a interpretaciones, cuando no disparatadas, por lo menos confusas, y, para resumir, a perder el tiempo en bizantinismos que no condujeron al fin principal que debe buscar todo estudio literario serio: una mejor comprensión e interpretación de la obra analizada. Un acercamiento o iluminación sutil que sirva para ayudar a los lectores menos afortunados a calar en las bellezas y enseñanzas que tales obras encierran.

Extraña, repetimos, el que tan poca atención se haya prestado al hecho en sí de que don Ramón se preocupase en bautizar con un nombre diferente aquellas obras.

Creemos que no lo hizo movido por el simple afán de novedad, que siempre ha visto la crítica en él, sino porque se daba perfecta cuenta de que aquellas obras suyas eran, efectivamente, diferentes. Y, por tanto, inclasificables entre los géneros de la estética tradicional. Se curó en salud contra la incomprensión.

No creemos —como piensa A. Risco, autor de uno de los trabajos más ponderados y esclarecedores que se han hecho hasta ahora sobre el esperpento valleinclaniano— que a don Ramón le moviese el temor a las posibles «puntualizaciones» de los críticos [4]; aunque no se nos oculte cuánto pueden tener estas «puntualizaciones» de malintencionado varapalo. Nos parece simplemente —y pedimos perdón por lo que de verdad de Pero Grullo tiene lo que sigue— que si don Ramón eligió un nombre distinto para «sus cosas» literarias es porque estas «sus cosas» son realmente distintas de todo género anterior. Y que es perder el tiempo tratar de buscarle un compartimiento literario apropiado a obras que fueron creadas —precisamente—

---

[4] ANTONIO RISCO, *La estética de Valle-Inclán,* Ed. Gredos, Madrid, 1966, página 82.

con la expresa idea de que no lo tuvieran. De otra manera su autor
no se hubiese tomado la molestia de bautizarlas así.

2. EL ESPERPENTO Y SUS FINES

a) *Según su autor*

El 31 de julio de 1920 la revista *España* comenzó a publicar por
entregas una obra dramática de Valle-Inclán titulada *Luces de bohemia*[5]. Además del interés que todo escrito del autor gallego despertaba siempre, aquella vez el lector habitual se encontraba con
otro detalle novedoso: el calificativo de «esperpento» añadido al título como explicación genérica.

No entraremos, por el momento, a discutir si *Luces de bohemia*
inauguraba un nuevo género literario o era, más bien, la culminación, como el redondeamiento total de un logro acariciado y entrevisto, perseguido pacientemente desde el principio en su carrera de
escritor. Ni si, en rigor, el esperpento puede ser calificado con propiedad como género literario, según parecen poner en duda varios
críticos[6] para quienes la invención valleinclaniana sería, más que un
verdadero género, una técnica o estética literaria utilizada, y perfec-
cionada, preferentemente por Valle-Inclán a partir de 1920.

Admitamos, como quiere su autor, aunque no sin ciertas reservas que nos permitirán más tarde volver a este punto, que *Luces de
bohemia* sea el primer esperpento en el tiempo y en el espacio.

De todos es conocida —por lo repetidísima— la escena duodécima
de *Luces...,* en la que Max Estrella (ya en las últimas, después de
una noche de constante deambular por «un Madrid absurdo, brillante
y hambriento») se dispone a malmorir bajo el quicio de su puerta.
Agonizante, el personaje de Valle —por muchos motivos, más lleno
de rasgos del propio don Ramón que del poeta bohemio, Alejandro
Sawa, que le sirvió efectivamente de modelo directo, o, si se quiere,

---

[5] Vio la luz en los números de la «Revista España», de 31 de julio a 23 de octubre de 1920.

[6] Véase MELCHOR FERNÁNDEZ ALMAGRO, *Vida y literatura de Valle-Inclán*, 2.ª ed.,
Taurus, Madrid, 1966, pág. 190; ANTONIO RISCO, *ob. cit.,* págs. 81 y ss.; M. DURÁN,
Valle-Inclán y lo grotesco, en «Papeles de Son Armadans», núm. CXXVII, octubre
1966, págs. 109 a 131; JOSÉ F. MONTESINOS, *Modernismo, esperpentismo o las dos
evasiones,* en «Revista de Occidente», núms. 44-45, nov.-dic. 1966, págs. 146-166.

de pretexto para poner en su boca todas las quejas y el dolor profundo y sincero que la situación del país le producía— nos explica en qué consiste la técnica del esperpento: «... una estética sistemáticamente deformada». Y para lo que éste sirve: Para expresar nada menos que «... el sentido trágico de la vida española»[7]. «Mi estética actual es transformar con matemática de espejo cóncavo las normas clásicas», sigue diciendo el moribundo ciego —pero clarividente— Max Estrella. «Deformemos la expresión en el mismo espejo que nos deforma las caras y toda la vida miserable de España»[8].

En este «deformemos la expresión» radica, a mi juicio, la clave, lo que hay de verdaderamente nuevo en el esperpento: la visión personalísima del mundo que, disfrazada de humorística ironía, cruel sarcasmo o regocijado caricaturizar, va a darnos el autor que hasta entonces había sido considerado primordialmente como un esteta fiel al modernismo. A aquel credo artístico especialmente de los primeros años, es decir, los de la última década del siglo XIX, al que se achacaban principios tales como el no querer utilizar la realidad cotidiana como materia artística, sino que prefería inventar reinos artificiales y maravillosos, héroes de un mundo aparte y decadente, paraísos de placeres más o menos prohibidos.

También habrá que preguntarse hasta qué punto hay quien crea hoy en día que tales características son las que definen con propiedad el movimiento literario que conocemos como «modernismo». Pero aun aceptándolas aquí sin discusión, como parecen aceptarlas quienes se empeñan en colocar a Valle-Inclán entre los seguidores más fieles y «ortodoxos» de tal escuela, para separarlo de los de la generación del 98, es verdad que *Luces de bohemia* se salía totalmente de los cauces de aquellas «invenciones modernistas».

El tema no sólo era una realidad viva —el mundo de la bohemia literaria española—, sino, en aquel momento, actual: la vida de Madrid en los mismos días que preceden a la publicación de la obra. El autor, aunque deformándolo todo a su capricho, valido de «ciertas lentes especiales», nos deja ver en esta obra un pedazo de vida, de realidad inmediata, lo cual muy raramente acaecía tan transparentemente en sus obras anteriores. (Recuérdese que, con excepción de

---

[7] *Luces de bohemia*, en *Obras completas de don Ramón del Valle-Inclán*, 3.ª ed., Madrid, Ed. Plenitud, 1954, vol. I, pág. 939. En adelante, las referencias a las obras de Valle-Inclán serán dadas por esta edición, que hemos manejado para nuestro trabajo, con la indicación *O. C.*, volumen y página correspondiente.
[8] *Ibíd.*

algún cuento de sus primeros tiempos, solamente *La media noche,* el relato que escribió basado en su visita a los campos de la primera guerra mundial, ofrecía un tema contemporáneo al lector; el resto de su ya más que popular obra tenía por escenarios mundos antiguos, épocas difusamente arcaicas, y por protagonistas seres con apariencia de criaturas mitificadas o históricamente periclitados. Así, las cuatro *Sonatas,* las dos primeras *Comedias bárbaras,* la trilogía de *La guerra carlista* y las obras que preceden a *Divinas palabras,* aparecidas en 1920.)

Con *Luces de bohemia* parece Valle-Inclán incorporar el campo de observación hasta el mismo presente. Y en adelante, cuando su mirada se dirige al pasado histórico —*El ruedo ibérico*—, será con el decidido propósito de iluminar el presente. Tal fuerza puso en la iluminación del pasado, que *El ruedo ibérico,* más que lección para los tiempos de Valle, se nos antoja aviso para caminantes de los tiempos que iban a venir. Y no poco de la realidad social y política de la España actual aparece genialmente intuida en aquellas páginas clarividentes. *El ruedo ibérico* —como se verá en su momento— es una mirada hacia el porvenir español aunque la cabeza del creador esté vuelta, en apariencia, hacia el pasado.

¿Cuántos esperpentos escribió Valle-Inclán? Si nos atenemos a las obras que bajo este rótulo publicó el autor en vida, la lista es más bien escasa: además de *Luces,* hablando en rigor, encontramos *Los cuernos de don Friolera* y *La hija del capitán,* ya que *Las galas del difunto,* en su primera aparición, Madrid, 1926, con el leve cambio en el título de *El terno del difunto,* fue primero calificada por su autor como novela. En edición posterior —«Opera Omnia», XVII, Madrid, Rivadeneyra, 1930— agrupó estos tres títulos bajo el epígrafe «Martes de Carnaval: Esperpentos».

Y aun cuando, aparte de las cuatro citadas, Valle no volvió a dar el nombre de esperpentos a ninguna de las obras que escribió después —y no debe olvidarse que la década de los años veinte fue la más fecunda en autor no muy prolífico—, la mayoría de los estudiosos y comentaristas consideran toda la producción que siguió a *Luces de bohemia* como auténticos esperpentos. Comprendiendo en esta clasificación incluso alguna obra levemente anterior, como el libro de versos *La pipa de kif* y la pieza *Farsa y licencia de la reina castiza* [9].

---

[9] Véase, por ejemplo, la clasificación que hace A. RISCO en su obra *La estética de Valle-Inclán,* ed. citada, págs. 110 y ss.

Por lo pronto puede ya deducirse que, con o sin la aprobación del autor, la crítica ha considerado que pueden encuadrarse bajo este epígrafe genérico original del autor, obras que pertenecerían —antes de Valle-Inclán— a géneros muy diferentes: verso, drama y novela. Al analizar varias de estas obras veremos cómo es incluso dificilísimo tratar de levantar las barreras genéricas que su autor derribó al crearlas. Tarea, por otra parte, que amén de inútil, nos parece que ha conducido a más de un crítico a conclusiones tan resbaladizas como la mencionada afirmación de que el de Valle-Inclán es más bien «teatro para ser leído», mejor que para ser representado en un escenario; o a juzgar la trilogía *Comedias bárbaras* como novelas dialogadas.

Que tal cosa sucediera en 1907 —al publicarse *Águila de blasón*— no nos extrañaría tanto, pues por entonces dicha obra debió resultar muy nueva. Pero que, en nuestros días, críticos tan perspicaces como Eugenio de Nora caigan en tan ingenua trampa, nos parece más difícil de creer.

Los dramas de Valle serán de mejor o peor calidad, más o menos fáciles de ser llevados a las tablas, algunos puede que hayan envejecido lo suyo desde que fueron escritos; pero adelantemos ya que nos parecen piezas dramáticas verdaderas, como tales concebidas y como tales —con más o menos genialidad, según los casos— llevadas al papel, para nuestra buena fortuna.

No deja de resultar sospechoso el que hombre como Valle, tan amigo de dar a sus lectores toda clase de pistas y explicaciones acerca de su trabajo de creación, de su estética, no se cuidase nunca de aclarar más en detalle cuanto dijo acerca del esperpento en *Luces de bohemia*. Prefirió seguir escribiendo velozmente esperpentos, como se lo imagina su biógrafo Ramón Gómez de la Serna, a volver a teorizar sobre la materia.

Habrá, pues, que recurrir al estudio del entramado de los esperpentos para poder deducir con exactitud todos y cada uno de los componentes de su complicado dibujo.

Para su autor, todo puede ser esperpento con tal de que se dé en ello «una deformación sistemática de la realidad». Y aunque el Max-Valle-Inclán de *Luces,* al explicar los fines del esperpento, nos diga que sirve para dar el sentido trágico de la vida española, tampoco puede tomarse dicha característica como límite o condición *sine qua non,* ya que en *Tirano Banderas* (para no pocos críticos la mejor de las novelas-esperpento de Valle) no se nos da una visión deformada de la realidad española, sino la de un lejano y deliberadamente difuminado país de Hispanoamérica [10].

No basta con asegurar que el esperpento valleinclaniano es una estilización o caricaturización de la realidad en torno. Valle se sirve del esperpento —que logra, eso sí, por medio de una eficaz estilización— para acercar a nuestros ojos esa realidad total; para hacérnosla ver en toda su pequeñez, falsedad o ridiculez con que a él, artista privilegiado, se le alcanza. Para darnos una radiografía moral de la humanidad toda [11], en la cual seamos capaces de contemplar, aumentada por las lentes de la sátira y el humor, coloreada con la gracia de un estilo bellísimo, la imagen de esos cánceres malignos que la van lenta, pero fatalmente, consumiendo.

Si el esperpento puede tener por contenido la realidad toda, sin límites, tampoco la forma de que vaya revestido tendrá que ajustarse a una horma literaria tradicional. Prosa o verso, drama o cuento, historia o novela, todo valdrá con tal de ser deformación sistemática, sujeta a reglas. Valle-Inclán no perdió su tiempo teorizando sobre este punto. Pero su obra habla por él: versos, piezas teatrales de muy diferente factura (entre sí y, sobre todo, si las comparamos con las del teatro de la época en que le tocó vivir), novelas y hasta artículos y ensayos periodísticos, son considerados por él, primero, y por lo mejor de la crítica, después, como ejemplos palpables de esta nueva creación, esa nueva mirada a la realidad que es el esperpento.

Valle-Inclán desde muy temprano comenzó a tener sus dudas acerca del mundo, de los seres que lo habitaban. Como otro Quevedo escéptico —con quien ya va siendo obligado tópico compararlo—, es un moralista que se sirve de su arte para dejarnos su lección. El esperpento, como los *Sueños* de Quevedo, será el látigo escarnecedor del que se vale para mostrar las lacras e injusticias, los pecados y miserias de quien se llama pomposamente a sí mismo «rey de la creación»; el medio por el cual su autor nos da, sin aburrido ser-

---

[10] Claro que tras ese leve disfraz el lector puede adivinar el país mejicano. Pero no se olvide que Valle en todo momento está mezclando, deliberada y cuidadosamente, detalles que pertenecen a lugares tan alejados como Perú, México y la Argentina. No es descuido —¡en ningún autor hay menos «descuidos» que en Valle!— ni mucho menos torpeza, sino meticulosa y consciente creación obediente a sus planes de «inventar» un país que resumiese el alma que él había visto a la América Hispánica.

[11] *Luces de bohemia* (escena última):
Pica lagartos.—¡El mundo es una controversia!
Don Latino.—¡Un esperpento!, *O. C.*, vol. I., pág. 957.

moneo, la desengañada y amarga lección moral, arropada en la más jocosa y cáustica sátira.

Con el esperpento denunciará a gritos las injusticias de una sociedad particular —el Madrid y la España toda de los primeros años del siglo XX, por ejemplo, en *Luces de bohemia*—; clamará a los cuatro vientos contra las injusticias políticas del régimen militarista y arbitrario —*La hija del capitán*— o se burlará despiadadamente de mitos considerados por los españoles como «sagrados» —el honor, en *Los cuernos de don Friolera*, el don Juan, en *Las galas del difunto*, o la sacrosanta «grandeza patria», en *El ruedo ibérico*.

Armado de su esperpento, Valle-Inclán derriba mitos, pone cargas explosivas a los paredones berroqueños de tanto falso castillo de «valores y virtudes» nacionales que el español de nuestro siglo miraba todavía con bobalicona admiración, sin atreverse a dudar de su validez, por candoroso temor o simple incapacidad.

Cuando don Ramón ilumina la realidad con luces distintas de las que el arte tradicional había usado, no lo hace solamente buscando la novedad estilística que se achaca siempre a los modernistas; busca más bien el dar la interpretación más clara de aquellos hechos que le interesaban personalmente y que no podían ser explicados en su total integridad más que con una técnica diferente. Pérez Galdós, primero, y Pío Baroja, más recientemente, se habían ocupado de «exponer» a su manera, antes que Valle, unos sucesos históricos. No se le ocultaba al autor de las *Sonatas* —conocía mucho más de cerca de lo que pudiera parecer los *Episodios* galdosianos, pese a las burlas y cuchufletas que se permitió lanzar contra el novelista canario en público y en privado— que aquellos autores, por muy diferentes caminos, habían ido tras la misma meta que él: sacar una enseñanza de los hechos pasados, a la vez que entretener con su fábula al lector. Ni que ambos se habían quedado bastante lejos del propósito inicial en lo que se refería a la posible enseñanza.

Se percató Valle de que, con los medios tradicionales, la lección que él iba persiguiendo quedaba medio oculta (cuando no oculta del todo, como sucede con el novelístico personaje Aviraneta, creado por Baroja) por la mera ficción. Las deducciones históricas que un lector inteligente podía sacar de un determinado período en la historia de un pueblo o de una sociedad determinada, quedaban difuminadas, perdidas, en la novelización tradicional. Y como toda su carrera literaria ha sido un constante «renovarse y buscar nuevos caminos» —el mismo Pío Baroja admiraba sin reservas el coraje de Valle-Inclán para

«empezar» de nuevo—, no duda ahora en exprimir entre sus afilados dedos de artista ese fruto agridulce que es para él la realidad,
a fin de extraerle nuevos jugos. (La imagen se nos hizo inevitable,
luego de leer el artículo de Zamora Vicente, titulado *Releyendo «Luces de bohemia»*) [12].

Sospechamos —intentamos demostrarlo más adelante— que el
esperpento no nació como por generación espontánea; que no fue un
«descubrimiento» más o menos genial de su autor, quien, un amanecer feliz, dio con la fórmula maravillosa. Sino que fue el producto
final de casi toda una vida de lucha difícil con la expresión, y que
solamente se concretó maduro y pleno, en las últimas obras de Valle-
Inclán. Pero, anticipemos aquí que, desde sus primeros balbuceos
como escritor, cuando ni siquiera su vocación estaba muy claramente
decidida, aparecen en sus escritos pruebas más que palpables de que
su «visión de la realidad» no es la que solemos tener los demás
mortales; según confesaba a su amigo, el crítico mejicano Alfonso
Reyes, años más tarde: «... Méjico me abrió los ojos y me hizo poeta. Hasta entonces yo no sabía qué rumbo tomar» (*Tertulia de Madrid,* Ed. Espasa Calpe, Buenos Aires, 1965, p. 65). Desde muy temprano en su oficio de escritor, aparecen en sus escritos muchos de los
elementos que constituirán más tarde el esperpento. ¿Cuáles son
estos elementos? Sirvámonos, para nuestro recuento, de los estudios
y análisis, las disecciones que con más o menos fortuna han sido hechas hasta ahora del extraño invento valleinclaniano y que el estudioso en general considera como los más importantes.

b) *Según los críticos*

Acudamos a las que nos parecen las mejores interpretaciones críticas del esperpento para ayudarnos a buscar los rasgos fundamentales, los elementos que lo constituyen.

Pedro Salinas, el admirable poeta, profesor y crítico, fue uno de
los primeros que se ocupó de la criatura literaria de Valle-Inclán;
en su ensayo *Significación del esperpento o Valle-Inclán, hijo pródigo del 98* [13], concluía Salinas que el esperpento era «una nueva visión
de la realidad», señalando su origen, el verdadero germen esperpén-

---

[12] «Ínsula», julio-agosto 1961, núms. 176-177, pág. 9.
[13] Fue publicado dicho ensayo en «Cuadernos Americanos», VI, núm. 2, marzo-
abril 1947, y recogido posteriormente en la 2.ª edición de su obra *Literatura española siglo XX,* Méjico, Ed. Robredo, 1949.

tico, «en las indicaciones escénicas de las *Comedias bárbaras*[14], por lo que lo llama «estilo de acotación escénica». Para Salinas, el esperpento «... se puede definir históricamente como un desesperado modo literario de sentir lo español del presente, so capa de retrospección»[15]. Reincorpora por ello a Valle a la generación del 98 y ve con claridad lo que don Ramón tenía de moralista: «Extraño moralizador, sin sermón ni sentencias; tanto que casi nadie le nota que lo es, que sus fantoches obran de ramales de disciplina, y el mundo del esperpento es —otro cuadro tremebundo de las ánimas— gesticulante aviso y enseñanza de extraviados»[16].

Azorín lo ve como simple «novela dialogada»[17], sólo que con «... un aire de sarcasmo, de profundo sarcasmo. Y después un tantico de caricatura». Se libra de la monotonía que suelen tener las obras sarcásticas gracias a «la expresividad maravillosa del autor..., a la riqueza léxica..., a la gradación que el sarcasmo reviste»[18].

César Barja, en su obra *Libros y autores contemporáneos*[19], nos dice que en manos del autor gallego la marioneta de la farsa sufre una esencial deformación: «Más que una realidad y más que una esencia humana que se reducen, es una realidad y una esencia humana que se agrandan, pero vistas por el otro lado precisamente, por el lado ridículo y grosero de la farsa y el esperpento»[20]. Esperpento es para Barja realismo «crítico y satírico» y señala sus antecedentes en obras como *Cuento de abril* y *La marquesa Rosalinda;* ve en el esperpento «... un sentido de la vida moderna, en el tema, aun cuando éste se proyecte dentro del horizonte histórico, en las ideas, en las alusiones, en la total concepción literaria»[21].

M. Fernández Almagro, el autor del que nos parece el mejor estudio de conjunto con que cuenta la bibliografía valleinclaniana, considera el esperpento como la concreción del sentido maligno del humor de Valle-Inclán; ve a los personajes esperpénticos, al contrario que la mayor parte de los estudiosos, como seres humanos más o menos deformados adrede por el autor, pero no como las marionetas

[14] P. SALINAS, *ob. cit.,* pág. 93.
[15] *Ibíd.,* págs. 111-114.
[16] *Ibíd.,* pág. 114.
[17] Prólogo a *Obras Completas de don Ramón del Valle-Inclán,* edición citada, pág. XXII.
[18] *Ibíd.*
[19] Nueva edición, *Las Americas Publishing Co.,* Nueva York, 1946. Este libro fue primero publicado por Ed. V. Suárez, Madrid, 1935.
[20] *Ibíd.,* pág. 410.
[21] *Ibíd.,* págs. 411-412.

o peleles de que hablan otros; la novedad mayor del esperpento es «la mirada misma» con que el autor abarca la realidad; es la elevación, la transfiguración plena del sainete que gana «... extraordinaria altura, y de lo que él nace no es en puridad un género nuevo, sino un nuevo estilo, otra manera de ver el mundo» [22].

Para Alfonso Reyes el esperpento es el resultado del «... choque entre la realidad del dolor y la actitud de parodia de los personajes que lo padecen. El dolor es una gran verdad, pero los héroes son unos farsantes» [23].

J. L. Brooks considera el esperpento como un «arma» inventada por Valle para llevar a cabo su sátira contra lo contemporáneo: «This new target called for a new weapon, and so was born the genre known as the esperpento» [24]. El ejemplo del perfecto esperpento le parece Los cuernos de don Friolera mientras que no considera verdadero esperpento a Luces de bohemia que pertenece «... structurally, rather to the category of Divinas palabras than to that of the shorter and more theatrical farses from which were derived the esperpentos» (art. cit., págs. 153-154). (Para Guillermo de Torre, por el contrario, es «... la tragicomedia novelesca Luces de bohemia, teoría y ejemplo máximo de un nuevo género: el esperpento» [25].) En un ensayo posterior reitera el profesor Brooks su convicción de que el esperpento es una venganza del autor incomprendido contra la sociedad [26].

Emma Susana Esperatti Piñero, en su admirable estudio sobre Tirano Banderas [27], ha hecho el que nos parece el más detallado y sagaz recuento de los elementos que constituyen el esperpento. Según la escritora argentina, Valle utiliza en sus esperpentos la siguiente serie de recursos: a) espejos deformantes que devuelven una realidad caricaturizada; b) peleles y fantoches humanos (que habían surgido en la mente del autor al poner al hombre en contacto con la muerte); c) máscaras o caretas; d) mundo más que real, teatral (cinematografismo, personajes como actores); e) animalización (que no

[22] MELCHOR FERNÁNDEZ ALMAGRO, ob. cit., pág. 188-190.
[23] Tertulia de Madrid, Ed. Espasa-Calpe, Buenos Aires, 1949, pág. 86.
[24] J. L. BROOKS, Valle-Inclán and the «Esperpento», en «Bulletin of Hispanic Studies», XXXIII, Liverpool, 1956, pág. 152.
[25] Véase GUILLERMO DE TORRE, La difícil universalidad española, Ed. Gredos, Madrid, 1965, pág. 136.
[26] J. L. BROOKS, Los dramas de Valle-Inclán, en «Estudios dedicados a don Ramón Menéndez Pidal», C.S.I.C., Madrid, 1957, vol. VII, pág. 188.
[27] EMMA SUSANA SPERATTI PIÑERO, La elaboración artística en Tirano Banderas, Ed. El Colegio de México, Méjico, 1957. Véase especialmente las págs. 86 a 105.

se detiene en el hombre, sino que llega también a los objetos inanimados); *f)* muerte (deformada, esperpentizada).

Eugenio de Nora piensa que el esperpento es «la elaboración estética utilizada como picota de escarnio de la realidad» [28]; es un imperativo de sinceridad, «un realismo iconoclasta» cuyo origen está en la preocupación, en el propósito de expresar lo más cercano, cotidiano y en choque con la sensibilidad del escritor» [29] y enumera luego las que él llama «leyes del esperpento» [30].

Parece extraño que en la documentadísima obra del profesor Díaz Plaja *Las estéticas de Valle-Inclán* no haya un intento definitorio o análisis pormenorizado del género valleinclaniano por excelencia. Aunque el crítico analiza varios esperpentos para ilustrar sus teorías respecto a la obra toda de Valle, ni una sola vez se roza el análisis del género en sí; tal vez no cree en su existencia independientemente de las obras analizadas por él.

La estética esperpéntica —según Díaz Plaja— sigue la línea de Quevedo y la picaresca; posee un claro acento madrileñista [31], aunque «la estética del esperpento no es, contra todo lo que se ha dicho hasta ahora, una estética de raíz nacional. Sin discutir la influencia de Goya, el culto a lo terrrible y lo monstruoso encuentra en Europa otros precedentes no menos importantes: Del Bosco a Brueghel, de Callot a Blake, de Durero a Hogarth y Daumier» [32]. No estamos de acuerdo en absoluto con la conclusión a que llega al final de su libro: «En los esperpentos hay asco, pero no hay denuncia ni indicación de caminos mejores» [33].

Muy diferente es el criterio de uno de los mejores estudiosos de la obra de Valle-Inclán; además de su ya clásico estudio de las *Sonatas,* el profesor Zamora Vicente lleva consagrados varios e importantes ensayos al resto de la obra valleinclaniana; en su reciente discurso de ingreso a la Real Academia Española de la Lengua analizó con su agudeza habitual *Luces de bohemia,* estudiando de una manera tan bella como exhaustiva la génesis, técnica y lengua del esperpento primero. (Dicho discurso ha sido notablemente ampliado y publicado posteriormente con el título *La realidad esperpéntica,* Ed.

---

[28] Eugenio de Nora, *La novela española contemporánea,* 2.ª ed., Ed. Gredos, Madrid, 1963, vol. I, pág. 86.

[29] *Ibíd.,* pág. 83.

[30] *Ibíd.,* pág. 87.

[31] Guillermo Díaz Plaja, *Las estéticas de Valle-Inclán,* Ed. Gredos, Madrid, 1965, págs. 82-83.

[32] *Ibíd.,* pág. 148.

[33] *Ibíd.,* nota 199 a pág. 256.

Gredos, Madrid, 1969.) Para Zamora Vicente el esperpento es el resultado «... de una mirada que comparte la real desventura. No se trata de caricaturas grotescas, sino de vida creciente, dolorosa... El esperpento es una cala en la humanidad: sin creer en ella no se realizaría tal expedición» [34]. Se sirve Valle del esperpento para darnos su lección, amarga y brutal, pero expresiva. Quiere destruir «... una humanidad corrompida, inservible, en esperanza de otra más presentable y generosa» [35]. Contra quienes le niegan vida al esperpento, piensa el crítico que «precisamente es vida lo que le sobra, vida que sobrepasa los límites de "esta vida" en la que solemos movernos» [36]. El esperpento es una «formidable fe de vida de un hombre que ha mirado su paisaje humano con una angustiosa voluntad de perfección» [37], es una dignificación de las farsas y parodias de fines del siglo pasado, del «género chico»; aquella «literatura de arrabal», la mayor parte de la cual pasó sin dejar huella, sirve a Valle como punto de partida [38]. No le convencen al crítico las teorías de quienes ven en la obra de Valle una persistente postura de esteticista extremado o desgarradamente «deformadora» por venganza o simple insolidaridad: «No hablemos más de "deformación". En todo caso, de lección avisadora. Asistimos a la génesis de un penoso «episodio nacional... detrás del que una mirada disculpadora vislumbra el mejor y el más puro invento del hombre: la esperanza» [39].

Para José F. Montesinos el esperpento «no es una inmersión en la vida o en un cierto medio, sino todo lo contrario; es nuevamente una evasión» [40]. El mundo de Valle, y su teatro, es granguiñolesco; lo que hizo el escritor, incluso en sus novelas, fue teatro de bululús y titereros» (art. cit., pág. 157).

Quizá el mayor esfuerzo hecho hasta ahora para estudiar el esperpento con la necesaria perspectiva sea el del profesor A. Risco, en su libro La estética de Valle-Inclán [41]. El autor considera a Valle como esteta integral, y al esperpentismo la otra cara del medallón estético. Me parece, sinceramente, que el estudio del profesor Risco,

[34] ALONSO ZAMORA VICENTE, Releyendo «Luces de bohemia», en «Ínsula», números 176-177, julio-agosto 1961, pág. 9.
[35] Ibíd.
[36] A. ZAMORA VICENTE, En torno a «Luces de bohemia», en «Cuadernos Hispano-Americanos», núms. 199-200, Madrid, julio-agosto 1966, pág. 217.
[37] A. ZAMORA VICENTE, Asedio a «Luces de bohemia». Discurso leído en su recepción pública (Real Academia Española) el 28 de mayo de 1967. Pág. 15.
[38] La realidad esperpéntica, Ed. Gredos, Madrid, 1969, págs. 22-53.
[39] Ibíd., págs. 197-198.
[40] JOSÉ F. MONTESINOS, art. cit., pág. 157.
[41] Ed. Gredos, Madrid, 1966.

con ser excelente por muchas razones, hubiese ganado en claridad iluminadora y hasta en profundidad si no hubiera mostrado tan decidido empeño en presentarnos a don Ramón como esteta absoluto. Nos parece que una personalidad tan rica, una obra tan compleja y multiforme —aunque no muy extensa en títulos— como las del creador del esperpento, se amoldan difícilmente a esa rígida estructuración de esteta monolítico; no podemos creer, por mucho que se esfuerce el crítico en demostrarlo, que sus protestas tengan siempre como raíz la estética, no la moral o el lamentable estado de la sociedad en que le tocó vivir.

El esperpento, nos dice Risco, «nace de una imposibilidad de crear verdaderos héroes y, por tanto, auténticas tragedias» (pág. 77). Falso teatro —o teatro para leer— heredero de la farsa (pág. 81). Hacia finales del siglo XIX y principios del XX soplan por toda Europa aires esperpénticos; ambiente pesimista ante la maquinización y la pérdida de libertad individual que inclina al artista hacia la protesta: Kafka, Pirandello, Jarry y Apollinaire adoptan parecida postura a la de Valle, el cual quiere evadirse de la realidad a mundos de la imaginación (págs. 105 y ss.). Partiendo de una visión negativa del presente, el esperpento llega a tener «... una significación ontológica: la sistemática destrucción de la realidad que llega a poner en cuestión al ser» (pág. 106) a la vez que combate el estragado gusto teatral del público madrileño con su paródico nuevo género (págs. 106 y ss.). Se burla de todas las formas de la literatura de su tiempo, alzándose al más refinado nivel artístico por medio de «una estilización sistemáticamente conducida a sus últimos extremos... alejándose tanto la parodia de su modelo, que adquiere completa independencia y autonomía artística» (págs. 107 y ss.).

No hemos agotado, ni con mucho, los análisis e interpretaciones que, a propósito del esperpento, han sido llevadas a cabo por la crítica, aun cuando hayamos mencionado las más sobresalientes. Después del centenario del autor, son abundantísimos los ensayos que inciden en los mismos o parecidos puntos de vista que los ya expuestos, por lo que prescindimos aquí de ellos dando fin a este «repaso» que emprendimos a fin de buscar ayuda con la cual podríamos definir, hallar esos rasgos y elementos esenciales y variados que dan forma y espíritu al esperpento. Preguntémonos, para concluir, qué es en esencia lo que caracteriza a esta nueva y extraña criatura literaria; cuáles son los elementos que la constituyen y dan forma.

3. RASGOS ESENCIALES DEL ESPERPENTO

a) *Deformación sistemática*

Para el creador de este «invento literario», y para buena parte de sus exegetas, lo más característico parece ser esa «deformación sistemática de la realidad», que deja al descubierto con más precisión que los géneros literarios tradicionales cuanto hay de corregible en este mundo nuestro. (Señalando, precisamente, lo falso, lo absurdo, lo pretendidamente grandioso de muchas acciones humanas; cuanto hay de risible, de inauténtico en las tenidas por «sacrosantas» virtudes nacionales; lo injusto, lo farisaico de una sociedad que se tiene por archicatólica, cuando la triste realidad es que no le queda sino un mortecino rescoldo de un fuego que, más que verdadero y auténtico sentimiento religioso, es una confusión de ignorantes rutinas supersticiosas que rozan la idolatría, con vaguísimas aspiraciones de cristiana perfección moral.) Es decir, la esperpentización muestra a las claras —aun cuando para lograrlo, muchas veces se valga de disfraces y máscaras granguiñolescas que le quitan temporalmente al hombre su apariencia de ser humano normal y corriente—, descubre sin hipocresías embellecedoras cuanto hay de negativo en esa «condición humana».

Este carácter «negativo» del contenido esperpéntico ha hecho que no pocos de los críticos de Valle le nieguen todo valor moralizante, preocupación sincera por el malestar de la sociedad, llena de injusticias y arbitrariedades en que le tocó vivir.

b) *Libertad de forma*

El esperpento —deducimos de lo que su creador hizo— puede revestir cualquier forma literaria tradicional, prosa o verso, novela o drama, con tal de que se persiga en ella el fin anteriormente mencionado: darnos una nueva visión de la realidad.

Ahora bien: cuando hablamos de «forma tradicional» no se entienda que afirmamos que el autor se atiene en absoluto a las reglas de los géneros literarios tradicionales. Eso sería pedir demasiado a hombre tan preocupado con la libertad artística como Valle-Inclán. Prefiere ser el «reinventor» de dichos géneros.

Cuando escribe «drama» —ya lo llame farsa, coloquios románticos, tragedia pastoril, escenas rimadas en una manera extravagante, farsa italiana, farsa infantil, farsa y licencia, comedias bárbaras, tragicomedia de aldea, melodrama para marionetas, tragedia de tierra de Salnés, auto para siluetas o, finalmente, esperpento—, sus obras presentan tantas diferencias con el llamado teatro tradicional que, para los críticos más intransigentes, representan serios problemas de clasificación. Tienen sus dudas: «¿Son o no son verdadero teatro?», llegan a preguntarse recelosos, inquietos. Para la mayoría de estos críticos, llamémosles «conservadores», y entre los cuales se halla el novelista Ramón Sender, admirador y amigo declarado de don Ramón, las piezas teatrales de Valle-Inclán son tan genuinamente suyas, tan «heterodoxas», que prefieren llamarlas —curándose en salud— «teatro para leer». Claro que, como en compensación, veremos que algunos de estos críticos volverán a tener sus dudas al enfrentarse con las novelas del mismo autor. Terminan por confesar que obras como *Tirano Banderas* o la inacabada serie *El ruedo ibérico* tienen, bajo la apariencia de novelas, una verdadera estructura dramática; que todo en ellas está visto, sustancialmente, bajo forma teatral.

c) *El humor y la sátira*

Ingrediente importantísimo, señalado por todos los estudiosos, es la alta nota satírica y caricatural de que el esperpento va impregnado. El sentido del humor de Valle-Inclán empapa todas y cada una de las páginas de sus esperpentos. Características fundamentales del humor esperpéntico son, para más de un crítico, la exageración deformadora y el juego de contrastes violentos.

Raramente puede encontrarse una página, entre las de este autor, en donde no se trasluzca su regocijado sentido crítico que le inclina —me atrevería a pensar que a veces contra su misma voluntad inicial— a ver cuanto hay de risible en todo lo que observa. Del comentario puramente jocoso se pasa a la ironía más intencionada y de ésta al sarcasmo más cruel, cuando lo observado le provoca el irrefrenable y certero dardo de su irritación, una instintiva tendencia moralizadora.

d) *Personajes extraordinarios*

En el esperpento nos encontramos casi siempre con personajes
«fuera de lo corriente». Tanto, que para la mayoría de los estudiosos
de la obra de Valle ni siquiera alcanzan la categoría de seres humanos. Algunos, en cambio, los ven, a pesar de los chafarrinones con
que los «adorna» el autor, como auténticos seres vivos. Así opinan
Fernández Almagro y Zamora Vicente, entre otros. Ramón Sender,
quien considera al esperpento como el «reverso del planteamiento
trágico», opina así a este respecto: «Los personajes de los esperpentos son individuos con excepción de *Luces de bohemia* donde son
caracteres» *(ob. cit.,* pág. 128).

El autor no se esfuerza en ningún momento —podría decirse
que es justamente lo contrario lo que se propone— por dar a sus
criaturas apariencia de «seres normales». Y es que esos «seres normales» de que acostumbramos hablar —parece pensar maliciosamente Valle— no existen más que en nuestra pobre imaginación. O, si
existen, son de una medianía tan ramplona que difícilmente podrían
servir como figuras en una obra de arte.

e) *Máscaras o caretas*

Muy a menudo, en el esperpento, nos salen al paso personajes
que van como agazapados tras una máscara deformadora, la cual no
nos deja ver sus rasgos físicos auténticos o por mejor decir aparen-
ciales, pues, como veremos en su lugar, las máscaras valleinclanescas
tienen por objeto, en la mayoría de los casos, descubrir la realidad
esencial de los seres que están tras ellas.

f) *Constante rebajamiento de la realidad*

En su preocupación por dar una visión burlesca, satírica o caricatural de la realidad que le interesa, el autor se sirve de varios recursos —algunos de ellos ya señalados antes— entre los que sobresale un proceso de «animalización». Es decir, el ir dotando a los personajes humanos que nos describe, de cualidades, actitudes o rasgos,
pertenecientes a la escala animal. Puede ir, tal «animalización», del

más sutil y metafórico detalle en un simple gesto, hasta el más brutal y acusador «retrato» de cuerpo entero. Debemos aclarar que en algunas ocasiones este «animalizar» no siempre indica rebajamiento, sino cierto matiz hasta embellecedor. Tal es el caso de los soldados carlistas, que si están vistos como animales —gerifaltes—, el ojo que los equipara a dicha ave de rapiña no deja de ver en el citado animal cierta nobleza superior.

Esta equiparación intencionadamente —en la mayoría de los casos— degradante no alcanza sólo a los seres humanos: animalizará también los sentimientos abstractos —el amor, el miedo, etc.—. Como contrapartida, Valle-Inclán dotará a ciertos animales, cuando le convenga, de cualidades, actitudes y hasta de gestos puramente humanos; en otras palabras: los humanizará. Dicho proceso de «escarnio» o «elevación» con fines primordialmente humorísticos se extiende incluso a la misma naturaleza. Contemplaremos el río, las nubes, los astros incluso —especialmente la luna— dotados de cualidades propias de seres animados. En su proceso de rebajamiento total llega a reducir a los seres humanos y a los mismos animales a puros objetos inanimados, en una especie de burlesca «cosificación» inmovilizadora.

g) *La muerte, personaje principal*

En ninguno de los esperpentos falta la presencia de la muerte. En repetidas ocasiones hace su aparición y, como el antagonista de las comedias clásicas, un gracioso al revés, acompaña al protagonista, llevándoselo no pocas veces al reino de la nada o, sencillamente, reduciéndolo con su sola presencia, a la categoría pura de «infrapersona». De fantoche, pelele o monigote de guiñol.

h) *Espejos, luces y sombras*

Siguiendo el ejemplo que le había brindado Goya, Valle-Inclán nos dice que se sirve de unos espejos «especiales» que tienen la virtud de reflejar en su superficie no la copia fiel de la realidad, sino una imagen retorcida y deformante de ella; una imagen que se parece más a la amarga realidad interior de cada cosa o ser que no a su aparencial y muchas veces falsa superficie visible. Reflejan estos espejos, como si dijéramos, la radiografía, mejor que la pura reproducción de esa realidad verdadera con la que el autor parece preocupado y a la que en el fondo trata de reproducir por todos los medios.

Con estos «espejos mágicos» —que no son, aclaremos, sino sus pupilas de artista que le obligan a ver de una determinada manera con el paso de los años, pero que desde sus comienzos como escritor han estado predispuestas a descubrir en la realidad toda el lado más risible— y con la ayuda de luces y sombras para hacer resaltar aún más los contrastes, el esperpento valleinclaniano se va redondeando. Luces, espejos y sombras, combinados sabiamente, servirán de maravilla a los propósitos del autor para darnos esa mezcla extraordinaria de fantasía y realidad, de tragicómico ensueño o alucinada pesadilla que es lo que suelen ser las obras bautizadas por el autor con el mote de esperpentos.

i) *Mundo irreal*

Así como los personajes del esperpento son, en conjunto, seres que exceden las normas ordinarias, también el mundo en que el autor les hace moverse resulta un mundo que se sale de la imagen que tenemos del nuestro. Tenemos muchas veces la impresión de que tal mundo es un puro escenario teatral, a veces tiene no poco del juego de luces y sombras de un mundo voluntariamente recreado con cierto gusto por lo cinematográfico.

j) *El desgarro lingüístico*

La crítica ha sido unánime en alabar la maestría con que Valle se sirvió, para sus fines artísticos más nobles, de la lengua coloquial; antes que él, en efecto, nadie se había servido con tal acierto artístico de expresiones, vocablos y modismos considerados como simples ordinarieces o groserías declaradas para figurar en una conversación entre gentes de buena educación, cuanto menos como materia de obra de arte literaria. Salvo los saineteros y parodistas de finales de siglo, que empezaron a servirse de la lengua hablada, para dar más realismo a sus diálogos, casi nunca para producir bellezas como las de Valle, fue don Ramón el primer escritor de categoría que, sirviéndose de este habla peculiar, de estos «materiales innobles», levantó monumentos artísticos de primera categoría; convirtió en piedras preciosas con su talento selectivo, lo que otros escritores antes que él —y los más de sus contemporáneos— consideraban como pura escoria del idioma.

Nos parece ciertamente que este habla peculiar en que están escritos los esperpentos es otra característica importante del género, si podemos hablar ya de un género. Ese habla «acanallada», jergal o barriobajera en que se expresan incluso muchos de los personajes de las clases sociales más elevadas en la obra esperpéntica de Valle, es uno de los rasgos más característicos de cuantos estamos intentando rastrear como parte integral del esperpento. Tal vez en ninguna otra obra de nuestra literatura moderna podríamos encontrar la adecuación más perfecta entre continente y contenido —fondo y forma, si se prefiere— que en los esperpentos. Lo veremos al analizarlos en detalle.

4. CONCLUSIÓN

Tales son, a mi juicio, los rasgos esenciales que sobresalen en el esperpento valleinclaniano.

De todos estos elementos se vale sutilmente el autor para construir su extraña criatura literaria y darnos con ella su interpretación de la realidad que le tocó vivir. Su violento juicio condenatorio, las más de las veces, ante lo que a él, artista responsable (sería prematuro aplicarle el título de «comprometido», aunque juzgado desde nuestro tiempo lo fue con todas las consecuencias que ello implicaba) se le aparecía como injusto, inmoral o artísticamente falso.

El esperpento, resumamos para terminar, podría decirse que es un cajón de doble fondo. Al abrirlo nos encontramos con un significado —o contenido— aparente, claro a primera vista. La burla y caricatura del mundo bohemio y literario del Madrid de los primeros años del siglo XX, en *Luces de bohemia;* los sarcásticos comentarios, las burlas desconsideradas, a un tema casi sagrado y respetado —¡considerado como algo de mucho valor!— entre los españoles, desde hace no pocos siglos: el del honor, y las terribles obligaciones que su pérdida lleva aparejadas, en *Los cuernos de don Friolera,* para no citar más que dos ejemplos.

Pero bajo ese primer fondo del cajón, tras ese contenido aparente, hay otro contenido aún más cargado de crítica e intención, visible sólo cuando hemos apartado cuidadosamente lo que veíamos a primera vista. El comentario del autor es más amargo, la crítica va más en clave, pero no por ello es menos operante. Es la auténtica moralidad, sin el aburrido sermoneo, que a veces suena a cosa impertinente en otros escritores que nos lo dan sin la sagacidad de Valle-Inclán; con este otro «doble fondo» se nos señalan las faltas más graves de un mundo que no es siempre lo que aparenta y, de pasada, se nos indica la necesidad de hallar una solución que el artista —demasiado cauto— no se atreve a proponer. De aquí el que a muchos críticos, que le han leído con bastantes prisas, no les parezca la postura crítica de don Ramón comparable a la de los otros escritores que forman la generación del 98. Veremos cómo con la destrucción de falsos conceptos, la iluminación de varios períodos «gloriosos» de nuestro pasado está, implícitamente, señalando nuevos caminos, a pesar de que no lo parezca.

Bajo las cómicas rechiflas dirigidas a un Madrid literario en *Luces de bohemia*, ¿no descubrimos con dolorido asombro la España toda, con sus políticos inoperantes, las injusticias sociales más bochornosas y el caos más absurdo tanto en lo moral como en lo material del país...? Es que tras la aparente fábula ejemplar de pecado y de perdón —*Divinas palabras*— ¿no descubrimos lo que hay de falso y rutinario en una religión de la que nos enorgullecemos demasiado fácilmente y hasta nos atrevemos a considerar como superior al catolicismo de muchos otros países europeos...? O, en la misma obra, ¿no nos estará indicando maliciosa e intencionadamente el autor que cuanto sucede en su fábula —en pequeña escala— es reflejo de lo que está ocurriendo en España en los años de la Regencia? Habrá que recordar que el «reparto» que del poder hicieran liberales y conservadores tiene curiosas resonancias con el que hacen del inocente idiota, Mari Gaila y su cuñada. La víctima propiciatoria —el pueblo infeliz, como Laureaniño, incapaz de obrar por su cuenta— acabará muriéndose, mientras las dos facciones se recriminan mutuamente. No entraremos más en detalle, por ahora, en lo que de intencionada parábola nos parece ver en *Divinas palabras*. Mas conviene señalar que es prácticamente imposible hallar una obra entre las de Valle-Inclán a la que no se le pueda ver un segundo significado semi-transparente, además del contenido obvio.

En el desgraciado Teniente Astete de *Los cuernos de don Friolera* encarnó Valle a todo un pueblo que, pese a su admitido respeto por el código de la moral cristiana más severo, no vacila en empujar a un semejante al crimen más estúpidamente brutal para «reparar» (?) una falta que ni siquiera ha sido cometida... Pero no es el tema del honor solamente el motivo de las críticas del autor; está, indirectamente, mostrándonos otras lacras que dominan en un pueblecito del sur peninsular. En esta obra —riquísima de temas y alusiones— los fondos secretos del cajón parecen múltiples, como veremos al analizarla; pero todos ellos —antimilitarismo, código del honor, valores espirituales huecos, envidia, etc.— se entrecruzan con técnica admirable para darnos uno de los esperpentos más complejos y de mejor calidad teatral de cuantos salieron de su pluma.

Sin los clásicos sermoneos, con gracia y recursos lingüísticos prodigiosos sabe don Ramón del Valle-Inclán dejarnos su lección mejor en cada esperpento. Lo imaginamos, regocijado y malicioso, sonriendo al acabar de escribirlo; mientras se peina la barba con los afilados dedos de su mano única, nos parece escucharle decir entre dientes: «Al que pueda entender...».

«ESPERPENTIZACIÓN»
ANTES QUE «ESPERPENTO» (I)

1. EL APRENDIZ DE ESCRITOR

Ha sido repetidamente señalada por la crítica la diferencia casi abismal que existe —en cuanto a calidad literaria— entre los primeros escritos de Valle-Inclán y los que salieron de su pluma tras aquella decena larga de años de duro aprendizaje [1].

Así como hay autores que podría decirse «están ya hechos» desde sus iniciales tentativas literarias —el prosista maduro de *Pepita Jiménez,* en sus estupendas *Cartas desde Rusia,* por ejemplo, y el Baroja de muchos años más tarde, ya latente en la forma y el contenido de *Vidas sombrías,* por no citar más que dos casos—, hay otros para los que el arte de escribir es algo más que voluntad decidida, vocación irrestañable: un largo, penoso aprendizaje. Fuerza de voluntad y mera vocación no serían nada en sí de no habérsele sumado un trabajo delicadísimo y esforzado, un batallar continuo con la expresión hasta hacerse con lo que llamamos una manera personal, un reconocible estilo. Penosas tareas ante las que solamente los escritores de raza no sucumben. Tales esfuerzos son los cribos finísimos que, a la larga van separando el trigo de la paja, el verdadero arte de cuanto no lo es.

---

[1] Para el análisis de los primeros trabajos literarios de Valle-Inclán es imprescindible el estudio antológico del profesor WILLIAM L. FICHTER, *Publicaciones periodísticas de don Ramón del Valle-Inclán anteriores a 1895,* Méjico, Ed. El Colegio de México, 1952. Véanse también los artículos de SIMONE SAILLARD, *Le premier conte et le premier roman de Valle-Inclán* —en donde se reproduce «Babel»—, y de CHARLES V. AUBRUN, *Les débuts littéraires de Valle-Inclán,* ambos en «Bulletin Hispanique», LVII, Burdeos, 1955, págs. 421 y 331, respectivamente.

Al repasar los primeros artículos y cuentos escritos por Valle-Inclán tenemos que conceder cierto grado de razón al profesor J. F. Montesinos, quien, hablando de ellos, mantiene: «... el joven Valle no es aún, ni con mucho, el consumado estilista que llegará a ser; o dicho sin ambajes, escribe mal, en ocasiones muy mal» [2].

Sin embargo, buscando con atención, hemos encontrado en muchos de ellos los que nos parecen ya rasgos característicos del Valle maduro; hemos anotado anticipos —torpes, si se quiere, ingenuos, pero gérmenes de algo muy valioso— de lo que va a ser el mejor estilo de nuestro autor. En medio de esos «párrafos terribles, testimonio de patética inexperiencia» [3], denunciados por Montesinos, saltan a la vista del paciente lector algunas peculiaridades que llaman nuestra atención. Asombrados observamos cómo el escritor desde época tan temprana contempla la realidad toda —y como tal trata de expresarla en sus escritos— de modo diferente a como solemos verla los demás. Nos percatamos, como dice el compilador de esos trabajos, William L. Fichter, «que ya desde sus primeros años de escritor, lo que le interesaba a don Ramón no era pintar la realidad tal y como era, sino dar vuelo a la fantasía para crear algo nuevo y original...» [4].

Y lo que es mejor, descubrimos que ya están ahí palpables y a la vista de quien se detiene a contemplarlos de cerca, no pocos de los elementos que hemos dicho constituyen su mejor criatura literaria, el esperpento. Todavía sin depurar; algunos apenas visibles, semi-enterrados entre el lodazal de frases de «inexperto», pero como minerales nobles que son, destacando de la ganga que los contiene.

2. PRIMERAS PUBLICACIONES

De los treinta y siete títulos que forman la colección rescatada por Fichter —que con los tres dados a conocer por Madame Saillard [5] son, hasta el momento, las primeras obras conocidas de las publicadas por Valle en periódicos y revistas, antes de que viera la luz su

---

[2] José F. Montesinos, art. cit., pág. 149.
[3] Ibíd.
[4] Publicaciones periodísticas de don Ramón del Valle-Inclán anteriores a 1895, ed. cit., pág. 21.
[5] Véase Fichter y Saillard, obras citadas.

primer libro *Femeninas*—, es revelador el hecho de que 21, más de la mitad, sean cuentos, novelas cortas o narraciones de tema más o menos imaginario. Especialmente cuando se piensa que el trabajo de periodista en Méjico tenía como principal misión la de comentar, o hacer eco de, las crónicas de la prensa española.

Entre esos 21 títulos, encontramos nueve cuentos [6] a los que podríamos calificar sin temor como de «muy valleinclanianos», no sólo por el tema —aventuras misteriosas de amor y muerte—, sino por el humor y la ironía de que están teñidos, así como por los especiales rasgos estilísticos de que se vale el novel, aunque audaz, aprendiz de escritor.

A media noche («La Ilustración Ibérica», Barcelona, enero 1889), narración que encabeza la colección, nos cuenta un misterioso viaje de un valiente caballero, conspirador carlista o emigrado, quien, con su «espolista», tiene que atravesar un paraje peligroso en el monte gallego para acudir a una reunión que suponemos importante. De un certero pistoletazo acaba con la vida de un salteador que les sale al camino, enarbolando una hoz para robarles.

Macabro y lleno de intencionado misterio, cuadro rural galaico, tiene para el estudioso de la obra literaria de Valle más interés por lo que de estos primeros tanteos puede deducirse que por su limitado y más que discutible mérito.

Aun cuando no pueda discutirse que la narración sea tosca e incipiente —el párrafo del comienzo es el que provocaba la irritación de Montesinos, en la citada reseña al libro de Fichter [7]—, puede apreciarse, por las variantes que el compilador añade de las versiones posteriores, el decidido propósito de mejora que anima al autor. Su consciencia de los defectos en la primera versión le hacen pulir y retocar otras dos veces el texto de esta primera tentativa. Y que no debió ser todavía muy del agrado de su autor, lo prueba el hecho de que al incluirla en las colecciones *Jardín umbrío* (1903) y *Jardín novelesco* (1905) la retocó tanto que podría decirse que es casi otra distinta [8].

El rey de la máscara («El Globo», Madrid, enero 1892) ya ha

---

[6] *A media noche, El rey de la máscara, Zan el de los osos, Caritativa, El canario, ¡Ah! de mis muertos, La confesión, Un cabecilla* y los dos capítulos de *El gran obstáculo*.

[7] J. F. MONTESINOS, «Nueva Revista de Filología Hispánica», núm. VIII, Méjico, 1954, pág. 96.

[8] Compárese la versión de *Publicaciones periodísticas...* y la de *Jardín umbrío*, en *Obras completas*, 3.ª ed., vol. I, pág. 1290.

sido señalada por más de un crítico como precedente temprano y
claro del esperpento. Para mí lo es, más por el extremado tono irónico —rayano casi en el sarcasmo— con que está contada, que por
lo espeluznante de su historia. La crueldad del cura de San Rosendo
de Gundar se manifiesta con algo más que unas gotas de ese «humor
negro» al que tan aficionado se hará el autor en su obra más tardía;
en la frase final el valleinclaniano sacerdote murmura, mientras pica
otro cigarrillo y piensa en su amigo, achicharrado en el horno:
«¡Pobre Bradomín! ¡Vaya una hornada!»

Extraña mezcla de misterio, brutalidad y humorismo es el cuento *Zan el de los osos* (publicado primero en «El Universal», Méjico,
mayo 1892, y reescrito luego para «Blanco y Negro», Madrid, 1895,
con el título *Iván el de los osos)*. Cuenta la terrible venganza que
toma un oso maltratado por su miserable domador de origen extranjero. Interés por el mundo de los titiriteros, gitanos o nómadas,
lenguaje artificialmente pintoresco y otra vez una aldea en el noroeste de España como fondo, son los ingredientes de que se sirve
Valle-Inclán para construir su historia. Tiene mucho interés para nosotros la posibilidad de confrontar las dos versiones, en la recopila-
ción del profesor Fichter. En los tres años que las separan, el autor
ha hecho muchos y positivos cambios que mejoran notablemente la
primera redacción. Ha ganado en belleza tanto como en concisión,
al suprimir gran parte de lo accesorio, sin perder por ello un ápice
del contenido emocional.

Caritativa («El Universal», Méjico, junio 1892) es el título de
otra narración en la que encontramos por primera vez a dos personajes que debieron ser caros a Valle-Inclán, pues los veremos más
tarde en otras obras. Se trata de Octavia Santino y Pedro Pombal,
dos seres desgraciados que han visto mejores tiempos y se encuentran ahora sin recursos y casi desesperados, aunque se confortan el
uno al otro ofreciéndose un poco de afecto, ya que nada material
pueden entregarse.

En *La confesión* («El Universal», Méjico, julio 1892) volvemos
a encontrárnoslos como amantes, y ella en trance de morir. Corregida y aumentada, verá la luz esta novelita, bajo el título *Octavia Santino,* en la colección *Femeninas*.

Y Pedro Pombal y Octavia Goldini —nótese el cambio de apellido— volverán a salir de la pluma de Valle en su primer drama,
Cenizas, que en 1908 se publicó con bastantes correcciones, bajo el
título definitivo *El yermo de las almas.*

Siempre amores desgraciados, amores imposibles, exactamente como se preludiaban en aquellos dos capítulos de novela publicados en el «Diario de Pontevedra» —en febrero de 1892—, *El gran obstáculo*. Aunque los personajes no se llamaran lo mismo, el ambiente de amores contrariados sí lo es. Y hasta hemos anotado, recordando el primitivo texto, el que debe ser primer caso de autoplagio, o reproducción literal de algunos de sus párrafos. (Fichter ya señala el retrato de Pablo Iglesias como copiado de Pedro de Tor, en sus *Cartas galicianas.)* Se trata de una escena en la que Octavia, semidormida ante el fuego de la chimenea, es despertada bruscamente por un extraño gato. Situación idéntica a la del protagonista de *El gran obstáculo:* «Un enorme gatazo de color barcino, que dormía al amor del brasero, despertóse, enarcó el lomo erizado, sacó las uñas, giró en torno, con diabólico maleficio, los ojos fosforescentes y fantásticos y huyó con menudo trotecillo. Jaime extremecióse, poseído de uno de esos temores pueriles que experimentan las imaginaciones enfermas» [9]. Salvo el nombre del personaje y que el gato, en el segundo caso, «... dormía delante de la chimenea...», el texto es idéntico. ¿Por qué extraña economía de recursos se repite —como lo hará luego tantas veces— el juvenil Valle-Inclán? ¿Será, como sospechamos, que sufrió desde sus inicios —¡quién lo diría, en este autor que pasa hoy por ser uno de nuestros más grandes imaginativos!— de una cierta dificultad creadora...? Esa preferencia por volver una y otra vez a temas y personajes ya utilizados, en lugar de buscar otros nuevos, así parecen confirmarlo. Y que no es solamente deseo de mejorar lo que le hace reiterar temas, sino más bien incapacidad inventiva lo atestiguan esas repeticiones textuales de escenas (o incluso de retratos, como el de iglesias o el de la señora de Echegaray), prueba de escasez imaginativa bien temprana.

El canario («El Universal», Méjico, junio 1892) es el único cuento francamente jocoso de la colección, sin que notemos en él los tonos dramático-trágicos que ponían tintes sombríos en casi todos los demás: el misterio, la muerte y demás ingredientes que parecían ser tan del agrado del joven autor no aparecen aquí. Agradable y picaresca narración de un sucedido entre una joven y no muy fiel casadita que, sin querer queriendo, coquetea primero y lo enamora después, y un inexperto oficialito, ayudante del más que maduro

[9] Véase SIMONE SAILLARD, *art. cit.*, en «Bulletin Hispanique», LVII, Burdeos, 1955, pág. 426.

general del ejército, esposo de la coqueta. También debió ser muy del agrado de Valle, ya que lo rescató y corrigió —con el título *La generala*— para su colección *Femeninas*.

Humor, misterio y escalofriantes aventuras —aunque por lo exageradas resulten muy cómicas— se dan la mano en el cuento *¡Ah! de mis muertos* («El Universal», Méjico, julio 1892), que es para J. F. Montesinos «un esperpento *avant la lettre*» [10].

Un cabecilla («El Globo», Madrid, 1893) narra un episodio «de la primera guerra civil». Curiosamente en las versiones posteriores —*Jardín umbrío* y *Jardín novelesco,* que contienen variantes textuales— se dice que es un episodio de la segunda guerra civil. Tal vez el autor se percató de que era muy extraño que el viejo guerrillero de la primera pudiera seguir viviendo todavía en esos años, siendo como era al protagonizar tan bárbara aventura ya muy viejo. Cuenta el tremendo castigo que un viejo guerrillero carlista impone a su propia esposa, por haber delatado a sus hijos, cuando los civiles le dieron tormento. Aunque no es muy original —sabemos que está basada en *Mateo Falcone,* de Prosper Mérimée [11]—, no deja de tener bellezas e interés. El aprendiz de escritor se muestra más seguro, maneja la lengua con más soltura y, salvo unos «relieves del yantar», de los que Rubén Darío se burlaría muy discretamente (¡tanto, que se los achacó al autor de *Peñas arriba* y no a su amigo Valle!, el cual se apresuró a modificarlo en la versión para *Jardín urbrío* [12]), puede decirse que *Un cabecilla* anuncia ya al mejor Valle-Inclán.

Pero no era mi intención analizar, ni siquiera tan esquemáticamente como lo voy haciendo, todos y cada uno de los ensayos o tentativas literarias del escritor primerizo. Interesan, sobre todo, vistos en conjunto. Analizados, como si dijéramos, en visión panorámica para que podamos dejar al descubierto esos rasgos visibles en una lectura sosegada, de que hablábamos anteriormente.

---

[10] J. F. MONTESINOS, *art. cit.,* en «N. R. F. H.», VIII, Méjico, 1954, pág. 426.
[11] Véase ANTONIO G. SOLALINDE, *Prosper Mérimé y Valle-Inclán,* en «Revista de Filología Española», VI, Madrid, 1919, págs. 389-391.
[12] Véase *España contemporánea (Novelas y novelistas y Los inmortales),* París, Ed. Garnier Hermanos, 1921, págs. 220 y 239, respectivamente.

3. RASGOS ESPERPÉNTICOS VISIBLES EN ELLAS

a) *Mundo irreal*

Clarísimo queda su interés por los asuntos tremendistas, de tintes románticos incluso, misteriosos y, por supuesto, nada «realistas». Leyendo estas primeras páginas de Valle-Inclán se tiene la impresión de que, incluso en los artículos dedicados a comentar la realidad española de su tiempo, el escritor trata de elevarse a regiones para él más atractivas, ya fuese con leyendas o consejas antiguas, ya con temas sociopolíticos progresistas.

Valle-Inclán, y en esto sí es modernista hasta la medula, trató desde sus comienzos de evadirse de aquella «asediante vulgaridad» de que hablaba Gullón en el libro *Direcciones del modernismo,* Ed. Gredos, Madrid, 1963, pág. 82. Busca por todos los medios a su alcance volar con su fantasía a esferas que le permitan olvidar la mediocridad de la sociedad gallega o madrileña, o mejicana para el caso, puesto que durante el año que permaneció allá, descontada la narración *Bajo los trópicos,* nada escribió que refleje su contacto con un mundo tan diferente al que conocía en Europa.

Negar —o no incorporar a su obra, que tanto monta— esa sociedad, esa realidad que tenía al alcance de sus ojos, es una forma de rebeldía. Todavía el ataque no es directo —como lo será en el «esperpento» más tardío—, mas su radical inconformismo le empuja, puede que no del todo conscientemente, a inventarse ese mundo legendario, de sangre y misterio; mundo, como el romántico, de ensueño, que se irá poblando de galanes aristocráticos y princesas pálidas y moribundas. Pero que suple al que tiene delante y no le satisface.

b) *Visión irónica, deformación incipiente*

Uno de los elementos quizá más característico de la obra valle-inclaniana, su poderoso ángulo irónico, ya está más que patente en la mayor parte de estas páginas del Valle juvenil. A veces son simples apostillas en forma de comentario directo del autor; otras —las más— es el tono deliciosamente humorístico-burlón que se esconde tras una aparente afición a lo macabro. Amor —o su aparencial forma erótica—, religión —o su ausencia, velado anticlericalismo al principio— y muerte, tres temas favoritos en el Valle posterior, hacen también aquí su aparición, no siempre despegados de buena dosis irónica.

La deformación, más o menos sistemática, de la realidad ha sido señalada por la crítica como uno de los elementos *sine qua non* del esperpento. El mismo autor se vale del poder deformante que tenían los espejos del «callejón del gato» para explicarnos en *Luces de bohemia* la técnica del esperpento. Confieso que tal explicación (aunque muy gráfica y acertada, y con no poco de imagen literaria para explicar un proceso mucho más íntimo de su capacidad creadora) me ha parecido siempre algo así como una «justificación *a posteriori*»; una afortunada metáfora del «cómo» más que del «por qué», de esa curiosa forma a que somete su creación literaria.

Más que por esos espejos deformantes —vistos en el célebre callejón madrileño, o en la fantasía del autor— me parece que habría que preguntarse, para alcanzar el verdadero origen del esperpento, por algo mucho más sencillo: ¿Cómo contempla Valle-Inclán la realidad en torno? Su mirada de artista no capta —como una lente fotográfica ordinaria— una imagen exactamente igual a esa misma realidad, o por lo menos al dárnosla a conocer —al escribir— la «dota», la transforma con brillante colorido o sometida a un juego de luces y sombras del que él sólo tiene el secreto, en algo que difiere no poco de la apariencia que llamamos «normal». Su mente creadora añade cualidades a lo visto por sus ojos. Interpreta los datos suministrados por la vista.

Cuando puede evadirla totalmente lo hace de buen grado y se refugia en aquel mundo legendario y aristocrático que Ortega bautizaría como de «bernardinas». Mas cuando no hay escape posible y tiene que pintar paisajes o tipos ordinarios para apoyar en ellos su fábula literaria, lo hace a partir de esa realidad, pero sometiéndola, por obra y gracia de su personal modo de ver, a esa deformación que con el paso del tiempo se irá haciendo más visible y caricaturesca.

Al principio, si hay deformación —como veremos en seguida, hay no pocos casos— es todavía una tímida y no siempre peyorativa distorsión. Recordemos que en el esperpento estudiado por la crítica señalábamos entre los rasgos principales deformantes: la *animalización* de los seres humanos; la *animación* —dotar a objetos inanimados o seres abstractos de cualidades que no les pertenecían—; la *cosificación,* es decir, el convertir a un ser humano por medio de una imagen apropiada en un objeto inanimado, y el *uso deliberado de espejos* deformadores, a la manera del Goya de los «caprichos». De todos ellos, excepto de los espejos, aunque para obtener efecto muy parecido se valga del juego de luces y sombras deformantes, hay ejemplos abundantes en estas primeras obras.

Cuando pinta el retrato de aquel legendario personaje galaico, Pedro de Tor, Valle-Inclán animaliza y cosifica; lo ve como a toro y como a roble, juntamente. Y como si no hubiese quedado satisfecho, redondea la imagen contemplándolo como «un terrón saturado de gérmenes de vida arrancado a la tierra más fértil del valle de Lemus» [13]. Con muy pocas modificaciones copia este retrato al hablar del socialista Pablo Iglesias (pág. 126).

En las mismas *Cartas galicianas* veremos una especial animalización que Valle explotará sobre todo en *El ruedo ibérico* para evitarse verbos *dicendi* o introductorios: «¡Pontevedra! —mugió un soñoliento viajero» (pág. 71).

Tímida todavía, pero no menos gráfica imagen animalizante, vemos en el algo más que campechanote cura de San Rosendo de Gundar, en el cuento *El rey de la máscara.* Tiene este personaje «ojos enfoscados y parduzcos como de alimaña montés». (Nótese la doble adjetivación seguida por esa comparación, a la que tan aficionado se hará más tarde el autor.) Y la peculiar forma de andar: «... caminaba deprisa, mostrando galguesca ligereza» (pág. 81), rasgo animalizador que será suprimido en la versión del mismo cuento que publicó en *Jardín umbrío (O. C.,* I, pág. 1267), en donde «... el cura caminaba deprisa, mostrando su condición de cazador».

En *Zan el de los osos* la mano del domador es «fina y atezada como garra de milano» (pág. 98). Tres años más tarde, en la versión del mismo cuento, que vio la luz en «Blanco y Negro», la misma mano diestra será «nerviosa y atezada como garra de milano» (pág. 99).

En el artículo *Madrid de noche,* los bohemios son «semejantes a aves nocturnas» (pág. 159), y «pájaros de la noche» volverán a ser en el mismo artículo los bohemios y «las horizontales», divertido calificativo reservado para las prostitutas.

A uno de los personajes de *¡Ah! de mis muertos* se le compara

---

[13] *Cartas galicianas,* en *Publicaciones periodísticas...,* ed. cit., pág. 96, y repetido casi exactamente al hacer el retrato de Pablo Iglesias, en págs. 126 y 127.

con un «toro de colmenar» (pág. 189), y al zapatero borrachín lo
llama su mujer «buey del trabajo» (pág. 192).

A la mujer del guerrillero —en *Un cabecilla*— la empuja el marido, en el momento más dramático del cuento, «con la culata de la
escopeta, pero sin brusquedad, sin ira, como a vaca mansísima nacida
en la propia cuadra...» (pág. 218). El propio cabecilla «se internaba
en la montaña, seguro como lobo que tiene en ella su cubil» (página 216).

Los mismos objetos de la naturaleza se le aparecen al joven escritor como seres vivos, y los sonidos mismos le sugieren asociaciones mentales peculiares: «Percibíase de un modo vago y misterioso
el rumor de la corriente que alimenta el molino y en ocasiones semeja alarido de can que ventea la muerte o gemido de hombre a quien
quitan la vida...» (pág. 54), en *A media noche*.

Cartas galicianas nos proporciona otros ejemplos: «... un misterioso farolillo parpadea y oscila —como la pupila de un gato en
las tinieblas de la noche» (pág. 72); mientras que «el viento, con un
retozo de muchacho...» (pág. 76), le desparrama al autor las cuartillas en donde se propone escribir otra de sus crónicas.

Humanizará también a su antojo casonas y edificios. Así, por
ejemplo, en *El rey de la máscara* contemplamos la casa rectoral: «Era
negra, decrépita y arrugada, como esas viejas mendigas que piden
limosna, arrostrando soles y lluvias, apostadas en las orillas de los
caminos reales» (pág. 81). Y animaliza a un objeto en *Cartas galicianas:* «La escasa luz de las luciérnagas eléctricas...» (pág. 71).

Como el agua de los arroyos, así el viento puede aparecérsele al
lector «interpretado» por la expresión del autor. Unas veces llega a
nuestros oídos en «... ráfagas... tibias y acariciadoras como alientos
de mujeres ardientes...» *(Bajo los trópicos,* pág. 168); otras es «un
misterioso bramido... que se retorcía en el hueco de las ventanas...»
(pág. 194).

Pero en donde llega al máximo, en cuanto «anima» a la misma naturaleza —en este caso un camino en la montaña—, dándole caracteres ordinariamente reservados a los seres humanos, es en el citado
cuento *Un cabecilla*. No debió satisfacerle el resultado conseguido al
exigente Valle-Inclán de unos años más tarde, pues al escribir la versión que incluyó en *Jardín umbrío* suprime el párrafo enteramente.
Con todo, y aunque, como al mismo autor no debió escapársele, tenga sus defectos, reproducimos el párrafo completo para que se vea
el esfuerzo del escritor para «animar» un trozo de paisaje: «... se

internaron en el hondo caminejo de la montaña, tan fresco en sus humedades de gruta, tan fragante con sus setos de florido saúco, tan lleno de alegres sustos con sus pasaderas bailarinas, tan amenazador con sus revueltas y encrucijadas, tan trágico con sus cruces negras, que recuerdan algún sangriento suceso, y tan viejo, ¡tan viejo!, que hasta en las lajas tiene impresas las huellas de los carros, surcos llenos de agua turbia que semejan arrugas de la edad, labradas siglo tras siglo en la trocha sombría, granítica y salvaje» (págs. 218-219).

La especial pupila del autor le hace ver en los rostros de las gentes detalles de la naturaleza: «(Rosita)... es morena de ese moreno melado y caliente como los racimos de Jerez, y tiene las mejillas coloradas como guindas de Triana..., el mirar, de buena gracia, alegre como el vino y dulce como la miel» (pág. 134).

Otro personaje como aquel Pedro de Tor-Pablo Iglesias, ya aludido, la Sabela de *El rey de la máscara* era «... rubia como una espiga, mohína como un recental, frondosa como una rama verde y florida...» (pág. 82).

Y el cabecilla del citado sangriento suceso de la guerra carlista «... era nudoso, seco y fuerte como el tronco de una vid patriarcal» (pág. 216). Nótese el calificativo «patriarcal», reservado de ordinario en Valle para los personajes venerables, «humanizando» aquí a la vid en correspondencia justamente contraria de la cosificación que hace del guerrillero viejo. El autor redondea el retrato con otros detalles para darnos la impresión de estatua antigua y pétrea, pues como tal se le aparecía este personaje.

Vemos, pues, que la realidad, vista con los ojos del joven escritor, puede tener aspectos muy peculiares. Si esos ojos que contemplan asombrados un mundo que no acaba de satisfacer al aprendiz de artista —de aquí el que lo rechace en muchas ocasiones, intentando crearse otro más atractivo— no tienen todavía la fuerza penetrante que adquirirán más tarde, no puede negarse que lo contemplan todo de una manera muy personal. Si en esos ojos de escritor novel no hay aún esa lágrima dolorida de que nos habló Zamora Vicente [14], a través de la cual —¡emocionada lente deformadora!— observa Valle el terrible malestar moral y material de nuestro país y, en consecuencia, escribe esa amarga y palpitante crónica del tiempo que es *Luces de bohemia,* puede decirse, por cuanto llevamos seña-

[14] ALONSO ZAMORA VICENTE, *Asedio a «Luces de bohemia»,* Madrid, 1967, página 63.

lado, que la mirada del joven autor no se contenta —ni se detiene en ella— con la superficie aparencial de la realidad.

Trata, por el contrario, de calar en la entraña de la realidad, de penetrarla para descubrir y descubrirnos más certeramente lo que hay bajo esa «cáscara» primera. Que hay una íntima conexión en opinión de Valle entre la realidad aparente —lo que se ve— y el espíritu o alma que da vida y forma a esa realidad —ya sea una persona, ya un acontecimiento histórico— queda bastante en claro desde estas primeras y, algunas veces, toscas obras.

No sería muy aventurado pensar que haya sido esta especie de afición a ver en todo como una doble capa, lo que le inclinó desde muy pronto a escribir lo mejor de su obra con una fórmula que hace pensar en una especie de «cajón de doble fondo». Y aunque no sea este el momento de pararnos a discutir tal «doble fondo» —que todavía no pocos críticos niegan vehementemente— adelantemos ahora que muy raramente Valle-Inclán hablará sin servirse de humorísticos rodeos, de hábiles y magníficos trucos literarios, que le permitirán decir las cosas más atrevidas y revolucionarias, en momentos en que hablar directa o abiertamente no era ni conveniente ni todas las veces posible.

Hablando por medio de parábolas, de alegorías suficientemente disfrazadas de disparates intrascendentes o historias periclitadas, se evitaba el enojoso trance de «predicar», de tronar contra aquella sociedad mediocre que ni siquiera se tomaba la molestia de escucharle. Y como no sabe «hablarles en necio», prefiere hacerlo en lenguaje cifrado. «Al que quiera —¡y pueda!— entender, que entienda...», nos parece escucharle decir con su sonrisa burlona de sátiro celta, mientras organiza cuidadosamente los mil y un detalles que «disimulan» el verdadero contenido de la mayoría de sus obras.

c) *Otros rasgos esperpentizantes*

1. Luces y sombras

Con gran acopio de datos señaló la señorita Speratti Piñero, en su valioso estudio sobre *Tirano Banderas,* el uso que de los espejos había hecho Valle-Inclán para darnos unas imágenes más o menos deformadas y deformantes. Se inclina a pensar la crítica argentina que Goya, efectivamente, en sus «caprichos», le había mostrado a Valle la posibilidad «deformatoria». Nos atrevemos a sugerir que antes ya de que aperezcan los espejos primeros en la obra de don Ramón se pueden rastrear imágenes deformadas no por efecto de las lentes o espejos cóncavos-convexos, sino por el más sencillo método de las luces y las sombras.

Contemplemos el efecto, por ejemplo, en una semidesierta estación del ferrocarril. He aquí lo que descubrimos: «El andén estaba desierto: solamente un hombre con galón de plata en la gorra y un farol en la mano iba presuroso de uno a otro lado: la sombra del tal dibujábase sobre el suelo blanquecino, alargándose y encogiéndose a los zarandeos de la luz con cierto ritmo funambulesco y fantástico» (de *Cartas galicianas*, artículo publicado en «El Globo», Madrid, 13-X-1891. Recogido por W. L. Fichter, *ob. cit.*, pág. 71).

No solamente deformación, sino «un cierto ritmo funambulesco y fantástico», a los que tan aficionado va a ser por muchos años don Ramón.

Otro caso: «Hundido en el sillón y más dormido que despierto, Pedro Pombal veíala preparar la cama en una esquina. La sombra de la italiana adquiría en la pared la traza de una vieja; se alargaba y encogía como visión de pesadilla aplastándose en el techo, dislocándose en los ángulos, con ritmo funambulesco que tenía algo de diabólico y recordaba los saltos caprichosos de las ideas en las noches de insomnio y calentura» (*ibíd.*, pág. 180).

No solamente hay deformación, sino aclaración significativa: la sombra anuncia la decadente vejez de la pobre cantante. Ya es casi «una visión de pesadilla», con esos detalles que el autor nos facilita; de nuevo el «ritmo funambulesco», aunque esta vez tenga «algo de diabólico» y haga pensar en un preanuncio de esas escenas surrealistas que años más tarde van a ser tan empleadas por artistas y escritores.

2. Máscaras

Las máscaras, otro elemento tan caro al Valle posterior, ¡al «último Valle», como le llaman los que se empeñan en ver en él a varios artistas que se suceden!, hacen aquí su primera aparición. En el cuento *El rey de la máscara* no solamente la muerte (el cadáver del sacerdote asesinado) viene cubierta con una máscara, sino que la acción transcurre en noche de carnaval, en la que unos cuantos presuntos «mozos alegres», ocultos bajo sendas máscaras, irrumpen en la casona del cura de San Rosendo de Gondar.

Pero también nos encontramos con la otra, la máscara moral de la que, quien más quien menos, todos hacemos uso alguna vez en la vida. El mismo personaje de *Caritativa,* Pedro Pombal, el que veía las extrañas sombras bailando en la pared, tiene un momento de debilidad: «Harto de disimular y sufrir, se arrancaba la máscara y aparecía tal cual era» *(ibíd.,* pág. 178).

3. España

Hasta que Pedro Salinas escribió su tantas veces citado artículo en el que reincorpora a Valle-Inclán como «hijo pródigo del 98», la crítica había coincidido en atribuir a don Ramón un carácter de escritor modernista y esteticista al que la situación y los problemas de España al lado de los puros problemas artísticos le dejaban poco menos que indiferente. «Cuando se decide a enfrentarse con la realidad histórica de España —piensan los mencionados críticos— escoge deliberadamente uno de los momentos más deplorables, para poder así escarnecerla y burlarse, haciendo gruesa caricatura, de la patria. No hay auténtico "dolor de España" en su obra, como en la de sus coetáneos, los del 98. Aquéllos sí...» Se diría que estoy exagerando y, sin embargo, todavía hoy pueden leerse tales —o muy parecidas— afirmaciones en artículos recientes dedicados a estudiar la obra de Valle.

Es cierto que no hay una posición abiertamente denunciadora respecto a los problemas de España en el juvenil autor que estamos intentando analizar; pero, ¿en qué escritor de los del 98 la hay antes de 1895...? Con todo, buscando con calma nos hemos llevado ciertas sorpresas. En primer lugar, ahí están los artículos publicados en Méjico y dedicados a comentar el cierre de unos astilleros que amenazaban con dejar sin pan a más de dos mil obreros. Su simpatías republicanas al hablar de Salmerón; su sincero dolor al comunicar la muerte del «terrible revolucionario» Paul y Angulo, al cual ya entonces —nos parece leer entre líneas— consideraba incapaz de haber asesinado a Prim.

Como caídas de la pluma, apenas intencionadas, se pueden espigar en esos artículos escritos en Méjico, varias ironías sobre España. Con qué divertido tono se burla, por ejemplo, de que todo un señor ministro de Fomento se desplace a la sierra madrileña, acompañado por el director de Agricultura, para plantar un pino: «Uno de los caracteres distintivos del pueblo español es la pompa con que reviste los actos de menor importancia. En España... todo se hace a lo grande, y para todo hay dispuesto un festival» (ibíd., pág. 112). El lector actual no puede por menos de sonreír ante tales «manifestaciones» y pensar que, en eso, como en tantas cosas, no hemos cambiado mucho.

En otra ocasión achaca al sedimento árabe en la sangre española nuestra afición a los toros y a la guitarra (ibíd., pág. 115).

Y en el trempanísimo cuento o esbozo novelístico que no llegó a completar, Caritativa, encontramos uno de los que nos parecen primeros intentos esperpénticos. Habla de la ciudad de Brumosa —léase Santiago de Compostela—, pero se nos antoja que las palabras del joven Pombal las ha pensado alguna vez, y muy sinceramente, otro estudiante de leyes en la Universidad compostelana. Aquel mozo que ya iba contra la corriente de mediocridad y escribía sus primeros artículos en las revistas y periódicos locales. Su nombre era, simplemente, Ramón Valle Peña. Las palabras con que retrata —con más sarcasmo que dolorida ironía, es cierto— la realidad espiritual de «Brumosa» nos parece que van dirigidas contra el país todo, aun cuando Pombal-Valle Peña sea, todavía, un poco tímido y no se atreva a decirlo abiertamente. Escuchémosle: «... Brumosa no era una ciudad, sino una gran iglesia en donde se reverenciaba el culto de lo razonable, que tenía por pontífices unos cuantos sabios idiotizados, con el alma seca, como las polvorientas hojas de un infolio, y momio y amojamado el cerebro, atiborrado de latines bárbaros y de sentencias hueras; hombres incapaces de concebir nada que no fuese a su imagen y semejanza, metódico y vulgar, como ellos mismos: producto híbrido de las capas sociales intermedias, de esa burguesía glotona, tacaña y sensual; vulgo con títulos académicos, gentes que, por no ser nada, ni eran pícaros redomados, ni hombres de bien a carta cabal» (ibíd., pág. 179).

Contra tan lamentable sociedad, ¿cómo no iba a reaccionar violentamente el ilusionado y juvenil artista que era Pedro Pombal...? Al ilusionado y juvenil Ramón Valle le queda el camino de la evasión —rebeldía bajo otro nombre— y reaccionará emprendiéndolo, tratando de olvidar esa gris existencia. Pero esos trazos de su pluma, ¿no salen irónicamente movidos por lo que sus ojos —¡especiales espejos cóncavo-convexos muy anteriores a los del «callejón del gato», puesto que aún no ha estado en Madrid!— le han hecho contemplar en aquella para él moribunda y decrépita sociedad compostelana, o pontevedrina, que para el caso es lo mismo?

Ese templo de lo razonable con unos pontífices —sabios idiotizados— que tienen almas secas y cerebros atiborrados de latines bárbaros y conocimientos hueros, ¿qué es sino un elemental esperpento, un retorcimiento de la imagen real de aquel Santiago de Compostela que el joven artista tuvo ante sus ojos durante varios años...? Pequeña burguesía «incapaz de concebir nada que no fuese a su imagen y semejanza, metódico y vulgar»; clase media aborrecida que después desaparecerá casi por entero de sus obras, ¿no será de aquellos años juveniles de donde provengan sus furias contra todo un sector de la sociedad que le parece despreciable...? «Vulgo con títulos académicos», «burguesía glotona, tacaña y sensual»; gentes del medio, que no eran ni lo uno —«pícaros redomados»— ni lo otro, hombres de bien; insultos intencionadamente feroces, sarcásticos; insultos de hombre indignado ante la estúpida pasividad de todo un «pequeño mundo mezquino» —espiritualmente pequeño— al cual pertenecía por nacimiento.

Las palabras de Pombal son las primeras muestras de una rebeldía sincera, de un «dolor de España» producido en el alma del autor por el mal estado de la sociedad en torno. El mencionado párrafo nos parece —y no se nos tome por exagerados— algo más que un rasgo anunciador del esperpento.

4. PECULIARIDADES ESTILÍSTICAS

a) *Acumulación de adjetivos*

Se ha dicho repetidamente que el estilo del juvenil Valle-Inclán está muy lejos del que le hizo famoso años más tarde, y sería por demás ingenuo el mantener lo contrario.

Resulta curioso, sin embargo, el encontrarse en estas juveniles tentativas con algunos rasgos peculiares y característicos del mejor estilista posterior. En medio de no pocos balbuceos y deficiencias casi pueriles se destacan algunos recursos que no sólo darán color y sabor especial a su estilo de muchos años más tarde, sino que ya están usados en estas primeras salidas al «ruedo literario» con la misma intención, y no pocas veces idéntica maestría, con que lo hará el estilista consumado de las obras finales. Tal, por ejemplo, el uso peculiar de la adjetivación múltiple, o el interés temprano que por el habla coloquial y la lengua popular demostró Valle-Inclán.

Ha sido citada por todos los comentaristas de las *Sonatas* la afición de Valle al empleo combinatorio de un sustantivo seguido —o precedido— de dos o más adjetivos. Zamora Vicente, en su reciente estudio *Asedio a «Luces de bohemia»* [15], ha puesto en claro muy sagazmente la diferencia que existe —la revolución estilística que tal uso representa— entre el manejo del citado recurso por Valle-Inclán y lo que hacían los autores precedentes, que combinaban dos vocablos con parecida intención; para el autor de *Peñas arriba,* por ejemplo, explica el profesor Zamora Vicente, la acumulación de tres adjetivos le servía únicamente para amplificar el contenido semántico del primero. Eran sinónimos, o de muy semejante valor semántico. En cambio, para Valle el recurso no es lo mismo. A veces utiliza tres adjetivos que no tienen absolutamente nada en común; solamente es la voluntad creadora —definidora, diríamos nosotros— del artista la que los engarza espiritualmente para dar esa impresión global y exacta, definitoria más que amplificatoria.

Que tal recurso aparezca de cuando en cuando y como tanteo estilístico en el juvenil Valle-Inclán no puede extrañar demasiado. Lo que seguramente no parecerá tan ordinario es que nos tropecemos con dicho rasgo a la vuelta de cada página, con una machaconería ciertamente sospechosa.

La combinación más abundante —faltan pocos para completar una centena los ejemplos anotados— es la de sustantivo más dos adjetivos. Pero hay también (seguimos hablando de esta colección de artículos y cuentos primerizos) dieciséis ejemplos de sustantivo con tres adjetivos, y cuatro casos de sustantivo seguido de cuatro adjetivos.

Sería fatigante señalar aquí todos los casos de adjetivación múltiple que pueden hallarse en estos primeros tanteos literarios del escritor. Permítasenos señalar alguno de ellos por el interés que nos parece tienen y por lo que de su temprano empleo puede deducirse.

Los primeros casos de adjetivación doble siguen más o menos la norma tradicional empleada por Pereda y otros autores: «... modo vago y misterioso» (pág. 54), «añosos y copudos árboles» (pág. 59),

[15] *Ibíd.,* pág. 107.

4

«naturaleza excitada y sensitiva» (pág. 69), «ritmo funambulesco y fantástico» (pág. 71), «tema tan interesante y ameno» (pág. 73), «hombre amable y afectuoso» (pág. 74), «castillo saqueado y quemado» (pág. 77), «solitario y temeroso camino» (pág. 96), «traje extraño y pintoresco» (pág. 98), «pasos cojos y desiguales» (página 191), «andar precipitado y descompuesto» (pág. 98), «nublada y triste como tarde otoñal» (pág. 139), «un algo raro y romancesco» (pág. 174) y muchos otros casos.

Mas el lector descubre pronto que varias veces los adjetivos no son tan semejantes. Que hay algo extraño en ese aparejamiento a que el autor los somete, aunque nada de incongruente. Como toda novedad, choca a nuestros oídos que no están preparados, pero no molestan a nuestra comprensión, antes al contrario, la ayudan. Nos encontramos así con «un rostro soso y juanetudo» (pág. 73), en el retrato de «su poeta favorito», don José Echegaray. (¡Qué lejos todavía de la anécdota del «viejo idiota»...!); con una mirada —en el mismo retrato de Echegaray— «sutil y mansamente burlona»..., «la boca ancha y bondadosa» (pág. 74). Nos topamos también con «gentes duras y sobrias» (pág. 101), con un «cadáver mutilado y palpitante» (pág. 103), con «figuras pálidas y desaliñadas» (pág. 159), «mujeres... ardientes y morenas» (pág. 169), de «ojos vivos y negros» (pág. 185); presenciamos «besos frenéticos, delirantes» (página 187), y hasta «un beso sensual y alegre» (pág. 188); «rostros tiznados y ocultos» (pág. 194); oímos una «voz... opaca y resonante» (pág. 195) y vemos una «manta rota y sangrienta» (pág. 196). Ejemplos en su mayoría en donde está claro que el recurso literario va tomando un tinte personal. ¿Qué tienen de común, por ejemplo, los vocablos «solapada» y «granítica» aplicados a «voluntad» en la página 220...?

Pero más acentuada todavía la innovación señalada por Zamora Vicente, más claramente valleinclaniana, se nos aparece en los casos en que el sustantivo va seguido de tres o más adjetivos; son muy abundantes y aquí sólo entresacamos unos pocos ejemplos: «trocha sombría, granítica y salvaje» (pág. 219); «autor moderno, sugestivo y maníaco» (pág. 210); «mujeres hermosas, nobles y fuertes» (página 212); «burguesía glotona, tacaña y sensual» (pág. 179); «ladrillos... colorados, rotos y danzarines» (pág. 175); «ojos negros, traicioneros, morenos» (pág. 135); «calles estrechas, altas y tortuosas» (pág. 71); «Cristo bizantino..., desmelenado y sangriento» (página 63), etc.

Y, finalmente, los casos, menos numerosos, de sustantivo acompañado de cuatro adjetivos: «... compañía distraída y pintoresca, sombría o regocijada» (pág. 65); «... aquella sensación sostenida y vibrante, acre y gustosa» (pág. 67); «una muchacha morena y ojinegra, un si es o no es trapera y descocada» (pág. 164); «con expresión sobrehumana, dolorida, suplicante, agónica» (pág. 204).

Podemos deducir, por tanto, sin temor a equivocarnos, que el joven escritor se dio cuenta de las posibilidades —no explotadas por nadie antes que él— del empleo del adjetivo múltiple y las adopta pronto. Primero las utiliza con relativa cautela; va aumentando su uso a medida que se siente seguro de su capacidad inventiva. Además, la adjetivación múltiple, como el período doble o paralelístico en la prosa de las *Sonatas,* dota a su prosa de un cierto ritmo; matiz que completará en muchos casos añadiendo una frase comparativa: «diestra fina y atezada como garra de milano...» (pág. 98), por ejemplo. Y de todos es sabida la importancia que la musicalidad de la frase tenía para Valle-Inclán.

b) *Interés temprano por el habla popular*

También desde muy pronto, en sus años primeros de aprendizaje, le vemos inclinado a escuchar con sigular atención las voces del habla de la calle. Si su oído musical no fue muy bueno (era incapaz de distinguir dos instrumentos musicales tan dispares como el bombo y el violín, si hemos de creer a Ricardo Baroja)[16], no es menos cierto que su oído lingüístico debió ser finísimo. Atento siempre, abierto a las expresiones de la lengua de todas las capas sociales, debió ir haciendo acopio durante toda su vida de una colección extraordinaria de términos y expresiones precisas y preciosas; adquiriendo un vocabulario pintoresquísimo que emplearía tan sabiamente en sus obras últimas. Ese «habla» de Valle-Inclán, a la que tantos autores se han referido en sus ensayos para alabarla sin restricciones —Unamuno, Juan Ramón y mil y un crítico más—, pero que todavía no ha sido estudiada con la atención que se merece, esa herramienta tan rica para construir su mejor prosa, va siendo acumulada desde estos primeros pasos juveniles.

[16] RICARDO BAROJA, «El Sol», Madrid, 7 de enero de 1936, pág. 5.

Las primeras muestras de su interés por la lengua popular nos las deja ver en dos articulitos de costumbres, publicados durante su estancia en Méjico. En el artículo dedicado a la vida nocturna madrileña nos encontramos con términos como «curdas» por borracheras, y expresiones tan gráficas como «hacer la carrera» o «pegar un sablazo»; se refiere a las prostitutas llamándolas «las horizontales» y nos dice que entre ellas las hay como «palmitos de cielo», tienen «cuerpecitos gachones» y «los andares con sandunga» (págs. 158-159); vocabulario que está denunciando al mozo provinciano que, llegado a Madrid en la última década de siglo, ha escuchado con la boca abierta por la admiración ante lo gráfico de las expresiones (tal vez en el teatro, pues no es arriesgado suponer que asistiría a las parodias y farsas por entonces muy en boga, tal vez en la misma calle o en los cafés) y ha hecho suyos tales maneras y dichos pintorescos.

Palabras de mal agüero es el título del segundo artículo en el que se echa de ver su gozo por lucir expresiones coloquiales y hasta algún término de caló. Que tal cosa es una novedad que le atrae, lo demuestra el hecho de que el empleo de frases y vocablos está como si dijéramos «hecho en bruto», todavía no muy bien asimilado, sin la naturalidad que adquirirá en sus obras posteriores.

Para copiar el habla de la moza —la prójima la llama él— del café cantante, recurre Valle al conocido y fácil recurso de imitar el lenguaje hablado destrozando el escrito; diciendo «chiquío» por «chiquillo», y frases como «... no te hagas é rogá y tomaráz...» (página 163), o «Haz é perdoná la confianza, mal encarao» (pág. 164). Abundan las expresiones que quieren ser populares. Utiliza para ello toda clase de trucos, que no acaban de convencernos, como tampoco debieron satisfacer al autor, pues le veremos muchos años más tarde, dueño ya de una manera propia de imitar —de recrear— el habla popular, sin tener que recurrir a estos elementales y vulgares retorcimientos fonéticos. En *El ruedo ibérico* escucharemos hablar al pueblo madrileño, al andaluz y a los mismos gitanos, que se expresarán en un caló no siempre muy comprensible, sin que se note esfuerzo alguno, ni aparezca la menor deformación de vocablos o expresiones. Pero es que para entonces don Ramón se habrá hecho con el oficio, y en estos primeros «tientos» le vemos debatiéndose con el duro aprendizaje.

Unos años antes, el más fino prosista de Andalucía en su tiempo, don Juan Valera, se había burlado de los «costumbristas» que para imitar el habla del pueblo recurrían a tan burdo recurso como hacer destrozar la lengua española a los personajes andaluces en sus comedias y sainetes. Se había percatado el autor de *Juanita la Larga,* que para «reproducir» el habla popular no era necesario copiar la pésima pronunciación de las gentes iletradas. Bastaba con calar en el alma de esa lengua; encontrar «la gracia íntima», no quedarse en los desconchones fonéticos de los personajes que la maltrataban. Nos recordaba Valera con mucha gracia los consejos que daba a sus alumnos el maestrillo andaluz incapaz él mismo de pronunciar correctamente: «Niños: caznero se escribe con ere y sordado con ele.» Don Juan Valera predicó con el ejemplo.

Pues bien, se diría, leyendo estos esfuerzos primeros de Valle, por hacerse con esa lengua popular que quiere recrear, que aún no ha caído en que la verdadera reproducción de un habla cualquiera no es la copia servil de sus elementos externos —pobreza fonética, sintaxis descuidada, morfología dudosa, etc.—, sino el hacerse con ese espíritu que anima la expresión popular o regional. Que aprendió bien la lección dada por Valera, lo demuestra toda la obra posterior, de la que poco a poco van desapareciendo no sólo estas torpes imitaciones del «ceceo», los participios en «ao», infinitivos sin ere final con acentuación impropia, sino también los vocablos y términos añadidos por él como para darles más autenticidad arcaica, a los que tan aficionado fue en estas primeras obras.

Que vio desde muy temprano grandes posibilidades en el empleo de términos de caló, gitanismos y expresiones consideradas antes que él como «materiales innobles» para una lengua correcta y elegante, parece probarlo el que nos tropecemos con no pocos en estos primeros artículos. (No debe olvidarse que estaba escribiendo para lectores mejicanos, en 1892.) Voces como «jonjana», «sonsoniche», «pirrarse», «curdas», acreditan el interés del novel escritor por lo que él considera colores nuevos para su estilo, aún en trabajosa construcción.

Nos encontramos también en dicho artículo con la primera alusión a «las navajas de a tercia» —las cachicuernas de obras y años posteriores—, en cuyas hojas está grabada la «españolísima» leyenda *Viva mi dueño,* que sirvió de título al segundo volumen de *El ruedo ibérico.*

Y la no menos interesante —por lo pintoresca— maldición gitana que de seguro hubiera encantado al referido crítico, Valera, quien había hecho también lanzar una maldición en caló a uno de sus personajes, Antoñona, en su más celebrada novela [17]. La maldición que Valle pone en boca de una «bailaora» es la siguiente: «¡Arraztraoz!, ¡maloz alacranez oz piquen!, ¡premita Dios que oz nazcan avizperos en los ojos!, ¡que os zargan cuernos, y que por ellos oz arrastren los menguez!!!» (pág. 165).

---

[17] Véase el ensayo del profesor CARLOS CLAVERÍA, *En torno a una frase en «caló» de don Juan Valera,* en «Hispanic Review», XVI, Filadelfia, 1948, páginas 97 a 119.

III

«ESPERPENTIZACIÓN»
ANTES QUE «ESPERPENTO» (II)

1. PRIMEROS CUENTOS. *CORTE DE AMOR*

DESGRACIADAMENTE no todos los libros primeros de Valle-Inclán son siempre asequibles al lector y estudioso de hoy; en sus *Obras completas* —de todos es sabido que no son muy completas, y esperamos impacientes una próxima edición aumentada y ordenada cronológicamente— solamente figuran *Corte de amor* y *Jardín novelesco*. Claro que como el joven Valle acomodaba historias y cuentos antiguos en los libros que iba publicando, en realidad, excepto *La niña Chole, Octavia Santino* y *Tula Verona,* las demás historias que componían su más antiguo libro, *Femeninas,* están recogidas en los dos mencionados. Y el mismo *Epitalamio* no era sino otra versión de la historia «Augusta», que figuraría años más tarde en *Corte de amor* [1], que, para nuestra fortuna, figura en esta incompleta edición de *O. C.* que manejamos.

Causa cierta extrañeza el pensar hoy que estas primeras historias de amores más o menos desgraciados, depravados o decadentes, estos cuentos tan parecidos entre sí y a la vez —lo que es más interesante— tan preñados del Valle-Inclán maduro, hayan sido tan apresu-

---

[1] Las fechas de publicación de los primeros libros fueron las siguientes: *Femeninas,* A. Landín, Pontevedra, 1895. (Contenía las siguientes historias: *La condesa de Cela, Tula Verona, Octavia Santino, La niña Chole, La Generala* y *Rosarito.) Epitalamio (historia de amores),* Imprenta de Marzo, Madrid, 1897. (Es la historia que después vio la luz bajo el título de *Augusta.) Corte de amor,* A. Marzo, Madrid, 1903. (Contiene: *Rosita, Eulalia, Augusta* y *Beatriz.) Jardín umbrío,* imprenta de la viuda de Rodríguez Serra, Madrid, 1903. (Contiene las siguientes historias, que habían visto la luz anteriormente: *Malpocado, El miedo, Tragedia de ensueño, El rey de la máscara* y *Un cabecilla.)*

radamente mencionados por la crítica, y casi nunca tenidos en cuenta al hacer un inventario de los méritos y defectos de la obra valleinclaniana. Y, sin embargo, con las *Sonatas,* ellos fueron los que dieron a su autor fama y prestigio; con ellos aprendió a escribir y por ellos fue clasificado como «modernista» a ultranza y separado de sus compañeros de generación.

Me parece, repito, que no han sido estudiados como se merecen. Que están injustamente minusvalorados; se han olvidado sus aciertos a la luz de algunos innegables errores. Mi primera intención, debo confesarlo, no era el de analizarlos, sino entrar directamente —siempre a la busca de los primeros detalles esperpénticos— en las *Sonatas* y en *La guerra carlista* y *Comedias bárbaras.* Mas luego de una lectura reposada, en la que las notas al margen se hacían inevitables, me parece que será necesario tenerlos también, aunque sea muy esquemáticamente, a la vista.

Varias son las notas de interés que nos parece tiene *Rosita,* la primera historia o cuento de este temprano libro subtitulado por su autor con punzante ironía *Florilegio de honestas y nobles damas.*

En primer lugar, la lengua en que está narrado: mucho más cuidada, elegante, menos forzada que los cuentos escritos antes; hay que ver la diferencia que existe entre la versión de *La generala* y la que se encontraba en el libro anterior. Se diría que el joven escritor ha leído y escrito mucho más; la adjetivación múltiple abunda: «locuras dislocantes, encantadoras, admirables» (II, pág. 251); «ojos negros, poderosos y velados» *(ibíd.,* pág. 257); «frases poéticas, apasionadas, tiernas...» (pág. 261), etc., para no citar más.

El asunto no puede ser más simple: encuentro, en ciertos jardines elegantes de una gran urbe europea entrevista por el autor seguramente en sus lecturas, de unos antiguos amantes españoles. Vida pintoresca de cierta *cocotte* sevillana, viajera por tierras lejanas y esposa ahora de un fabuloso rey oriental de unas más que fantásticas islas. Mas la destreza con que el autor nos cuenta la historia, la ironía y el humor que lleva como carga esencial todo el cuento y la viveza y colorido de la lengua hacen de este cuadrito nocturno una pequeña joya para los sentidos, ya que a la musicalidad de la frase se acompaña un colorido bellísimo de trajes y escenarios y no pocas pinceladas olfativas.

Hay algunos casos de «animación»: así, los abanicos serán «flirteadores y mundanos, y aleteaban entre aromas de amable feminismo», en donde la imagen abanico = mariposa de colores está más que insinuada; el lago tiene un «aliento ondulante» y vemos la luna «arrebujada en nubes» (II, pág. 259) o escuchamos a Rosita, cuyas palabras «tenían un aleteo gracioso» (*ibíd.*, pág. 262).

En una ocasión, el protagonista —el Duquesito de Ordax, al que volveremos a encontrar en *La guerra carlista* y *El ruedo ibérico*— tiene «un gesto cómico y exquisito de polichinela aristocrático» (pág. 251); en otra, «... con uno de esos gestos de polichinela solicitó...» (pág. 253).

El habla de Rosita, como corresponde a una muchacha sevillana de vida alegre, está llena de expresiones coloquiales pintorescas y hasta algún detalle de caló; hablando de un inglés viejo, dirá: «¡Tío más borracho...!»; llama «niño» al Duquesito; dice de unas españolas jóvenes muy a la moda que «son las que ponen el mingo»; llama a su ex amante «chalado» y «pelma»; dice que «no lo coronaba» por «no lo traicionaba con otros»; varias veces utiliza la expresión «dar el olé». Cuando «... le entra un aquel de Sevilla... siento tentaciones de arrancarme por soleares. Te lo digo yo» (página 258). Y la mencionada palabra de caló: «Tú no sabes cómo camelan el oído...» (pág. 261).

Pero es, sobre todo, la ironía, la deliciosa ironía que se transparenta a lo largo del cuento, la que le da —todavía hoy— jugosidad e interés.

Imaginamos al novel escritor, empapado de lecturas francesas e italianas, llena su mente de amores prohibidos, intentando hablar por cuenta propia; quiere escribir, en español, una de aquellas deliciosas *nouvelles* que en la soledad de la biblioteca de su amigo Muruais había saboreado. Piensa un argumento y, al llevarlo al papel, se encuentra con que no puede evitar el que de su pluma se destile un tono burlón e irónico al inventar esos pastiches románticos. Tal vez la ironía fue en el Valle juvenil algo instintivo, aunque pronto se deje ver esfuerzo consciente; sea como sea, lo que le da hoy valor a la historieta de la aventurera sevillana —así como a la mayoría de los cuentos de la colección— es esta dosis de burlonas pullas acerca de tantas cosas que, todavía en mil ochocientos noventa y tantos, se tomaban muy en serio. Con qué gracia se burla de esas románticas escenas lacustres de enamorados que «contemplan la luna rielando sobre las negras ondas...». Qué caricatura de los galanes que enamoran valiéndose de «tonterías copiadas de los dramas de Echegaray...», o con «versos de Bécquer». Tiene la figura de ese enigmático noble español rasgos del futuro Bradomín, y escuchamos alguna que otra pulla de intención político-crítica: «Te lo digo yo. El único amor verdad es el amor patrio (habla Rosita). El Duquesito no tuvo la osadía de reírse. Había oído lo mismo infinitas veces a todos los grandes oradores de España.» O hablando del dueño de un periódico: «... me mandaba un número que traía a la familia real. ¡Daba pena verla, pobrecilla!» (págs. 258 y 263, respectivamente, de *O. C.,* II).

De tono aún mucho más exageradamente romántico es la historia titulada *Eulalia;* nos cuenta en ella el final trágico de los amores de una casada infiel, que prefiere suicidarse —incapaz de superar el problema de conciencia que le plantea el abandono de marido y familia— a irse definitivamente con su amante, como aquél y su propio corazón le indican. Antecedente clarísimo de la cuidada y musical prosa de las *Sonatas* —para Fernández Almagro el episodio entero fue utilizado por Valle en la de *Otoño*—, *Eulalia* es otra variación sobre el mismo tema de amores desgraciados o imposibles.

Augusta es la versión corregida del antiguo episodio *Epitalamio,* publicado originalmente en 1897: historia de la cínica madre que casa a su propio amante con su —de ella— joven e inocente hija, para seguir «disfrutando» de los favores de aquél. Perversión y cinismo muy del gusto europeo de la época; prosa afrancesada y elegante, que traduce muy acertadamente el fuerte sensualismo de esta novela corta, pues como tal hay que considerarla.

En *La condesa de Cela,* publicada anteriormente en *Femeninas,* 1895, pero fechada en 1893, contemplamos la ruptura brutal de otros «amores prohibidos». Interesa, especialmente, por los rasgos de un estilo todavía en embrión, pero en el que ya se ven peculiaridades tan personales como la animalización de los protagonistas, por ejemplo, o la repetidísima adjetivación múltiple. Aquiles Calderón, estudiante habanero, «tronado y calavera», se nos aparece con esa «hermosura magnífica de cachorro de Terranova» (II, pág. 295); la Condesa será «pajarillo parlero» *(ibíd.,* pág. 296), «gata mimada» *(ibíd.)* o «lindo galguillo inglés *(ibíd.,* pág. 306); sus caricias están «cargadas de fluido, como la piel de un gato negro» *(ibíd.)* y «su cuello [es] blanco y terso como plumaje de cisne», aun cuando sean «sus transportes pasionales, de un convulsivo languidecer epiléptico como el del león y suave como el de la tórtola» *(ibíd.).*

Nótese que esta «animalización» es todavía poco eficaz, tímida (se vale siempre del elemental esquema comparativo «es como...»). Pero, según se indicó ya, esta incidencia en el recurso está indicando un hecho importante: la pupila del escritor contempla a los seres humanos —y a los mismos objetos de la naturaleza— en toda su posibilidad animalizadora desde bien temprano. De aquí a la pura animalización con intención degradante de *Tirano Banderas* y *El ruedo ibérico* no hay tanta distancia como se ha pretendido.

El último cuento de la serie, *Beatriz,* es otra versión de un cuento más antiguo titulado *Satanás.* Dicho cuento fue elogiadísimo por don Juan Valera, en una de sus admirables *Cartas americanas* [2]. Explica en ella el crítico andaluz que, bien a su pesar, no le fue posible conceder el primer premio al trabajo de Valle-Inclán, en el certamen organizado por el periódico «El Liberal» —en 1900—: «... por lo espeluznante, tremendo y escabroso de la narración». Formaban el tribunal, además de Valera, don José Echegaray y don Isidoro Fernández Flórez. El primer premio fue concedido al cuento *La chucha,* de doña Emilia Pardo Bazán. Se ha insinuado más de una vez que este injusto fallo hizo brotar la antipatía de Valle hacia el famoso dramaturgo. Que sepamos, Valle no debió sentir la misma antipatía hacia don Juan Valera. En dos ocasiones lo retrata en su obra —*Una tertulia de antaño* y *El ruedo ibérico*—, y en ambas la figura del autor cordobés está contemplada con simpática admiración.

Cuenta en *Beatriz* la tremenda historia de un fraile satánico que abusa de una doncella y la tiene aterrorizada, mientras hace creer a la noble madre de la infeliz niña que está poseída del demonio. Contiene, en mi opinión, todos los elementos, en bruto, de un auténtico esperpento. La muerte ronda desde el comienzo y se lleva al fin al personaje culpable; creencias y supersticiones populares; maldiciones que se cumplen, haciéndose pedazos un espejo mágico en el que se ha trazado el círculo del rey Salomón; y la especial técnica narrativa del autor que contribuye a darle un aire misterioso y legendario al problema, eterno como la humanidad: la lucha entre el bien y el mal. Problema que, como se verá, preocupó al autor hasta sus últimos años.

El estilo es también claro precedente de la prosa de las *Sonatas:* colorido brillante en las descripciones y un tono vagamente arcaico, medroso y de misterio muy en consonancia con el argumento para producir en el lector ese «terror estético» de que con tanto entusiasmo habló Valera. Logra Valle crear un ambiente de viejo palacio sin abusar de sus facultades descriptivas; frenando su facundia, admi-

---

[2] Véase JUAN VALERA, *Obras completas,* Ed. Aguilar, Madrid, 1949, vol. III, págs. 559-560.

nistrando los colores con talento escribió este bello cuanto terrible cuento.

Abundan en él los rasgos esperpénticos que ya hemos señalado en otros; animación de la naturaleza y objetos inanimados para dar vida a las descripciones: «Los cedros y los laureles cimbreaban con augusta melancolía...» (I, pág. 1249); «las bujías lloraban sobre las arandelas...» (I, pág. 1256); en varias ocasiones utiliza el proceso de «animalización»: Fray Ángel, el religioso pecador, tenía «ojos enfoscados bajo las cejas, parecían dos alimañas monteses azoradas» (I, pág. 1251); las manos de la enferma «parecían dos blancas palomas azoradas» (ibíd., pág. 1256); la Condesa toma entre sus manos «los pies descalzos de la niña, como si fuesen dos pájaros enfermos y ateridos» (ibíd., pág. 1257); incluso un objeto —el pañuelo de la Condesa— se le aparece en milagrosa revelación a la saludadora de Céltigos «como una paloma volando» (ibíd., pág. 1258).

La adjetivación múltiple es también abundante: «manos pálidas, blancas: ideales, transparentes» (pág. 1257). El pañuelo de la Condesa es «menudo y tibio, perfumado de incienso y estoraque, como los corporales de un cáliz» (pág. 1255). Es interesante ver cómo este recurso de añadir adjetivos al sustantivo va tomando más y más peculiar importancia estilística en el oficio de escritor de Valle-Inclán; ahora está más cerca ya de aquel «estilo telegráfico» de que habla Ramón Gómez de la Serna, refiriéndose al estilo del «último» Valle-Inclán. La única diferencia es que aquí lo vemos naciendo, como el que dice. Todavía ejercitándose, buscando caminos que, una vez encontrados, no abandonará, transitando por ellos con facilidad hasta dar con otros mejores —¡siempre adelante!— por los que acarreará con pasos más seguros su brillante carga de arte.

Veamos un ejemplo. Está trazando el retrato del penitenciario, amigo de la Condesa: «Era alto y encorvado, con manos de obispo y rostro de jesuita. Tenía la frente desguarnecida, las mejillas tristes, el mirar amable, la boca sumida, llena de sagacidad» (pág. 1255). Contamos nueve adjetivos —o frases adjetivas—, que califican a cuatro sustantivos. ¿No está ya en este procedimiento acumulatorio el comienzo de ese recurso tan del Valle-Inclán maduro, de ir resumiendo el retrato a unas pocas pinceladas sueltas, enérgicas y eficacísimas las características de sus personajes...? Es una manera personalísima de lograr concisión por —permítaseme la expresión— amontonamiento. De aquí a la «descripción telegráfica», incluso al «estilo de acotación escénica» que señalaba Salinas como posible origen del esperpento, no hay tanta distancia como algunos críticos pretenden.

Cuentos, para resumir, de clara ascendencia libresca europea, llenos de voluntad estetizante, sí, con innegables torpezas —recordemos el *Palique* denunciador que al cuento titulado *Augusta* (o *Epitalamio*) le dedicó Clarín en «Madrid Cómico», 25-IX-1897—, pero también con innegables aciertos.

Pensando, justamente, en el *Palique* clariniano y viendo la seriedad con que don Leopoldo se tomó el referido cuento sin echar de ver cuanto había en él de broma irónica, se nos ocurre preguntarnos si no será que durante muchos años la obra de Valle-Inclán ha sido injustamente interpretada precisamente por ese «tomarla demasiado en serio» cuando su autor lo que pretendía, desde el principio, era dar su versión personal —irónica y mordaz, es cierto— respecto a temas y modas de la literatura de su tiempo.

Vistos desde esta perspectiva irónica y burlona, los primitivos cuentos de Valle-Inclán no son sino «retorcimientos», deformaciones personales de temas muy en boga en la literatura europea finisecular. ¿Y qué es sino «retorcimiento», «deformación sistemática de la realidad», el esperpento último cultivado por el autor...? Veremos, al acercarnos a las *Sonatas,* que vistas a esta luz pueden deparar no pocas sorpresas.

2. «SONATAS»

a) *Variaciones sobre un tema conocido: otro don Juan*

En la ya muy abundante bibliografía crítica suscitada por la obra de Valle, la consagrada a las *Sonatas* es, por muchas razones, la que cuenta hasta ahora con el mayor número de excelentes trabajos[3].

[3] Sobresalen entre ellos, para recordar solamente los mejores, el admirable y pormenorizado estudio del profesor A. Zamora Vicente, *Las «Sonatas» de Valle-Inclán. Contribución al estudio de la prosa modernista,* Buenos Aires, Instituto de Filología Románica, 1951, y reeditado por Gredos, Madrid, 1955 y 1966, y los estudios de Amado Alonso, *Estructura de las «Sonatas» de V.-I.,* en «Verbum», Buenos Aires, XXI, pág. 71, 1928, y recogido en su libro *Materia y forma en poesía,* Ed. Gredos, Madrid, 1955, en donde también se incluyen los ensayos *El ritmo en la prosa* y *La musicalidad de la prosa de V.-I.;* Franco Meregalli, *Studi sulle «Sonatas»,* en *Studi su R. del V.-I.,* Venecia, Librería Universitaria, 1958; J. Casaldue-ro, *Elementos funcionales en las «Sonatas» de Valle-Inclán,* publicado originalmente

Con unanimidad raras veces igualada, la crítica más exigente coincide en señalar esta obra como la más preciosa muestra de la prosa modernista peninsular. Puntualizan los más perspicaces que si las *Sonatas* se nos quedan hoy a una cierta distancia, un poco a trasmano en la obra toda de Valle-Inclán, se debe no tanto a que hayan sido afectadas por el paso del tiempo cuanto a la enorme evolución a que somete el autor su posterior quehacer literario [4].

No se habla propiamente de «envejecimiento» en el estilo; por el contrario, señalan su todavía jugosísima frescura lingüística, su bella musicalidad y su admirable estructura artística; pero haciéndose eco de unas palabras del mismo autor, las consideran como una etapa superada con éxito en la carrera del escritor. (Don Ramón había sido exageradamente injusto con su obra primera: «Lo que he escrito antes de *Tirano Banderas* es musiquilla de violín... Les digo a ustedes que "musiquilla" y mala musiquilla de violín. *Tirano Banderas* es la primera obra que escribo. Mi labor empieza ahora» [5].)

Muchos críticos han señalado —en ocasiones hasta la exageración rayana en la mala fe— los orígenes «librescos», las «fuentes» de que se valió el autor para pergeñar estas «memorias amables del marqués de Bradomín». Y, sin embargo, creo que tiene mucha razón Eugenio de Nora al decir que esa misma crítica «... no ha subrayado nunca con suficiente energía el espíritu con que Valle-Inclán recoge y asimila todas estas influencias: el desenfado, el aire de superioridad y la ironía casi constantes adoptados ante sus convencionales criaturas y también respecto a los medios literarios heredados de sus

en «Clavileño», Madrid, V-25 (1954), págs. 20-27, e incluido luego en el libro *Estudios de literatura española*, Madrid, 1962, págs. 199-218; ENRIQUE ANDERSON IMBERT, *Escamoteo de la realidad en las «Sonatas» de Valle-Inclán*, en *Crítica interna*, Madrid, 1960; JUAN RUIZ DE GALARRETA, *Ensayo sobre el humorismo en las «Sonatas» de Valle-Inclán*, Ed. Municipalidad de la Plata, R. Argentina, 1962, y el de JOSÉ M. ALBERICH, *Ambigüedad y humorismo en las «Sonatas» de Valle-Inclán*, en «Hispanic Review», vol. XXXIII, núm. 4, octubre 1965, págs. 360-382.
   Tampoco habría que olvidar los capítulos a ellas consagrados en los trabajos de CÉSAR BARJA, *Libros y autores contemporáneos*, Ed. Librería General de V. Suárez, Madrid, 1935; EUGENIO G. DE NORA, *La novela española contemporánea*, Ed. Gredos, Madrid, 1963, vol. I; MELCHOR FERNÁNDEZ ALMAGRO, *Vida y literatura de Valle-Inclán*, Ed. Nacional, Madrid, 1943 (2.ª ed. corregida, obra póstuma del gran crítico, Ed. Taurus, Madrid, 1966); JULIO CASARES, *Crítica profana*, Madrid, Ed. Colonial, 1916, y RAMÓN J. SENDER, *Valle-Inclán y la dificultad de la tragedia*, Ed. Gredos, Madrid, 1966.
   [4] Véase A. ZAMORA VICENTE, *Las «Sonatas» de Valle-Inclán*, ed. cit., capítulo final.
   [5] F. MADRID, *La vida altiva de Valle-Inclán*, Ed. Poseidón, Buenos Aires, 1943, pág. 114.

supuestos maestros (supuestos, y efectivos, pero no tomados en serio por el discípulo)» [6].

Es muy limitado el número de estudiosos que se han ocupado de las *Sonatas* teniendo en cuenta «ese desenfado», ese «aire de superioridad» innegable con que el padre del «más admirable de los don Juanes» escribió estas obritas; concediendo la importancia que creo merecen el humor y la ironía que en ellas, como ingrediente importantísimo, depositó el autor [7]. Tenemos la impresión de que la mayoría de los estudiosos de las andanzas del «viejo Dandy» lo han tomado un poco demasiado en serio; creemos que, analizadas a esta luz irónica con que el autor las fue creando, podemos entenderlas —y disfrutarlas— mejor.

Sin duda, es porque al juzgarlas se olvidan de esa «afectación» que Valle adoptaba al escribirlas, «formalmente como modernista, espiritualmente como decadente, sádico, perverso, etc.», de que nos hablaba García de Nora en su inteligente cuanto brevísimo análisis. (Este crítico, dicho sea sin malicia, también parece olvidar sus propias deducciones..., ¡y las estudia sin tener demasiado en cuenta el humor y cuanto de irónico e indirecto comentario hacia la literatura posromántica hay en ellas!)

Conviene no olvidarlo, pues, para no llegar a conclusiones equívocas, cuando no disparatadas: Valle-Inclán, al «componer» las *Sonatas,* escribe con afectación. Admirable, bellísima afectación, pero afectación al fin y al cabo, que le impide comportarse con la naturalidad y sencillez que más de un crítico le ha echado en falta.

Cuando convaleciente de su, para algunos autores, «misterioso» balazo en el pie, el autor se decide a enhebrar unas pocas historias anteriores dándoles forma unitaria en el libro, consciente, deliberadamente, Valle se entrega a construir su primer gran *pastiche* literario. Recordemos que aquel romántico aprendiz de escritor «con ninguna experiencia y harta novelería en la cabeza» se iba acercando ya a la cuarentena; y nada más tentador como posible protagonista de la que iba a ser su primer obra larga que la romántica figura del más popular conquistador español.

---

[6] *La novela española contemporánea,* 2.ª ed., Ed. Gredos, 1963, vol. I, pág. 57.
[7] En efecto, sólo conozco el libro publicado en La Plata por el profesor JUAN RUIZ DE GALARRETA, cuyo título es *Ensayo sobre el humorismo en las «Sonatas» de Valle-Inclán,* Ed. Municipalidad de La Plata, 1962, y el ensayo de J. M. ALBERICH, *Ambigüedad y humorismo en las «Sonatas» de Valle-Inclán,* publicado en «Hispanic Review», Nueva York, XXXIII, núm. 4, octubre 1965.

b) *Un don Juan admirable. ¡El más admirable tal vez!*

Ya hemos observado, desde sus primeros pasos literarios, la dificultad imaginadora que muestra Valle para inventar personajes y situaciones; sus cuentos e historias rebosan en lo sustancial reflejos de sus lecturas. Al precisar ahora un héroe que sea como la columna vertebral de esas cortas hazañas más o menos escandalizantes, pero siempre de amor, que ahora quiere transformar en algo más amplio, no puede menos de acordarse de la figura del burlador sevillano. Quiere hacer otro don Juan, pero no como el de Tirso, ni siquiera el más cercano de Zorrilla. Deberá ser el suyo un don Juan original y diferente.

Un don Juan a quien el autor no parece tomar muy en serio la mayoría de las veces. Un don Juan del que se burla más o menos abiertamente: de ahí la comicidad que se transparenta bajo la aparente grandilocuencia y superioridad de ambientes y personajes. Un don Juan hijo de la sensibilidad europea de las modas literarias del último tercio del siglo XIX: un «Dandy» corrompido y decadente, de preferencia. Con sus inclinaciones (mejor: sus pretensiones) sádicas, sus pujos de satanismo y sus gotitas de perversión, nos parece que debió ser el ideal del protagonista de las *Sonatas*. Aunque tengamos que reconocer, al observar el resultado «vivo» del personaje en los cuatro libritos, que el autor se mostró muy cauto en cuanto a la «corrupción» de su criatura literaria y que hay que ser muy estrecho de manga para convencerse de que Bradomín sea sádico, perverso o satánico de verdad, en algún momento. Tenemos la impresión, más bien, de que —como ocurre con las «proezas sexuales» casi nunca probadas— Bradomín pretende hacernos creer que, en asuntos eróticos, es mucho menos normal de lo que en realidad lo fue.

No creo que pueda hablarse en justicia de sus «perversiones». Son más mentalmente deseadas que efectivas. Más «de boquilla» que reales. Me parece que hilan demasiado fino quienes ven en aquel «azótame como a un Nazareno», de *Otoño,* inclinaciones masoquísticas. Nos confiesa repetidamente que es incapaz del pecado «contra natura», y aunque lo sintamos malsanamente inclinado al incesto —por los comentarios que hace a propósito de la Niña Chole—, aunque llega a enamorar a su propia hija, el suicidio de la adolescente impide, sin lugar a dudas, toda posibilidad o consecuencia ulterior. Bradomín, como su propio autor, literatiza, embellece o insinúa más que demuestra su verdadera perversión; disfraza con palabras decadentes que sugieren a la mente del lector mucho más de lo que en realidad hay en sus «placeres ocultos». ¿Qué perversión hay, por ejemplo, en contemplar y saborear en anticipado deleite del acto sexual la belleza del cuerpo tentadoramente juvenil «envuelto en sedas y encajes» de la sensual fierecilla mejicana Niña Chole...? Y, sin embargo, recordemos cómo nos lo cuenta: «Yo, aun cuando parezca extraño, no me acerqué. Gustaba la divina voluptuosidad de verla, y con la ciencia profunda, exquisita y sádica de un decadente, quería retardar todas las otras, gozarlas una a una en la quietud sagrada de aquella noche»[8]. «Divina voluptuosidad», «ciencia profunda, exquisita y sádica de un decadente», «quietud sagrada»..., palabras y más palabras sugeridoras, embeleco maravillosamente insinuador, pero no auténtica perversidad en ese «retrasar el placer final», más bien normal —como saben muy bien los psicólogos que se ocupan de estos temas— en los juegos eróticos que preceden y animan todo acto sexual que no sea pura posesión animal.

Suele traerse a colación, para probar el sadismo de Bradomín, el momento —antes mencionado— en que éste pide a la doliente Concha «desnuda y rendida para el sacrificio a Venus», que lo azote con «la onda negra de sus cabellos». El látigo, la flagelación y otros sadismos conocidos están más que nada sugeridos en la petición de Bradomín; solamente sugeridos, conviene no olvidarlo.

En otra ocasión creemos que el Marqués está más interesado en el efecto que va a conseguir con la irreverencia que sigue al «azote» con la mata de pelo. Lo que busca el don Juan de Valle es echárselas de diablo: acentuar su voluntad de lograr aureola satánica:

«—¡Azótame, Concha! ¡Azótame como a un Divino Nazareno! ¡Azótame hasta morir!...

»—¡Calla! ¡Calla!... —y con los ojos extraviados y temblándole las manos empezó a recogerse la negra y olorosa trenza—. Me das miedo cuando dices esas impiedades... Sí. Miedo, porque no eres tú quien habla: Es Satanás... Hasta tu voz parece otra... ¡Es Satanás!...»[9].

Robert Marrast, que ha estudiado estos puntos —«Religiosidad y satanismo, sadismo y masoquismo en la *Sonata de Otoño*»[10]—,

---

[8] *Estío,* en O. C., II, págs. 116-117.
[9] *Otoño, ibíd.,* pág. 172.
[10] «Cuadernos Hispanoamericanos», núms. 199-200, Madrid, julio-agosto, 1966, pág. 489.

tiene que confesar: «Verdad es que la *Sonata de Otoño* no contiene ninguna escena de sadismo según la manera del "divino Marqués". Pero también que en algunos pasajes de la obra aparecen ciertas perversiones sexuales.» Estamos conformes con la primera parte de la afirmación; no hemos encontrado pruebas definitivas que justifiquen la segunda. A menos que se consideren como perversiones detalles como el deseo del Marqués de «servir de azafata a Concha», como sugiere el autor de este interesante ensayo.

Tampoco hemos podido convencernos del satanismo auténtico del héroe de las *Sonatas*. Encontramos más bien a Bradomín preocupado por aparecérsenos como figura satánica, como encarnación del mal. («Mundo, demonio y carne», había querido Valle que fuese la columna vertebral del espíritu de su personaje.) En el fondo, este vanidoso Marqués es un exhibicionista presumido que se cuida antes que nada de las apariencias... No, no es tan simple como parece a algunos críticos [11], el satanismo de Bradomín. Ni tan verdadero. Sin entrar a discutir tales afirmaciones, que nos llevarían mucho espacio, digamos —aplicando las palabras del profesor Zamora Vicente, referidas a la devoción y recuerdos de cosas sacras— que el satanismo de Bradomín es «un elemento más de autoexaltación y de decorativismo personalísimo» [12].

Ramón Sender, en su libro citado, incide también en la idea de un satanismo más sugerido que confirmado con hechos: «Su satanismo es sólo una insinuación, porque Valle-Inclán sabía que la conjetura tiene más fuerza que la afirmación plena» *(ob. cit.,* pág. 49).

Los dioses tutelares del don Juan valleinclaniano serán el caballero Jacobo Casanova y Pietro Aretino, César Borgia... y los autores favoritos del novel escritor.

La novedad que aspira a dar al héroe de su novela no estriba en «el papel de conquistador» —poco original en nuestras letras desde la invención de Tirso— que va a encarnar, sino en cómo va a «representarlo». No en el ser que pinta, sino precisamente en cómo está visto: «Un don Juan admirable. ¡El más admirable tal vez! Era

---

[11] Entre los trabajos dedicados a estudiar el «satanismo» de Bradomín destacan el del profesor GERARD COX FLYNN, *The adversary: Bradomín,* en «Hispanic Review», Filadelfia, XXIX (1961), págs. 120-130, y el ya citado de ROBERT MARRAST. Para nuestro gusto, quien más se acerca a la verdadera interpretación del problema es ZAMORA VICENTE, en su citado libro, capítulo titulado *Religiosidad, satanismo,* páginas 41-56.

[12] *Ob. cit.,* pág. 50.

feo, católico y sentimental.» Con palabras de Zamora Vicente: «Muy modernista es esto de ser siempre más, mucho más que lo vulgar» [13].

De las tres cualidades que definen al don Juan de Valle solamente la de católico coincide con las del burlador tradicional. (El de Zorrilla se salvaría a la postre, gracias al amor de doña Inés; el de Tirso sufrió condena infernal por sus pecados. Por otro lado, la rebeldía contra los mandatos divinos es lo que engrandece dramáticamente la figura de este «vendaval erótico», como llamó a don Juan el profesor Américo Castro. Si don Juan fuera un agnóstico —y nos parece que Bradomín tiene en el fondo de su alma mucho más de incrédulo que de ese superficial catolicismo de que a veces, por mera pedantería, se vanagloria—, sus andanzas quedarían reducidas a las de una especie de campeón menor de sensualidad del que la sociedad literaria podría prescindir sin que se echase mucho de menos su ausencia. Eso en cuanto al don Juan «profesional», gozador insaciable de varios centenares de hembras que se cruzan en su camino. Pero si despojamos a Bradomín de sus «luces embellecedoras», de su teatral, engolado y decididamente pretendido donjuanismo, ¿podríamos llamarle en justicia un auténtico don Juan...?

Si le quitamos todo el aparato embellecedor con que adorna al contárnoslas sus propias hazañas —decadentismos, irreverencias, pretendido satanismo y mil detalles más o menos románticos— para hacer un recuento estricto de sus «triunfos», nos llevaremos una sorpresa considerable. Es más bien un don Juan menor, si seguimos empeñados en llamarle así después de «contabilizar» sus devaneos: en *Primavera* no sólo no logra sus propósitos —el enamoramiento de María Rosario es muy discutible—, sino que se enamora como un principiante, cosa que no le puede suceder a un don Juan... en los comienzos de su carrera. El de Zorrilla se enamora y salva tras una larga cadena de fulminantes conquistas carnales. En *Verano* es más bien seducido por Niña Chole, encarnación bellísima de la fogosidad y sensualismo de la naturaleza tropical. Sus «triunfos carnales» están explotadísimos en la narración, y las pocas noches que pasan juntos se transforman —por la gracia embellecedora del narrador, más que por las «proezas» en sí— en algo mucho más importante de la en otro caso aventura de un breve encuentro de dos seres jóvenes, mutua y normalmente atraídos en circunstancias favorables. *Otoño* es la llamada de un amor moribundo— en los dos sentidos,

[13] *Ibíd.*, pág. 25.

ya que su antigua amante lo llama cuando sospecha que va a morir—
y la descripción de otras cuantas noches que la deliberada exageración
del narrador explotará al máximo. El «triunfo» con la prima Isabel
es totalmente accidental. En realidad, esa vez, como con la Niña
Chole, don Juan es el seducido, el empujado. En *Invierno* reviven
otros viejos amores y acaba por enamorar a su propia hija, la inocente Maximina.

Vemos, pues, que son poquísimas en número las «conquistas» de
este don Juan poco «triunfador», pero vivo de lengua y pedante, si
se le compara a sus hermanos mayores. ¿«Vendaval erótico»...? Tal
vez, para no caer en su mismo pecado de exageración, habría que
llamarle «brisa galante»...

El catolicismo de don Juan es, pues, esencial, elemento *sine qua*
non de su personalidad. Un don Juan, sea el que fuere, no puede
permitirse el lujo de carecer de fe, por muy superficial que ésta sea.
Nadie puede rebelarse contra un ser en cuya existencia no cree. Y
siendo español —como lo es Bradomín— y aristócrata decimonónico por añadidura, no tiene más remedio que ser católico. Hasta
dónde llegue la autenticidad de su tan cacareado catolicismo, la profundidad de sus creencias, es cosa que no pretendemos discutir aquí.
(El admirable estudio de las *Sonatas* del profesor Zamora Vicente,
analiza excelentemente lo que la religiosidad de Bradomín significa
en el libro y en el contexto literario finisecular, concretamente en
el hispánico modernismo. A dicho estudio remitimos al lector para
éste y para otros muchos puntos de interés [14].

Nos parece que al autor (aparte de la nota de rebelde y cínico
desafío a las leyes divinas que el desacato —o la burla más o menos
directa— a su «confesada» religión le confería) le era más conveniente que Bradomín fuese católico. Todo el juego metafórico y de ima-
ginería religiosa, lleno de alusiones irreverentes, sacrílegas o que rozan con lo francamente blasfemo, toda esa hojarasca con que Bradomín «adorna» sus aventuras eróticas, alcanzan su máxima efectividad
emocional (es decir, provocar el asombro del lector por estos «atrevimientos decadentistas») precisamente porque sabemos que dicho
personaje es católico. Irreverencias, sacrilegios e incluso las blasfe-

---

[14] Véanse, especialmente, el capítulo de Zamora Vicente, *Religiosidad, satanis-*
mo; los ensayos mencionados de los profesores Cox Flynn y R. Marrast y el de
Delfín Leocadio Garasa, *Seducción poética del sacrilegio en Valle-Inclán,* en *Ramón*
M. del Valle-Inclán (estudios reunidos en conmemoración del centenario), Universidad Nacional de La Plata, Argentina, 1967, págs. 414-432.

mias más rotundas, no tendrían sentido alguno —ni provocarían este sentimiento de «cosa prohibida» que tan recalcitrantemente buscaba el autor— si supiésemos de antemano que Bradomín no comulga con credo alguno. El Marqués es católico porque no puede ser otra cosa.

Además de católico, el «admirable Marqués» es feo y sentimental. Dos características que no tenía el don Juan tradicional. La carencia de belleza física es una seria desventaja en su carrera de conquistador. (Incluso dicha fealdad tampoco casa con esa más que sugerida voluntad satánica; ese pretendido satanismo del personaje sufre un serio achuchón si contraponemos mentalmente su fealdad a la belleza característica de Luzbel, el ángel del mal.)

Ha sido sugerido más de una vez que la fealdad de Bradomín es una especie de reivindicación de la conocida falta de belleza física en el autor. Un como deseo —más o menos consciente; a mí me parece absolutamente deliberado— de superar, al menos en teoría, tal «inconveniente», demostrando al mundo que se puede ser un triunfador «don Juan» aun cuando se carezca de la hermosura y gallardía proverbiales en tal personaje. No sería muy arriesgado suponer que el autor haya ido insuflando en el personaje central de las *Sonatas* una cierta dosis de rasgos físicos propios, al objeto de contrarrestar así, en cierto modo, los demasiados resabios librescos que la figura del cínico Bradomín iba teniendo. Humaniza así al que, de otro modo, podría resultar una invención demasiado literaria.

Aparte su fealdad, le dota de otras características personales propias, sutilmente señaladas, delicadamente puestas en relieve, como, por ejemplo, ocurre con su miopía: Bradomín, el no siempre muy valiente caballero, tiene, en *Estío,* que «afirmarse los quevedos» antes de comenzar una pelea con el indio que pretende atracarlo. El Marqués, que iba desarmado, precisamente se defiende a bastonazos, como él mismo, joven emigrante, había tenido que resolver, años atrás, una «cuestión de honor» en la redacción de un conocido diario mejicano. Barba y mostacho, cabellera «merovingia» o rapada cabeza, son también «adornos» peculiares del joven autor, que, adelantándose —en eso como en todo— en más de medio siglo a los actuales *beatniks, angry young men* o los más modernos *hippies,* que con sus modas y modos demuestran (?) su disconformidad con la sociedad conservadora, mostraba su radical inconformismo con una sociedad aburguesada.

Ha visto con mucha agudeza el profesor J. M. Alberich, en su ensayo *Ambigüedad y humorismo en las «Sonatas»,* que «Valle-

Inclán asoma de vez en cuando en ellas disfrazado de Bradomín» y, aunque el Marqués «... no es de ninguna manera un personaje autobiográfico..., contribuyen (tales asomadas, tales «rasgos personales») a resaltar el escondido subjetivismo de las *Sonatas,* que encierran la filosofía del hombre finisecular» [15].

Mas si Bradomín carece de belleza física, le sobra, en cambio, talento para suplir tal inconveniente. O, precisamente por ello, no le hace falta hermosura física —que al fin y al cabo no luce tanto como un ingenio despierto— a quien tan bien dotado está en lo espiritual.

Bradomín, por último, es sentimental, condición aún más en pugna que la anterior con la textura tradicional del tipo.

El don Juan auténtico no puede permitirse tan mayúscula debilidad como la de ser un sentimental. Precisamente por no tener sentimientos es incapaz de amor y, en consecuencia, un cínico que va triunfando en sus arrebatos eróticos valido de esa ausencia de remordimientos. Juega con sus víctimas, se vale de los sentimientos enamoradizos de las mujeres para sus planes de libertino absoluto justamente por carecer de esa «flaqueza» de entregarse, de amar verdaderamente. Su oficio es el de conquistador, no el de enamorado. A lo sumo se deja amar, pero su triunfo como burlador está asegurado mientras sepa abandonar a las víctimas, una tras otra, sin sentir por ellas remordimiento ni compasión. Cuando don Juan Tenorio se enamora de verdad, deja de ser un don Juan.

c) *Primeros pasos del esperpento*

El Marqués de Bradomín, entre las numerosas reencarnaciones literarias del tipo podrá o no ser tenido por «el más admirable» como quería su autor. Lo que sí es innegable es que Bradomín no es un don Juan más. Este burlador valleinclaniano es una sutil estilización de la figura tradicional, una reconstrucción, si se quiere, del héroe clásico, hecha con todas las posibilidades técnicas que la literatura finisecular había puesto en las manos del escritor español.

Desde sus primeros ejercicios literarios este aprendiz de artista quiere renovar, abrir otros caminos a nuestras letras y así como

---

[15] *Ambigüedad y humorismo en las «Sonatas»,* en «Hispanic Review», Filadelfia, XXXIII, núm. 4, octubre 1965, pág. 378.

Zorrilla, escasamente cincuenta años antes, había dado la versión romántica de tan atractiva figura, don Ramón del Valle-Inclán, mucho más artista —aunque, paradójicamente, nunca todavía tan popular como el autor vallisoletano—, pone ante sus penetrantes ojillos de miope la figura del erótico pícaro y la contempla adicionándole nuevas posibilidades.

Ya dije antes que la pupila del escritor gallego observa la realidad de modo diferente a como lo solemos hacer los demás mortales. Tiene un don innato que le permite descubrir ángulos originales, detalles imprevistos, pero siempre llenos de raras bellezas. Estruja entre los cinco dedos de su única mano —la que maneja la pluma, que es la importante— la figura del pícaro burlador y lo que chorrea sobre las cuartillas es, más que la sangre del don Juan tradicional, una deformación con las luces más nuevas, decadentistas, pre-rafaelistas, sádico-decadentistas o como quiera se llamen los «ismos» de moda en el cruce de los dos siglos.

Valle-Inclán, con esa sonrisa burlona de quien «le ha cogido la trampa» al juego, se lanza a la tarea; añuda en la figura del viejo «Dandy» —no se olvide que cuando el Marqués de Bradomín se pone a escribir sus memorias es ya un anciano— las andanzas ideales del conocido burlador. «Memorias amables», es decir, selección entre los recuerdos mejores de este gran vanidoso, romántico rezagado que se tiene por mucho peor de lo que en realidad fue. Cuatro tiempos en la vida de un hombre y a través de ellos una finísima ironía cubriéndolo todo, pero dejando al aire el *pastiche* literario. Ironía tan sutil, tan deliciosa y burlonamente repartida en la descripción de la vida y obras de esta increíble figura que muchas veces, dejando de lado lo que hay de burla irónica ha sido juzgada muy en serio por lo mejor de la crítica.

En serio, como obra de arte, como creación literaria lograda —aunque superada muy pronto por la obra posterior de Valle—, sí hay que tomar las *Sonatas;* al vanidoso Marqués, en cambio, incluso lo que las *Sonatas* dicen *ad pedem litterae...* no tanto. Si no se cala en el humor y la juguetona burla con que nos parece fueron concebidas y escritas, nos exponemos a perder la intención verdadera y, lo que es más grave, llegar a conclusiones injustas para el escritor.

Esos críticos que intentan analizar seriamente al tipo humano —que ellos le suponen, pero al que don Ramón creemos que jamás se tomó la molestia de crear convincentemente humano—, escondido tras el nombre de Bradomín, terminan confundiéndose y, enfadados

con el farsante figurón, lo insultan desconsideradamente: «¡Bradomín, eres un majadero!», le gritó don Julio Casares; «cínico», «necio
y badulaque», lo llama Fernández Almagro, y otros o muy parecidos
latigazos le han propinado en diversas ocasiones otros estudiosos.

Las *Sonatas* valieron al joven escritor no sólo como ejercicio de
estilo —«solos de violín» las llamaba él en sus años últimos— como
aprendizaje; son, además, la primera obra en la que, parapetado tras
una aparente invención literaria total, refleja Valle la realidad en
torno. Muy disimulada, muy estilizada —tanto que muchos no parecen haberlas entendido cabalmente—, pero tras un engañadizo aire
del más puro esteticismo, nos da una visión personal e independiente
de uno de los mitos literarios de más solera y peso.

Es curioso ver cómo, en el fondo, el procedimiento que sigue
en los dos extremos de su carrera es el mismo: cuando empieza como
cuando termina Valle-Inclán pretende estar haciendo exactamente lo
contrario de lo que en realidad hace. Aquí dedicado «seriamente» a
recrear la figura del don Juan que se mueve ante nosotros como un
galante caballero decimonónico, el autor entre telones nos guiña un
ojo irónico casi en cada línea de sus cuatro *Sonatas*. Bradomín en-
gola la voz, adopta un modo de hablar enfático y pedantón, presume
de lo que no es, y el autor, como el que no quiere la cosa, nos va
dejando al descubierto lo que hay de vacío, de mentira, de postura
ridícula e insincera en muchas de sus bufonadas románticas, decadentistas y hasta modernistas, de su personaje. Pretende hablar muy
en serio y lo que hace es burlarse de los movimientos literarios que
más admiraba.

En el esperpento pasará exactamente lo contrario; allí lo aparente
es una farsa grotesca y sin base real. Los disparates que hacen tan
extraños personajes son tan exagerados, tan fuera de lo normal que
han podido ser comparados —por obvias razones— a los del teatro
del absurdo actual. Y, sin embargo, a pesar de esa apariencia de
mentira, debajo de todo ese fingido mundo irreal, ¡cuánta dolorida
crítica!; qué magnífica recreación literaria de un mundo real, aunque
disparatado, de la España de los últimos tiempos.

Las aventuras de este libertino «Dandy» le permiten a Valle burlarse de muchas cosas que las gentes de su tiempo se tomaban tal
vez demasiado en serio. Sin caer nunca en lo pornográfico, obtuvo
páginas bellísimas de un tono erótico de las que no suelen abundar
en nuestra literatura. (Pocos años más tarde la llamada «literatura

galante» rebajaría otra vez el tono, cayendo en lo comercial y lo fácil.)

Recreación artística, libresca, sí. Más de una belleza innegable y todavía hoy lozana. Estilización de un tipo, de unos paisajes, de unos recursos literarios inclusive, pero estilización magistral que no es la burda deformación a trazos torpes de los imitadores incapaces. Deformando lo propio y lo ajeno, logró una obra primera de excelente calidad.

¿Quién puede tomar como pecado imperdonable el que el aprendiz de novelista se sirviese de una situación de Barbey d'Aurevilly, cuyo final de la primera de *Les Diavoliques* —*Le rideau cramoisi*— tantas veces ha sido enarbolado como prueba del «terrible pecado valleinclaniano» de tomar «prestado» de los demás...? Quien haya leído la medianísima *nouvelle* del autor francés no podrá por menos de reconocer que la calidad literaria de la *Sonata de Otoño* es infinitamente superior. Y que, salvo que la situación más importante del argumento es pareja en ambas —las dos heroínas mueren en brazos de sus amantes—, todo el resto, incluida la técnica con que se nos cuenta, no tiene punto de comparación. Sin pizca de *chauvinismo*, tenemos que reconocer la superioridad del «imitador» sobre lo imitado. E igual cabe decir de los otros «préstamos» denunciados por la crítica «policial».

Burlándose de los modos y modas literarios —desde el romanticismo, con el que se inicia *Otoño* en tonos finamente caricaturescos, hasta el modernismo, al que indirectamente lanza más de una pulla, y los decadentismos de moda, sin olvidar los temas sagrados para la sociedad española finisecular, como la nobleza de espíritu, la religión, el honor y las glorias pasadas y hasta de su amado carlismo—, Valle-Inclán hizo de las *Sonatas* el primer esperpento de su larga carrera.

Pero andémonos con ciudado y mucho tiento en el uso de esta palabra, todavía, por aquellos años, no «autorizada» por el autor. Aunque no nos atrevamos a llamarlas «esperpentos» con pleno derecho, las *Sonatas* se nos aparecen como la forma más elemental del género que muchos años más tarde perfeccionó y para el que halló tan apropiado «mote» su autor. Pero en el esperpéntico don Juan —estilizado, iluminado con otras luces, deformado personaje—, así como en otros muchos detalles de estas obritas, se trasluce ese deseo valleinclaniano de dar su personal visión —esta vez como muestra esteticista— y su personal lección. Ni siquiera en esta obra —canto al arte por el arte, elogio máximo esteticista— puede Valle dejar de enseñar, de jugar al moralizador. Su enseñanza es ligera, alegre y pagana; con mucho de cínica y sutil burla, pero enseñanza al fin y al cabo. Reacción contra una sociedad chata y mostrenca en la que la burguesía y la naciente clase media lo llenaban —¡lo invadían!— todo, en su criterio. (La venganza es total; no les deja sitio en su obra. Obsérvese que en las *Sonatas* no hay clase media. Sólo nobleza y pueblo, sin más.) Refugio en este castillo de ilusiones, en esas escapadas en cuatro tiempos que son las *Sonatas*.

d) *Algo más que detalles esperpénticos*

Además de esa casi total deformación de la figura del don Juan, hay en las *Sonatas* varios elementos de los que habíamos señalado como constituyentes del esperpento.

1. Presencia semiconstante de la muerte, como personaje más o menos importante

En el caso de *Otoño,* hay casi uan personificación de ella en Concha, la enamorada moribunda. En *Primavera* somos testigos de la agonía del anciano cardenal, en los primeros capítulos, y de la violenta muerte de la pequeña María Nieves al final. En *Estío,* el pescador negro es devorado por los tiburones pocas páginas antes del «encuentro» amoroso, encuentro que coincide con el doblar a muerto por una monja de las campanas conventuales. Luego el mismo Bradomín acaba a tiros en la iglesia con dos de los criados rebeldes, que se empeñan en detener a Juan de Guzmán, el famoso plateado; y en las últimas páginas, como anunciando la recuperación de la Niña Chole, la muerte se lleva al famoso bandolero, capitán de los plateados. En *Invierno,* el suicidio de la adolescente Maximina y el arrechucho de Volfani, a quien la muerte no acaba de llevarse, pero al que deja paralítico, matando así, indirectamente, la última aventura galante del invernizo «Dandy».

Conviene que puntualicemos: la muerte, personaje secundario en las *Sonatas,* no tiene en sí todavía el valor dramático que alcanzará en los esperpentos. (Por ésta y otras razones no nos atrevemos a considerar sin más como auténtico esperpento a las *Sonatas,* sino solamente como un elemental, un tímido proyecto de esperpento.)

Aquí la muerte es una especie de adorno estético —¿contrapunto afrodisíaco?— de los escarceos eróticos-galantes de Bradomín. Allá en los esperpentos tendrá otro oficio.

El crítico argentino Juan Ruiz de Galarreta, en su libro *El humorismo en las «Sonatas» de Valle-Inclán,* mantiene este mismo criterio: «La muerte de las *Sonatas* no constituye un motivo dramático, sino una motivación estética en las aventuras de don Juan... La muerte en los esperpentos carece de este sentido ornamental. Es una patarata tan imprevista como absurda, que refleja el disloque de un mundo privado de humanidad. Es un resorte que muestra la entraña desgarrada, nada más» *(ob. cit.,* pág. 180).

2. Mundo poco real

Nada más alejado del realismo, en nuestras letras de comienzos del siglo xx, que las *Sonatas.* Diríamos que Valle quiso salirse voluntariamente de la mediocre realidad que le rodeaba, al escribirlas. De aquí que les diese como escena un mundo con apariencias de irreal, un escenario inventado sobre el que se mueven estos personajes que aparentan más teatralidad de la que en realidad tienen.

Cuatro son los escenarios y en casi ninguno de ellos intenta el autor recrear un mundo normal, que responda a la realidad en torno. Prefiere inventar. Ni siquiera «copia» cuando pinta su Galicia natal: da más bien el trasunto, la poetización delicadísima del paisaje gallego. Galicia soñada; Italia como recreación pictórica. (Agudamente sugirió Zamora Vicente, en el capítulo de su libro dedicado al paisaje, incluso hasta los cuadros que debieron servir de «modelo» a Valle.) Méjico entrevisto en el recuerdo idealizador y Navarra adivinada.

La vaguedad real de este mundo está, no obstante, muy bien acentuada por los ambientes sabiamente logrados; interiores de palacios o casonas antiguas —Gaetani, Brandeso, convento de monjas en Méjico, etc.—, jardines misteriosos y llenos de encanto cuasi sobrenatural; atmósfera delicadamente construida para darnos esa impresión de goce sensual que las andanzas de Bradomín comunican al lector.

En otras ocasiones logra esa impresión de irrealidad describiendo simplemente un mundo de pesadilla. Tal, por ejemplo, el ataque del indio en *Estío:* «... Impresión angustiosa como de pesadilla. El médano iluminado por la luna, la arena negra y movediza donde se en-

tierran los pies, el brazo que se cansa, la vista que se turba, el indio
que desaparece, vuelve, me acosa, se encorva y salta con furia fantástica de gato embrujado, y cuando el palo va a desprenderse de
mi mano, un bulto que huye y el brillo de la faca que pasa sobre
mi cabeza y queda temblando, como víbora de plata, clavada en el
árbol negro y retorcido de una cruz...» [16]. Descripción, podría decirse, hecha a base de planos cortos cinematográficos, pero que logra
muy bien la sensación de angustiosa pesadilla que buscaba el autor.

Otras veces será el silencio nocturno de una casa navarra —la
del clérigo— en la que, acentuados los leves ruidos por el agudo oído
de Bradomín, se combinan éstos: «... un ritmo quimérico y grotesco,
aprendido en el clavicordio de alguna bruja melómana» [17]. Y en otra
ocasión serán la fiebre y la fatiga del enfermo: «Algunas veces un
confuso delirio me embargaba, y las ideas quiméricas funambulescas,
ingrávidas, se trasmudaban con angustioso devaneo de pesadilla» [18].

Cuando nos pinta el gran fresco —bellísimo de colores, por
cierto— de las indias, vendedoras de frutas en una calle mejicana,
tenemos la impresión de que hay ya en esa pintura que quiere ser
costumbrista una especie de homenaje, más o menos velado, al genio esperpentizador de Goya (al cual declarará, mucho más tarde,
en *Luces de bohemia,* como auténtico inventor del esperpento):
«... ¡¡Esas viejas de treinta años, arrugadas y caducas, con esa fealdad quimérica de los ídolos. Su espalda lustrosa brillaba al sol, sus
senos negros y colgantes recordaban las orgías de las brujas y de los
trasgos. Acurrucadas al borde del camino como si tiritaran bajo aquel
sol ardiente, medio desnudas, desgreñadas, arrojando maldiciones sobre la multitud, parecían sibilas de algún antiguo culto lúbrico y
sangriento...» [19]. Pero todavía puede espigarse otra referencia más
explícita al autor de los «caprichos» en la de *Invierno:* «Me clavó
los ojos negros y brujos, como los tienen algunas viejas pintadas
por Goya...» (*O. C.,* II, pág. 189).

En algunas ocasiones recurre a las pesadillas del sueño —no llega todavía al verdadero tratamiento surrealista que casi alcanza en
La guerra carlista, pero no anda muy lejos— para recrear ese mundo
informe y nebuloso que sus ojos de artista percibían más agudamente que los llamados escritores realistas: «Dormí poco, y en aquel

[16] *Estío,* II, pág. 69.
[17] *Invierno,* II, pág. 190.
[18] *Ibíd.,* pág. 235.
[19] *Estío,* en *O. C.,* II, pág. 106.

estado de vaga y angustiosa conciencia..., el moscardón verdoso de la pesadilla daba vueltas sin cesar, como el huso de las brujas hilanderas... En medio del sopor que me impedía de una manera dolorosa toda voluntad, yo columbraba que mi pensamiento iba extraviándose por laberintos oscuros, y sentía el avispero de que nacen los malos ensueños, las ideas torturantes, caprichosas y deformes, fundidas en un ritmo funambulesco» (*Otoño*, II, pág. 165).

Agitados duermevelas contemplamos también en *Estío* (II, páginas 112, 113 y 114); y en *Invierno*, inmediatamente después de la operación de Bradomín, sufre éste un período febril y angustioso: «Después unos pasos tenues vagaron en torno mío, y no sé si mi pensamiento se desvaneció en un sueño o en un desmayo... Mi pensamiento voló como una alondra rompiendo las nieblas de la modorra donde persistía la conciencia de las cosas reales, angustiada, dolorida y confusa... Yo la veía al través de los párpados fijos, hundido en el socavón de las almohadas, que parecían contagiarme la fiebre, caldeadas, quemantes. Poco a poco volvieron a cercarme las nieblas del sueño ingrávido y flotante, lleno de agujeros, de una geometría diabólica...» (págs. 222-223). Y en otra ocasión: «Mis dolores y mis pensamientos no me daban instante de paz. La fiebre tan pronto me abrasaba como me estremecía, haciéndome chocar diente con diente. Algunas veces un confuso delirio me embargaba las ideas quiméricas, funambulescas, ingrávidas, se trasmudaban en angustioso devaneo de pesadilla» (II, pág. 235).

3. Contenido irónico-humorístico de las *Sonatas*

Apuntamos al comenzar estas reflexiones sobre las *Sonatas,* que las aventuras donjuanescas de Bradomín nos parecía que tienen, fundamentalmente, un sustrato básico de ironía y humorismo.

No podemos imaginar las razones que movieron a Ramón Sender —admirador ferviente de Valle-Inclán— para mantener categóricamente: «En las *Sonatas* no hay humor ni sátira. Todo está vivido y recordado en serio. Todo es exaltación rapsódica y lirismo y por eso el acento decadente resulta más acusado y obvio»[20]. Lamentamos

---

[20] *Valle-Inclán y la dificultad de la tragedia,* ed. cit., pág. 52. Semejante opinión mantiene el crítico GASPAR GÓMEZ DE LA SERNA, en su ensayo *Del hidalgo al esperpento, pasando por el Dandy,* en «Cuadernos Hispanoamericanos», Madrid, julio-agosto, 1966. Dice textualmente: «Pero en ningún momento hace pasar Valle a su querido Marqués de Bradomín por el espejo deformante del "callejón del gato"; jamás le envuelve en la general sátira, ni hace de él un esperpento...» (pág. 168).

estar en radical desacuerdo con el excelente novelista español. Pensamos que el humor, en realidad, es el esqueleto efectivo de las aventuras de Bradomín. Hacemos nuestra la opinión de Ruiz de Galarreta (quien, dicho sea de pasada, nos parece que ha sido el primero en señalar como se merece la importancia que el humor tiene en las *Sonatas* y en la obra toda de Valle). Hablando de «las memorias amables», afirma: «... hay también una conciencia que trata en todo momento de crear un mundo de ironía. Esta gracia constituye el espíritu de las cuatro narraciones y mantiene por ella una cohesión estilística más valedera que aquella que se fundamenta en aspectos exclusivamente léxicos»[21]. Y en un artículo posterior, completa su teoría: «Las *Sonatas* inician el humorismo de Valle-Inclán mediante la desestimación de valores estéticos que caracterizaron en su época las corrientes literarias finiseculares»[22]. Y se añade en el mismo artículo: «... el "decadentismo" tanto como el "modernismo" se manifiestan en función del humor; ciertas expresiones lingüísticas cobijan bajo su atuendo retórico una insinceridad de pensamiento»[23].

Con ligeras variaciones, y por caminos totalmente diferentes, llega a semejante conclusión el profesor J. M. Alberich, en el que nos parece uno de los mejores ensayos dedicados a estudiar las *Sonatas: Ambigüedad y humorismo en las «Sonatas» de Valle-Inclán.* Resumiré aquí algunas de las conclusiones de tan inteligente artículo: «El haz de las *Sonatas* lo constituye un sueño de belleza imposible; el envés, el fracaso de una aventura estética, y su entramado irónico es el canto de la moneda, lo que nos lleva a la otra cara y nos permite apreciar su densidad. Estética y humor, verdad y fantasía, literatura y vida se funden en ellas en aleación indestructible»[24].

Al comentar las ironías de Valle-Inclán acerca de los temas tradicionalmente «sagrados» en nuestra literatura —monarquía, carlismo, religión o grandeza del pasado histórico español—, dice el crítico: «Todo esto no está tan lejos como se cree del ambiente de la *Farsa y licencia de la Reina castiza,* aunque visto con ironía mucho más humana y benévola»[25].

Y en cuanto a las intencionadas burlas de la retórica literaria es-

[21] JUAN RUIZ DE GALARRETA, *ob. cit.,* pág. 264.
[22] JUAN RUIZ DE GALARRETA, *El humorismo de Valle-Inclán,* artículo publicado en «Cuadernos Hispanoamericanos», Madrid, núm. 199-200, julio-agosto 1966, página 69.
[23] *Ibíd.,* pág. 70.
[24] JOSÉ M. ALBERICH, *art. cit.,* pág. 382.
[25] *Ibíd.,* pág. 374.

teticista manifestada en las *Sonatas:* «Poco a poco podemos vislumbrar lo que significa esa ironía que se vuelve contra el propio estilo de Valle-Inclán, contra la retórica decadente, contra la literatura en general: significa aguda conciencia de la artificiosidad del esteticismo, relativo hartazgo de su inhumanidad. Como la sensualidad cultivada, como el orgullo aristocrático, como el misticismo artificial de los decadentes, el esteticismo es ceniza volandera, fiebre mental que deja un vacío penoso. La literatura no sirve de nada a Bradomín cuando le llega la hora del dolor verdadero. Paradójicamente, esta idea se sugiere en una de las obras más esteticistas del siglo xx» [26].

4. Animalización y otros recursos «esperpentizantes»

Casi todos los críticos que se han ocupado de las *Sonatas* señalan un temprano detalle jocoso de tinte esperpentizante de Valle, logrado con uno de esos rasgos deformatorios de los que tan excelentemente se va a servir en sus obras últimas: el dotar a un viejo caballo blanco de cualidades no solamente humanas, sino de un ser sobresaliente, ¡de todo un pontífice! [27]. Es evidente que, con sutileza, el autor pretende sacar partido chistoso a esta irreverente comparación. (Observa, no sin razón, Alberich, en su mencionado ensayo: «El autor ha ido tan lejos por el camino del absurdo que, si es que el chiste tenía intención, esta vez ha marrado el blanco» [28].)

Lo que nos importa subrayar —y nos parece extraño que tal hecho no haya sido señalado antes— es que tal recurso deformador en las *Sonatas,* ni es único —humanizará varias veces a otros seres— ni el mismo siempre, ya que el más abundante será el de «animalizar», pero se dan varios casos de «animalización» y de «cosificación»; conviene aclarar que tales recursos no llevan, necesariamente, una intención «degradatoria». A veces trata de «embellecer» y las más de lograr efectividad emocional en lo que narra. Por otra parte, tales recursos no son ninguna novedad, pues ya vimos cómo desde sus primeros escritos la pupila del escritor está condicionada de un modo peculiar para enfrentarse con la realidad. En las *Sonatas* no hace

---

[26] *Ibíd.,* pág. 376.
[27] «Brión el mayordomo tenía de las riendas un caballo viejo, prudente, reflexivo y grave como un pontífice. Era blanco con grandes crines venerables, estaba en el palacio desde tiempo inmemorial» (*Otoño,* en *O. C.,* II, pág. 154).
[28] José M. Alberich, *art. cit.,* pág. 366.

sino progresar en cuanto al empleo del recurso, usarlo con más prodigalidad y, también, con mejores resultados. Con tanta maestría, que quizá sea esta la causa por la cual tal «triquiñuela literaria» haya pasado desapercibida para muchos estudiosos.

Sin que pretendamos haberlos anotado todos, señalemos los más sobresalientes:

Primavera: Animalización embellecedora. «... revoloteaban como albas palomas sus manos» (pág. 17); «la paz familiar se levanta como una alondra del nido» (pág. 27); «mi voz tenía cierta amabilidad felina» (pág. 39); «ojos redondos y vibrantes como los ojos de las serpientes» (pág. 39); «aquellos pensamientos... que volaban como águilas» (pág. 41).

Animalización con intención efectista: «se cernía el silencio como un murciélago de maleficio» (pág. 39); «y sentía los pensamientos enroscados y dormidos dentro de mí, como reptiles» (pág. 40); «aquellas larvas que entonces empezaban a removerse dentro de mí habían de ser fatalmente furias y sierpes» (pág. 48).

Animación: «Un arroyo que parecía despertarse con el sol» (página 7); «el argentino son de la campanilla revoloteaba glorioso» (pág. 9); «la cabellera de oro le revoloteaba sobre los hombros» (página 54).

Cosificación: «La Santa dio un grito. Se dobló blandamente como una flor cuando pasa el viento y quedó tendida...» (pág. 37).

Estío: También abundan los casos de animalización en esta fogosa y sensual estación del donjuanesco Bradomín. A poco de comenzar, narrando el viaje —y los motivos que le empujaron hacia Méjico—, hace este delicioso ejemplo de animalización al revés (es decir, son los animalitos los que le recuerdan a los seres humanos de un determinado viaje): «El amanecer de las selvas tropicales, cuando sus macacos aulladores y sus verdes bandadas de guacamayos saludan al sol, me han recordado muchas veces los tres puentes del navío genovés, con su feria babélica de tipos, de trajes y de lenguas...» (páginas 62-63). Animaliza también seres humanos y objetos: «la faca... queda temblando como víbora de plata...» (pág. 69); «algunos mercenarios de mi escolta... como gerifaltes cayeron sobre el presbiterio...» (pág. 90); «sus barbas chivas temblaban de cólera...» (pág. 91); «¡Qué español tan loco! ¡Un león en pie!» (pág. 92); «la Niña Chole vino a colgarse de mi brazo, rozándome como una gata zalamera y traidora» (pág. 96); «el negro sonreía mirándonos con sus ojos de res enferma: ojos de una mansedumbre verdaderamente animal» (página 104); «... los lagartos con caduca y temblorosa beatitud de faquires centenarios...» (pág. 109); «... y el pensamiento era una culebra enroscada al corazón» (pág. 112).

Humaniza en repetidas ocasiones la naturaleza de los trópicos —en sí ya muy sensual— con fines claramente erotizantes: «La campiña... exhalaba... un vaho caliente de negra enamorada potente y deseosa» (pág. 66); «ráfagas venidas de las selvas vírgenes, tibias y acariciadoras como aliento de mujeres ardientes, jugaban en las jarcias...» (pág. 99); «el alba tenía largos estremecimientos de rubia y sensual desposada» (pág. 103). Hasta los objetos como la guitarra o bebidas como el vino son dotados de cualidades humanas: «Reía el vino en las copas, y la guitarra española, sultana de la fiesta, lloraba sus celos moriscos y sus amores con la blanca luna de la Alpujarra» (pág. 105). Humaniza también esa luna tan cara a los románticos: «En el cielo la luna enlutada como una viuda ideal, dejaba caer la tenue sonrisa de su luz sobre la ruda y aulladora tribu» (pág. 111); y hasta el mismo humo de las hogueras campesinas «... subía blanco y feliz» (pág. 112).

Otoño: Teniendo en cuenta que fue la primera *Sonata* escrita, no extrañaría que el recurso estuviese empleado con menos agilidad que en las demás y, sin embargo, sabe servirse de él con gran talento. Concha, la enamorada que personifica a la muerte por muchas razones, constantemente es mencionada como «fantasma blanco», «sombra blanca», etc. Logra el efecto «cosificador» no con una imagen sino con varias sutilmente encadenadas y complementarias. Su boca será «... una boca descolorida y enferma» (pág. 131), su sonrisa doliente «... parecía el alma de una flor enferma» (pág. 132); cuando Bradomín la contempla dormida a su vera, la primer noche de amor, se le aparece como una bella escultura o talla policromada con «... apariencia espiritual de una santa muy bella consumida por la penitencia y el ayuno». Con estas tres embellecedoras imágenes «cosificadoras» contempla el cuadro bello y efectivo a la vez: «El cuello florecía de los hombros como un lirio enfermo; los senos eran dos rosas blancas aromando un altar, y los brazos, de una esbeltez delicada y frágil, parecían las asas del ánfora rodeando su cabeza» (página 135).

Anima objetos como la fuente del laberinto: dos veces escuchamos «... el canto de la fuente», «como pájaro escondido» (páginas 147 y 153); en otra ocasión la misma fuente canta contándole... «a la luna su prisión en el laberinto» (pág. 147).

Humaniza animalitos tan humildes como los caracoles: «inmóviles como viejos paralíticos tomaban el sol sobre los bancos de piedra» (pág. 139); la misma naturaleza: «el campo verde y húmedo, sonreía en la paz de la tarde» (pág. 154).

Animaliza con cierta frecuencia: el caballo blanco, tantas veces mencionado; el mismo sueño: «... el moscardón verdoso de la pesadilla...» (pág. 165); seres abstractos, como el recuerdo: «... el recuerdo de la muerta... me araña el corazón como un gato tísico de ojos lucientes» (pág. 176); el viento y la luna parecen quejarse y huir... «como un alma en pena» (págs. 173 y 175). Y los últimos momentos de Concha, cuando la enferma expira en pleno transporte amoroso entre los brazos de su amante, se nos dan con esta acertada imagen animalizante: «su cuerpo, aprisionado entre mis brazos, tembló como sacudido por mortal aleteo...» (pág. 172).

Invierno: A pesar de que la de *Otoño* suele ser considerada como la mejor de las *Sonatas,* personalmente me inclino por la de *Invierno.* Creo que en ella el autor matiza, redondea y perfecciona el cuadro total que son las aventuras de Bradomín. Que alcanza bellezas, si menos musicales, o de colorido más pálido que las otras, mucho más perdurables. La ironía es más sutil, menos estridente; las aventuras del donjuanesco «Dandy» más creíbles —dentro de lo que cabe tener por «creíble» a un personaje que a su propio autor no le preocupaba gran cosa que lo fuese—. Incluso la figura de este cínico don Juan en decadencia se nos hace más simpática, pues lo contemplamos ya sin esa vana fanfarronería de las otras, inevitablemente camino de la muerte. Y, lo que es más grave para un profesional en lances de amor, fracasando lamentablemente en sus dos aventuras. Con María Antonieta tiene relativo éxito, pero es el último resplandor de un fuego que se extingue; a la niña Maximina logra enamorarla, es cierto, pero el suicidio inmediato hace imposible toda «cosecha» del triunfo. El cínico Marqués, conviene no olvidarlo, abandona «el viejo caserón donde había encontrado el más bello amor de mi vida»... «sumido en desengañados pensamientos»; de sus ojos van brotando unas pocas patéticas lágrimas de sincero dolor —adivinaba con brutal certeza la tragedia— cuando se vuelve para contemplar de lejos la celda de la niña que finó por amor. La escena toda es una de las mejores páginas escritas por Valle.

Si podemos admitir que en las otras *Sonatas,* como dice Sender en su mencionado estudio: «... Bradomín es un dorado muñeco de guiñol bien vestido, bien educado, con toques de renacimiento y música... de minueto. Es inverosímil e inaceptable en la realidad, pero nos convence como figura literaria»[29], el Marqués de Bradomín, en la de *Invierno,* se nos convierte casi en verdadera criatura humana. Aun cuando trate de embellecernos el episodio de la pérdida de su brazo llevado de la costumbre, una sinceridad que no le conocíamos antes nos deja al descubierto la auténtica falta de heroicidad no sólo en la aventura, sino en toda la absurda lucha carlista.

Tal vez sea ese tono menor adoptado por Valle para contar las últimas aventuras de su personaje lo que le da, en mi opinión, más belleza a la obra, más emoción.

Abundan, como en las otras, los casos de animalización: un seminarista guerrillero tiene «perfil de aguilucho..., ojos de pájaro» (pág. 185); «María Antonieta... rugió en mis brazos como la faunesa antigua», y tiene los senos «palpitantes como dos palomas blancas» (pág. 204); la esperanza y el pensamiento... «vuelan como una alondra» (pág. 222); el bélico clarín «... alzaba su canto animoso y dominador como el de un gallo» (pág. 235), y la terrible convicción del suicidio de la hermana Maximina... «cruzó por mi alma con un vuelo sombrío de murciélago» *(ibíd.);* contemplando el discurrir de unas torrenteras..., «las comparaba con mi vida, unas veces rugiente de pasiones y otras cauce seco y abrasado» (pág. 215); los bellos ojos de la niña Maximina serán «... dos florecillas franciscanas de un aroma humilde y cordial» (pág. 233); y mientras contempla en soledad emocionada un atardecer desde su ventana de convaleciente, el mismo atardecer en que «la niña de los ojos aterciopelados»... le ha confesado su amor, Bradomín tiene lo que podría ser una revelación o presentimiento del trágico suceso final: «Por la sombra del cielo iba la luna sola, lejana y blanca como una novicia escapada de su celda. ¡Era la hermana Maximina!» (pág. 231).

5. Bradomín, ¿contrafigura de Campoamor...?

En cuanto a que el Marqués de Bradomín esté inspirado en la figura de don Ramón de Campoamor, y la veneración que como poeta sentía Valle-Inclán por aquél, nos parece por un lado una broma más de este zumbón empedernido que es Valle. En la conferencia que dio en Buenos Aires bajo el título *Semblanzas de literatos es-*

[29] RAMÓN J. SENDER, *ob. cit.,* pág. 47.

pañoles, de la cual publicó un largo estracto «La Nación», 3-VII-
1910, dijo «... que su Marqués de Bradomín estaba inspirado en el
gran poeta [Campoamor], que muchos de sus rasgos tienen origen
en la veneración tributada al autor de las *Doloras»* [30]. Mas pensán-
dolo bien, nos queda la sospecha de si no tendrían algo más de verdad, dichas palabras de Valle, de lo que nuestro apresurado juicio
tomó por una broma inocente. ¿No es, como hemos dicho, el Marqués una «deformación», una estilización, del don Juan tradicional...? ¿Por qué no podría ser —especialmente el Campoamor pa-
ternal de los últimos años, venerado por los lectores y admirado por
las lectoras, el punto de partida para el autor del «viejo "Dandy"»?
¿No verían sus ojos de creador literario inclinados a la exageración,
a la deformación casi por instinto irrefrenable, lo que en el viejo
poeta había de «utilizable», convenientemente «aderezado» para dar
la versión finisecular del mito español por excelencia...? Tal vez,
repito, Bradomín, como confesaba su autor, no sea sino una amable
«esperpentización» del autor de las *Doloras.*

---

[30] Véase *Ramón del Valle-Inclán, 1886-1936* (Estudios reunidos en conmemoración del centenario), Universidad Nacional de La Plata, Argentina, 1967, pág. 107.

IV

«FLOR DE SANTIDAD»
Y SU ENIGMÁTICO PERFUME

«H ISTORIA milenaria» se subtitula esta obra, considerada por la
crítica desde su aparición, en 1904, como una de las más hermosas —si no la más— de las de Valle-Inclán.

Ramón Gómez de la Serna dice de ella: *«Flor de santidad* —que
no es ni breve ni larga y que es una villanía llamar cuento— es una
obra maestra…, es todo un cáliz de arte en que se enlazan los sím-
bolos, los motivos y el buen estilo»[1].

El novelista Ramón Sender, después de proclamarla obra maestra, se queja, no sin razón, de que «aquellos críticos que hablaron
[de ella] con elogio no hayan dejado un estudio que valga la pena».
Y, lo que le parece mucho peor, del desconocimiento de esta obra
fuera de España: «… no se han enterado aún de que esa obra existe.
No hay ninguna traducción de *Flor de santidad* a ningún idioma.
Y no es que sean insuperables las dificultades de léxico y de estilo.
Las *Sonatas* y *Tirano Banderas* son más difíciles y están traducidas
al inglés. Es sencillamente que no se enteran»[2].

No deja de resultar curioso que, habiéndose consagrado docenas
de artículos a las *Sonatas,* se reserven —casi siempre en estudios
de conjunto— las consabidas líneas de alabanza para esta obrita, en
lugar de un atento y esclarecedor estudio. Si se examina la bibliografía crítica dedicada a la obra de Valle se verá que —salvo las pá-

[1] RAMÓN GÓMEZ DE LA SERNA, *Don Ramón del Valle-Inclán,* Col. Austral, 2.ª ed.,
Buenos Aires, 1948, pág. 62.
[2] RAMÓN SENDER, *ob. cit.,* pág. 98.

ginas de Sender— apenas hay unos pocos artículos que se ocupen de esta bella obra [3]. Ni siquiera la reciente oportunidad del centenario del nacimiento del autor ha deparado mejor fortuna bibliográfica a *Flor de santidad;* escasamente la vemos citada en tan abundante serie de estudios, si exceptuamos las interesantes páginas que le consagraron Sender y Díaz Plaja en sus respectivos libros.

Si todos, críticos y lectores, suelen coincidir en que es una obra de arte y, sin embargo, los editores extranjeros ignoran su existencia y los mismos estudiosos no le han prestado la misma atención que a otras obras del autor, nos parece que tiene que haber alguna causa para que esta bellísima flor del huerto valleinclaniano no goce de la misma popularidad que sus hermanas. ¿Cuál puede ser esta causa...? Aunque ello parezca en principio una paradoja, sospechamos que sea precisamente esa «sencillez» que todos parecen encontrar en tan bella historia; la obrita no es tan transparente como parece a los que la leen con cierta ligereza. Nos parece que se equivocan quienes ven en este bello poema en prosa un canto musical y emocionado a la sencilla fe campesina; la intención del autor —todo lo subterránea que se quiera, escondida sutilmente bajo esa apariencia de poemática novelita de costumbres— nos tememos que sea otra muy distinta.

Detectamos en ella un contenido más significativo, peor intencionado también, que esa simple exaltación lírico-rapsódica de una fe y un alma sencillas y primitivas, aunque ellas sean no sólo las de la humilde pastorica protagonista del relato, sino las de la misma tierra sobre la que se mueve, la Galicia primitiva y eterna del autor.

Es innegable que, comparada con la prosa de las *Sonatas,* la de *Flor...* resulta más natural, menos ampulosa y grandilocuente y que, como dijo César Barja, es «arte popular frente al arte aristocrático de las *Sonatas*» [4]. Pero ese «tono menor» en cuanto a musicalidad y bellezas de forma externa no siempre se corresponden con una sencillez de significado, de contenido. Y lo que, tras una rápida y saboreada lectura, se nos aparece como poemática historia de tipo más o menos costumbrista, después de un pormenorizado análisis tal

[3] Entre los escasos que recordamos pueden mencionarse los de MARÍA ANTONIA SANZ CUADRADO, *Flor de santidad* y *Aromas de leyenda* (Estudio comparativo), en «Cuadernos de Literatura Contemporánea», Madrid, núm. 18 (1946), págs. 503-538; BEATRIZ M. ARREGUI y OLAECHEA, *La frase "siglo XX" en "Flor de santidad"*, en «Boletín del Instituto de Investigaciones Literarias», Universidad Nacional de La Plata, Argentina, 5, 1949, págs. 25-101.

[4] CÉSAR BARJA, *Libros y autores contemporáneos,* Ed. Librería General de V. Suárez, Madrid, 1935.

vez se nos aparezca como sutil e intencionada fábula con algo más que insinuaciones de denuncia.

Tras el escondido perfume de esta bellísima *Flor de santidad* vamos en las páginas que siguen.

1. ADEGA, PASTORCICA INTEMPORAL. ATMÓSFERA DE LEYENDA

La historia, recordémoslo, es una reelaboración de otra anterior —*Adega*—, que había sido publicada en «La Revista Nueva» de Madrid, el 15 de febrero de 1899. Como novela vio la luz en 1904, entre la publicación de las *Sonatas* de *Estío y Primavera.*

Desde las primeras líneas, el lector penetra en un ambiente en el cual las referencias temporales están habilísimamente disimuladas o, cuando menos, difuminadas, apuntando, cuando lo hacen, en una sola dirección: hacia un remoto tiempo patriarcal, como detenido por arte mágico en una época primitiva. Lo que se nos cuenta pudo haber sucedido lo mismo hace unos años que hace unos cuantos siglos en esa imprecisa y estilizadamente medieval zona campesina que el autor dibuja como escenario; el «malhadado año del hambre» en el que la niña se queda huérfana y que hubiera podido ser un claro indicador temporal, se ha repetido, desgraciadamente, muchas veces en la historia de los pueblos del noroeste hispano, para que el dato tenga relevancia.

La «bula paulina», con la cual es amenazado uno de los personajes —el «patriarcal abuelo» saludador— si continúa practicando sus ensalmos y conjuros, tampoco nos vale más que hasta cierto punto: que la acción tiene lugar después de la promulgación de tal bula, hechas por el papa Paulo III, que rigió la cristiandad de 1534 a 1549. (Dicho pontífice —Alessandro Farnese, en lo civil— hizo instituir la censura de libros —*Indices librorum prohibitorum*— y renovó el tribunal de la Santa Inquisición, dando comienzo, bajo su autoridad, el Concilio de Trento.)

El primer personaje que nos sale al paso es «... uno de esos peregrinos... que recorren los caminos salmodiando una historia sombría, forjada con reminiscencias de otras cien...», con lo cual tal vez el autor nos está dando una pista más o menos consciente del procedimiento que él mismo va a seguir para la suya. Tal personaje ha sido muy común en la ruta jacobea desde poco después de la «invención» de la tumba del Santo Apóstol, en los remotos tiempos del obispo Teodomiro de Oria, allá por los primeros años del siglo noveno, cuando Alfonso II el Casto, rey de Oviedo, fue el primer peregrino de calidad —¡antes aún que Carlomagno!— que abría el camino, luego llamado «de los franceses».

Incluso su atavío, aun cuando peque un tantico de teatralería contemplado en nuestros días, sugiere la atemporalidad del romero de las leyendas tradicionales sin ocultar por ello al pícaro pordiosero, «desgreñado y bizantino», con que nos tropezamos todavía hoy por ferias y romerías en pueblos y ciudades sobre la vieja ruta de los peregrinos.

Igual que ocurre con la figura del peregrino puede decirse de los restantes elementos de la historia; el autor va borrando conscientemente toda barrera temporal que pueda sustraerle un tanto de ese «aire mágico» que quiso poner en su invención. Va creando así un ambiente ambiguo de presente eterno, de «primitivo enxiemplo» o leyenda medieval; una especie de reconstruida historia falsamente hagiográfica. Que en ella haya ecos de otras cien... no debe tomarse muy al pie de la letra. Pero que muchas sombras literarias cruzan por sus páginas, es indudable: El Arcipreste de Hita, los *Milagros* de Berceo, el *Lazarillo de Tormes,* aire de «narraciones milenarias», «églogas pastoriles», etc., no están insinuadas en la obra por casualidad. Todo contribuye a darle ese aire de pretendida leyenda medieval.

Varios son los recursos que utiliza Valle para lograr esta atemporalización de su historia. El más elemental, añadir adjetivos que indican épocas antiguas: «centenario», «milenario», «venerable», «patriarcal», «primitivo», etc., aplicados a objetos como «piedras», «campanas», «árboles» y demás elementos del paisaje. Contemplaremos muchas veces «piedras célticas doradas por líquenes milenarios»; pero con sutilidad el autor va creando una atmósfera total de leyenda. Adega tiene uno de los oficios más elementales y antiguos de la humanidad, y para quienes hablan de regionalismo, resulta un tanto extraño que en una zona campesina como es la verdadera Galicia, la agricultura ocupe en la novelita reducidísimo espacio. Es el pastoreo, la más primitiva ocupación del hombre —de la mujer, para ser más exactos—, el que llena las páginas del relato.

Adega es, en realidad, una «sierva que sirve por el yantar», o «por los bocados», al igual que los mozos que sirven en el pazo de

Brandeso; la inocente criatura es como «la zagala de las leyendas piadosas», «hace preguntas de candor milenario» y hasta el chistoso Electus es un «... ciego... semejante a un dios primitivo aldeano y jovial». Escuchamos el balido de las ovejas «como en las viejas églogas»; los álamos parecen «... de plata antigua», el saludador es un «... abuelo venerable risueño y doctoral» —¡la finísima ironía de Valle asomando la oreja de cuando en cuando!— «... semejante a los santos de un antiguo retablo», y unas líneas más tarde lo sabemos «... benigno y feliz como un abuelo de los tiempos patriarcales».

Hasta los modos de hablar de ciertos caracteres indican esa atemporalidad tan diestramente buscada por el autor: «el viejo respondía con su entonación lenta y religiosa, de narrador milenario»; incluso cuando arden las vides en la socampana del pazo, se aclara: «hay algo de patriarcal en aquella lumbre de sarmientos».

También se hila lana con la vieja rueca, y los pobres se defienden de la lluvia y el frío con las usadas anguarinas o las capas de juncos que, ciertamente, todavía pueden verse por el noroeste hispano en nuestros días, como se vienen viendo desde hace siglos.

Otro recurso «atemporalizador» de Valle es el uso frecuentísimo del demostrativo «aquel». La repetición de «aquel tiempo...», «aquella pastora...», «aquellos días...», etc., tiene la virtud de alejar de nosotros los acontecimientos. Se reitera el empleo de tal recurso especialmente en el hermoso capítulo que narra la infancia de Adega: «¡Qué invierno aquél...! Aquellos abuelos de blancas guedejas, aquellos zagales asoleados, aquellas mujeres con niños en brazos, aquellas viejas encorvadas... besaban la mano que todo aquello les ofrecía... ¡Qué invierno aquél!» (Estancia 1.ª, cap. III, O. C., I, pág. 1180).

Señalemos, por último, otro recurso que nos parece lleva intención «atemporalizadora». El deliberado alternar, en un mismo período, de tiempos verbales, el brusco paso de un pretérito a un presente. Lo utiliza Valle en varias ocasiones, nos parece que siempre con la misma intención: fijar, inmovilizar como una estampa el cuadro que se extiende ante nuestros ojos. En el capítulo II de la 1.ª estancia el peregrino acababa de encontrar a la pastorcilla. Todo se nos ha narrado en pretérito hasta el momento en que, llegados a la venta, Adega «... *encierra* el ganado y *previene* en los pesebres recado de húmeda y olorosa yerba, el peregrino *salmodia* padrenuestros ante el umbral del hospedaje. Adega, cada vez que *entra* o *sale* en los establos, *se detiene* un momento a contemplarle». Tenemos la impresión, acostumbrados como estábamos insensiblemente al pretérito de narración, al leer ahora en presente, que contemplamos la estampa mágicamente detenida por el autor, si bien la «acción» continúa, de que tenemos ante la vista algo «que se eterniza» en ese «presente histórico» de que nos hablan los retóricos, frente al pretérito de narración ordinaria.

Lo mismo ocurre en las frecuentes visiones de Adega: todo está en pretérito hasta el momento mismo en que, contemplando una maravillosa e ingenua procesión celestial, la inocente criatura ve «los pétalos de las rosas litúrgicas que deshojan día y noche los serafifines», se oye el repique del amanecer... «cuando el gallo *canta* y *balan* en el establo las ovejas». Continúa luego la narración en imperfecto, contándonos cómo «... Santa Baya de Cristamilde, San Berísimo de Céltigos, San Cidrán, Santa Minia, San Clodio y San Electus tornaban hacia la pastora el rostro pulido, sonrosado, riente. ¡También ellos... reconocían a su sierva! Oíase el murmullo solemne, misterioso y grave de las letanías, de los salmos, de las jaculatorias... Zagales que tenían por bordones floridas ramas, guardaban en campos de lirios ovejas de nevado virginal vellón, que acudían a beber el agua de fuentes milagrosas cuyo murmullo [vuelta al presente eternizante] *semeja* rezos informes. Los zagales tocaban...»

Sigue el autor narrando en pretérito hasta que alcanzamos a ver «... ¡los rebaños del Niño Dios!... Y tras montañas de fantástica cumbre, que *marcan* el límite de la otra vida, el sol, la luna y las estrellas, *se ponen* en un ocaso que *dura* eternidades. Blancos y largos rosarios de ánimas en pena *giran* en torno, por los siglos de los siglos. Cuando el Señor *se digna* mirarlas, purificadas, felices, triunfantes, *ascienden* a la gloria por misteriosos rayos de luminoso, viviente polvo. Después de estas muestras que Dios nuestro Señor le daba de su gracia, la pastora sentía el alma...» *(O. C.,* I, páginas 1184-1185).

Este uso alternado de tiempos verbales indica, a mi juicio, que no sólo hay matices que separan la realidad de la visión —como opina el profesor Díaz Plaja *(ob. cit.,* pág. 188)—, sino que hay decidido empeño, por parte del autor, de «eternizar» algunas estampas de su obra; bajo esa aparente «caprichosa libertad estilística» se transparenta una consciente voluntad de creación. No hay «descuidos» (puesto que sólo aparece en los lugares que le conviene) ni «prueba de espontaneidad», como sugiere para justificarla R. Sender, sino cuidadosísimo empleo del presente, tiempo verbal que no implica principio ni fin.

2. ¿NOVELA DE GALICIA, NOVELA COSTUMBRISTA...?

En los esquemáticos estudios que los manuales de literatura suelen dedicar a *Flor de santidad* —unas pocas líneas, por lo general— suele repetirse que dicha obra es un buen ejemplo de prosa poética —verdad incontrovertible— y que es tal vez la «novela de Galicia» o «la novela más costumbrista» de todas las de Valle.

Nos parece que hay que andarse con cuidado en esto de aplicar marbetes a las obras de don Ramón. Conviene, antes de llegar a conclusiones apresuradas, preguntarse y examinar qué hay de novela regionalista y hasta qué punto el autor estaba interesado en hacer de su «historia milenaria» una novela regionalista en el sentido tradicional del término. Sospechamos, luego de una lectura meditada, que no fue ésa la intención que movió su pluma.

La escena sobre la que se mueven estos personajes es, indudablemente, Galicia. Pero nunca se nos da la visión directa, realista, de una región que el autor conocía muy bien, sino una imagen depuradísima, estilizada; sintetizados todos los detalles para darle un máximo de vaguedad espacial. Hay pocas notas paisajísticas que no sean algo más que vagas pinceladas para fijar el escenario elemental en una novela en la que, salvo dos breves estampas —la sumisa entrega de Adega al desaprensivo peregrino y la velada en la cocina de Brandeso, la víspera de la cacería de lobos—, transcurre toda al aire libre, como los «milagros» o los más antiguos romances medievales. Para los críticos que ven en *Flor de santidad* un ejemplo de novela costumbrista, puntualicemos que las «costumbres» que en ella se transparentan no son exactamente las que corresponden a una región española de fines del siglo pasado. Deliberadamente, el autor nos presenta un mundo detenido, como si dijéramos, en la infancia de la civilización; las costumbres descritas igual pueden corresponder a 1890 que a 500 o 1.000 años antes; y para los que hablan de «novela regionalista», apresurémonos a decir que la región recreada es, si se quiere, una estampa primitiva, rica en color, pero de dibujo tan impreciso como bello. Es más, no estamos muy seguros —a pesar de haber sido considerada por los críticos desde su aparición como la obra más típicamente representativa de Galicia— de que Valle no se esforzara por quitarle todo el aire local, es decir, regional, al igual que se esforzó por hacerla atemporal. Borrando los límites espacio-temporales se acercaba más a su sueño de llegar a la creación de la obra bella perennemente inmóvil, vencedora del enemigo de todas las cosas, el tiempo.

(Santiago de Compostela, la pétrea ciudad detenida en inmóvil belleza, era el ejemplo de «perennidad estética» para don Ramón; Toledo, la vieja ciudad castellana, por el contrario, ejemplificaba lo perecedero, lo que se va convirtiendo en ruina poco a poco, con el inexorable paso de los años. Valle confesó al doctor Marañón un día —mientras contemplaba Toledo desde el cigarral del famoso médico y escritor— que «... tenía miedo de que un día la vieja ciudad acabase de desmoronarse y convertirse en barro, bajo un aguacero», según se cuenta en un reciente artículo publicado en «Ya», Madrid, 2 de abril de 1968.)

Así como en las *Sonatas* —salvo en la de *Estío*— se columbraba al fondo la región gallega como base del paisaje, en *Flor...*, que en apariencia pudiera ser más localista que aquélla, las notas de paisaje son aún más imprecisas, más sugeridoras de una región céltica cualquiera que las de una Galicia concreta que el autor llevaba en sus pupilas desde la infancia. Deliberadamente ejecuta un paisajismo «de memoria», sintético recreador, lo cual le deja más libertad para la invención total de «su cuadro» que la copia «del natural» —con todas las libertades del arte impresionístico que se quieran— practicada por otros compañeros de generación: Azorín y Baroja, especialmente.

El resultado, sin dejar de ser un paisaje eminentemente verdadero, inconfundible, le da mucha más universalidad, menos localismo: lo eterniza, al descomponerlo en sus elementos esenciales.

Además, el paisaje valleinclaniano, la naturaleza toda —montes, ríos, nubes y estrellas, viento y lluvia, árboles y caminos, flora y fauna de aldeas o ciudades que se nos muestran—, están en la obra no para crear por acumulación un telón de fondo sobre el que se mueven los personajes, sino que toma parte importantísima en dicha invención para subrayar —a veces contrapuntísticamente— las vicisitudes de la «historia» y sus personajes. No son meros elementos «pasivos» en la acción, sino que expresan —ya apareció el término—

tanto como el autor quiere sugerir. Paisaje «expresionista», sí; como muy bien dice A. Risco en su excelente estudio: «El expresionismo procede del simbolismo. Es en el fondo un simbolismo exasperado, agresivo. Y Valle inició su carrera imitando a los epígonos de este movimiento, aunque ya desde una perspectiva expresionista, que fue radicalizando hasta llegar a esa magnífica invención del esperpento» [5].

El paisaje en *Flor de santidad* habla, expresa a su manera y explica, en cierto modo, la psicología de sus personajes o su extraño comportamiento. Toma parte activa en el enredo o la aventura que se nos cuenta. Acentúa o contrasta un determinado ambiente o la situación moral de los personajes.

Por otro lado, esa técnica «desmenuzadora» de recomponer el paisaje en sus elementos esenciales, en lugar de dársenos el cuadro total —como intentaron hacer Pereda, Palacio Valdés o la misma Pardo Bazán—, contribuye mejor, en mi opinión, a producir en la mente del lector esa sensación de misteriosa vaguedad admirable que el campo gallego tiene al ser contemplado por vez primera por el viajero de otras regiones. Comencemos ya el análisis:

Al abrir el libro por la primera página contemplamos al peregrino que llega a la venta de la sierra, donde vive Adega, un atardecer invernizo y desagradable. Conviene aclarar que tal vez sea este paisaje el más largo y detallado de cuantos se nos dan en la historia. Casi una página entera, lo cual es rarísimo, por lo general, en Valle y en especial en esta obrita. Se nos dice que la venta «no estaba sobre el camino real»... —no se habla nunca de carreteras, caminos vecinales u otras vías de comunicación en toda la novela, que puedan denotar tiempos modernos: senderos, sendas de cabras y ovejas, todo lo más camino real—, «sino en mitad de un descampado, donde sólo se erguían algunos pinos desmedrados y secos». A esta vegetación miserable corresponde el aspecto poco acogedor de la venta nueva: «En medio de la sierra adusta y parda, aquel portalón color de sangre y aquellos frisos azules y amarillos de la fachada... producían indefinible sensación de antipatía y de terror.» Escuchamos ladridos de perros de la aldea no muy lejana, y, al fondo, «... como eco simbólico de las borrascas del mundo, se oía el retumbar ciclópeo y opaco de un mar costeño muy lejano».

Nótese cómo el bramido del mar está no sólo con valor sonoro propio, sino en función simbólica del malestar —las borrascas, dice

---

[5] *La estética de Valle-Inclán*, ed. cit., pág. 275.

el autor— del mundo. Es la hora del crepúsculo, y la paz invernal contribuye a entenebrecer la escena dando... «al yermo y riscoso paisaje entonaciones anacoréticas que destacaban con sombría idealidad la negra figura del peregrino».

Este era el propósito del artista: trazar un cuadro, un ambiente suficientemente expresivo, que está sugiriendo a la vez lo siniestro, la doblez de alma del personaje y la atmósfera poco atractiva de un lugar de penitencia. No conocemos aún al personaje, pero el fondo sobre el que se destaca no puede ser más sugeridor, más expresivo. En los cuadritos siguientes, continuando la misma o parecida técnica, redondea el conjunto hasta llegar a la escena culminante, el vil abuso de que es objeto la inocente pastorcica por parte de este embaucador y «prosero» correcaminos.

Precisamente «el anacorético paisaje» nos estaba sugiriendo ejemplares penitencias, vidas de austero sacrificio; exactamente lo contrario de lo que va a acontecer en seguida ante nuestros ojos; de ahí que cuando, llevados de la mágica pluma del autor, contemplamos cómo este pícaro redomado se aprovecha de la credulidad inocente de la criatura anonadándola con su palabrería y, sobre todo, con su experiencia sexual, para abusar de ella, sentimos —quizá inconscientemente— que la acción es aún más vil por venir de este «anacorético penitente», al cual habíamos casi idealizado, al encuadrarle la hábil pluma de Valle en un paisaje que nos sugería, no sin intención, el contemplado más de una vez en cuadros clásicos de la mejor pintura; sólo que allí los anacoréticos penitentes suelen ser auténticos ascetas, no farsantes disfrazados de fantoches penitenciales, que encubren a redomados pillos, como el de la historia de Adega.

Mas volvamos al paisaje: «Ráfagas heladas de la sierra que *imitan* el aullido del lobo, le sacudían implacables la negra y sucia guedeja...» (Por primera vez nos tropezamos en la historia con un cambio de tiempo verbal. Si, como ya dijimos, para Sender estos saltos bruscos eran «descuidos»... que prueban... «que en Valle-Inclán la forma era espontánea y fluida», pensamos, por el contrario, con el profesor Díaz Plaja que los cambios verbales de esta obrita son un recurso deliberado y consciente. En Valle, autor tan consciente de la belleza, no suele haber tales «descuidos». El presente «fija» la acción, sin principio ni fin; las ráfagas heladas de la sierra imitan eternamente el aullido del lobo, en contraste con la descripción del resto, un pasado más o menos lejano. Es una especie de «teleobjetivo cine-

matográfico» y verbal que nos acerca o aleja, a voluntad, la acción
o determinada parte sobresaliente de ella; a la manera como la cámara cinematográfica, por medio del *travelling,* nos da un gran plano
general y luego un primer plano para ampliarnos o recalcar lo que
quiere hacernos ver.)

Desde las primeras pinceladas del cuadro que se nos da nos percatamos de que el paisaje, los elementos que lo componen, no sólo
se sintetiza, se memoriza, sino que se le hace intervenir en la historia
mediante sutiles trampas como la simple animación —el campo está
aterido, los «cipreses centenarios... cabeceaban tristemente», la aldea
se agrupa en la falda de un monte «entre foscos y sonoros pinares...»—, recurso que habíamos visto utilizar a Valle desde sus
tanteos iniciales; volveremos a encontrarnos con «cipreses... oscuros
y pensativos», «camino... que se despierta bajo el campanilleo de
las ovejas» que... «pasan temerosas...» mientras el agua de la presa
«... canta el salmo...». Y uno de los más bellos capítulos del libro,
la escena en que Adega y la ventera llevan las ovejas, por consejo
del saludador, a la fuente a media noche, merece que la contemplemos de cerca: «Era una noche de montaña, clara y silenciosa, blanca
por la luna. Las ovejas se juntaban en mitad del descampado como
destinadas a un sacrificio en aquellas piedras célticas que doraban
líquenes milenarios..., el tremante campanilleo de las esquilas despertaba un eco en los montes lejanos donde dormían los lobos.» En
tal escenario vemos a las dos mujeritas... «sobrecogidas por la soledad de la noche y por el misterio de aquel maleficio». Como en
cualquier paisaje realista, a lo lejos se distingue el pueblo, sobresa-
liendo entre las negras copas de los viejos nogales la torre de la
iglesia y las campanas, «... aquellas campanas de aldea, piadosas,
madrugadoras, sencillas como dos viejas centenarias» (poco más adelante serán «... como dos abadesas centenarias»).

El autor no contempla solamente en el recuerdo, sino que anima
y vivifica ese paisaje suyo; las sombras de un nogal «extendíase patriarcal y clemente sobre las aguas verdeantes que parecían murmurar un cuento de brujas». Se oye el rumor de las «lenguas [de las
ovejas] que rompían el místico cristal de la fuente. La luna espejá-
base en el fondo, inmóvil y blanca atenta al milagro». Al volver hacia
la venta se esconde la luna y «el camino oscurecía lentamente, y en
los pinares negros y foscos se levantaba gemidor el viento». Se ven
«... sólo algunas estrellas remotas, y en la soledad del paisaje oíase
bravío y ululante el mar lejano, como si fuera un lobo hambriento

escondido en los pinares». Otra vez la imagen animalizadora: mar-lobo hambriento.

Creo que no hacen falta más ejemplos para probar cuanto decía-mos, que la Galicia valleinclaniana —su paisaje— es mucho menos «regionalista» a la manera tradicional que el de los costumbristas y regionalistas españoles. Es un paisaje peculiar y suyo. Como el tiem-po en la historia, está muy «disimulado», muy en su oficio concreto, de elemento con el que el autor cuenta para montar su obra.

Es evidente que el conjunto —paisaje y personajes— dan un am-biente más galaico del que puede dar esta serie de «retazos» entre-sacados por mí para ilustrar mi teoría; pero no se crea que abundan mucho. Aquí pueden parecer abundantes por ir juntos, pero no lo son en la obra, si se tiene en cuenta que la acción transcurre casi siempre al aire libre. En las tres estancias finales las notas paisajísti-cas desaparecen casi. Pensamos que una vez conseguido el ambiente físico y humano en la primera parte, al artista le bastan unas pocas estampas más para redondear plásticamente su bella invención. Tal ocurre, por ejemplo, con la impresionante «pintura negra» de la misa de medianoche, la procesión y el baño de las endemoníadas en el penúltimo capítulo. Que, por cierto, está trazado con sin igual maestría y una extraordinaria economía de recursos detallísticos. En conjunto, puede decirse que es la estampa que más se acerca al puro realismo en toda la obra; visto de noche, a la pálida luz de la luna y con el negro mar retumbando sorda y amenazadoramente a los pies del acantilado sobre el que se alza la ermita de Santa Baya de Cris-tamilde. (En la realidad, según nuestras noticias, no era en tal san-tuario o ermita, creada por Valle-Inclán, donde hasta no hace muchos años acudían las endemoníadas a recibir las olas, sino a la ermita de Nuestra Señora de la Lanzada, no muy lejos de Pontevedra.) Mas al autor, en su ánimo de «atemporalizar», le convenía no citar el verdadero nombre —¡otra vez lo vemos borrando pistas!—. En cam-bio, habla de dicha ermita en otra obra —*El embrujado*—, en donde los personajes ante un caso semejante de mal de ojo mencionan los lugares que existen en Galicia para «liberarse»: «La moza del ciego: "A este cativo le hicieron mal de ojo, y menester será llevarlo a que reciba las ondas de la mar bajo la luna de medianoche." El ciego: "¡O bien a San Pedro Mártir!" La Galana: "O bien a Santa Junta de Moraña." El ciego: "¡Mejor a Nuestra Señora de la Lanzada!"» [6].

---

[6] *El embrujado*, en *O. C.*, I, pág. 948. Para cuanto se refiera al contenido fol-klórico de *Flor de santidad* y de la obra en general de Valle-Inclán, véase el docu-

3. LA HISTORIA: FE Y CREENCIAS POPULARES

El argumento de *Flor de santidad,* como el de las antiguas leyendas y milagros, es, en realidad, muy sencillo. Una simple pastorcilla huérfana pasaba sus días en la vaga espera de contemplar la gloria. Predispuesta hacia lo milagroso, comienza a tener visiones, y las gentes del lugar la tienen pronto «en olor de saludadora». Un anochecer llega a la venta un falso peregrino, al que la niña toma por un santo y luego por el mismo Dios; al serle negado asilo en la venta, el caminante la maldice con gran prosopopeya; Adega, que lo escucha aterrorizada y atraída a la vez por el personaje de tan extraño atavío, lo acoge sin malicia en el establo donde ella duerme. El peregrino, truhán sin escrúpulos, abusa de la inocente, embaucándola con su labia y el regalo de un rosario que «... había sido tocado en el sepulcro de Nuestro Señor y en el de los doce Apóstoles». A la mañana siguiente desaparece sin dejar rastro.

Adega, feliz y convencida de haberse entregado «al mismo Dios Nuestro Señor», vive ilusionada a la espera de más prodigios; mas las ovejas comienzan a morir de misterioso mal. Buscan la ayuda del saludador local, temiendo un conjuro. Pero el hijo de la ventera, ladrón de oficio, obedeciendo otra superstición, descubre al presunto culpable —el peregrino— y lo asesina, cuando éste se encaminaba a la querencia de Adega; la cual, avisada por un sueño admonitorio, sale en la noche y descubre el cadáver. Desde ese momento se lanza al campo, contando sus visiones y pidiendo castigo para los culpables «que han matado otra vez a Dios Nuestro Señor»... Corre los caminos pidiendo limosna, y los campesinos se compadecen de ella por considerarla «enferma del ramo cativo», es decir, posesa del demonio. Acogida al Pazo de Brandeso —escenario de la *Sonata de Otoño,* como se recordará— luego de haber sido exorcizada convenientemente por el Señor Abad, y como siga teniendo visiones del enemigo, que intenta abusar de ella, es conducida a la ermita famosa por su misa de medianoche y su procesión, a la que son conducidas las endemoniadas. Después de la ceremonia religiosa son llevadas a la playa, envueltas en lienzos blancos, y allí tienen que recibir completamente

mentado ensayo de RITA POSE, *Notas sobre el folklore gallego en Valle-Inclán,* en «Cuadernos Hispanoamericanos», Madrid, núms. 199-200, julio-agosto 1966, páginas 493-520.

desnudas hasta siete olas para ser liberadas del poder infernal. (En
la ermita de Nuestra Señora de la Lanzada la tradición dice que han
de ser nueve las olas recibidas. Valle, no sabemos por qué razones,
las convierte en siete.)

Valle-Inclán aprovechó la visita a Galicia del escritor francés
Jacques Chaumié para invitarle a presenciar una de estas «ceremonias». En compañía de don Ramón, Chaumié contempló emocionado
tal acto y dio fe de ello en esta colorida estampa que incluyó en su
artículo *Don Ramón del Valle-Inclán,* publicado en «Mercure de
France» (núm. 402, t. CVIII, 16 de marzo 1914, págs. 225-246):
«Dans un de ses plus beaux romans: *Flor de santidad (Fleur de
sainteté)* Valle-Inclán décrit une de ces scènes d'exorcisme, telle
qu'elle se passe encore [1914] deux fois par an. J'ai vu le lieu d'une
tragique grandeur à l'extrémité d'un promontoire offert aux tem-
pêtes. On y parvient après une longue marche par une lande livide
où sans voir l'Océan on est écrasé par sa rumeur. On découvre enfin
en haut d'une falaise, en face de l'Atlantique sans limites, un mur
ruiné d'un temple de Diane et, à côté, une chapelle de la Vierge
chrétienne dont le culte continue celui de la vierge païenne. Par les
sinistres dunes on conduit la nuit les démoniaques —elles sont cha-
que fois plus d'une dizaine— écumantes, vomissant des outrages à
la Vierge. A minuit, on les met nues sur une plage qui s'étend au
pied des rochers, on les entraine dans la mer, on les y maintient le
temps que la vague les ait frappées neuf fois, cependant que, du haut
de la falaise où la cloche sonne, le prêtre prononce les paroles d'exorcisme au milieu des fidèles agenouillés» *(art. cit.,* págs. 229-230).

Al regresar al Pazo comprendemos, a través de los comentarios
de la dueña, que aquellas gentes simples, al descubrir la futura maternidad de Adega rompen en cierto modo el clima mágico de milagro
y fuerzas sobrenaturales que se había ido logrando a lo largo de
toda la historia: se han dado cuenta de su engaño; la triste realidad
es que Adega espera un hijo del que ella —infeliz visionaria— tomó
por persona divina, mas para los lugareños... «famoso prosero estaba».

Como se ve, grande es la importancia de lo religioso en la novelita; de lo religioso... o de cuanto sustituye a tal sentimiento,
como creencias y supersticiones de toda índole, con que los campesinos paisanos de Adega y la pastora misma «complementan» su credulidad fácil.

La fe de estos seres es ingenua y primitiva, milagrera y supersticiosa; igual aceptan los dogmas de una religión que no acaban de entender, que creen en la existencia de «brujas y trasgos», exorcismos y males de ojo, tesoros ocultos y princesas encantadas. ¿Por qué no...? Para ellos todo esto está más allá de la comprensión, todo es misterioso y superior. Tienen la fantasía desbocada de los niños —en el fondo no dejan de ser otra cosa que eso, pueblos primitivísimos— y aceptan los misterios de la fe católica y los de las fuerzas mágicas o sobrenaturales con la misma simplicidad adoptada ante lo que está más allá de lo explicable. Dios representa el bien, como «el enemigo» representa el mal.

La devoción de Adega era «... sombría, montañesa y arcaica: Llevaba en el justillo cruces y medallas, amuletos de azabache..., brotes de olivo y hojas de misal»; desde el principio está claro que la pastorcica no tiene nada de mística verdadera, sino de visionaria. Que lo que ella tiene por apariciones milagrosas no son sino alucinaciones de su mente enfermiza y simple. En una sociedad civilizada y moderna sería objeto de tratamiento psiquiátrico; en el campo primitivo sobre el que vive es aceptada como «saludadora», y cuando da pruebas de total desequilibrio mental —corre descalza por los caminos, anunciando la segunda muerte de Cristo y gritando que espera un hijo del mismo Dios Nuestro Señor—, los campesinos dicen «que está tomada del ramo cativo», esto es, endemoniada.

Como dice Ramón Sender, «no hay nada místico en Adega ni menos en el peregrino... En su conjunto, sin embargo, *Flor de santidad* es una experiencia mística. Y representa el derecho de los hombres míseros, humillados e inocentes, que son la gran mayoría, a hacerle preguntas (tremendas y vanas preguntas) a Dios»[7].

Desde el principio al fin la novela está sutilmente impregnada de un sentimiento de religiosidad, de fe en lo sobrenatural —no siempre ortodoxo, ni mucho menos— como el que debieron sentir los pueblos primitivos. ¿No estará Valle-Inclán indicando con su fábula, como quien no quiere la cosa, que Adega representa, ni más ni menos, lo que nosotros consideramos la fe popular...? Aun cuando no representa nada oficial, ¿no puede verse en el engaño del peregrino —reminiscencias eclesiásticas en su pintoresco «uniforme»— una curiosa coincidencia con el engaño, la farsa que cierta parte del clero estaba representando a los ojos críticos de Valle-Inclán...? El farsante prosero abusa de la inocente, aunque por extraños juegos

---

[7] Ramón Sender, *ob. cit.*, pág. 127.

del destino pague con su vida el maleficio que hizo a las ovejas de la ventera. Con todo, para Adega el peregrino muere víctima inocente, como el mismo Cristo que era, a manos de la maldad humana.

La fe popular, vista por Valle, no era más que un profundo, inconcreto sentimiento de religiosidad mezclado con supersticiones, visiones alucinadas, leyendas que son pura fantasía y fuerzas sobrenaturales que tal vez no sean Dios, pero que están ciertamente por encima del hombre...

Si ello es así —y no se puede descartar la posibilidad de que no lo sea—, *Flor de santidad,* que pasa por ser una narración pretendidamente hagiográfica, una bella leyenda hecha de emoción religiosa y de lirismo, en la que, a diferencia de las *Sonatas,* no hay apenas sitio para las ironías anticlericales..., resulta una tremenda ironía toda ella. Un volteriano punzonazo a la tan cacareada religión «oficial y ejemplar».

¿Quién es para el autor esa *Flor de santidad?* Una infeliz chiquilla que se cree sus propias invenciones y que convence a los demás de que tiene visiones, que escucha voces y hasta de haber sido «favorecida» por el mismo Dios Nuestro Señor, que engendró en su vientre otro hijo celestial. Vista la obra desde este ángulo, nos parece que, de manera muy sutil, el autor se está implícitamente burlando del conformismo de una religión que se tenía a sí misma por «la verdadera», la limpia de contaminación; con irónica sonrisa disfrazada de ternura lírica, nos está llamando al orden para que meditemos acerca de lo que constituye la esencia de la llamada «fe primitiva» en esa región del mundo que él pinta y en la que habilísimamente ha ido borrando las referencias tiempo-espaciales para que pueda ser ampliado el ámbito no sólo a un rincón de la Península, sino a todo el mapa ibérico y hasta puede que más allá de las fronteras...

¿Cómo es la fe de ese pueblo en que Adega ha nacido y vive de manera tan elemental...? Nos lo dice el autor repetidas veces: «Tienen el alma fácil para creer todo aquello que no comprenden, que les parece "superior".» Es una fe irracional, casi animal; lo mismo muestra un elemental respeto por las cosas de Dios, que acepta sin chistar las prácticas más supersticiosas y brutales de hechicerías y embrujamientos, ensalmos y toda suerte de creencias populares.

A nadie se le escapa la importancia que las supersticiones tienen todavía en España, especialmente en sus sectores menos cultivados, en las zonas más atrasadas. Incluso sabemos todos que muchas de estas ancestrales prácticas paganas han sido no pocas veces «modernizadas» con un pretexto u otro y son ritos tolerados hoy. No es raro ver que entre la gente más culta se hallan aún ciertas supersticiones muy arraigadas —temor a las fuerzas ocultas, a lo incomprensible de las fuerzas malignas— más o menos inocentes.

Si como dicen los que ven en *Flor de santidad* un canto a la fe sencilla de una sociedad primitiva, Adega representa el ansia más pura de creer, ¿no resulta verdaderamente curioso —sospechoso— el cuidado que demostró el autor por llenar las páginas de tan hermosa historia con toda clase de supersticiones y creencias populares?

Sabemos la inclinación, el respeto que don Ramón sentía por las ciencias ocultas; llegó a servirse de elementos sobrenaturales en varias piezas teatrales (recordemos el viaje de Marigaila, en *Divinas palabras,* cabalgando al diablo en persona; la conversión en tres canes blancos de los personajes de *El embrujado;* el gato-estudiante de la oreja cortada en *Mi hermana Antonia,* etc.). Sus biógrafos se han referido a esta credulidad valleinclaniana, y Sender cuenta en su libro una ilustradora anécdota que demuestra cómo don Ramón se tomaba muy en serio el poder de algunos humanos para descubrir «tesoros ocultos», como parecía ser el caso del —en algún tiempo— amigo suyo, Mario Roso de Luna.

Valle-Inclán, quien poco antes de morir declaraba: «Yo creo que siempre he estado a bien con Jesucristo», que tenía no poco de místico heterodoxo, aunque pusiese en solfa constantemente a los representantes de la Iglesia oficial, y que pasaba por agnóstico, creía con la fe de los niños en las mismas cosas que su pueblo gallego le había mostrado desde la infancia. De aquí que su *Flor de santidad,* que, como pueblo que es, tiene sus raíces en él, tenga también perfumes populares. Perfume que huele a azufre malintencionado muchas veces.

Desde las primeras páginas aparecen esos «poderes» en juego. El peregrino maldice y las ovejas de la ventera caen víctimas de misteriosa dolencia. No se duda: alguien las ha hecho mal de ojo. Ni por un instante se piensa en lo que cualquier ganadero hubiese pensado en situación semejante, buscar el remedio de la ciencia, acudiendo al veterinario. En el cuento valleinclaniano la magia sustituye a la ciencia, no hay ni siquiera curandero, sino saludador; la religión o las fuerzas ocultas ayudando o castigando, según una justicia implacable.

La primera reacción de la ventera es acordarse de un santo celestial. «¡Bendito San Clodio, guárdame el rebaño y tengo de donarte la mejor oveja el día de la fiesta! ¡La mejor oveja, bendito San Clodio, que solamente el verla meterá gloria! ¡La mejor oveja, santo bendito, que habrán de envidiártela en el cielo!» Y como la interesada ventera no las tiene todas consigo, enciende una vela a Dios y otra al diablo, como si dijéramos: «Y la ventera andaba entre el rebaño como loca rezadora y suspirante, platicando a media voz con los santos del paraíso, halagando el cuello de las ovejas, trazándolas en el testuz signos de conjuro con sus toscos dedos de labriega...» Viendo que la pastora no hace lo que debiera..., «la miraba con ojos llenos de brujería: ¡Levántate, rapaza!... No dejes escapar la oveja... Hazle en la testa el círculo del rey Salomón, que deshace el mal de ojo... ¡Con la mano izquierda, rapaza!...»[8].

Pero ni las promesas a San Clodio ni las cruces hechas en la testa de las ovejas con la siniestra mano tienen efecto alguno. El rebaño sigue siendo diezmado. Recurren al saludador local, que les explica el ensalmo que tienen que hacer para «romper la condenación de las aguas»; todavía otro recurso maligno es ofrecido al hijo de la ventera por un cazador de lobos, para liberarse de la maldición: sacrificar un corderito blanco al fuego. Y el hijo —señalado el culpable por tan bestial procedimiento— asesina al peregrino, tomándose la justicia por su mano.

A partir de ese momento, Adega da muestras de un desequilibrio casi constante. El autor la describe presa de ese «ramo cativo» del que hablan los labriegos, sus paisanos; nos da sus síntomas y sus consecuencias; es un desequilibrio mental que los aldeanos toman por embrujamiento o posesión demoníaca. Pero siguen las alusiones a las creencias populares. En sus peregrinaciones por el monte, la pastorcita loca escucha maravillada las narraciones de los pastores más viejos; historias de ermitaños, de apariciones santas, de tesoros ocultos en tiempos de moros y guardados celosamente por extrañas fuerzas, cuando no por tentadoras y atractivas princesas que peinan su cabellera rubia para atraer y encantar a los jóvenes que acuden a su traidora llamada[9]. Gigantes «alarbios» que tienen prisioneras a bellísimas reinas moras... Todo ello, como decíamos antes, con-

---

[8] *Flor de santidad*, en *O. C.*, I, págs. 1187-1188.
[9] La señorita Pose piensa que tal leyenda es reminiscencia de la Lorelay germánica; la existencia de estas «lamias» o doncellas encantadas, personajes míticos, se extiende a casi todas las regiones del folklore hispano. Véase, *art. cit.*, págs. 505-507.

tribuye muy eficazmente a crear ese admirable tono de narración milenaria que emana de toda la novela. En el camino hacia Brandeso se encuentran Adega y la abuela de «malpocado», con un curioso personaje que busca tesoros ocultos a la luz de un cirio en el atardecido. El autor no pasa por alto la oportunidad para decirnos lo que sabe a este respecto. Y en otra ocasión, sin aclararnos las propiedades milagrosas de tales yerbas, nos dice que en una fuente «milagrosa cercada de laureles… una mendiga ponía a serenar el hinojo tierno con la malva de olor» (O. C., I, pág. 1201).

Donde el talento descriptivo de Valle brilla a mayor altura es en el cuadro penúltimo, la misa, procesión y baño de las endemoniadas. Tal vez sea dicha estampa el único verdadero capítulo costumbrista de la novelita, o si se prefiere regionalista, pues se refiere —aunque con una sutil invención de sonoro topónimo— a una conocida ermita gallega. (Santa Baya fue una virgen escocesa que murió en el siglo IX, y cuya fiesta celebra la Iglesia el 3 de noviembre. No tengo idea de si la popularidad de dicha Santa en esa región española sea cosa puramente valleinclaniana. En cuanto a Cristamilde, el único topónimo que recuerda dicha forma es Cristimil, nombre de lugar que existe en los municipios de Brión —provincia de La Coruña—, San Amaro —Orense— y Meaño, Rodeiro y Ladín —en la de Pontevedra—. Santa Baya de Cristamilde me parece una acertada y sonora invención del autor.)

Tengo entendido que por haber sido considerada práctica «retardataria», fue prohibida oficialmente hace unos años la procesión de medianoche y el baño de las endemoniadas, en la ermita de Nuestra Señora de la Lanzada; la costumbre ha quedado —gracias a la pluma de Valle— grabada para la posteridad.

Por si no fueran bastantes los detalles populares íntimamente ligados a lo religioso, añadamos los velados, pero claros, reflejos bíblicos más o menos «elaborados» en el texto: Adega, como otra María de Magdala…, «hubiera lavado gustosa los empolvados pies del caminante y hubiera desceñido sus cabellos para enjugárselos» (O. C., I, pág. 1179). Tampoco nos parece casual el que la «entrega» de la simple pastorcita al desaprensivo y fingido penitente tenga lugar en un establo, referencia implícita al establo bíblico en el que tuvo lugar el nacimiento más importante para la cristiandad; claro que en el establo de la pastorcilla inocente el lugar del buey y el asno lo ocupan dos vacas, «… la Marela y la Bermella, graves como dos viejas abadesas», otro leve destello irónico [10]. Varias veces se nos dice que determinada estampa es «como en una historia de santos»; el viejo saludador recuerda a «los santos de un antiguo retablo», y cuando habla «levanta los brazos sereno y profético» y «es feliz como un abuelo de los tiempos patriarcales».

4. LOS PERSONAJES

Señala atinadamente el profesor Díaz Plaja, en su mencionado libro, refiriéndose a *Flor...,* que «las figuras que se mueven en el retablo tampoco son criaturas arrancadas de la realidad cotidiana...» [11].

De la misma manera que apuntábamos anteriormente que la Galicia recreada por Valle en esta obra no corresponde exactamente a la Galicia que el viajero puede —o pudo a fines de siglo pasado— recorrer, sino a una especie de síntesis, creemos que los personajes elegidos por Valle para encarnar su historia tampoco tienen mucho en común con los auténticos aldeanos gallegos. Como hace con el paisaje, Valle los re-crea al contemplarlos. Valle no quiso nunca copiar la realidad, tenía que adornarla.

Adega, encarnación de la candorosa inocencia primitiva, no es una pastorcilla corriente. Físicamente no poseemos una detallada imagen de la heroína del relato. Con toda intención, el autor nos da unos cuantos elementos esenciales de su físico —cejas de oro, ojos de violeta, cabellos del color del lino—, pero no intenta nunca el retrato; sería «personificar» demasiado, y su intención es la de crear —como insinúa repetidamente— «una imagen de zagala de las leyendas piadosas». Sabemos que anda por los quince años, y, aunque

---

[10] La escena de la posesión de Adega por el peregrino (me resisto a hablar de «violación» o «seducción», puesto que la inocente niña se entrega temerosa, pero voluntariamente al que ella cree Dios Nuestro Señor, aunque a lograr este efecto contribuya en mucho la charlatanería y mala fe del corremundos), la escena en el establo, digo, está pintada con evidente deseo de obtener ciertas resonancias sacrílegas. Así lo ha visto el crítico argentino Delfín Leocadio Garasa: «La escena... se halla circuida de turbadora aura sacrílega, aunque ni el salaz peregrino ni la inocente pastora sean 'personas sacras'. Todos sus elementos convergen deliberadamente a este efecto. Del hábito del peregrino penden reliquias y rosarios, y Adega los venera por haber sido tocados en el Santo Sepulcro» (*Seducción poética del sacrilegio en Valle-Inclán,* en *Ramón del Valle-Inclán, 1866-1966* [Estudios reunidos en conmemoración del centenario], Universidad de La Plata, 1967, pág. 283).

[11] Ed. cit., pág. 178.

no haya una sola referencia a su hermosura, el autor logra que la sintamos bella como una flor silvestre, aunque para ello se valga de una caracterización más bien sobria en detalles. En donde más se acerca al retrato, nos dice: «... tenía la frente dorada como la miel y la sonrisa cándida. Las cejas eran rubias y delicadas y los ojos, donde temblaba una violeta azul, místicos y ardientes como preces» *(O. C.,* I, pág. 1178). Tenemos, en cambio, referencias a su voz: «La voz de la sierva era monótona y cantarina: hablaba el romance arcaico, casi visigodo de la montaña» *(ibíd.),* y a su dulce comportamiento respecto a las gentes del lugar: «Los venteros no la trataron como hija, sino como esclava: marido y mujer eran déspotas, blasfemos y crueles. Adega no se rebelaba nunca contra los malos tratamientos. Las mujerucas del casal encontrábanla mansa como una paloma y humilde como la tierra» *(O. C.,* I, pág. 1181).

El personaje no es solamente fruto de la tierra, es una parte más de ella, según la vamos intentando caracterizar con el texto a la vista. La naturaleza toda es eco y soporte a la vez de los personajes y sus peripecias. Ambos elementos se funden en un intencionado tono panteístico en esta conmovedora historia. De aquí el extraño —aunque artísticamente muy atractivo— perfume de esta sencilla, pero no tan simple, *Flor de santidad.*

Por lo que respecta al peregrino —contraste violento con la sencillez e inocencia de Adega—, debemos señalar su carácter de pícaro trotamundos, el cual, fingiéndose lo que no es —penitente que viene de Tierra Santa—, abusa de ese candor de la pastora que lo convierte en personaje celestial. (Primero lo tiene por un santo; luego por «el mismo Dios Nuestro Señor», y subrayemos que Adega habla siempre de «Nuestro Señor», no del «Salvador Dom Cristo» que menciona Machado en su estupendo poema.)

El penitente es un «famoso prosero» para los aldeanos que lo conocen y saben de sus triquiñuelas para vivir al margen de la sociedad; un farsante: bendice al ganado, concediéndose atribuciones que no tiene, salmodia padrenuestros y oraciones con voz plañidera y austera, etc. Disfrazado de peregrino con un atuendo claramente teatral —barbas y greña bizantinas—, cubierto con una esclavina «adornada de conchas», «lleno el pecho de cruces y rosarios» es exactamente lo contrario de la doncella en sus inocentes alucinaciones. Es un vagabundo profesional que, como tantos otros, recorre los pueblos de España viviendo del cuento penitencial. Como tipo, debió atraer al autor, pues en una obra más tardía —pero también de ambiente galaico, y de la cual, por muchos rasgos comunes, *Flor...*, es un anticipo— saca a relucir otra vez a un peregrino parecido a éste. Me refiero a *Divinas palabras* (O. C., I, pág. 747). Y en *El embrujado* vemos al ciego de Flavia caracterizado de modo muy semejante: «Una figura penitente con el pecho cubierto de rosarios» (O. C., I, pág. 849). Mas el hijo de la ventera, sospechando que la maldición del peregrino pueda ser la causa de la mortandad del ganado, degüella al falso penitente con su hoz.

Y ya que hablamos del hijo de la ventera, bueno será decir que este criminal, tan sobria y eficazmente esbozado por Valle, con tan certeros como escasos trazos, es el único personaje de toda la historia que parece andar con los pies sobre la tierra. En lugar de transigir, como le aconseja el cazador de lobos —otra figura de fondo muy atractivamente dibujada—, y pagar al causante de la maldición, le da un brutal tajo de hoz en el cuello, con lo que desencadena la tormenta mental de la pastorcica, que hasta entonces iba al monte con la esperanza de entrever la gloria, cosa que no siempre lograba. Ahora, perdido el juicio, corre los campos desolada y clamando que lleva en su vientre al mismo hijo de Dios.

Los «... déspotas, blasfemos y crueles»... venteros, dueños de Adega, el mismo anciano saludador, su hija o la nieta que vende leche directamente de las ubres de su vaca; los criados y pastores, el ciego Electus —pícaro y socarrón personaje que veremos en otras muchas obras de Valle— completan este «retablo medieval», esta hermosa galería humana que el autor hace vivir llenando el espacio de su bella invención; tabla de sabor primitivo, pero de técnica muy moderna, en la que pastores y caminantes, mercaderes y criados, feriantes y pordioseros, son como el coro, y a la vez los espectadores, de esta lírica invención.

Se queja Salvador de Madariaga [12] de que el autor parece adoptar «... una actitud equívoca con la que nos hace exhibición de las pobres gentes que describe».

A mí no me parece tan equívoca dicha actitud: Valle los saca a relucir —brevísimamente, por otro lado— como otro detalle impresionante y realista más en su abstracto lienzo; y no debe confundirse esa reproducción patética del cuadro de los mendigos con el «elemento esperpéntico»; aquí no esperpentiza, no deforma ni inventa. Copia sin añadir demasiado. Cualquiera que haya andado

---

[12] Véase *Semblanzas literarias contemporáneas,* Barcelona, 1924, pág. 201.

por los lugares españoles en ferias, no hace mucho más de diez o quince años, se habrá topado con cuadros semejantes, y mucho más a fines del siglo pasado: «Delante va una caravana de mendigos. Se oyen sus voces burlonas y descreídas. Como cordón de orugas [apareció la pupila animalizadora] se arrastra a lo largo del camino. Unos son ciegos, otros tullidos, otros lazarados. Todos ellos comen del pan ajeno, y vagan por el mundo sacudiendo vengativos su miseria, y rascando su podre a la puerta del rico avariento. Una mujer da el pecho a su niño cubierto de lepra, otra empuja el carro de un paralítico. En las alforjas de un asno viejo y lleno de mataduras van dos monstruos. Las cabezas son deformes, las manos palmípedas» (O. C., I, pág. 1228).

Patética, brutal estampa de pobreza y miseria, enfermedad y podredumbre física; pintura negra que no va en la obra como puro adorno estético, sino como parte importante de ese «aguafuerte costumbrista» que es el capítulo de las endemoniadas. Precisamente, de toda la novela me parece este «cordón de orugas» lo más cercano a la pura realidad, a lo no idealizado ni estilizado; algo que suena a imagen verdadera en los años en que se escribía la obra; esas pobres enfermas, que reciben tiritando las siete olas mientras gritan las más bestiales blasfemias a la Santa, resultan tan reales, tan fuera del ensueño, como la misma preñez de Adega, descubierta con asombro por los que la acompañan; es cuanto queda al despertar del ensueño mágico-milagrero en que nos habíamos sumido con los crédulos aldeanos. La futura maternidad de la pobre «cuitada», la que ellos consideraban enferma del «ramo cativo», les abre los ojos a la brutal realidad. Despiertan —despertamos— de un sueño [13].

[13] ¿No estará insinuando el autor un paralelismo muy significativo de su «historia milenaria» con otra historia más cercana y real, la historia de España...? Paralelamente a este final inesperado en el que cae la venda de la ilusión a unos seres que creían a Adega posesa del demonio, está ocurriendo otra toma de conciencia con la realidad más amarga, esta vez no en una aldea gallega, sino en toda la faz de la nación: el desastre del noventayocho.

Como la preñez de Adega para los aldeanos del lugar, los sucesos del 98 fueron un amargo despertar, un final abrupto, brutal, de una política de largos y visionarios sueños imperiales, para el pueblo español. Fin de un mito de grandeza. La pérdida de las últimas colonias, el fin de las dolorosas guerras mantenidas en el Caribe y Filipinas, el desastroso estado económico-social del país, significaron que, por fin, para bien o para mal, España despertaba de unos sueños ilusos que le ocultaban la más amarga realidad. Que no cabían más «visiones celestiales» —sueños o manías de grandeza— a un pueblo que durante casi trescientos años había vivido con los ojos en blanco, asombrado de sus propias glorias y creyéndose protegido y bienamado del Dios verdadero.

La crisis del 98, como la preñez de Adega, pone fin a tanto desatino ensoñador y por primera vez, después de muchos años, se reconoce la brutal bancarrota en

5. LECCIÓN DE LA OBRA:
   ¿PARÁBOLA ESPERPÉNTICA...?

No deja de resultar curioso que en una obra en la que tanta importancia tiene la fe —en Dios como en las fuerzas ocultas o sobrenaturales— como es *Flor de santidad* la parte más visible de la Iglesia —el clero— esté apenas presente. Si exceptuamos la procesión y la exorcización de Adega, apenas vemos a los representantes oficiales; y cuando los vemos, no dejamos de notar el tufillo irónico con que están observados. Así, por ejemplo, cuando la abuela del niño de nueve años, que va buscando trabajo para la criaturita, se encamina con Adega hacia la «villa», se cruzan con «... el señor Arcipreste, que se dirige a predicar en una fiesta de aldea». Caballero en una yegua «de andadura mansa y doctoral», les interroga —con pregunta que es un puro sarcasmo, en vista de la miseria de los tres pobres seres—: «¿Vais de feria?» Y cuando la anciana le responde que «... los pobres no tienen qué hacer en la feria...», sino que van «... buscando amo para el rapaz», el ministro divino, en lugar de socorrerles o ver si puede hacer algo por ellos, vuelve a preguntar, inoportuno y fuera de la realidad: «¿Sabe la doctrina?...», como si tales conocimientos fuesen de más importancia para una criatura de nueve años que el contar con lo más elemental para la subsistencia. Y tampoco es mucho más positiva la ayuda que brinda a la pobre loca: «¡Válate Dios! Pues hay que sacarse de correr por los caminos.»

Tanto el abad del Pazo de Brandeso como los impersonales clérigos entrevistos en la feria aldeana están pintados no sin unas gotas irónicas. Tampoco es casual que en una obra, en donde los elementos humorísticos abundan poco, se reserven casi todas las bromas para, aunque sea de pasada, lanzarlas en forma de intencionadas pullas veladamente anticlericales. El ciego, que «refiere historias de divertimiento a las mozas sentadas en torno suyo» mientras espera la llegada de la barca, recuerda en su malicia los decires de esos

que se halla sumido el país. Qué solución se dará al hasta entonces «inexistente problema» es cosa que no se sabe. Qué pasará con el hijo que le nazca a Adega, no es cosa que al artista le preocupe. Solamente nos dice que el pueblo sencillo descubre, al fin, la verdad, la triste realidad. Las soluciones..., el porvenir se encargará de darlas, si es que las da, algún día. El ensueño de siglos queda roto. Es lo importante.

«jocundos Arciprestes aficionados al vino y a las vaqueras y a rimar las coplas», deliciosa alusión a Juan Ruiz el de Hita, pero también a la vida poco ejemplar de tales eclesiásticos; un poco más abajo, el mismo ciego pregunta quién llega, cuando lo hace la ventera, y al responderle ésta que es «una buena moza», el ciego sonríe ladino: «Para el señor Abade», a lo que retruca la ventera: «Para dormir contigo. El señor Abade ya está muy acabado.»

Ya vimos cómo las campanas de la iglesia son comparadas a «dos abadesas centenarias»; las dos vacas que rumían en el establo de Adega están «graves como dos viejas abadesas». Los eclesiásticos, o están ausentes o si aparecen es para burlarse uno de ellos; no toman parte activa en los problemas humanos y de fe que allí se plantean. Y cuando lo hacen de alguna manera —exorcización, procesión de las endemoniadas— no deja de tener cuanto hacen cierto aire de ritual mágico, continuación, en cierto modo, más que verdadero ministerio divino, de prácticas más o menos supersticiosas.

Valle-Inclán, podemos deducir luego de este fatigante análisis de la obra, se propuso escribir una parábola, que recordase no sólo las parábolas evangélicas, sino también algo de las leyendas y milagros medievales, los elementos folklóricos a que tan aficionados se mostraban los modernistas (princesas encantadas, tesoros ocultos, guardianes gigantescos y otros encantamientos por el estilo). Mas la pupila deformante de que el autor está dotado le empujó a verlo todo desde un ángulo irónico. Su protagonista no fue una auténtica «santa» de las que abundan en la hagiografía cristiana ni una mística verdadera, sino una pobre visionaria, que acaba por perder el juicio. (No fue una Juana de Arco, por ejemplo, que escuchaba voces celestiales llamándola a ponerse en armas contra los enemigos de la fe, y cuya biografía pudo dar a Valle un germen de idea, según sugiere Díaz Plaja.) Por donde podría concluirse que *Flor de santidad* es un «esperpento místico»... *avant la lettre*. Ni el penitente será el anacorético asceta de las historias antiguas del arte pictórico sobre todo, que sucumbe o resiste a las tentaciones del diablo, sino una deformación grotesca del tipo: un farsante, un «prosero» que explota la compasión de las almas ingenuas fingiendo lo que no es. Las experiencias místicas de Adega no pasan de alucinaciones de pobre enfermita; el pretendido ascetismo del peregrino, poder para hacer mal de ojo al ganado de la ventera, así como lujuriosos deseos hipócritamente ocultos bajo los rosarios y reliquias devotas que cuelgan de su pecho.

La «ingenua fe del pueblo», mezcla extraordinaria de religión y supersticiones múltiples, brujería, paganismo y fuerzas ocultas.

¿Credulidad y fe sencilla? Temores milenarios, creencias religiosas mezcladas en una nube informe, todo en lugar de auténtica fe cristiana. Tal es el «primitivismo» puro que la pupila del autor descubre para nosotros. Con su esperpéntica parábola, Valle-Inclán nos está sugiriendo la lección amarga de esa extraña —aunque bellísima— *Flor de santidad*.

De aquí que no podamos conformarnos con la interpretación que —salvo muy escasas excepciones— de esta obrita nos había dado la crítica. Para Fernández Almagro, por ejemplo, era «... historia milenaria en la que se funden la ingenua poesía de las leyendas piadosas y el crudo realismo de las tradiciones populares» [14].

Bajo esa apariencia de «ingenua poesía de las leyendas piadosas» hemos visto que hay algo más que intenciones burlescas; deseo de señalar eso —la fe popular— que a ojos del autor no es tan simple ni tan limpio de mácula. Creemos que se acerca más a la que nos parece la verdadera interpretación, al significado y contenido de esta obra, el profesor Juan Ruiz de Galarreta: «El ámbito mágico de esta obra encauza, en el tramo final, hacia la constatación de un milagro. Todo el clima de tensión que vive la fantasía milagrera de los aldeanos, de pronto se desvaloriza en un vuelco hacia la realidad que tiene el sesgo de lo irónico» [15].

Completa el crítico sus ideas en otro artículo posterior: «No escapa tampoco a este signo la burla de la realidad aparencial, cuando el propio autor pone en duda, por varios procedimientos, la fe, la credulidad o la convicción de los protagonistas. Así sucede con el dramatismo de ese mundo legendario de supersticiones y milagros de su tradicionalista e ingenua tierra galaica, donde recalan sus cuentos y narraciones breves, cuyo ejemplo más convincente es *Flor de santidad*» [16].

Con todo, nos parece que ha ido demasiado lejos el profesor Gerard C. Flynn, al considerar a *Flor de santidad* no solamente una «bagatela valleinclaniana» (bagatela: «el trato leve y burlón de algo profundo»), sino como algo mucho peor: «*Flor de santidad,* leve y

---

[14] *Vida y literatura de Valle-Inclán,* ed. cit., pág. 91.
[15] Juan Ruiz de Galarreta, *El humorismo en las "Sonatas" de Valle-Inclán,* Ed. Municipalidad de La Plata, Argentina, 1962.
[16] *El humorismo de Valle-Inclán,* en «Cuadernos Hispanoamericanos», Madrid, julio-agosto 1966, núms. 199-200, pág. 69.

frívolamente, se mofa de los misterios de la Encarnación, la Natividad y la Concepción Inmaculada; e incluso remeda al santo rosario con sus cinco décadas» [17].

Es evidente que al poner al descubierto lo que hay de falso en esa fe religiosa, en esas burdas supersticiones populares, Valle está implícitamente burlándose por contraste de lo real con lo ideal.

Que recurre para hacerlo a una elemental deformación de la realidad —una primitiva esperpentización, si se quiere—, pero creemos que don Ramón no se propuso en ningún momento «mofarse» de tales misterios «leve y frívolamente» como teme el profesor Flynn.

Aun cuando en *Flor de santidad* lo que llamamos hoy «esperpentización» esté todavía usado con moderación relativa —no es ni con mucho la deformación sistemática de las obras tardías—, no puede negarse que son cada vez más abundantes los recursos que ya señalábamos en las obras anteriores, encaminados a tal fin.

Es frecuente la «animalización»: primero es el viento «que imita el aullido del lobo» *(O. C.,* I, pág. 1177); luego los mismos campesinos: «... los aldeanos hambrientos bajaban como lobos de los casales» *(ibíd.,* pág. 1180), y en la imagen siguiente los vemos «... como un rebaño descarriado» *(ibíd.);* mientras que el peregrino «... fue a guarecerse en el establo, andando con paso de lobo» *(ibíd.,* pág. 1182). Y en el momento en que comienza a abusar de la inocente pastora, en contraste con «las manos velludas» del mendicante, «... revoloteaban las manos de la pastora como dos palomas asustadas» *(ibíd.,* pág. 1183). En plena alucinación visionaria «... el corazón batía en el pecho cual azorada paloma» *(ibíd.),* y en otro momento la temerosa Adega «... sintió que el miedo la cubría como un pájaro negro que extendiese sobre ella las alas» *(ibíd.,* página 1197).

El mar también se nos da con símil animalizante: «... el mar lejano, como si fuese un lobo hambriento escondido en los pinares...» *(ibíd.,* pág. 1197). El niño de nueve años, que va en busca de trabajo con la anciana abuela, «tiembla como un cordero acobardado y manso» *(ibíd.,* pág. 1216). Y el extraño buscador de tesoros ocultos «... tiene los ojos lucientes como un can adolecido» *(ibíd.,* pág. 1218).

---

[17] *La bagatela de Ramón del Valle-Inclán,* en «Actas del 1.er Congreso Internacional de Hispanistas», The Dolphin Book, Oxford, 1964. En la versión inglesa de dicho ensayo —publicada en «Hispanic Review», Filadelfia, XXXII, 1964— no aparece el texto al que nos referimos.

Tampoco falta el recurso contrario, la humanización de animales y hasta de objetos inanimados. Así el perro que persigue a los corderos es «... un viejo adusto, ladraba al recental que le importunaba con infantiles retozos» *(ibíd.,* pág. 1178); las campanas y las vacas, vistas como «abadesas centenarias»; mientras un asno viejo «pace gravemente» en un prado, otro «asno infantil... mira hacia la vereda erguido, alegre, picaresco, moviendo la cabeza como el bufón de un rey» *(ibíd.,* pág. 1191); el balido del corderito enfermo... «parecía subir llenando el azul de la noche, como el llanto de un niño» *(ibíd.,* pág. 1211); la yegua del Arcipreste tiene «andadura mansa y doctoral» *(ibíd.,* pág. 1211).

El recurso más utilizado —con intención que ya señalábamos expresionista— es el de animar los elementos de la naturaleza como si fuesen seres vivos. En muchísimas ocasiones, que harían fatigosa la relación, el autor «vivifica» a seres inanimados, elementos del paisaje, etc., para lograr una estampa más activa, una interpretación entre los personajes y el fondo sobre el que se destacan, que sugiere mejor un tono delicadamente panteísta.

Así los molinos, «antes alegres y picarescos», parecían ahora «mudos»; el viento se queja «con voces del otro mundo»; la lluvia es «maligna y terca»; la tarde se escapa «huyendo..., arrebujada en los pliegues de la ventisca»; «la campiña se despertaba bajo el oro y la púrpura del amanecer que la vestía con una capa pluvial»; los cipreses están «oscuros y pensativos»; vemos, como en un primer plano cinematográfico muy elocuente y delicado, la yerba que «se levanta después de ser aplastada por el ganado; la luna está «inmóvil y blanca, atenta al milagro»; «ríen los arroyos», «murmuran las arboledas», «sonríe la campiña», «murmuran las aguas un cuento de brujas», mientras los cipreses continúan «mudos y pensativos», y el agua de los riegos era... «tan mansa, tan cristalina, que parecía tener alma como las criaturas del Señor». Las mismas campanas, a cuyo son termina tan hermosa historia, están animadas de visión admirable: «... aquellas viejas campanas que de noche, a la luz de la luna, contemplan el vuelo de brujas y trasgos...»

V

TEATRO EN LIBERTAD

1. TANTEOS DRAMÁTICOS

E<small>L</small> interés que Valle-Inclán sintió por el teatro se manifestó en su vida y en su obra desde muy temprano. Su admiración por Benavente y la amistad que le unía al autor de *Los intereses creados* debieron abrirle las puertas a sus quiméricos sueños de actor. Por desgracia para el posible actor, el accidente del café de la Montaña le dejó sin el brazo izquierdo y cortó sus aspiraciones en tal sentido.

Justamente el año anterior, 1898, había tomado parte con éxito en la comedia benaventina *La comida de las fieras,* representando el papel, probablemente hecho como «de molde» para el pintoresco don Ramón, del poeta modernista Teófilo Everit; También desempeñó un corto papel en *Los reyes en el destierro,* arreglo dramático de Alejandro Sawa basado en la novela del mismo título de A. Daudet [1].

Antes que como autor de teatro se dio a conocer como director teatral, encargándose de dirigir el drama de Shakespeare *La fierecilla domada,* para un grupo, «Teatro artístico», del que era empresario el hijo del actor Antonio Vico y primera actriz la famosa Concha Catalá. El mismo grupo de amigos organizó un «beneficio», a primeros de diciembre de 1899, para costearle un brazo artificial; pusieron en escena su drama *Cenizas,* basado en el cuento *Octavia San-*

---

[1] Véanse M. F<small>ERNÁNDEZ</small> A<small>LMAGRO</small>, *ob. cit.,* págs. 54-55, y J. R<small>UBIA</small> B<small>ARCIA</small>, *A Bibliography and Iconography of Valle-Inclán,* University of California Press, 1960, pág. 8.

tino, de *Femeninas.* La obra tuvo muy poco éxito de público, a pesar
de los nombres famosos que intervenían en ella (Rosario Pino, Benavente, Martínez Sierra y Morano), y vio la luz en forma de libro
por aquellos días; como fue re-escrita más tarde bajo el título *El
yermo de las almas,* dejamos el breve comentario para el final de este
capítulo.

En los primeros meses de 1903 comenzó a asistir, en compañía
de Manuel Bueno, a las tertulias literarias en el saloncillo del Teatro
Español, tertulias que presidían María Guerrero y Fernando Díaz de
Mendoza. Querían representar éstos *Fuenteovejuna,* y pidieron a los
dos amigos que preparasen una adaptación. La obra se presentó el
27 de octubre; no fue muy bien recibida por el público, y unas semanas más tarde tuvieron que «reajustar» el tercer acto, restable-
ciendo algunos pasajes de Lope, ya que los dos amigos habían esque-
matizado en demasía.

Al igual que le había ocurrido con los otros géneros, el joven
escritor no se conformó con los moldes formales que tenía el teatro
de su época. Animado por el aire de libertad que encontraba en el
movimiento modernista y el deseo de remozar una literatura que él
consideraba «pasada» —salvo excepciones como Galdós y Zorrilla,
entre los más cercanos en el tiempo, y Espronceda, de entre los románticos—, don Ramón se entregó al teatro desde un principio, con
ansias renovadoras e ideas propias.

Que no siempre el éxito le dio la mano, y que en algunas de sus
obras hay escenas artificiales, no esenciales o incluso de puro adorno retórico, sería pueril discutirlo. Lo lamentable es que su teatro
en bloque, por muchas y diferentes razones, pero principalmente por
miopía crítica e incomprensión de sus mejores valores dramático-
literarios, ha sido prácticamente ignorado por la escena española
durante casi medio siglo en el que nuestra dramaturgia no andaba
muy sobrada de obras de la calidad y belleza de las de Valle. Solamente en los últimos diez años se han hecho algunos esfuerzos para
remediar tan bochornosa situación. Su concepto del teatro fue tan
avanzado respecto a su tiempo, que, todavía hoy, más de un crítico
reaccionario lo encuentra «imposible de representar».

No tardó en hacer público su total inconformismo con el drama
que le precedió en el tiempo, especialmente el realista y naturalista.
Ni la amistad que sentía por Benavente bastó para hacerle olvidar
las diferencias existentes entre el teatro de don Jacinto y lo que
él intuía debía de ser el verdadero teatro del siglo xx: «Pese a las

simpatías que a don Ramón le inspiraba Benavente, aseguraba que los únicos autores que quedarían eran los Quintero y Arniches» [2].

Podría afirmarse que todo su teatro es un solitario y continuado esfuerzo por llenar de poesía la acartonada y, en no pocos casos, rancia técnica dramática española. (Afortunadamente su mensaje lo recogieron Lorca, Casona, Alberti y lo mejor del teatro actual, que sigue la valiente senda abierta por él.) Casi al principio de su carrera teatral nos dio la mejor explicación de su concepto dramático. Acompañado del crítico Ricardo Rojas, sale de presenciar el estreno de *Señora ama* (1908). Frente a la generalidad, que aplaudió entusiasmada, proclama Valle que tal clase de teatro no le satisface: «Con los recursos de presencia que el teatro tiene, nos echan a la cara trozos de realidad. El arte no existe sino cuando ha superado sus modelos vivos mediante una elaboración ideal. Las cosas no son como las vemos, sino como las recordamos. La palabra en la creación literaria necesita siempre ser trasladada a ese plano en el que el mundo y la vida humana se idealizan. No hay poesía sin esa idealización» [3].

Como los genios verdaderos, pagó caro el haberse adelantado a su tiempo y pretendido educar a los críticos y espectadores con su obra de intención decididamente renovadora. En teatro, como en novela, sólo a los treinta años largos de su muerte comienza a hacérsele justicia; se reconoce —por lo menos en lo más selecto de la crítica española y por los hispanistas de todo el mundo— todo su valor, subrayándose cuanto llevan de novedad esas mismas obras que para muchos críticos, y por su culpa para gran parte de los espectadores, «no eran verdadero teatro».

Dejando aparte el drama *Cenizas,* las primeras tentativas dramáticas de Valle son dos estampas muy breves: *Tragedia de ensueño,* publicada en *Jardín umbrío,* y *Comedia de ensueño,* en *Jardín novelesco,* dos años más tarde.

Interesan sobre todo estas dos estampitas dramáticas, más incluso que por su innegable valor literario, por lo que ya tienen de auténticas piezas valleinclanianas. Responden las dos a esas ideas de «no copiar nunca pedazos de la realidad». Muy modernistas por el lenguaje y las imágenes, por el lirismo delicado y el colorido de la narración, tienen, sin embargo, logrado ese ambiente misterioso y

[2] Véase el artículo de SEBASTIÁN MIRANDA, *Recuerdos de mi amistad con Valle-Inclán,* en «Cuadernos Hispanoamericanos», núms. 199-200, Madrid, julio-agosto 1966, pág. 7.
[3] RAMÓN GÓMEZ DE LA SERNA, *Don Ramón María del Valle-Inclán,* Col. Austral, Buenos Aires, 1948, pág. 110.

atractivo profundamente humano y poético a la vez, que tan magistralmente logrará plasmar Valle en sus obras posteriores.

Tragedia de ensueño se me antoja un claro precedente lorquiano, sobre todo del primer Lorca. El ambiente es a la vez trágico y simple: la muerte le arrebata una criaturita de meses a una pobre anciana ciega. El destino cruel la ha ido privando de sus siete hijos —«... siete reyes, mozos y gentiles...»— y ahora le quita el nietecillo, último consuelo de su vejez. Ritmo lentísimo, como de inmovilidad pictórica de tabla flamenca, más que de auténtico drama.

La impresionante figura de la anciana, las tres azafatas de los palacios del rey, el viejo pastor y las niñas que juegan a la rueda, están trazadas con esa actitud de creador neopopularista que tan admirablemente cultivaría después Lorca.

Las acotaciones son minuciosas y bellas. Y —contra lo que todavía se sigue manteniendo en general de las acotaciones valleinclanianas— me parecen complemento necesario, no añadido puramente estético al texto dramático.

Esas acotaciones están escritas en una lengua bellísima, es verdad, pero ¿por qué habría que pedir al artista-arquitecto que utilice «materiales menos nobles» para levantar lo que no consideramos como habitaciones esenciales del edificio artístico...? Valle hizo de esos «pasillos» o «corredores», que conducen de una escena a otra, verdaderas bellezas constructivas, es cierto. Pero ¿qué es lo «esencial» en un drama? ¿Solamente el dramático diálogo de los personajes? ¡Como si el ambiente, la escena, el tono de cuanto ocurre ante los ojos del espectador no tuviera importancia alguna! Para obtener ese tono dramático adecuado, ese ambiente tan matizado en la mayoría de las obras de Valle, están esas acotaciones tan mal interpretadas generalmente por los críticos que suelen buscar tres pies al gato.

Las acotaciones de Valle, digámoslo sin temor, no están de puro adorno casi nunca. Brotan de la pluma del escritor porque su concepto teatral así se lo dictaba. Contra lo que se ha repetido, dichas acotaciones están para aclarar, añadir intención o matizar determinado juego escénico que la esquemática descripción tradicional no daba. El teatro de Valle, como su obra toda, está hecho de libertad y voluntad de belleza; nada le arredra y ante ningún problema se detiene. Sirviéndose de técnicas cinematográficas —anticipándose a ellas, a veces—, dotó al arte teatral de unas posibilidades expresivas de las que carecía antes que él. No es el teatro poético de los modernistas aquel callejón sin salida de los dramas histórico-gloriosos de Marquina, por ejemplo, sino un teatro absolutamente libre el que Valle intentó.

La segunda pieza mencionada lleva por título *Comedia de ensueño* (data de 1905). Más todavía que la anterior, contiene en germen los elementos más importantes del mejor teatro de Valle-Inclán: gran belleza plástica, deliberada falta de realismo ordinario, atemporalidad, misterio, aventuras y personajes extraordinarios, parte de leyenda folklórica y libertad total de acción. Aunque no presenta problemas grandes de escenificación —todo ocurre en una cueva de ladrones—, la aparición del misterioso perro blanco, que huye luego llevándose entre los dientes la mano cortada de la Princesa Quimera, pondría en un aprieto a más de un director teatral. Don Ramón gustó siempre de sacar en sus obras los más diversos animalitos, amaestrados o no; Coímbra, la perrita sabia de *Divinas palabras,* o el Merlín de *Los cuernos* toman parte activa en la obra; en muchas otras ocasiones los animalitos más diversos —loros y ratones, borricos o caballos— salen a escena, como completando ese mundo heteróclito, tan absurdo como el real a veces, que el autor quería recrear. Se sirvió de ellos como de un elemento más que ennoblece o degrada al hombre en circunstancias diversas.

Aunque son doce los ladrones, el autor hace hablar solamente a siete de ellos, todos de sonoros y literarios nombres: Ferragut, Galaor, Fierabrás, Argilao, Barbarroja, Cifer y Gaiferos. Otros personajes son la Madre Silvia, una «vieja bruja» entendida en quiromancia y otras artes ocultas, el Capitán y un falso penitente o ermitaño que, bajo tal disfraz, sirve de confidente a la cuadrilla.

Sin tener en cuenta la belleza de los diálogos, que es innegable, se recuerda esta elemental «escena de bandoleros y misterio» por esa extraña mezcla de realidad poética y fantasía de ensueño. Reinventa un habla llena de poesía, y el todo —aunque probablemente no haya sido nunca representada— es un admirable cuadro dramático [4]. En ambas tentativas el autor parece anticiparse a la definición que del teatro daría Federico García Lorca en 1936, el año de su trágica muerte: «El teatro es la poesía que se levanta del libro y se hace humana. Y al hacerse, habla y grita, llora y se desespera» [5]. En

---

[4] Véanse las inteligentes observaciones que acerca de estas dos obritas hace FRANCO MEREGALLI en su obra *Studi su Ramón del Valle-Inclán,* Venecia, Librería Universitaria, 1958.

[5] FEDERICO GARCÍA LORCA, *Obras completas,* Aguilar, 2.ª ed., 1955, pág. 1635.

la misma entrevista, dice el autor de *Yerma:* «En estas comedias imposibles está mi verdadero propósito», refiriéndose a sus «primeras comedias irrepresentables». Por muchas razones podría calificarse también de «teatro imposible» el de Valle-Inclán. Imposible para el primer cuarto de siglo, por su desbocada fantasía, por su total libertad y su ambiciosa fuerza renovadora; pero más que posible, necesario para el no tan floreciente teatro español de la segunda mitad del siglo xx. Veremos cómo el autor dio rienda suelta a su fantasía en las obras que siguieron a estos dos ensayitos teatrales. Prescinde Valle de los problemas técnicos que la representación de sus obras plantearía. Parece pensar que el deber del artista es crear, inventar y que los demás busquen las soluciones escénicas. En lugar de hacerlo, más de un crítico ha buscado una solución de compromiso: declararon que el teatro de Valle no es representable; lo llaman «teatro para ser leído».

Cuando en un día no muy lejano las obras de Valle sean llevadas a la escena española con la dignidad artística que se merecen, veremos qué disculpas encuentran dichos críticos para negarle «teatralidad». Tendrán que ser las innovaciones y libertades de autores extranjeros —Brecht, Ionesco, Beckett, Pinter, etc.— las que hagan recapacitar a nuestros agudos jueces acerca de la verdadera calidad del teatro valleinclaniano. En especial, a un crítico de periódico madrileño que, ante la reposición de *Águila de blasón* —tras casi treinta años de no representarse ni una obra de Valle para el público español, si excluimos los «teatros universitarios» o los grupos teatrales de aficionados—, declaró al teatro de Valle como... «muerto, muerto y muerto» (Véase la crítica a que nos referimos en «ABC» de 15 de abril de 1966, pág. 103).

Si tan definitiva conclusión crítica se hubiese referido a una de las dos o tres endebles obritas de los comienzos dramáticos de Valle —la que vamos a analizar de inmediato, pongo por caso— nuestro asombro hubiera sido menor ante tan severo y tajante juicio.

Pero calificar alegremente —¡en 1966!— de «teatro muerto» a la primera de las *Comedias bárbaras,* uno de nuestros más bien poco corrientes esfuerzos, y sin duda el más temprano en el tiempo, del drama español del siglo xx por renovarse con dignidad..., me parece de todo punto increíble. Inadmisible en quien pretende llevar a cabo una labor crítica responsable.

2. COLOQUIOS ROMÁNTICOS: «EL MARQUÉS DE BRADOMÍN», OTRA VEZ

El 25 de enero de 1906 se estrenó en el teatro de la Princesa la obra de Valle titulada *El marqués de Bradomín;* dirigía la compañía Francisco García Ortega, y tenía un pequeño papel una joven actriz, menuda de estatura, que se llamaba Josefina Blanco, con la que contraería matrimonio don Ramón año y medio más tarde.

Como acertadamente comenta Fernández Almagro, «... Bradomín no salió ganando nada en su presentación a la luz de las candilejas» [6]. Su escasísima acción es disculpa apenas justificada para que el autor nos muestre unas cuantas estampas de colores vivos y dibujo interesante. Pero, seamos sinceros, de escasísimo valor teatral.

La «primera jornada» —en los jardines del Pazo de Brandeso, ante la vieja escalinata cubierta de mendigos pintorescos, socorridos por una dueña y un paje muy medievales— es una curiosa mezcla de retazos de tres obras anteriores: *Flor de santidad,* con su retahila de mendigos, lisiados y pedigüeños; *Eulalia* —el cuento de *Corte de amor,* de donde toma a la Madre Cruces, enlace amoroso entre Bradomín y «la pobre» Concha—, y de *Otoño,* de donde toma la localización general y poco más que la introducción del paje Florisel.

Utiliza el autor las acotaciones escénicas para «explicar» no sólo la escena, sino las razones que mueven a los personajes; aunque conserva la bella prosa de las obras de donde están sacados los retazos, no puede negarse que no logra en ningún momento crear auténtica fuerza dramática.

La «jornada segunda» es enteramente reproducción de escenas de *Otoño,* salvo la discusión entre el clérigo y Bradomín, que era de *Invierno.* Por cierto que en la pieza escénica el Obispo de la *Sonata* queda reducido a un simple abad; introduce algún chiste irreverente —«el sexto larán larán...»—, añade el episodio o leyenda folklórica de la princesa encantada guardadora de tesoros, que habíamos visto en *Flor de santidad,* y se sirve vagamente de episodios sucedidos a la protagonista de *Invierno.* Demasiado visibles las costuras.

En resumen: pieza totalmente artificial, sin esa especie de alma o núcleo dramático que logra transportarnos a un mundo diferente

[6] *Ob. cit.,* pág. 103.

en el que tomamos parte más o menos directa. Las andanzas de Bradomín y su enferma amiga resultan increíblemente pesadas y poco teatrales. Quizá interesan al estudioso porque nos permiten ver los esfuerzos de Valle por adaptar sus obras enteramente narrativas para la escena. Por esta vez la experiencia le salió fallida. Bradomín, tan teatral en las *Sonatas,* pierde agilidad y frescura sobre la escena; el autor se dio cuenta de su error y aprendió la lección.

3. LAS «COMEDIAS BÁRBARAS»: ¿ELEGÍA BÁRBARA O ESPERPENTIZACIÓN DE UN MITO...?

a) *«Águila de blasón»*

Al terminar la lectura de esta obra —o al bajarse el telón de la última jornada, si somos tan afortunados como para haber visto una de las escasas representaciones que se han dado hasta ahora— encontramos una significativa desproporción entre el tema de la obra y lo que el título nos anunciaba. No podemos por menos de concluir que el autor, al ponerle tan resonante título, nos está revelando de manera muy sutil y sibilina sus verdaderas intenciones. No puede estar entonando, como se ha dicho tantas veces al hablar de las *Comedias bárbaras,* una verdadera elegía a la nobleza rural en trance de desaparecer, un canto a las arcaicas, nobles instituciones sociales, como todo, en apariencia, hacía suponer. Para entonar tal elegía sin dobles intenciones el autor hubiera tenido que esforzarse por cumplir en cierta manera con lo que el atractivo título nos prometía: hechos grandiosos de personajes llenos de verdadera nobleza, altos, ejemplares vuelos, en resumen, de un señor hidalgo al que le fuese bien lo que en el título se deja entrever: un verdadero águila de blasón.

Por el contrario, lo que se nos da es muy otro. Pese a que nos resulte muy atractivo como ser humano, por muchas simpatías que sintamos hacia este *larger than life character,* como dirían los ingleses, don Juan Manuel de Montenegro, tenemos que admitir que ni sus hechos en la obra, ni las «virtudes» que lo adornan son las que corresponden a un auténtico héroe superior.

Si lo juzgamos desapasionadamente tendremos que confesar que se nos queda en poco más que un exuberante «cacique de lugar», tiránico y vocinglero, mujeriego y despótico, sensual y cruel que no acata la justicia humana ni hace mucho caso de la divina.

Precisamente esta falta voluntaria de correspondencia entre lo que se anuncia y las hazañas del personaje principal, este vaciar el título de sentido a fuerza de negarle al personaje auténtica grandeza, es lo que nos llevó a pensar, a entrever la semioculta intención de Valle al escribir esta primera obra de la que luego sería una trilogía. (*Cara de plata,* resulta ocioso decirlo, vio la luz catorce años más tarde. Por las enormes diferencias —no sólo de estilo, sino de contenido— que vemos en ella comparada con las otras dos, dejaremos su análisis para el lugar correspondiente.)

Recordemos, para calar mejor en la intención de Valle al poner los títulos de sus obras, en qué consistía la «santidad» de Adega la pastorcilla, y la sencilla —¡la falsa!— fe de aquellos seres «milenarios» que la rodeaban. Al igual que analizando despacio descubríamos la ironía contenida en el título *Flor de santidad,* al pensar ahora en las características del caballero se nos hace patente que no hay una verdadera intención exaltadora, glorificadora ni simple deseo de «mitificación» por parte del autor. Todo lo contrario, aun cuando una lectura apresurada pueda dejarnos esa impresión «elegíaca». No comprendemos cómo la mayoría de la crítica sigue hablando de las *Comedias bábaras* sin ver lo que hay en ellas de doble fondo crítico, como lo tienen la mayoría de las obras de este autor. Si de verdad el escritor hubiese tenido la intención de cantar las glorias de una nobleza de raza, de una aristocracia rural que moría sin sucesión —lo cual no es el caso, puesto que herederos legítimos e ilegítimos deja en abundancia—, creemos que Valle se hubiera esforzado por pintar a su personaje con rasgos muy diferentes de los que le asignó. (Imposible no pensar en la nostálgica y bella elegía auténtica que nos dejó hace solamente unos años Giuseppe di Lampedusa en su extraordinaria novela *Il gattopardo*).

Es precisamente al final de la primera de las *Comedias bárbaras* cuando el caballero, empujado por su, hasta entonces, sufrida y paciente esposa, abandona, en compañía de su última barragana y del bufón fiel —como cualquier señor feudal—, el «solar de la familia», la casona que «desde hace trescientos años es la casa de mis abuelos», abatido y viejo, nos sorprende con su llanto; solloza «… bajo el blasón que tiene en sus cuarteles espuelas de caballería y águilas de victoria».

Lo que a lo largo de la obra se nos había ido insinuando como

algo que contenía un sentido develador, una postura que era a la
vez de admiración y denuncia, con no poco de ambigua ironía y
burlas más o menos disimuladas de una aristocracia rural, irremediablemente en descomposición, se nos aclara y convierte— en éste,
en apariencia, irrelevante pasaje— en restallante y amargo sarcasmo.
Las águilas del escudo familiar se han transformado con los años y
las circunstancias sociales en algo mucho menos grandioso. No han
muerto, no han sido heridas siquiera, gloriosamente en combates
como lo hicieron no pocos de sus antepasados. Se han ido, por el
contrario, condenando a la extinción, en una vida espiritualmente vacía, llena sólo de vicio y fácil abundancia.

Aquellas águilas reales que volaron tan alto dominando cielos
y tierras por doquier son ahora incapaces de remontar el vuelo; han
ido perdiendo fuerza y facultades, grandeza física y moral, se han
«domesticado», han degenerado.

Cuando escuchamos al caballero admitir sus culpas con gritos
lastimeros, insultándose a sí propio con la violencia que reservara
siempre para la naciente burguesía y la clase media, cuando no las
ignoró, la imagen que se nos viene a la mente no es ya la del águila
caudal que —acorralada, rota el ala en salvaje pelea— muere defen-
diendo sus derechos con pico y garras; es otra imagen mucho menos
piadosa, de indudable sentido sarcástico: contemplamos a un gallo
viejo, desplumado y vencido, que cacarea violento al ser expulsado
de su corral, aunque sea temporalmente.

El caballero don Juan Manuel Montenegro, tiránico y nada ejemplar, luego de no haber hecho nunca nada más que su arbitraria voluntad, avasallando a los seres más débiles, abusando de las mujeres
y no respetando código moral alguno, es una patética reliquia del
pasado feudal que se sobrevive. Es un claro símbolo de un pasado
español que moría definitivamente.

La nobleza de sangre (?), su aristocracia de cuna (?), los escudos familiares tras los que se parapetaron para pisotear impunemente
los derechos del prójimo, son zarandajas sin sentido en una sociedad
moderna y justa. Don Juan Manuel y su raza, al no querer adoptar
las exigencias de la sociedad en que viven, están condenados a la
desaparición, y al autor no se le oculta tamaña verdad, aunque apunte ciertas simpatías por su personaje. (Tendremos que recordar las
palabras de Bradomín, respecto a la grandeza caída, las ruinas bellas...)

Como la «grandeza imperial» con que España —todavía en los

trágicos años del desastre colonial— pretendía ilusamente consolarse de su inercia y su falta de progreso, era una «grandeza» en vías de desaparición, un sueño del pasado más que una realidad. El caballero no supo incorporarse a una sociedad que evolucionaba, aferrándose tozudamente a unas normas de vida que si tenían validez en remotos tiempos feudales, con brutalidades injustas y limpiezas de sangre más o menos arbitrarias, en pleno siglo XX se venían abajo de puro anacrónicas. Incluso en el rincón más atrasado del país.

El caballero —como el pasado imperial de España—, al no saber prolongarse en una existencia en evolución justa y razonable, está condenado a la autodestrucción; morirá —como el pasado colonial de España— a manos de sus propios hijos, que se rebelarán contra el poder tiránico sobre todo porque no han sido criados más que con el ejemplo de violencias, crueldades y despotismos [7].

Tal vez haya contribuido a confundir al lector, que ha creído ver en *Águila de blasón* solamente una intención exaltadora de una edad arcaica ideal, el hecho de que los principales personajes —en especial don Juan Manuel— están presentados con evidente simpatía; tienen aquí más humanidad que, por ejemplo, el viejo «Dandy» de las *Sonatas,* como mantiene Eugenio G. de Nora en su libro [8]. En lo que no estamos de acuerdo con el crítico es en encontrar en todos los que él señala «verdadera nobleza». Doña María Soledad, y la misma Sabelita, que no es sino otra víctima del tiránico caballero, sí nos parece que tienen auténtica nobleza. (Y conviene no olvidar que Sabelita no es de noble cuna, sino que proviene de esa clase media o pequeña burguesía que el caballero se empeña en desprestigiar maliciosamente, cuando no la niega del todo.) Pero ni el mismo caballero ni su hijo Cara de Plata, los dos personajes teóricamente más nobles, resisten un detallado examen sin dejar al descubierto lo que su «aparente grandeza señorial» esconde, que no es lo que determinadas apariencias embellecedoras pueden hacer creer, ni mucho menos. El escritor siente simpatías por ambos, es indudable; pero el velado contenido crítico que señalamos, su verdadera y semi-

---

[7] Mi querido amigo y colega, el profesor Ronald Cueto, quien muy generosamente me ayudó en la corrección de pruebas de esta obra, sugiere, en apoyo de mi hipótesis, que el *Águila de blasón* del título —en significativo singular— es evidente alusión a la que figura en el escudo español.

Así como que los «seis hijos legítimos» que acabarán con la vida del viejo hidalgo que les había dado el ser (personificación del Imperio, como ya dije) podrían ser la encarnación simbólica de los seis «reinos» que habían formado la unidad imperial de España: León, Castilla, Aragón, Navarra, Granada y Ultramar.

[8] *Ob. cit.,* pág. 70.

oculta intención al concebir esta otra fábula o parábola dramática
le fuerzan a descubrirnos cuanto de negativo tienen sus personajes;
sus debilidades, su falta de eje moral, de principios verdaderamente
nobles y ejemplares.

¿En qué consiste «lo positivo» de don Juan Manuel, su nobleza
de raza, por ejemplo, de la que él tan orgullosamente se vanagloria?
Salvo el haber nacido en noble cuna —mérito que no se debe a él,
precisamente—, el ser generoso con los que carecen de fortuna —y
todos los auténticos mayorazgos de la España antigua lo fueron casi
por obligación social, más que por auténtico amor al prójimo, en la
mayoría de los casos sus siervos— y de que perdona la renta al molinero —con fines nada desinteresados, pues acto seguido despoja
al viejo y poco escrupuloso molinero de su mujer, la «encendida y
joven molinera»—, no queda, en verdad, mucho en el personaje que
justifique esa «nobleza» de que tanto se habla. Y aun cuando como
ente de ficción resulte atractivo, tampoco al autor se le ocultaba el
anacronismo de su héroe; al presentárnoslo, dice claramente: «Es
uno de esos hidalgos mujeriegos y despóticos, hospitalarios [virtud
que no vemos justificada tampoco en esta obra] y violentos, que se
conservan como retratos antiguos en las villas silenciosas y muer-
tas...» [9].

Las hazañas que lleva a cabo y las que de él se cuentan no tienen
punto de comparación con las de los héroes de auténtica nobleza,
llámense Alonso Quijano, Rodrigo Díaz de Vivar o Rolando. Don
Juan Manuel de Montenegro no tiene otro quehacer que divertirse
en ferias y mercados, andar en malos pasos sin hacer nada positivo
por esa sociedad en la que vive y a la que parece despreciar altanero
y superior. No acata otra ley que la que le dicta su tiránica voluntad;
es jugador y pendenciero, aficionado al vino y la buena mesa. No se
ha preocupado de educar con mejores ejemplos a sus seis hijos legítimos y se ha valido de su admitida superioridad (?) para engendrar
por doquier docenas de bastardos, abusando de las mujeres o las
hijas de sus más que transigentes siervos. Ha traicionado a su esposa
con repetido cinismo, y cuando, intentando justificarse sin conseguirlo, grita su fracaso —su impotencia—, al fin de la obra, o maldice
a sus hijos acusándoles de vicios y males que ciertamente tienen,
no se percata de que la verdadera culpa de su degeneración no la
tiene nadie más que él. No. No encontramos «grandeza moral»

_____
[9] *Águila de blasón*, en *O.C.*, I, pág. 560.

auténtica en este romántico personaje de talla superior a la normal, es cierto, pero... enteramente negativo. Si hay «mitificación» del personaje está hecha con sentido crítico, no de exaltación. Es una «mitificación» tan relativa que podría decirse que pierde toda intención engrandecedora, frenada como va por la auténtica realidad humana del caballero.

El autor, con una mano está pretendiendo pintar un cuadro elegíaco de la sociedad arcaica, causa de la pasada grandeza —el poderío imperial español, personificado en sus últimos momentos por el viejo vinculero—, mientras que con la otra está dejando al descubierto cuanto hay de necio y desatinado en pretender oponerse a la evolución normal de la sociedad, como había ocurrido en España, durante siglo y medio. Lejos de una auténtica mitificación, está realizando una sutil, tímida esperpentización. La deformación estriba en que, apuntando hacia un hipotético «engrandecimiento», nos está dejando al descubierto la situación real de una sociedad moribunda, la España vieja de que tiene conciencia la generación del 98.

La «idealización» de esa vaga y utópica «sociedad arcaica» no resiste los embates críticos que el autor señala paralelamente, con evidente intención, al enumerar sus defectos. Tal «mitificación» del personaje y la dorada «época antigua» de que se nos habla no son más que aparentes cuando no se tienen en cuenta los defectos, las lacras que dominan en tan «feliz y primitiva edad».

La comedia está concebida y ejecutada con las mayores libertades formales; tantas que, para buena parte de la crítica, de obra teatral no tiene más que el estar escrita enteramente en diálogo. (Eugenio de Nora las estudia, junto a las novelas de *La guerra carlista,* en su libro *La novela española contemporánea.*) Todavía hoy, con más de sesenta años transcurridos desde que fueron escritas, en la última reposición hizo prorrumpir en quejas a los críticos más reaccionarios de la prensa madrileña que la encontraban... «muy diferente». Para quienes conozcan el teatro moderno europeo (pensamos especialmente en algo ya no tan moderno, aunque hasta hace muy pocos años no muy conocido en España, *Madre coraje* de Bertol Brecht) tal acusación se cae de puro ridícula. Esas largas acotaciones —que para no pocos tienen más de técnica novelística que teatral— tan atacadas, por no ser —dicen— dramáticas, esas largas explicaciones que el autor se permite entre escena y escena, las hemos visto en obras —como la mencionada de Brecht—, resuelto problema tan elemental mediante la proyección del largo texto en un telón de boca.

Si sabemos que el concepto del arte en Valle-Inclán estaba fuera y por encima de toda realidad, ¿cómo vamos a exigirle que se atenga a realismos y cortapisas técnicas que limiten su fantasía...? Ya dije antes que el suyo es teatro libre. Y si la escena requiere caballos, barcos, tempestades, apariciones o vuelo de brujas y trasgos, y luchas terribles y llenas de sangre, el autor no se para en barras y las incluye con la misma facilidad, con el mismo placer plástico con que lo haría hoy un director cinematográfico en la película más espectacular para provocar el asombro y admiración del espectador. ¡Como que por muchos conceptos don Ramón hubiese podido ser uno de nuestros más grandes y tempranos realizadores cinematográficos...! (Por más de un detalle se anticipó a la obra del que hoy consideramos como el mejor realizador del cine español, el aragonés Luis Buñuel.)

Águila de blasón, dividida en cinco jornadas, en lugar de actos, es un gran retablo barroco compuesto de 32 cuadros o estampas escénicas, de acción muy compleja. Pueden contarse hasta 19 escenarios, y en algunas de las escenas —como la sexta de la jornada cuarta, en la que Cara de Plata y don Farruquiño el seminarista se conciertan para robar un esqueleto en el cementerio— la acción está descrita al modo de un largo *travelling* cinematográfico: empieza en una callejuela, sigue en la cuesta de San Francisco hasta llegar a la reja del cementerio y —franqueada ésta— termina en el interior del camposanto. Descripción casi cinematográfica, también, lleva la escena cuarta de la jornada final el intento de suicidio de Sabelita en el río, y el barquero que se arroja al agua desaparece buceando y reaparece con el cuerpo de la supuesta ahogada para sacarlo a la orilla, entre lavanderas y curiosos. Y de no poca dificultad en la representación sería la escena —surrealista, ya que es un sueño de doña María Soledad, la esposa del caballero— en que la dama tiene una visión del Niño Jesús, el cual le reprocha haber empujado a la infeliz joven otra vez al pecado. El Niño Jesús desaparece de la escena «... ascendiendo por un hilo de plata que le tiende una doncella que hila en una rueca de cristal».

Tenemos que reconocer que algunas de esas 32 estampas no perderían mucho en la representación si fueran aligeradas de ciertos adornos que nos parece no son esenciales al contenido de la obra. Si por la belleza de la lengua en que está escrita *Águila de blasón* resiste hoy sin menoscabo una reposada lectura, la lentitud y —en mi opinión— excesiva estilización de movimientos barrocos de que hablaba don Ramón en carta a don Alfonso Reyes [10] le dan un cierto lastre negativo a los ojos del espectador medio español, no acostumbrado aún a esas lentitudes dramáticas de nuevo cuño del teatro más progresista, ni a la duración desacostumbrada —algo más de tres horas, calculamos— en una producción sin cortes.

Con todo, la mejor garantía de su calidad dramática nos parece que puede deducirse del hecho que, habiéndose cumplido ahora el medio siglo largo desde que fue escrita, *Águila de blasón,* enfrentada a las más revolucionarias formas teatrales de «vanguardia», sigue pareciendo a muchos críticos conservadores... algo diferente. Lejos de envejecer, como le ha ocurrido a la mayoría de las obras que vieron la luz triunfalmente en su tiempo, esta primera comedia bárbara de don Ramón está demostrando, incluso a los críticos que la declararon muerta como obra dramática, que el autor se adelantó —en cuanto a concepción dramática y a libertades verdaderamente insospechadas— en más de cincuenta años; los sesenta que nos separan de la fecha de su aparición.

b)   *«Romance de lobos»*

Está dividida en tres jornadas —en lugar de las cinco de *Águila—,* cada una de las cuales se subdivide en seis escenas.

De estructura dramática menos compleja que la obra anterior, pero todavía con escenas de no fácil realización. La del comienzo, por ejemplo, en la que vemos al caballero regresar de la feria, borracho sobre su caballo. En medio de la noche, y en un descampado, contempla «... las luces de la Santa Compaña» y escucha... «gemidos de agonía» y «herrumbroso son de cadenas que arrastran en la noche oscura las ánimas en pena...», mientras los de tan fúnebre procesión, en atemorizador coro, le dirigen voces acusatorias. Una ráfaga sobrenatural «le arrebata de la silla y ve desaparecer su caballo en una carrera infernal... Cierra los ojos y la tierra le falta bajo el pie y se siente llevado por los aires». A orillas de un río ancho como el mar contempla un extraño aquelarre en el que las brujas tratan de construir un puente para permitir el paso de un entierro, detenido en la orilla opuesta. Pero el tercer canto del gallo rompe el poder de las brujas, las cuales dejan caer al agua la última

[10] Véase ALFONSO REYES, *Tertulia de Madrid,* Col. Austral, 1949, págs. 74-75.

piedra que faltaba al puente, mientras huyen convertidas en murciélagos. El caballero contempla aterrorizado cómo «... el entierro se vuelve a la aldea y desaparece en una niebla...» y «... como si se despertase de un sueño se halla tendido en medio de la vereda» [11].

Visión o sueño admonitorio, la presencia de la muerte le ha producido al caballero algo que no había sentido nunca: miedo. (Escena segunda). No contempla su propio entierro como el estudiante esproncediano, pero el caballero lo toma como un aviso del más allá, una indicación de que la sufrida doña María Soledad, su esposa, acaba de entregar su alma a Dios. Es la hora del arrepentimiento, para este altivo vinculero que, habiendo llevado una vida de pecado y licencia, movido ahora por la muerte de la que él consideró siempre como una santa, hace confesión pública de sus pecados y se prepara a bien morir.

Podría decirse que toda la obra es una reivindicación moral del personaje: su sincero arrepentimiento, y su deseo de redención le llevan a dedicarse a los humildes, a los menesterosos, a los que adopta «como hijos verdaderos», ya que los auténticos se han vuelto contra él, para despojarle de sus riquezas.

Si en *Águila de blasón* veíamos al hidalgo soberbio y dominador, aunque ya en decadencia total —con el ala cortada, incapaz de vuelos de altura—, en *Romance de lobos* contemplamos el reverso de la medalla: la nobleza moribunda que, desengañada, trata de salvarse haciendo el bien entre los más humildes. Temeroso de Dios, arrepentido de los pecados que él considera han sido la causa de la muerte de «su santa mujer», se va con los mendigos, a los que, en su afán de ayudar, increpa con discursos subversivos.

El concepto de la justicia social del caballero es radical, mezcla de cristianismo y revolucionarismo anarcoide: «Todo el maíz que haya en la troje se repartirá entre vosotros. Es una restitución que os hago, ya que sois tan miserables que no sabéis recobrar lo que debía ser vuestro. Tenéis marcada el alma con el hierro de los esclavos, y sois mendigos porque debéis serlo. El día en que los pobres se juntasen para quemar las siembras, para envenenar las fuentes, sería el día de la gran justicia... Ese día llegará, y el sol, sol de incendio y de sangre, tendrá la faz de Dios. Las casas en llamas serán hornos mejores para vuestra hambre que hornos de pan. ¡Y las mujeres, y los niños, y los viejos, y los enfermos, gritarán entre el fue-

---

[11] *Romance de lobos,* en *O. C.,* I, págs. 653-655.

go, y vosotros cantaréis y yo también, porque seré yo quien os guíe! Nacisteis pobres y no podréis rebelaros nunca contra vuestro destino. La redención de los humildes hemos de hacerla los que nacimos con ímpetu de señores cuando se haga la luz en nuestras conciencias... ¡Pobres miserables, almas resignadas, hijos de esclavos, los señores os salvaremos cuando nos hagamos cristianos!» *(O. C., I, pág. 671).*

El orgulloso mayorazgo, cuando presiente que se acerca su fin, herido en el alma por la muerte de su esposa —a quien en el fondo nunca había dejado de querer—, trata de castigarse, dejándose morir de hambre en la misma alcoba donde murió su esposa. Trata de morir en soledad para expiar sus penas. Mas los criados, los amigos y hasta una hija bastarda, se lo impiden con sus ruegos. Huye de la casa —de su propia sociedad dominadora, ahora ya en decadencia— para hacer penitencia entre los mendigos y desamparados. Cuando casi sin fuerzas escucha las maldiciones que le dirige la viuda de uno de los marineros ahogados por su culpa y comprende la ruindad de sus propios hijos —que niegan brutalmente el pan que él mismo había prometido a los menesterosos—, se pone al frente de una tropa de mendigos para volver a su pazo y disputarle los bienes a los «lobeznos» en favor de estos seres humildes, sus verdaderos hijos, sus verdaderos hermanos en la desgracia.

Pero es demasiado tarde. Está el caballero —viejo león, viejc tigre, viejo águila de blasón— herido de muerte y el brutal golpe de puño de su hijo don Mauro acaba con una vida de excesos e inmoralidades.

Repetimos que nos cuesta creer en la intención «mitificadora» de Valle al crear este personaje; sus actos «positivos» son muy livianos, cuando se le contraponen todas sus faltas; su liberalidad con los renteros y aparceros, los «pedazos de pan», que daba a los humildes cuando le sobraba todo, no son nada frente a la soberbia actitud francamente antisocial que demostró toda su vida. Cuando al final se une a los pobres —predicándoles una revolución basada en el resentimiento— y arrepentido confiesa su error, sus propios hijos se mofan de él y, por disputarle el último grano de riqueza, acaban por asesinarlo.

Por mucha simpatía que el autor quiera demostrar hacia el caballero, por mucha grandeza y señorío de alma que le suponga —pero que nunca se esfuerza verdaderamente por justificar con hechos—, no vemos esa aureola de mito que tanto se ha señalado; un vinculero así acaba resultando un anacronismo puro en nuestro siglo. Don

Ramón sabía muy bien que tal nobleza utópica, tal sociedad arcaica personificada en don Juan Manuel de Montenegro estaba llamada al más absoluto fracaso, y por ello sus *Comedias bárbaras* tienen el final que tienen.

Su lección implícita —pese a que pretenda hacer creer que todavía están válidos los principios de justicia social (?) medievales, todavía vigentes en el último tercio del siglo XIX en algunas regiones de España— es que la ilusión de una «grandeza heredada» y estacionaria en una sociedad en desarrollo lleva a la ruina primero y al desastre total y al crimen más salvaje a la postre. Con todo su aparente desprecio por la burguesía, Valle no oculta el fracaso de su utópica sociedad aristocrático-patriarcal.

Como había señalado en *Águila de blasón,* la raza noble no se acaba: degenera (escena 2.ª, jornada 3.ª, I, pág. 598). Degeneración que se patentiza de modo sutil en la forma en que el autor alude a sus personajes mediante el recurso mencionado de «animalización». El caballero está equiparado casi siempre a tres animales de cierta nobleza: león, tigre y águila. Por el contrario, los cinco hijos que figuran en esta obra serán siempre animales cobardes y ladrones; serán «lobeznos» sin grandeza, «perros vagabundos» llenos de vicios y ruindad moral; «cuervos, hienas y escorpiones». Animalización claramente degradante.

No deja de ser significativo que el único hijo del vinculero capaz de cierto grado de nobleza de sentimientos, Cara de Plata, no intervenga en *Romance de lobos.* Lo vimos en *Águila de blasón* uniéndose a los carlistas no por convicción política plena, sino más bien como último recurso, para evitar caer en tan malos pasos como adivinaba, sería el fin de sus hermanos. Se da cuenta del callejón sin salida en que la llamada «nobleza rural» se ha metido y busca un fin digno. Prefiere «alzar partidas por un rey... a tener que alzarlas por nosotros y robar en los montes».

Los otros cinco lobeznos —lo que queda de la camada señoril— van a ser los asesinos de su mismo padre. La aristocracia rural española acabando a manos de los sufridos campesinos, los proletarios, mendigos y desheredados de la fortuna, que, como en Rusia, cansados de injusticia social, se rebelarán para intentar la creación de un país nuevo; sino que la nobleza campesina —el glorioso pasado español— tiene un fin todavía más dramático: muere a manos de sus propios e indignos descendientes, que, degenerados, se convertirán en simples bandoleros incapaces de acción positiva. Es el fin de una raza; el fin de un pasado más o menos brillante, pero condenado a muerte en el siglo actual por su incapacidad de evolución.

Si es innegable que la mentalidad de Valle era «arcaizante y fideísta» a lo largo de casi toda su obra en su interpretación del carlismo y el anarquismo, según ha demostrado en un admirable ensayo el profesor J. A. Maravall [12], no es menos cierto que desde muy temprano —antes incluso de comenzar su trilogía carlista— el autor se da perfecta cuenta de que aquella sociedad rural arcaica e idealizada, por muy querida que le fuese, llevaba en sí misma su condenación. Si se atreve a enfrentarla a la sociedad burguesa —a la cual personalmente no aceptó nunca de buen grado—, no se le oculta que esa su idealizada «nobleza rural» llevaba las de perder.

Me parece que la auténtica intención de Valle es la de hacernos penetrar con sus fábulas dramáticas en el complejo malestar de la sociedad española del último tercio del siglo XIX. Intentando rechazar la estructura social burguesa-liberal, que se había ido consolidando en España desde la década de los años cuarenta, trata, sin demasiada convicción, de hallar una solución volviendo los ojos a la sociedad tradicional del agro. Cuando se da cuenta de la verdadera ineficacia de aquella «clase noble», como solución para el presente, la condena —en su vinculero— a muerte. Actitud que no está muy lejos de la que, por muy diferentes caminos, habían adoptado sus compañeros del 98: hacer despertar a los españoles sensatos del sueño de grandeza en que había vivido el país por siglos.

Esa toma de conciencia de la realidad —como muy bien explica el profesor Maravall [13]— es consecuencia del choque que producen los profundos trastornos sociales de fines del siglo XIX, más que el desastre de la pérdida de Cuba y Filipinas, que no afectó tanto a la generalidad del país.

4. OTROS RASGOS ESPERPÉNTICOS EN LAS DOS PRIMERAS «COMEDIAS BÁRBARAS»

Esa intención general de «distorsionar» la fábula toda, aparentando mostrar la faz de la moneda cuando en realidad lo que pre-

[12] José Antonio Maravall, *La imagen de la sociedad arcaica en Valle-Inclán*, en «Revista de Occidente», núms. 44-45, Madrid, nov.-dic. 1966, págs. 225-256.
[13] *Ibíd.*, pág. 229.

tende es dejar al descubierto el envés —lo negativo— de la historia presentada, esa deformación sistemática todavía no declarada abiertamente por el autor, aunque mantenida cuidadosamente en ambas comedias bárbaras, autoriza, en mi opinión, a que podamos verlas ya como dos incipientes esperpentos; ha sido señalado repetidamente por la crítica que hay en ellas algunos rasgos esperpénticos, ciertos detalles esperpentizantes que las convertían como en anticipo, o primeros brotes, del género posteriormente logrado por el autor.

Un cuidadoso recuento en las dos comedias nos autoriza a concluir que la abundancia de tales elementos no es casual, sino que están puestos consciente y deliberadamente por el autor para ir logrando esa «nueva visión de la realidad», que sería para él la esencia del esperpento más tardío. Detalles a primera vista sin importancia, como la visión del espantapájaros en *Águila...,* con que nos tropezamos en la acotación de la escena en que don Pedrito viola brutalmente a Liberata la molinera: «... y en lo alto de la higuera abre los brazos el espantajo grotesco de una vieja vestida de harapos, con la rueca en la cintura, y en la diestra, a guisa de huso, el cuerno de una cabra» *(O. C.,* I, pág. 579). No son menos esperpénticas las escenas nocturnas del sacrílego robo del cadáver en el cementerio, llevado a cabo por don Farruquiño —el pícaro seminarista— y su hermano Cara de Plata, con la escena subsiguiente, llena de humor y efectos teatrales de primera calidad, a pesar de lo atrevido del tono de lo que allí contemplamos: la cocción de la momia por el seminarista en la cocina de Pichona la Bisbisera, mientras la dueña de la casa, en un rincón del mismo cuarto, y su amante Cara de Plata se refocilan en la cama, sin importarles demasiado la presencia del aprendiz de clérigo y su macabra cocción *(O. C.,* I, págs. 627-630).

El lavado del cadáver —*Romance de lobos*— de la esposa del vinculero logra unos tonos cómicos de tanta fuerza tremendista como los mejores pasajes de aquellas desagradables, aunque humorísticas, experiencias de nuestras más sobresalientes novelas picarescas. Con diferente intención —aunque valiéndose también de un deliberado «feísmo» que contrasta con las bellezas de lengua de que se sirve— el autor, como otro Quevedo del siglo xx, marca el contraste entre la belleza espiritual de la que fue la sufrida doña María y lo que resta del mezquino barro humano tras la visita de la muerte. (Resaltemos, de pasada, la bellísima lección de «planto» en los momentos que siguen, que sería aprovechada por el mismo Valle en otras obras y, nos parece, por García Lorca en las suyas.)

Varios son los momentos, tanto en *Águila*... como en *Roman-ce*..., en donde el autor parece complacido en mostrarnos la fealdad, la miseria y corruptibilidad a la hora de la muerte del llamado «rey de la creación»; recordemos, por ejemplo, la detallada descripción de los gusanos que se desprenden del cadáver al abrir el primer nicho en el cementerio *(O. C.,* I, pág. 628), o el diálogo entre el caballero de la difunta esposa y el capellán: «—Se corrompía todo, señor. —¡Miseria de la carne! —Los gusanos le comían. Formaban nido en la cabeza y bajo los brazos. —¡Miseria de la vida! —Dijeron que se le había abierto la madre de los gusanos, la gusanera, como cuen-tan de un rey de las Españas» *(ibíd.,* pág. 685). Visiones que nos hacen pensar en las descarnadas pinturas españolas de un Valdés Leal, cuando no en las desoladoras iluminaciones goyescas de la fa-mosa «quinta del sordo», si la mirada está dirigida a los mendigos y lazarados que recorren las aldeas mascullando una petición de li-mosna: «Tienen la vaguedad de un sueño aquellas figuras entrevistas a la luz del relámpago: patriarcas haraposos, mujeres escuálidas, mo-zos lisiados hablan en las tinieblas, y sus voces contrahechas por el viento son de una oscuridad embrujada y grotesca, saliendo de aquel roquedo que finge ruinas de quimera, donde hubiese por carcelero un alado dragón» *(ibíd.,* pág. 669). Los desheredados de la fortuna, vistos a la impresionante luz de la tormenta: deformación de lo ya deforme, como explicará años más tarde en *Luces de bohemia.*

Pero no son estos detalles deliberadamente brutales —con ser abundantes— solamente los que nos hacen ver las *Comedias bárba-ras* como incipientes esperpentos. Es algo mucho más sutil, más en la línea de esperpentización complejísima que seguirá en los últimos años de su carrera de escritor. Fijémonos en un personaje de cierta importancia. La contrafigura del héroe, el bufón don Galán. Su mis-mo nombre que lleva en sí buena dosis de irónica carga. Es... «viejo y feo, embustero y miedoso». Mitad ser humano, mitad animal —se considera hermano de los canes, a veces se comporta como tal— y, sin embargo, es fácil ver la simpatía que en él deposita el autor. Su rostro es una auténtica máscara: «hace una cabriola y ríe con su risa pícara y grotesca, la gran risa de una careta de cartón» *(O. C.,* I, pág. 574); pero ya sabemos que las máscaras valleinclanianas dejan ver con más facilidad que las mismas caras de los personajes los ras-gos internos, la belleza o fealdad moral de que están adornados. A pesar de sus apariencias animalescas, don Galán es capaz de una delicada y tierna amistad —tal vez de un secreto y puro enamoramiento— por la desgraciada Sabelita, barragana del caballero. Su misma risa bufonesca «... parece brotar sobre el belfo amoratado y reluciente, como en una rústica fontana brota el agua sobre el belfo limoso de una máscara de piedra» (ibíd., pág. 634), en donde la «cosificación» del personaje está muy hábilmente realizada. Don Galán es capaz de amor y sufrimiento, y cuando descubre el paradero de la desaparecida Sabelita, ahoga su dolor en vino para no delatarla. Quiere ayudar a su amo, cuando éste decide rezar por ella: «Don Galán se arrodilla y hace la señal de la cruz con esa torpeza indecisa y sonámbula que tienen los movimientos de los borrachos. [Aquí hace entrar el autor otro de los elementos de que se vale en los esperpentos posteriores: el espejo, que puede o no deformar, pero que ayuda a dar una imagen un tanto "desenfocada", borrosa, muy apta para darnos esa especie de fugaz visión deformante de la realidad en determinados momentos.] La imagen del bufón aparece en el fondo de un espejo, y el Caballero la contempla en aquella lejanía nebulosa y verdeante como en la quimera de un sueño. Lentamente el cristal de sus ojos se empaña como el nebuloso cristal del espejo» (ibíd., pág. 634).

El bufón del caballero es algo aún mucho más sutilmente esperpentizado; es una especie de contrapuntística «voz de su amo», un eco de la conciencia de don Juan Manuel. En otras palabras: una especie de confesor personal, sometido a la deformación esperpéntica. Nos lo dice claramente el propio vinculero hablando de él y comparándolo nada menos que con el clérigo que sirve a doña María: «¡Don Galán es mi hombre de placer! ¡Y también una voz de mi conciencia!... con sus burlas y sus insolencias, edifica mi alma, como Don Manuelito edifica la tuya con sus sermones» (ibíd., págs. 597-598).

Para este caballero soberbio y altanero, pecador recalcitrante, no cabe la ayuda espiritual de un eclesiástico: sólo su remedo, su esperpéntico eco, un bufón, que por muchos conceptos es casi un puro animal, hace tal oficio.

No menos interesante, como personaje de doble imagen un tanto esperpéntica —un loco de lugar que no lo es tanto, por los conocimientos que demuestra—, es Fuso Negro, que hace su aparición al final de Romance de lobos, pero que alcanza su auténtico significado doble en la tardía Cara de plata; él explica al caballero las malas artes de que se vale el diablo para engendrar en mujeres inocentes hijos del pecado, pecadores malditos. En Romance, es todavía un personaje de relleno, mientras que en *Cara de plata,* escrita doce años más tarde, el autor lo vuelve a sacar a escena con una misión de mayor envergadura; allí ya es francamente la encarnación del «malo».

Innumerables son los ejemplos de «animalización» en ambas comedias. El bufón don Galán imita a los perros, los llama sus hermanos y roe bajo la mesa los huesos que le arroja el caballero; los hijos de don Juan Manuel son «lobeznos», «cuervos», «hienas», «perros malditos», mientras el caballero es «tigre», «león» y —maldiciéndose al final de *Águila de blasón*— «lobo salido». Don Farruquiño «tiene el engaño de los raposos y las mañas de los lobos»; Micaela es «la gran raposa»; doña María es «aquella paloma blanca», y cuando muere «... quedóse como un pájaro». También animaliza los elementos naturales: «Aulla el viento como un lobo» o «... entra en la estancia con un aleteo tempestuoso»; y la luz «... pasa por las paredes como la sombra de un pájaro», etc.

El pensamiento es «... un cuervo loco que por veces húyese de la cabeza y se esconde en el pecho» *(O. C.,* I, pág. 633), y en la voz de los pordioseros «... aquella voz gangosa y oscura se arrastra como una larva la tristeza milenaria de su alma de siervo» *(ibíd.,* pág. 647). Aquellos mismos pordioseros están descritos como «... racimo de gusanos que se arrastra por el polvo de los caminos y se desgrana en los mercados y ferias...» *(ibíd.,* pág. 669). Y cuando el caballero se enfrenta a sus hijos para disputarles los bienes que quiere entregar a estos miserables y desheredados de la fortuna les increpa gritándoles: «¡Ayudadme como animales hambrientos, como arcángeles o como demonios! ¡Rabiad, ovejas!» *(ibíd.,* pág. 719).

Abundan también los casos de «animación»: «El viento se retuerce en el hueco de las ventanas» (I, pág. 657), escuchamos varias veces «... las risadas del trasgo del viento» (págs. 657 y 683), mientras los cipreses «... cabecean desesperados» (I, pág. 657) o «el viento y el mar juntan sus voces en un son oscuro y terrible» (I, pág. 667).

Pueden espigarse algunos casos de «humanización». Así las dos velas que «se consumen en el altar, dos velas rizadas y pintadas como dos madamas» (I, pág. 669). Y a cuya luz parpadeante se anima «... la mirada estática de una Dolorosa. El parpadeo de las dos velas da una apariencia de vida al cerco amoratado de aquellos ojos»; cuando las contempla Sabelita, las ve «... que lloran sin consuelo»... y se le imaginan «... dos mujeres desnudas que se consumen en llamas, no sabe si las del pecado, si las del infierno» (I, pág. 701).

No deja de ser curiosa la caricaturesca mezcla de humanización y animalización que de la religión nos da Valle por boca del caballero: «La religión es seca como una vieja... ¡Como las canillas de una vieja! Tiene cara de beata y cuerpo de galga...» (I, pág. 668).

Pueden hallarse también varios ejemplos de «cosificación»; las diferentes partes del rostro de Sabelita serán «flor», «flor marchita», etc. Benita la costurera tiene «blancura de marfil», mientras Micaela la Roja, centenaria sirvienta fiel, está «... toda arrugada, con ese color oscuro y clásico que tienen las nueces de los nogales centenarios» (I, pág. 699); auténtico esperpento en sí misma es una de las criadas de la casona señorial de Flavia Longa: «... una moza negra y casi enana, con busto de giganta. Tiene la fealdad de un ídolo y parece que anda sobre las rodillas. Le dicen por mal nombre la rebola» (I, pág. 681).

Creo haber expuesto con bastantes detalles las razones que me hacen ver en las *Comedias bárbaras* algo más que una simplista alegoría mitificadora de un personaje y de la muriente raza o clase social que él encarna. Pienso que hay en ellas un doble fondo crítico y que, pese a las apariencias, el significado de ambas comedias tiene peores intenciones de lo que por lo general cree la crítica. Que están mucho más en línea con la actitud mental de la generación del 98 de lo que admiten esos críticos que ven en don Juan Manuel el canto al sueño imposible de Valle-Inclán.

No se crea que por el hecho de no haberlos mencionado específicamente a lo largo de este capítulo no hemos tenido en cuenta tales trabajos. Muchas veces nuestra interpretación no está en franco desacuerdo con sus argumentos principales. Así, por ejemplo, nos ocurre con los excelentes ensayos de M. García Pelayo [14] y el ya mencionado del profesor J. A. Maravall; en realidad, los dos profesores —que estudian muy parecidos aspectos de la sociedad en la obra de Valle-Inclán en las páginas de la misma «Revista de Occidente»— se percatan de que el autor gallego se refugia en una «brumosa sociedad arcaica» principalmente para desde ella atacar la sociedad burguesa en que le toca vivir. Ambos ven lo que hay de exaltación de una actitud —la del viejo linajudo— sin ocultársele las restricciones de que el autor rodea a su hijo espiritual.

[14] MANUEL GARCÍA PELAYO, *Sobre el mundo social en la literatura de Valle-Inclán*, en «Revista de Occidente», núms. 44-45, Madrid, nov.-dic. 1966, págs. 257-287.

No podemos decir lo mismo respecto a lo que mantiene Gaspar Gómez de la Serna en sus más recientes artículos sobre la obra de don Ramón [15]: que el hidalgo, como el viejo «Dandy», eran simples idealizaciones «... de un mismo tipo fundamental —el hidalgo, el propio Valle— visto desde dos perspectivas diferentes, pero siempre desde abajo, con la misma admiración y callado propósito de mirar en él lo que el propio escritor hubiera querido ser» [16]. Mientras que en los esperpentos finales el autor se burla despiadadamente de la nobleza: «¡Qué diferencia de la plástica exaltadora que en todo momento utiliza Valle para presentar, aunque sea en el breve contraluz de una escena efímera, a Montenegro o a Bradomín!» [17].

Se nos hace difícil ver —ya lo hemos dicho— esa «mitificación» simplista de que tanto se habla. Aun reconociendo en don Juan Manuel las simpatías afectivas que su autor quiso depositar en él, cuanto ocurre en las *Comedias bárbaras* no arroja un saldo «exaltador», ni mucho menos, de tal género de vida.

5. EL APRENDIZAJE LINGÜÍSTICO (BREVÍSIMA OJEADA)

Para terminar, aunque por ahora no podamos hacerlo con el detalle y la atención con que merecería ser hecho, no podemos menos de señalar el enorme avance que, desde el punto de vista estilístico, las dos comedias representan en la obra del escritor.

El dominio del habla de sus personajes es perfecto. Valle-Inclán, aficionado desde siempre a captar y hacer uso de los más felices giros expresivos del habla popular, no duda en hacer buen acopio de frases y dichos, logrando colocarlos con sabiduría inimitable a lo largo de la acción de sus dos obras. Da entrada a una serie de expresiones de la lengua hablada más vulgar, más, en apariencia, sin dignidad literaria. Pero Valle-Inclán, al usarlas tan bellamente, se la dio. Las violencias de algunas de estas expresiones no medran la belleza y expresividad con que el autor sabe sacarlas a colación. Riqueza extraordinaria también de vocabulario —términos galaicos, arcaísmos

---

[15] *Del hidalgo al esperpento, pasando por el «Dandy»*, en «Cuadernos Hispanoamericanos», núms. 199-200, Madrid, julio-agosto 1966, págs. 148-174.
[16] *Ibíd.*, pág. 167.
[17] *Ibíd.*, pág. 171.

y expresiones hoy en desuso, pero no por ello menos hermosas—
que van estallando ante nuestros asombrados oídos como bellísimos
cohetes y luminarias de artificio, al escucharlas de boca de sus criaturas.

Sin más trabas que las reglas del arte más puro, el autor se atreve
a hacer poesía con materiales que, antes que él, eran considerados
como tabú entre la buena sociedad ñoñamente culta. Con rapidez
inusitada pasamos de los momentos de mayor hondura lírica a los del
más descarnado y brutal realismo, que nada tiene que ver, por otro
lado, con lo que del concepto tradicional de realismo solemos tener.
El de Valle-Inclán es un realismo poético sabiamente reconstruido,
reinventado, dejando de lado lo menos bello, lo más prosaico y sin
gracia, de la realidad ordinaria. Se vale de su enorme conocimiento
lingüístico para ir tentando —y logrando— experiencias nuevas sobre
la escena. Los «atrevimientos expresivos» se convierten, manejados
por él, en aciertos magníficos, gracias al intuitivo sentido de la oportunidad, a la gracia verbal, ese regalo que sólo poseen los escogidos
del arte literario. (Creo que en este usar términos atrevidos —y en
muchas otras artes, aunque el autor de *La colmena* no lo reconoce—
el mejor heredero de don Ramón es otro gallego, Camilo José Cela.)

No cabe duda de que estos «atrevimientos expresivos» debieron
contrastar terriblemente con las finuras y agudezas mentales de los
diálogos benaventinos, a las que el público y la crítica de 1908 estaban acostumbrados; tales exabruptos, sumados a las libertades de
acción y enredo que el escritor se permitía, debieron contribuir sin
duda alguna a crear esa idea tan extendida todavía en nuestro tiempo
de que el de Valle es un teatro irrepresentable.

Han tenido que pasarse más de sesenta años para que los aplausos
del público más culto y una parte considerable de la crítica oficial
hayan dado el más rotundo mentis a tan solemne puerilidad.

Creemos que las *Comedias bárbaras* representan, en la obra dramática de Valle, el seguro avance, la lección bien aprendida del dramaturgo que estaba madurando, al igual que las *Sonatas* habían sido,
para el novelista, un ejercicio de redacción y estilo que le aseguran
el éxito posterior. Primeros pasos en firme de un teatro en España
—más aún, en Europa— desacostumbrado y nuevo. En el que la
poesía y la violencia se mezclan, como en la vida misma, en las más
extrañas circunstancias. Teatro libre, sin trabas ni cortapisas en la
concepción. Épico lo llaman hoy unos críticos; antisicológico, para
otros. Pero tan moderno y avanzado que, cumplido el medio siglo,

no sólo conservan estas dos obras la lozanía del primer momento, sino que pueden codearse —a veces con ventaja— con lo mejor y más bello del drama europeo actual. ¡Teatro en libertad!

6. «EL YERMO DE LAS ALMAS»

Reelaboración, como ya indicamos, del drama *Cenizas,* que era, a su vez, la dramatización del cuento *Octavia Santino,* de *Femeninas* [18].

Melodrama de amores imposibles de una casada infiel y un joven pintor. Tal vez lo peor que salió de la pluma de Valle-Inclán; el «naturalismo tipo galdosiano», de que habla Fernández Almagro [19], nos parece, sin la benevolencia del crítico, de una cursilería y una falsedad rayanas en lo increíble. Afortunadamente, don Ramón debió darse cuenta del fracaso de su tentativa y abandonó esos caminos. Hay torpezas y reiteraciones en la línea argumental, incapacidad de matizar el alma de los personajes, que resultan como de una sola pieza. Son especialmente falsos el jesuita y la madre de la protagonista; en ellos debió querer el autor personificar cuanto de hipócrita y reprobable había en la sociedad española, y en el acto tercero (episodios los llama el autor) la inverosimilitud es casi total.

Las punzadas anticlericales se pierden por esa tosquedad con que van expuestas y lo que pretende ser muy dramático se convierte casi en pura versión caricaturesca de un dramón romántico y falso.

Con todo, hay en la obra detalles interesantes. El habla de Sabel, la vieja criada, está recreada con talento. De vez en cuando el lector se tropieza con algún ejemplo de animalización: «El bordoneo de aquella voz llena la estancia, saturada de olor a drogas, como el vuelo de un tábano» (*O. C.,* I, pág. 14). O esta equivalencia que explotará Valle en sus obras finales: «... a su lado, conversadora y risueña, está una dama que tiene esos movimientos vivos y gentiles de los pájaros que beben al sol en los arroyos» (*ibíd.,* pág. 21); y poco más adelante nos dice que dicha dama tiene «ojos de pajarillo parlero». En otra ocasión «se oye el vuelo de un mismo pensamien-

---

[18] Vio la luz en forma de libro en Madrid, el año 1908, bajo el título *El yermo de las almas: Episodios de la vida íntima,* imprenta de Balgañón y Moreno.
[19] *Vida y literatura de Valle-Inclán,* ed. cit., pág. 53.

to» *(ibíd.,* pág. 45), y las manos del padre Rojas «... tiemblan en el aire como dos pájaros que ensayan un vuelo» *(ibíd.,* pág. 64).

También es sintomática la afición temprana de Valle-Inclán al uso de las máscaras en sus personajes; teatro dentro del teatro —de la vida—: «Pero la rudeza del médico y la cortesanía del sacerdote se asemejan como dos máscaras. Al oírlos se adivina su arte de viejos comediantes» *(ibíd.,* pág. 17). De la protagonista nos dice que «llora con el llanto nervioso de las actrices» *(ibíd.,* pág. 24). Ya emplea generosamente la adjetivación múltiple: el jesuita llega «... silencioso, helado, prudente» *(ibíd.,* pág. 33); o ésta intencionada descripción: «balconaje de hierro florido, pintado de oro y negro con un lujo funerario, bárbaro y catalán» *(ibíd.,* pág. 3).

Obra flojísima, sí, que ha hecho estallar las iras de más de un crítico. Francisco Yndurain dice, al referirse de pasada a ella: «Ese melodrama tan falso y de bajo efectismo»[20]. Lleva razón.

---

[20] F. YNDURAIN, *La corte de los milagros (Ensayo de interpretación),* en «Cuadernos Hispanoamericanos», núms. 199-200, Madrid, 1966, pág. 336.

VI

LA HISTORIA COMO
MATERIA ESTÉTICA

1. «UNA TERTULIA DE ANTAÑO»

M UY poco antes de dar a conocer la trilogía carlista —el año 1908— publicó don Ramón esta novelita, que nos parece de más interés, por muchos conceptos, del que los estudiosos han demostrado por ella. Recordamos haberla visto mencionada —y tenida en cuenta muy de pasada— por la señorita Speratti Piñero en su reciente artículo *Cómo nació y creció «El ruedo ibérico»* [1].

Aunque publicada bajo el ambicioso título de novela [2], su brevedad denuncia que no es sino un capítulo o primer apunte de algo que debió haber sido, al menos en proyecto, mucho más largo. ¿Tal vez un primer esbozo, interrumpido por el mero esfuerzo de documentación que iba a requerir y que, tomado otra vez casi veinte años más tarde, iba a ser lo que hoy conocemos con el nombre de *El ruedo ibérico...?* No podríamos asegurarlo con toda certeza, pero tenemos muchas sospechas de que tal es el caso.

En primer lugar, su estructura: veintiún cuadritos miniaturísticos que constituyen en total un capítulo o libro a modo de los que componen los volúmenes de *El ruedo...* El autor recrea, como el título indica, una reunión en uno de los salones de la nobleza española —el de la duquesa de Ordax, el retrato de cuya dama pasará íntegramente a ser el de Dolorcitas Chamorro, en *La corte de los milagros*—; la tertulia tiene lugar unas horas antes de la proclamación

---

[1] «Ínsula», núms. 236-237, julio-agosto 1966, págs. 1 y 30.
[2] *Una tertulia de antaño (Novela)*, Madrid, Blass, 1908 (*El cuento semanal*, I, núm. 121).

del príncipe Alfonso como rey de España, a fines de 1874. Valle-Inclán por vez primera se enfrenta a un determinado momento de la historia española y, burla burlando, nos da una preciosa «interpretación» de ella, aun cuando a primera vista parezca una reconstrucción a la manera tradicional.

Si no estuviésemos convencidos de que el esperpento valleinclaniano es algo que obedece más que nada a la manera misma a como el autor entendía la literatura desde sus primeros pasos como escritor, *Una tertulia de antaño* sería la prueba definitiva de que dicha criatura literaria no nació con *Luces de bohemia,* sino mucho tiempo antes. Que es una temprana visión «esperpentizada» de la nobleza española la que hace Valle en su novelita, similar en todo a lo que iba a producir muchos años más tarde, lo prueba el hecho de que cuando llega la hora de redactar la primera parte de lo que sería *El ruedo...* no tiene inconveniente alguno en tomar literalmente varios trozos de *Una tertulia.* (Valle, cuando toma, venga de quien viniere, no se limita a copiar; con menudos y apropiados retoques, mejora siempre. Basta a veces una palabra, un adjetivo, para añadir belleza o expresividad. En esto, hay que repetirlo, Valle siguió perfeccionando, aprendiendo el oficio hasta sus últimos momentos.) Si el espíritu crítico que anima todo *El ruedo ibérico* no estuviera ya presente en la citada novelita, la mezcla no hubiera sido posible sin más retoques; y, sin embargo, los pasajes tomados —uno de los cuadritos casi íntegro, el VI en *Una tertulia,* que será el III en *Ecos de Asmodeo,* de *La corte de los milagros,* y otros dos retazos menores [3]— casan perfectamente con la intención denunciadora del Valle final.

Interesa especialmente *Una tertulia* por ser una primicia de la manera personalísima que tiene el escritor de asomarse a la historia de España. Y aun cuando con el paso de los años su técnica mejore indudablemente (aunque su prosa se hará más incisiva, más concreta y directa, dejando al descubierto, a veces con una simple y habilísima alusión humorística, muchos de los defectos de la sociedad española que no escapaban a su ojo perspicaz) puede decirse que, desde este primer tanteo, la estilización que hará Valle de la historia como materia novelable, obedece siempre a un mismo impulso: el de juzgar con intención crítica, aunque sin molestos sermoneos. El autor toma partido declaradamente y apoyándose en una disculpa humorís-

---

[3] Cf. *O. C.,* II, págs. 319, 324 y 331, con págs. 856, 857 y 858.

tica va dejando al descubierto su sentir mediante hábiles diálogos o los comentarios que hacen sus personajes. Siempre como desde fuera, pretendiendo una objetividad, o mejor, un alejamiento, que no existe en absoluto, ya que el autor está en todo momento mostrando decididamente sus opiniones y, en no pocos casos, su violenta indignación ante la realidad triste de unas circunstancias que él quisiera muy diferentes.

Breves estampas de seguro trazo y bello colorido componen este ensayo novelístico; excelente recreación de un ambiente cortesano en el que con finas ironías e intencionadas burlas el autor muestra sus simpatías —tampoco demasiado fuertes— por la causa carlista, su aversión hacia la democracia republicana, su antimilitarismo decidido (manifestado en intencionados goterones que son una verdadera delicia humorística) y su total desacuerdo con la política de los conspiradores alfonsinos, alma de cuya conspiración es Cánovas del Castillo, del cual nos dice: «... a la comparsa alfonsina le ha dado por decir que ese bizco tiene mucho talento. Talento de dómine que lleva la palmeta colgada de la pretina». (Está hablando una dama de noble alcurnia, por lo que la alusión se hace más sarcástica.) De su boca escuchamos el juicio que le merece «aquella España»; y es en estos malintencionados párrafos en donde nos percatamos de que la verdadera preocupación del autor radica no tanto en la escueta reconstrucción histórica, cuanto en desempolvar situaciones del pasado paralelas a las de su mismo tiempo. Al ridiculizar la mojiganga política de la España de la primera república está subrayando cuánto hay de semejante en la de la primera década de nuestro siglo. El ataque es indirecto, pero eficaz: «Estamos en la era de los genios. El Congreso es una jaula de grandes hombres. Servir, ninguno sirve de nada. Necesitan un general para vencer nuestras pobres partidas de aldeanos, y no lo tienen. Necesitan un diplomático, y no lo tienen. Necesitan un almirante, y no lo tienen. Necesitan un hombre de bien que no robe, y no lo tienen. ¡Pero, en tanto, todos son genios! Desde las Cortes de Cádiz parece que todas las mujeres han parido genios en España... En cuanto hace falta un hombre, no aparece por ninguna parte... Y en tanto todos son genios, oradores admirables, hijos de Cicerón... Ya les diría yo de quién son hijos» (O. C., II, pág. 332).

La irritación del autor no juzga con menos dureza a otra figura de la política y las artes españolas, don Emilio Castelar. Se sirve para ello de la introducción en la escena del conocido novelista don

Juan Valera, que dialoga con el viejo Marqués de Bradomín. (Dicho sea de pasada, el retrato de Valera es de lo más admirable que salió de la pluma de Valle; caló sutilmente el autor de los esperpentos en la claridad mental del andaluz, en la socarronería y malicia con que se expresaba. Lo trata con afectuoso respeto y en ningún momento hay esa especie de burlona actitud que reserva para los más de sus recreados personajes. Volverá a sacarlo a relucir en *La corte de los milagros,* aunque muy brevemente) [4]. El diálogo entre Valera y Bradomín está matizadísimo de fina ironía; ambos se burlan de los excesos retóricos de Castelar en el Congreso —se hace eco Valle del poquísimo aprecio que Valera demostró hacia «el Demóstenes nacional» y... «de sus novelas que son hórridas»—. El caballero andaluz se expresa «con malicia de abate» y el viejo «Dandy» remacha el clavo respecto a la facilidad con que los españoles nos dejamos embaucar por la oratoria: «Los oídos españoles se sugestionan por el sonoro rodar de las palabras. Lo mismo se aplaude el brindis del torero, que el parlamento del cómico, que la hueca declamación del tribuno» (II, pág. 334).

Corona tan estupenda escena satírico-burlesca la declaración por parte de la anfitriona de que la casa está rodeada por la Policía gubernativa. El autor, con admirable poder cómico, resume así la actitud de los presentes: «Protestaron muchas voces. Algunas tenían acentos trágicos. Y los gritos de aquellas damas y los trenos de aquellos caballeros se correspondían de dos en dos, con un paralelismo que recordaba la bella muestra literaria de los antiguos semitas.

—¡Es indignante!

—¡Crispa los nervios!

—¡Una nación heroica gobernada por gentuza!

—¡Los leones españoles regidos por gozquejos!

—¡Sufrimos la tiranía de las moscas borriqueras!

—¡Se comprende el despotismo de un emperador!» (II, página 336).

Escúchase la guitarra y los jipíos de Nelo, el niño de Triana, cantaor de fama —«un viejo jorobado y enano con grandes tufos sobre las sienes»— que alterna con el primogénito de la Duquesa, en la sala vecina, y la alta sociedad dirige su atención hacia «la clásica guitarra». Finalmente, el Marqués de Galián irrumpe en la tertulia para

---

[4] Véase *O. C.,* II, pág. 1016, y compárese con el texto de *Una tertulia...,* en *O. C.,* II, págs. 332 y 333.

comunicar «la gran noticia» de que... «en Sagunto las tropas han proclamado rey al príncipe Alfonso».

La mayoría alfonsina se abraza emocionada, suena otra vez la guitarra del Niño de Triana para festejarlo, y solamente los dos carlistas, la dama coja y Bradomín se retiran indignados, cerrando la novelita con estas palabras: «"¡Y éstos serán los cortesanos del nuevo reinado!" El viejo "Dandy" tuvo una sonrisa dolorosa y desdeñosa: "¡Reciben a su príncipe con una guitarra! ¡Triste señal de los tiempos, en que puede ser una guitarra el símbolo de un pueblo y de un reinado!"»

Podemos concluir sin temor que *Una tertulia de antaño,* por su contenido e incluso por la forma en que está escrita, es sencillamente un avance de lo que iban a ser las páginas de *El ruedo ibérico.* (Un capítulo, por cierto, el más avanzado en el tiempo, ya que los dos volúmenes y medio que dejó escritos sólo llegan a las vísperas septembrinas de 1868, mientras que la *Tertulia* reconstruye la noche del 29 de diciembre de 1874.)

Un esperpento en el que el autor todavía no ha perdido las buenas maneras, pese a lo cual se trasluce una preocupación muy seria por los problemas de España.

La frase, comparada con la de las obras anteriores se hace más corta, más desnuda de adornos «modernistas», aunque llena siempre de bella expresividad. El humor es cada vez más patente; la ironía llena las páginas de la novelita, y la intención de ridiculizar a la nobleza alfonsina no deja lugar a dudas.

Me parece muy significativo que uno de los rasgos más característicos del esperpento —la animalización— esté empleado con mucha economía en esta preciosa reconstrucción «de época»; tres veces lo utiliza intencionadamente; precisamente para fustigar a los políticos, con intención degradadora. Primero dice que «el Congreso es una jaula de grandes hombres...»; luego habla de esta «... pollada de charlatanes que ahora nos ha salido...», y, finalmente —habiéndole parecido tal vez demasiado grande lo de «jaula de grandes hombres» para el Congreso—, se corrige para hablarnos de... «esa pajarera nacional...» (II, pág. 332). Animaliza, pues, degrandándolos, a los que en opinión del autor tienen la culpa del mal estado del país.

En otra ocasión se burla también del ambiente general del salón de la Duquesa de Ordax: «Eran señoras jóvenes y un poco tontas, con los talles altos, el pelo en bucles y el escote adornado con camelias. Hablaban de París, se abanicaban y reían sin motivo. Entendíase la voz de todas como en una selva tropical el grito de las monas.» (Debió gustarle a Valle esta «visión animalizadora», pues toda la escena fue reproducida, con sabios retoques, en *La corte...*)

La ironía se convierte en abierto sarcasmo cuando nos da las razones que tienen aquellos «nobles» para simpatizar con Isabel II: «Ellas no entendían de política; pero suspiraban por aquellos besamanos del otro reinado, famosos y vistosos. Echaban de menos las intrigas palaciegas, la oscuridad novelesca con que procuraban descubrir entre los caballerizos y gentileshombres el último favorito de aquella Reina tan española, tan caritativa, tan sensible, tan devota de la Virgen de la Paloma. Sobre todo echaban de menos el botín de las bandas, de las grandes cruces, de los títulos de Castilla» (II, página 325).

La acidez de la pluma valleinclaniana va subiendo de tono a medida que avanzamos en la novelita; debió ser ésta la primera ocasión en que Valle deja ver sus sentimientos hacia la Reina Castiza.

Sibilino esperpento, con mucho más de ataque de lo que a primera vista puede parecer. El «doble fondo» de que hablábamos ya está claramente visible en esta obrita de 1908. Empieza a perder los buenos modales cuando se enfrenta a «los cotorrones de la nobleza» —todavía no se atreve a llamarlos así—, antecedentes indudables de los Torremelladas y similares, del tardío *El ruedo ibérico*. El esperpento, logro final, asoma ya con timidez de infancia su traviesa oreja en *Una tertulia de antaño*. Veinte años más tarde, adulto y deslenguado, condenatorio y directo, se convertirá en *El ruedo ibérico*.

2. LAS GUERRAS CARLISTAS, EPOPEYA... A LA MANERA DE VALLE-INCLÁN

a) *El carlismo de don Ramón*

Creo que no deben ponerse en duda los sentimientos carlistas de don Ramón; lo genuino de sus simpatías hacia aquella causa perdida que, precisamente por perdida, el autor trataba tan generosamente para enfrentarla —sobre todo— a una realidad político social —la nueva burguesía— con la que a lo largo de toda su vida se fue encontrando más y más abiertamente en desacuerdo.

Y aunque Bradomín hubiese declarado que «era carlista por estética», pensamos con Eugenio G. de Nora[5] que el carlismo de Valle-Inclán no es tan postura estética como más de un crítico ha mantenido. Se refugia en su culto, antes que nada, para manifestar su desagrado, su profundo descontento con la política imperante en los años en que le tocó vivir. Depositando sus esperanzas renovadoras en una vaga y arcaica sociedad medievalizante que tenía más de utópico sueño que de posibilidad real. Le parecía que los defensores del carlismo coincidían con sus propios anhelos revolucionarios y que la monarquía española solamente podría ser eficaz desde la rama carlista, más ingenuamente arcaica, primitiva, pura, ya que la isabelina había dado pruebas de su corrupción. (Argumentos todo lo débiles que se quiera, es cierto; constatamos aquí solamente la fidelidad del autor hacia el carlismo, no pretendemos discutir la validez de tales argumentos. Ni creemos tampoco que de haber triunfado el carlismo, el posible credo político que éste hubiera adoptado podría haber satisfecho a Valle-Inclán por mucho tiempo.)

Muchos han sido ya los artículos consagrados a estudiar tales puntos; tendremos aquí presentes los que nos parecen de más interés para ayudarnos a aclarar ideas a este respecto.

Gaspar Gómez de la Serna[6] fue uno de los primeros estudiosos que señaló la radical diferencia que existe, en las obras de don Ramón, entre el tratamiento novelístico que da al mundo carlista y el que reserva para el isabelino.

A mi juicio, ha sido el profesor J. A. Maravall quien mejor ha estudiado las razones que inclinaron a Valle hacia el carlismo primero y al anarquismo más tarde. En su excelente ensayo, ya mencionado[7], demuestra con pruebas evidentes cómo a lo largo de toda su obra... «—Desde la *Sonata de Estío* hasta *La corte de los milagros,* está presente el carlismo...» Explica luego el profesor Maravall las razones que movieron a Valle a defender el carlismo: «Le atrae en éste la garantía de la tradición, y la lucha, sangrienta si hace falta, contra la sociedad burguesa»[8]. Por lo que «... Valle-Inclán

---

[5] *Ob. cit.,* pág. 73.
[6] Véase los ensayos *El episodio nacional como género literario, I: De la épica al episodio, pasando por la novela* y *El episodio nacional como género literario, II: Las dos Españas de don Ramón María del Valle-Inclán,* en «Clavileño», núm. 14, Madrid, marzo-abril 1952, págs. 21-32, y núm. 17, septiembre-octubre del mismo año, págs. 17-32, respectivamente.
[7] *La imagen de la sociedad arcaica en Valle-Inclán,* en «Revista de Occidente», núms. 44-45, Madrid, nov.-dic. 1966, págs. 224-254.
[8] J. A. MARAVALL, *art. cit.,* pág. 243.

había aceptado el carlismo como fórmula de violencia contra la sociedad que estimaba oficialmente constituida, a favor de una sociedad basada en una libertad primitiva, cantada en geórgicas» [9]. Don Ramón en su ánimo de atacar a la burguesía liberal ensalza «... el carlismo al que idealiza» [10]. Concluye el ensayista que tanto las tendencias carlistas como las posteriores anarquizantes de don Ramón «... brotan de una mentalidad arcaizante y fideísta, formada en una sociedad estática de base agraria y estructura cerrada, contra las novedades de una sociedad burguesa» [11].

Del mayor interés nos parece también el ensayo del profesor Juan Bautista Avalle-Arce [12], en el que afirma que toda la obra de don Ramón deja transparentar «... una fuerte coloración política, para llamarla de alguna manera. Sólo que la crítica ha preferido matizar esa coloración con tonos neutros, debido a la impopularidad de esas ideas. Porque no hay que negar lo evidente: las novelas de Valle-Inclán, hasta la época de los esperpentos (y aun esos mismos, como espero demostrar) están orientados por el polo magnético del carlismo. Y el carlismo, fuerza es reconocerlo, ha tenido y tiene mala prensa» [13].

Piensa el crítico que... «para Valle-Inclán las tres guerras carlistas constituyen la epopeya española del siglo XIX, y su carácter épico se comienza a definir a través del arraigo popular que tiene el carlismo, amasado con sangre de pueblo» [14]; y como Valle quiere crear en sus novelas un ambiente épico, «... prodiga las alusiones a los paradigmas épicos, y por las páginas de La guerra carlista ruedan los nombres de Carlo Magno, Roldán, Bernardo del Carpio, Diego Laínez y tantos otros» [15]. Mas no utiliza el autor... «la vibrante trompa de las antiguas gestas, sino en un tono menor, con sordina y nostalgia, como condice con este réquiem a un noble ideal traicionado. En vez de trompa, esta epopeya se canta con acompañamiento de quejumbroso caramillo, instrumento pastoril propicio de las circunstancias y de los escenarios rústicos y agrestes de estas novelas...» [16].

---

[9] Ibíd., pág. 248.
[10] Ibíd., pág. 232.
[11] Ibíd., pág. 254.
[12] Las dos Españas de Valle-Inclán, incluido en el libro Pensamiento y letras en la España del siglo XX, Vanderbilt University Press, Nashville, 1966.
[13] Ob. cit., pág. 52.
[14] Ibíd., pág. 53.
[15] Ibíd.
[16] Ibíd., pág. 54.

Otro crítico, Carlos Seco Serrano [17], ha enfrentado la actitud de Valle-Inclán con respecto al ejército en *La guerra carlista,* y en cuanto escribió más tarde, y llega a esta conclusión: «De la exaltación castrense que impregna las mejores páginas de *La guerra carlista* el escritor ha pasado —quizá como consecuencia de su visita a los campos de batalla aliados durante la gran conflagración europea— a una animosidad creciente contra el Ejército.» Mientras que para otro estudioso, José Antonio Gómez Marín [18], «... el Valle tradicionalista *a nativitate,* que pintaba los cuadros épicos de la guerra carlista con la pincelada estricta de un sereno realismo, aparece ahora [en los esperpentos] anarquista de adopción...».

Zamora Vicente, en su ejemplar estudio de las *Sonatas,* dedica también atención al carlismo de Valle; señala muy sagazmente que tanto Bradomín como el mismo rey Carlos VII —protagonista de *Invierno*— son carlistas un poco forzados por las circunstancias: «Con mucha fachada. Dentro, uno y otro, señor y súbdito, están convencidos de ese encanto galanísimo, pero inútil, de la causa» [19].

Valle-Inclán, podemos deducir de las palabras de nuestro querido maestro, como Bradomín y como el mismo rey Carlos VII, no tuvo otro remedio que ser carlista. ¿Qué otra cosa podía hacer...? ¿Seguir la corriente, aceptando un liberalismo borbón y burgués que iba totalmente en contra de sus ideales de monarquía arcaizante...? Don Ramón se refugia en el carlismo porque, como dice su mejor biógrafo, Fernández Almagro, «... el tradicionalismo había revestido en España formas nacionales y romancescas muy acordes con el sentido autocrático y heroico que en Valle-Inclán alentara siempre... Sobre todo, Valle-Inclán estaba siempre dispuesto a navegar contra la corriente, y el tradicionalismo no privaba ciertamente entre las gentes de pluma... Mucho más que la doctrina, le seducía a Valle-Inclán el hecho del carlismo, con su airón romántico en las múltiples pruebas de la guerra y del destierro» [20].

Muy interesante nos parece, por los datos que suministra —digamos para terminar esta esquemática revisión de los ensayos dedicados a estudiar tan interesante punto—, el prólogo a *Gerifaltes de*

[17] *Valle-Inclán y la España oficial,* en «Revista de Occidente», núms. 44-45, Madrid, nov.-dic. 1966, pág. 219.
[18] *Valle: estética y compromiso,* en «Cuadernos Hispanoamericanos», núms. 199-200, julio-agosto 1966, pág. 203.
[19] *Ob. cit.,* pág. 68.
[20] *Vida y literatura de Valle-Inclán,* ed. cit., pág. 129.

antaño, que el propio hijo del escritor, Carlos Luis del Valle Blanco, puso a la edición de la Col. Austral, 1945.

b) *Las novelas del carlismo: Tres novelas bélicas
     con muy poca guerra*

1. «Los cruzados de la causa»

Fue publicada en 1908 *(El resplandor de la hoguera* y *Gerifaltes de antaño* vieron la luz el año siguiente) [21].

Con la misma técnica de «estampas breves» que había utilizado en sus narraciones cortas anteriores a las *Sonatas* y perfeccionado en *Una tertulia de antaño,* comienza el autor su versión de *La guerra carlista.* Temeroso de no ser capaz de lograr el ambiente adecuado —pues cuando comenzó a escribirlas no conocía Navarra ni el País Vasco [22]—, localiza la primera de la trilogía en sus más que familiares campos gallegos.

Cuanto allí acontece tiene mucho de común con el mundo de la última *Sonata* y el de las *Comedias bárbaras;* los tres protagonistas principales —Bradomín, don Juan Manuel y Cara de Plata— se conducen más o menos con arreglo a las características delineadas en aquellas obras. No sólo no vemos nada de la guerra, sino que las aventuras que se nos narran —salvo la emocionante muerte del marinerito desertor— poco tienen que ver con ella, aunque sean su directa consecuencia.

Bradomín vuelve a sus lares para vender las propiedades familiares, palacio y tierras de su patrimonio; espera, con su ejemplo, recabar una ayuda económica de los principales del lugar —carlistas todos ellos, por ser de la mejor estirpe tradicional— para el sostenimiento de «la causa» cuyas arcas estaban vacías. Una goleta inglesa va a transportar para las partidas carlistas una carga de fusiles, enterrados en el convento de monjas, y Cara de Plata, decidido a luchar con los carlistas —más por ansias de aventura que por convicción monárquica—, dirige la operación, que el naufragio de la embarca-

---

[21] *Los cruzados de la causa (La guerra carlista,* vol. I), Madrid, imprenta de Balgañón y Moreno, 1908; *El resplandor de la hoguera (La España tradicional,* vol. II), Madrid, Fernández, 1908-1909, y *Gerifaltes de antaño (La España tradicional,* volumen III), Madrid, Fernández, 1908-1909.

[22] Véase CARLOS VALLE-INCLÁN BLANCO, prólogo citado a *Gerifaltes,* Col. Austral, Madrid, 1945, pág. 10.

ción hace fracasar. Tal es, en síntesis, el escaso argumento de *Los cruzados*. Y, sin embargo, con tan poco enredo argumental, el autor escribió una novela magnífica, con personajes de profunda y emocionada humanidad, llena de intencionados ataques antiliberales y —lo que nos interesa más— de gran belleza literaria. De menos complicado estilo, aunque no por ello descuidado, que las *Sonatas*, las páginas de *Los cruzados* tienen una aparente sencillez que debió ser fruto de un tremendo esfuerzo, bien recompensado desde luego.

Utiliza discretísima, sabiamente, la técnica «esperpentizante» para fustigar y denunciar la bajeza de alma de la burguesía liberal (encarnada en esta novelita por el señor Ginero, prestamista avaro, y el mayordomo del Marqués, Pedro de Vermo) o para ridiculizar al ejército liberal. La esperpentización a veces está tan sutilmente disimulada que sólo un detenido análisis nos permitirá poner la técnica al descubierto. Tomemos un ejemplo; el capítulo en el que se nos cuenta el registro en el convento:

El comandante de la «Almanzora» —«... un viejo liberal que alardeaba de impío»—, acompañado de una escuadra de marinos, irrumpe en el convento. En la oscuridad aldeana estalla de pronto... «un campaneo de rebato...» que despierta e inquieta a los vecinos; una monja... «loca de miedo...» toca las campanas conventuales mientras «... la comunidad, reunida en el coro, cantaba un *Miserere*».

El comandante y cuatro de los marinos —«... algo tomados del vino...»— son recibidos en el locutorio por la madre Abadesa, aquella «pálida y visionaria» prima de Bradomín, Isabel Montenegro y Bendaña, conocida de los lectores de la *Sonata de Otoño*. Las luces de las linternas, que portan los marinos, deshacen caprichosamente la oscuridad, mientras que el lúgubre canto de las monjas rompe el silencio conventual; hasta aquí puede decirse que el autor describe bella y apropiadamente la situación sin hacer uso de otra técnica distinta a la tradicional. Vemos un intencionado contraste entre la serenidad de la monja y la fuerza bruta del militar; los separa la reja del locutorio, y la ira del impío militarote comienza pronto a manifestarse: «Señora monja, yo sólo conozco las penas en que incurren los que hacen contrabando de armas.»

Mas, de repente, precisamente con ligeros toques de luces y sombras, el autor empieza a conseguir efectos hasta entonces desacostumbrados. La escena toda que comenzó con una impresión de miedo y solemnidad monjil, ante la brutal fuerza del comandante y la soldadesca, toma unos inesperados tintes grotescos gracias al enfoque de la situación de que el autor se sirve. Del temor a un registro que puede acarrearles funestas consecuencias a la comunidad, pasamos imperceptible, pero inevitablemente, a la ridiculización más abiertamente antimilitarista; está hecho con tal sutileza de matices que el lector apresurado se expone a pasar de uno a otro plano sin entender muy bien el porqué ni el cómo de tal salto. Sigamos de cerca tal procedimiento —y pedimos perdón por lo que haya de inevitable paráfrasis—. A las palabras del comandante contesta la monja, que «... solamente la fuerza inicua de la herejía puede abrir tales rejas, cerradas para el mundo».

En la descripción de la figura de la Abadesa nos parece ver el comienzo de una levísima distorsión o «desenfoque del objetivo», nada casual, que capta las escenas que siguen; la imagen, sin dejar de ser reflejo fiel de la realidad, gana en contenido significativo al ser sometida a unos ligeros cambios de luces. No es todavía el «espejo deformante», pero el resultado es idéntico. Por efecto de esas luces, los militares —y con ellos el lector— contemplan a la indefensa monja, tras los barrotes del locutorio, como una aparición irreal. No le han hecho falta al autor muchos detalles para lograr tal resultado; aquella «... sombra inmóvil en medio del locutorio» nos hace la impresión de una momificada religiosa a la que la fuerza bruta hubiese desenterrado. El hábito blanco en la oscuridad reinante tiene... «rigidez de mortaja, y la sombra velada de la monja daba una sensación de terror, como si fuese a desmoronarse en ceniza, bajo el trueno del órgano...».

Hasta aquí luces y sombras destacaban planos y superficies, matices de la realidad que le interesaban al autor ser destacados. Ahora va a servirse de la luz y las sombras para —como en los mejores filmes expresionistas— arrancar a la escena nuevos significados; proyectando las sombras de los personajes en acción sobre paredes y techos, los reduce a fantoches ridículos. La imagen de los cuatro «milicios» se nos da por partida doble; como se nos ha dicho al principio que vienen «algo tomados del vino», no nos extrañará demasiado al leer: «A veces todo el grupo tenía un vaivén de borrachera, y se adelantaba tartajeando para volver, en otro vaivén, a recogerse en el ancho quicio» [23]. Nótese cuán tímidamente está empleado este recurso luminotécnico que Valle explotará al máximo en sus obras tardías; en *Tirano Banderas,* por ejemplo, las luces de los faroles rotos

---

[23] *Los cruzados de la causa,* en *O. C.,* II, pág. 366.

—en la «cachiza» del circo Harrys— le sirven para hacernos ver la escena «... partida en ángulos...» para darnos nada menos que «una visión cubista» [24]; en *La corte de los milagros* volverá a utilizar el mismo procedimiento en la impresionante escena en que el infeliz prisionero de los bandoleros —raptado para pedir a sus acomodados padres un fuerte rescate— contempla horrorizado no la escena en sí, sino el reflejo de las alocadas sombras de sus posibles verdugos enarbolando terribles puñales y navajas, reflejadas en el techo y las paredes. Tal «barajar de siluetas recortadas» le dan alucinantes sensaciones y pensamientos «sentirse vivir sobre la hora que pasó, asombrado, en la pavorosa y última realidad de trasponer las unidades métricas de lugar y de tiempo, a una coexistencia plural, nítida, diversa, de contrapuestos tiempos y lugares» [25]. Las sombras de los soldados borrachos, republicanos, son ya un antecedente claro de este desdoblar realidad y pesadilla en la mente de los personajes últimos del autor.

Como remate de la escena de la soldadesca, sombras ebrias bailando en el tiovivo de la pared, oímos que una voz vinosa barboteó: «¿Mi comandante, quiere usía que la afusilemos a la gachí?» [26]. Frase que deja al descubierto la falta de «clase» de los representantes del ejército liberal.

El tratamiento degradatorio da un paso más. La estampa relativamente seria de un comandante y sus soldados, enfrentados a unas indefensas monjitas de convento, va pasito a pasito, resbalando hacia algo francamente burlesco. Falta ya muy poco para que lleguemos al fin buscado por el autor: la plena ridiculización de la escena toda. Veamos cómo se logra.

Aparte de ese mal intencionado «afusilar a la gachí» puesto en boca del soldado ebrio, el cuadro pintado por el autor se va tornando más duro de intención, aunque sin emplear los colores más estridentes, todavía. Los ojos de Valle-Inclán contemplan implacable y tendenciosamente críticos la escena. Ruego al lector que tenga presente el texto valleinclaniano para poder apreciar todos sus matices antimilitaristas. La figura del comandante, diseñada apenas de un solo trazo, es un prodigio de significación, recortada en esta escena declaradamente acusatoria; el intento de restablecer una autoridad que se

---

[24] *Tirano Banderas*, en O. C., II, pág. 705.
[25] *La corte de los milagros*, en O. C., II, pág. 930.
[26] *Los cruzados de la causa*, en O. C., II, pág. 366.

le escapa de las manos desemboca en una escena puramente bufa cuando lo vemos golpear con su sable las rejas del locutorio. El clásico *miles gloriosus,* adivinado unas líneas más arriba, se va haciendo más patente cuando lo escuchamos gritar: «¡Estoy autorizado por las leyes! ¡Cumplo con mi deber! ¡Haré uso de la fuerza!»

Cuanto más grita más se empequeñece a los ojos del lector el militar liberal, en esta mal intencionada caricatura, esperpentización que alcanza su máxima fuerza destructiva en lo que acaece después: la «caída de la hoja» del sable, golpeado en vano contra las rejas del locutorio para restablecer el orden. El grupo de soldados del ejército liberal, excitados negativamente por las voces que da el jefe, da rienda suelta a sus «clamores de beodos» y completa tan grotesca estampa palmoteando un «que baile, que baile» de juerga tabernaria. Los gritos de la autoridad se pierden mezclados con las voces que piden tan absurda fiesta y la zarabanda burlesca adquiere un ritmo vivísimo. El esperpento antiliberal está logrado. Con una pericia extraordinaria Valle-Inclán, en época tan temprana como la redacción de *Los cruzados de la causa,* supo servirse, pues, del esperpento para criticar ferozmente una situación —en este caso la intervención del ejército gubernamental— que no le satisfacía. Inútiles resultan las voces de mando del comandante, en el divertido remate de tan intencionada escena, que amenazan con la pena de arresto a sus subordinados; nadie escucha tales amenazas, pues el desbarate jocoburlesco ha tomado ya caracteres de farsa completamente bufa. Aunque todavía no ha recibido su acertado nombre, adivino en toda esta escena un temprano y acabado esperpento.

Tan intencionadamente grotesca estampa de la «marcial figura» del comandante levantando amenazador una empuñadura de sable sin su hoja es algo más que una simple caricatura. El significado de la escena toda se nos hace más evidente al final de ella; es un declarado ataque antimilitarista. Este «señor comandante» de la marina republicana es un claro anticipo, una primera versión, si se quiere, de los militarotes falsamente heroicos que encontramos en sus mejores obras tardías; de aquellos bizarros coroneles, pongo por caso, «... que en las procesiones se caen del caballo» [27].

Para final, los soldados, en una danza vinaria y populachera, bailan cogidos de los hombros mientras... «el de la voz ceceosa comenzó a cantar:

---

[27] *Luces de bohemia,* en *O. C.,* I, pág. 916.

Isabel y Marfori
Patrocinio y Claret
Para formar un banco
Vaya unos cuatro pies»,

copla que, no por azar, volveremos a oír en *La corte de los milagros*, de veinte años más tarde; claro que allí los malintencionados versos están en un contexto total y acabadamente esperpéntico, mientras que quí son como el «clímax» al que se llega lenta pero decididamente, partiendo de una técnica todavía ortodoxa de novelar.

La esperpentización, creemos, le brota irrestañable a Valle-Inclán en cuanto se enfrenta con determinadas situaciones; el esperpento es, antes que nada, su juicio condenatorio, y en estas novelas, cuyo objetivo principal fue en principio el de exaltar aquella «España tradicional» que él vagamente se inventaba con fe carlista, se reserva para describir a los militares gubernamentales, enemigos todos de su utópica «sociedad arcaica y pura».

Por lo que también tiene de novedad, debemos señalar el brillante uso del juego de luces y sombras que hace el autor en la narración de la huida, persecución y muerte brutal del marinerito desertor. Debe ser uno de los primeros intentos surrealistas en nuestras letras. Extraña mezcla de realidad y pesadillas, la escapada del mocete conscripto. Estamos a un paso del «monólogo interior»: «Le parecía que un brazo se alargaba y al torcer la calle se torcía. Aun cuando no lo viera, adivinaba que era un brazo como un cirio y que estaba próximo a tocarle en la espalda.» Cuanto el mozuelo contempla en su desaforada y loca carrera hacia la muerte... «confundíase en su interior con los recuerdos... vagos, perdidos en unos días lluviosos todos tristes, con las campanas tocando por las ánimas, unos días que eran semejantes al mar en la costa de Lisboa. No parecía que viese con los ojos, sino que las cosas se le representasen en el pensamiento, lívidas como los ahogados en el fondo del mar». Y más adelante «... tenía la sensación de una pesadilla..., una memoria toda ingrávida que cambiaba de forma y se desvanecía..., sensación de angustia que volvía como vuelven en un sueño las imágenes vistas en otros sueños... Se hacía invisible entre la ceniza... Sentía en el aire la sensación de aquel brazo que se alargaba para cogerle, y unas veces a la derecha y otras veces a la izquierda, la sombra estaba siempre a su lado». El terrible brazo descarnado de la muerte se alarga hasta que las dos balas de los perseguidores se alojan en la nuca del marinerito perseguido, quien al caer, convertido ya en trágico héroe-monigote, «... aún movía una pierna el marinerito» [28].

El resto de esta primera novela de la trilogía está escrito en una lengua bella y apropiada, pero sin alardes musicales ni de vocabulario; muy hermoso el capítulo en que narra el sacrificio de la joven prometida al capitán de la goleta inglesa y su posterior ingreso en el convento.

De cuando en cuando el autor se complace en recrear el habla popular, como en la demandadera del convento que le grita a los ebrios liberales: «... al que me apalpe lo escrismo»; son, por lo general, las gentes más simples las que dejan oír una lengua tan rica como pintoresca. Tal, por ejemplo, el cribero, del cual se sospecha es un espía de los liberales, que se me antoja un anticipio del Séptimo Miau de *Divinas palabras*. Habla así a su «compañera»: «Palmucena, no te caerá arrastrar cola y pasar el día dándote aire con un abano.»

La técnica «animalizadora» está empleada aquí con mucha discreción; unas quince veces la hemos anotado en el primer volumen de la trilogía y, por lo general, en la forma más elemental de comparación. Un seminarista es «... un lagarto viejo» (II, pág. 349); el Mayordomo del Marqués tiene «andares de lobo» (*ibíd.*, página 361) y su mujer tiene «ojos bizcos y suspicaces, inquietos como los de las gallinas enjauladas» (*ibíd.*, pág. 364); el órgano del convento «ruge como un león» (*ibíd.*, pág. 368); los alguaciles, curiales y compradores de bienes nacionales, serán «raposos y garduñas» (*ibíd.*, pág. 384); un clérigo tiene «movimientos de ratón» (*ibíd.*, pág. 382), etc. Encontramos dos casos de «humanización»: unos «bueyes graves, pontificales» y un borrico al que su amo habla y llama «Juanito».

Por cuanto llevamos dicho no hay que esperar a la tercera novela de la serie —como señala Avalle Arce en su citado ensayo— para ver que el autor prodiga, por diversas vías, las notas esperpénticas.

2.   «El resplandor de la hoguera»

Aun cuando el primer volumen de la trilogía llevaba entre paréntesis el título *La guerra carlista*, I, y hoy así las conocemos, no debe

---

[28] *Los cruzados de la causa*, en *O. C.*, II, pág. 372.

olvidarse que Valle-Inclán subtituló los otros dos *La España tradicional,* II y III.

El autor debió recapacitar en algún momento y darse cuenta de que en una trilogía, que en principio iba a narrar los episodios de «la guerra carlista», precisamente lo que menos había era guerra, por lo que no sería muy justo llamarlas así.

Solamente cuando se llevan recorridos dos tercios del segundo volumen tropezamos de verdad con un acto bélico; más bien una simple escaramuza, pues sabemos que la tropa de Miquelo Egoscué es reducida y que no pretende sino hostigar a los republicanos. El título del volumen —*El resplandor de la hoguera*— justifica el escamoteo bélico que no era lo que anunciaba el título de la trilogía.

Digamos antes de nada que la novela es sencillamente espléndida y que quien no la lea con ánimos de presenciar batallas y hechos de armas grandiosos no se verá defraudado al terminar de leerla, todo lo contrario. Nos parece aún de mejor calidad que la primera; el viaje de Cara de Plata y las dos monjitas, las hazañas de Roquito el sacristán y Josefa de Arguiña —espías del cura Santa Cruz—, el tono optimista de los guerrilleros —pese a la brutalidad y las miserias a que condena esa guerra que no vemos casi nunca, sino en su resplandor, en sus consecuencias—, es francamente de primera calidad literaria. Valle sabe narrar en un tono extraordinariamente adecuado y nos comunica el mismo ardor heroico de las masas campesinas que lo sacrifican todo por la causa, la esperanza de los guerrilleros carlistas en una victoria que empieza a serles un tanto esquiva. La lengua tiene fuerza y belleza, nada hay de falso adorno, de retórica forzada. Todo es sencillo y natural, como sencilla y bella era la gesta de aquel pueblo que creía en un monarca por el que luchaba, al contrario de los republicanos, que, teniéndolo todo —hombres y material—, carecían de la misma fe en una causa justa.

La técnica miniaturista seguida por Valle, de pintar estampas sueltas, se presta admirablemente a dar esa sensación de fragmentarismo y temporalidad, de partidas y escaramuzas, dolor y sufrimientos a pequeñas dosis que debieron ser —exceptuadas las batallas principales, como el asedio de las ciudades grandes— las guerras carlistas. Y, sobre todo, se presta admirablemente ese no querer emplear el capítulo largo por su tono grandilocuente, para comunicar al lector la sensación de tedio, falta de grandiosidad y exceso de fatiga que, si más en la republicana, se deja ver ya en las dos facciones contendientes.

Se ha repetido que Valle quiso hacer con esta trilogía una especie de canto épico, apología de los carlistas [29]; efectivamente, en varias páginas de las novelas nos encontramos con ecos de los cantares de gesta más famosos. Referencias al «emperador de la barba florida» (II, pág. 360) y Roncesvalles, Diego Laínez, Rodrigo (ibíd., página 376), Bernal del Carpio (ibíd., pág. 459), etc. La intención, tras esas alusiones épicas, está clara; lo que no vemos tan claro es el resultado final, lo que se trasluce —se diría que contra la voluntad misma del autor— que es más bien un grito pacifista, un desgarrado testimonio antibélico que se eleva por sobre cuanto haya, en los orígenes, de intención apologética. ¿Se desilusionó Valle-Inclán con lo que pudo haber de heroica gesta en las guerras, a medida que se fue acercando con más detalle a los hechos históricos...? Tal vez no; mas no cabe duda que tras esa apariencia de canto épico se trasparenta toda la desilusión, todo el horror de quien se pone a contemplar de cerca —aunque hayan pasado muchos años y nuestras simpatías se inclinen hacia uno de los dos bandos— una guerra brutal, y todas las guerras lo son, y fratricida. Aunque los carlistas dejan ver más ingenuo valor, más optimismo en la victoria, se tiene la impresión ya en este segundo volumen de que en ninguno de los dos bandos había mucha confianza en la victoria y, lo que es más grave, de que el conflicto todo les parecía —¡a unos y a otros!— absurdo y sin sentido. Más que una apología sin más del carlismo, tenemos la impresión, al acabar las tres novelitas, de que al autor le ha salido, puede que a pesar suyo, una denuncia pacifista, antimilitarista, que deja al descubierto la insensatez de toda guerra, incluidas las que, como éstas, tienen una «causa más o menos justificada». De aquí el que los iniciales propósitos del autor tal vez se le quedaron cortos en el momento de poner su auténtico sentir sobre el papel; y consciente o inconscientemente rebajó mucho el brillo bélico para dejar, es cierto, visibles sus simpatías carlistas. Sin que nos parezca «... una guerra de salón» [30], como opina Corpus Barga, hay que reconocer que lo verdaderamente épico es una parte mínima. Y que incluso cuando presenciamos la batalla no estamos tan seguros de esa intención «glorificadora» del autor, de que tanto se ha hablado, salvo que sus simpatías van con «los mocés» de la causa.

[29] Véase J. B. AVALLE-ARCE, Las dos Españas de Valle-Inclán, ob. cit.; JOSÉ A. GÓMEZ MARÍN, art. cit., y CARLOS SECO SERRANO, Valle-Inclán y la España oficial, en «Revista de Occidente», núms. 44-45, Madrid, nov.-dic. 1966, pág. 219.
[30] CORPUS BARGA, Valle-Inclán en la más alta ocasión, en «Revista de Occidente», núms. 44-45, Madrid, nov.-dic. 1966, pág. 300.

Es claro el cinismo de los oficiales republicanos que hablan de atacar a los carlistas «no para vencerlos, sino para justificar una propuesta de recompensas» *(O. C.,* II, pág. 427); el autor los pinta con intencionados colores burlones, pero no están muy lejos los carlistas —especialmente las dos novelas que cierran la trilogía— de ese mismo cansancio, de ese hastío que parece envolver a las tropas republicanas.

Cuando la madre Isabel llega por fin a la guerra se lleva una desilusión tremenda; ella, carlista hasta la médula, ve las cosas así: «La guerra comenzaba a parecerle una agonía larga y triste, una mueca epiléptica y dolorosa. Aquellos campos encharcados, aquella nieve enlodada cubriendo los caminos, le producían una indefinible sensación de miedo y de frío: Era la misma sensación que experimentaba otras veces al ver un entierro en medio de chubascos y oír sobre la caja el hueco azotar de la lluvia. Había imaginado la guerra gloriosa y luminosa, llena con el trueno de los tambores y el claro canto de las cornetas...» ¿No nos da esta sutil esperpentización de la guerra —un entierro entre chubascos en el que se oye sobre todo el hueco azotar de la lluvia— la auténtica desilusión del escritor al mirar con sus penetrantes pupilas el horror de una lucha fratricida...?

El sargento de los forales —un veterano de la guerra anterior— hablará con no menor desencanto. Repetimos: Nos cuesta creer que la pluma del artista estaba movida solamente por un deseo de cantar las glorias carlistas. Me parece que tan importante como la «elegía a la causa» es la crítica antibelicista en ella implícita; los ojos del autor se compadecen ante la estúpida carnicería que destroza a su pobre y bella España, carlista o alfonsina, republicana o tradicionalista, recreada tan fielmente por su vigorosa pluma.

Fijémonos si no en la mencionada «batalla», único momento en que se enfrentan, en toda la trilogía, las tropas de uno y otro bando. Desde el comienzo —la marcha de las tropas republicanas, de una parte, y la partida carlista de Miquelo, de la otra— notamos que todo está visto con un ojo burlón, una mirada que se torna cáustica cuando contemplamos las tropas republicanas, mandadas por un «orondo oficial, García», caballero —a mujeriegas— en un asno. Hay momentos de verdadera emoción, como la muerte brutal del hijo del bagajero, un niño de doce años, contada con detalles intencionadamente tremendistas, que no hay que confundir con los detalles «esperpentizantes», ya que en los primeros no hay intención satírica, por muy desagradables que las descripciones sean, o muy «feístas», mientras que en éstos hay siempre una intención burlesca o deformadora; pero el conjunto de la escaramuza está visto con aquella mirada de que hablábamos al tratar del esperpento; una mirada que rebaja la realidad, deformando casi por instinto, para encontrarle, sobre todo, el lado ridículo y disminuir cuanto pueda haber de grandioso. Con un espíritu decididamente burlón —que sólo se permite un alto al presentar el terrible dolor del padre de la criatura muerta— con su intencionada pluma, despoja Valle a la escena de cuanto pudiera haber de verdaderamente heroico. En cuanto a los «ecos épicos»..., baste recordar que, asustado por el tiroteo, en plena lucha, el asno que transportaba al «orondo capitán García» lanza al viento «... rebuznos tan sonoros, que el eco milenario de aquella montaña pudo despertarse recordando el son de la bocina de Rolando» [31].

Caricatura sutilísima por contraste. La legendaria y heroica trompa de Rolando, acribillado en Roncesvalles, escamoteada y reducida aquí a un prosaico rebuzno de jumento. Si algo podíamos haber imaginado de «grandioso» en esta pelea de carlistas y republicanos, ese rebuzno de asno —¡tan oportuno!— lo rebaja y reduce a su lado ridículo y bufonesco.

¿Epopeya...? Puede que sí, pero mostrada desde el ángulo menos heroico; antimilitarismo diluido en implicaciones cáusticas. No lo que la guerra puede tener de bárbara belleza, sino el reverso de la medalla la mayoría de las veces. No el «fuego sagrado» en que se hubiera querido «quemar» la monja..., sino el resplandor de «la hoguera».

Las notas esperpénticas de este segundo volumen de la trilogía son más abundantes que en el primero; varias veces los personajes —en presencia de la muerte— se «muñequizan» o quedan reducidos a puros fantoches o marionetas, cuando no «cosificados» del todo: «los dos mendigos parecían montones de guiñapos, y al calor de fuego exhalaban un vaho de miseria» (II, pág. 417); «sentado cerca del fuego [el sacristán Roquito], con la barbeta apoyada en las rodillas, parecía menguar de una manera grotesca, y sumirse en su risa, y rodar dentro de ella como la bola de un cascabel» (ibíd., pág. 453); «el antiguo sacristán, las manos atadas, la cabeza erguida, la expresión demente, era bajo sus trapos mojados un heroico y resplandeciente fantoche» (ibíd., pág. 455). El sufrimiento, la brutalidad del

---

[31] *Gerifaltes de antaño*, en *O. C.*, II, pág. 467.

dolor transforma al hombre en autómata, cosifica deshumanizando: «El bagajero..., con el andar desconcertado de un autómata, volvió a sentarse entre los dos muertos»... (ibíd., 471); y la visión de los soldados republicanos que caen a las primeras descargas, también es decididamente «cosificadora»: «Cuatro o cinco soldados cayeron a lo largo de la carretera como peleles en un tinglado de feria» (ibíd., pág. 466), o como escribió en la primera versión, publicada en «El Mundo», 17-IV-1909, «... como peleles de pim-pam-pum» [32].

También puede espigarse algún caso de «animación», como el siguiente: «Y en aquel seno caótico, sobre los roses relucientes, hacían guiños cuatro lámparas de petróleo con pantalla verde» (ibíd., pág. 431). O esta estampa esperpéntica que se graba en nuestra pupila por la eficacia impresionista con que está descrita: «... y las hijas del cirujano, siete señoritas lugareñas, se agolparon a la escalera para recibirles. Halagos. Gritos. Aspavientos.» (ibíd., pág. 447).

Y esperpéntica es la terrible escena en la que Roquito —escapado del presidio y oculto en una chimenea para que no lo descubran los soldados liberales— se achicharra encaramado en la socampana, perdiendo la vista como consecuencia de las terribles quemaduras. Cuanto hay de sufrido heroísmo en las acciones de este pobre sacristán-guerrillero independiente, queda desbaratado, frenado, por el tono burlesco en que se nos narra. Y sus hazañas —aunque brutales— son heroicas.

Aumenta la «animalización» —diecisiete veces la hemos señalado— reservando las más cómicas, como era de esperar, para las tropas republicanas, pero sin que se escapen de recibir algunas —no siempre embellecedoras— los mismos carlistas. El capitán García «tasca su cigarro» (II, pág. 425) y sus tropas son «liebres y codornices», mientras que los guerrilleros son «águilas» o «lobos» que conocen la madriguera» (ibíd., pág. 449), aun cuando alguno «lance un relincho» (ibíd., pág. 440); las voces que dan despiertan «... el eco que había repetido el rugir de los leones milenarios» (ibíd., página 438). Roquito «corre como un gamo», «Josepa la de Arguiña es como los perros abandonados», y uno de los «viejos señores, prez de la antigua villa agramontesa», en lugar de hablar «cloquea» como una gallina. Y quizá la «animalización» más divertida sea la que hace Valle-Inclán de la lengua que hablan los cuatro soldados ampurdaneses: «un catalán violento, de rudeza visigoda». El viejo car-

---

[32] Detalles ya señalados por la señorita SPERATTI PIÑERO, ob. cit., pág. 89.

lista que los escucha «... ponía igualdad entre la zalagarda de los canes y aquel tosco vocear agresivo y sanguíneo» *(ibíd.,* pág. 477).

Admirable es el uso que de la lengua hace Valle para recrear con tanto arte el habla popular de las gentes sencillas que se mueven por este segundo episodio carlista. Expresiones no siempre muy elegantes, que por su exactitud o su gracia nos hacen la impresión de ser insustituibles. Ligeros detalles dialectales tiñen el habla de los soldados vasconavarros, como el diminutivo en -ico, o el uso incorrecto del potencial simple por el imperfecto de subjuntivo: «Si no andaría lejos don Manuel...» (II, pág. 452), o «... Pues ni que sería el gran Bernal del Carpio» *(ibíd.,* pág. 459). Y hasta alguna expresión en caló: «A vista de esa mujer, yo digo que como cristianos, no podemos darle mulé» (II, pág. 456).

3.   «Gerifaltes de antaño»

> *«... Nos predican la guerra con águilas feroces,*
> *gerifaltes de antaño revienen a los puños,*
> *mas no brillan las glorias de las antiguas hoces*
> *ni hay Rodrigos, ni Jaimes, ni Alfonsos, ni Nuños...»*
>
> (RUBÉN DARÍO, *Los cisnes,* en *Cantos de vida y esperanza,* 1905.)

Leyendo el verso de Rubén en su contexto nos parece que se entiende mejor la verdadera intención de Valle, el porqué del préstamo. Creo que hay algo más importante en ellos que el mero acierto eufónico de tan resonante título.

De lo que no cabe duda es que la práctica del oficio le fue dando a Valle una seguridad y un dominio de la lengua, unos recursos literarios que se traducen en una mayor sencillez aparente, mayor capacidad creadora y, sin rodeos, el ser mejor novelista. De las tres novelitas sobresale precisamente *Gerifaltes* por ser la más honda, la más sencillamente humana. Dedicada casi exclusivamente a pintar la figura del terrible cura Santa Cruz, Valle-Inclán deja en ridículo a los críticos que le reprochan el no saber —o no poder, o no querer— ahondar en la psicología de sus criaturas. Aquí tenemos un buceo, que nos parece perfecto, en los complejos recovecos espirituales de un cabecilla carlista hecho con toda valentía; personaje recreado con amor, aunque sin ocultar el fanatismo brutal que le hace traicionar al amigo y pasar por encima de principios que su dignidad humana —no ya la del sacerdote que seguía siendo, pese a haber abandonado su menester público— no hubiese tolerado, a no ser por esa especie de «mística frialdad» feroz que lo domina.

Criatura, de entre todas las de Valle-Inclán, bellamente esculpida que no podemos por menos de admirar, lo mismo en su terrible grandeza que en sus tremendos errores. El escritor no adula, no adorna tampoco con detalles positivos la figura de su héroe; solamente contemplándola con simpatía —tendenciosamente, pero sin ocultar lo negativo— trata de llegar a hacernos comprender los hondos motivos que tenía don Manuel, para obrar así al fin de sus días como guerrillero.

Aunque la acción sea más unitaria, la técnica del autor es la de una certera y eficaz fragmentación; el colorido es más apagado que el de las otras, predominando los tonos fríos. *Gerifaltes de antaño* descansa más en la calidad del dibujo de las estampas que lo forman; vemos la desorganización, el cansancio de los soldados que se mueven constantemente no para entablar combates —que no hay—, sino persiguiendo un objetivo cada vez más incierto. Sólo la fe del cura en el triunfo final, a pesar de que no ignora las persecuciones y las trampas que republicanos y carlistas le están tendiendo, le hacen conducirse con cierto conocimiento de causa.

Bellísima también la pintura del cabecilla asesinado, Miquelo Egoscué, sencillo y noble «como un héroe legendario». Y la de su fiel amigo, el pastor de cabras Ciro Cernín, encarnación de la amistad, a quien el dolor de ver a su jefe asesinado le trastorna el juicio, yendo después por las aldeas como un peregrino visionario y simple.

No deja de tener importancia —siquiera sea un personaje menor— la figura de Agila, nieto de la Marquesa de Redín; encarnación del mal gratuito, movido siempre por intereses malignos; demoníaco en cierto modo, farsante y corrompido, debió ser para Valle-Inclán la encarnación de la alta burguesía española degenerada.

Muchos años más tarde volverá a sacar al mismo personaje —*La corte de los milagros*— en la adolescencia, intentando suicidarse para castigar así a sus padres. Es curioso pensar cómo se interesa Valle tan temprano por un tema —la lucha entre el bien y el mal— que llenará buena parte de sus obras teatrales cortas posteriores.

Si bien el autor no oculta sus simpatías por la causa carlista, se diría que en esta novela sus burlas hacia las tropas republicanas están más tamizadas, son menos agresivas. Las quejas de los oficiales responsables en el campo de guerra contra las «cabezas de estado mayor» o los políticos que mandan a distancia, sin ver la realidad más que en teóricos planes de ataque o defensa, son sinceras y llenas de sentido. Bajo ese dominante «canto al carlismo» nos parece también ver un constante esfuerzo por explicar en qué consiste lo que mueve a uno y otro bando, que es tanto como decir un intento de sondeo en la psicología de un pueblo empeñado en luchas absurdamente fratricidas.

Abundan aún más las notas esperpénticas que en las dos anteriores, como dejaba suponer esa «progresión en el oficio» que señalábamos.

Esperpéntico es el remedo de la justicia que dicta el tribunal de viejos beodos contra la anciana Marquesa de Redín, por sus simpatías liberales. Emplumada, embadurnada en miel y cubierta de plumas como una gallina, y montada en un burro, la pasean por entre la regocijada chusma de soldados y populacho.

Esperpéntica la gratuita crueldad de Agila con la anciana Tía Rosalba, a la que precipita escaleras abajo el perverso empujón de su sobrino. Por cierto que en tal escena puede observarse una curiosa y nueva técnica de «cosificación» en el proceso valleinclaniano de hallar nuevas maneras de expresión. El autor nos ha preparado sagazmente mostrando poco a poco en la mente de Agila la torpe intención de cometer tan depravado y brutal acto. (Después se nos aclarará —en el diálogo entre Agila y Ciro Cernín, el pastor— que el joven Marquesito es la encarnación misma del demonio.) Volviendo al final de esta interesante escena digamos que la personalidad de la viejecita queda casi difuminada —enteramente «cosificada», o deshumanizada, como es la sutil intención del autor— por la curiosísima forma en que nos narra el bestial incidente.

Inmediatamente después del empellón que derriba a la viejecita escaleras abajo, la atención del lector está enfocada no hacia la anciana, sino hacia el objeto que ésta llevaba en su mano, una alcuza de aceite para el Cristo del Gran Poder: «Rodó la vieja con ruido mortecino, y a su lado la alcuza iba saltando hueca, metálica y clueca» (II, pág. 514). Aunque no haya cosificación directa de la persona, la alcuza —la cosa— adquiere tanta importancia en el momento culminante del accidente que oscurece, por así decirlo, a la anciana, cosificándola caricaturescamente en definitiva.

Seguro ya de las posibilidades de la «animalización», aumenta en esta novela el uso de ella; cuarenta y cuatro veces la hemos anotado en nuestro recuento. Animaliza mucho más de lo que pudiéramos imaginar la figura de Santa Cruz; una vez... «el cuervo tenía el benigno volar de una paloma» (II, pág. 500), en dos ocasiones se refiere a él llamándole «lobo» (ibíd., págs. 485 y 503), otras dos nos lo muestra como «gato» (ibíd., págs. 496 y 498) y en varias como «mastín de la muerte» (ibíd., págs. 543-544); otra lo presenta como «una liebre» (ibíd., pág. 487).

Los soldados carlistas son para el cura «... lobos, gatos, raposos y gamos». A uno solo «le llamaba el ruiseñor porque era versolari» (ibíd., pág. 503). Otras veces serán «gerifaltes», «perros mastines», «lobos», «leones o cachorros de león» (ibíd., págs. 485, 489, 504, 522, 523, 544 y 578), y cuando les reparten el rancho lanzan relinchos de satisfacción (ibíd., pág. 493); el miedo hace que el secretario tiemble «... como una res» (ibíd., pág. 497).

La Marquesa de Redín se nos presenta —luego del salvaje castigo a que la someten los jueces borrachos— como una «gallina desplumada» (ibíd., pág. 514); las mismas palabras «tienen un rumor de vuelo», mientras que los pensamientos vuelan en la cabeza del cura «con aquella violencia del pájaro que bate en lo oscuro» (ibíd., pág. 541); se oye «como un aletazo el rumor de los fusiles» (ibíd., pág. 548), y «... un grupo de muchachas... se alzó con rumor de bandada» (ibíd., pág. 523). El carlista don Diego y sus cinco hijos serán siempre «... el lobo cano y los cinco lobeznos» (ibíd., págs. 530, 531, 532, 533, 535 y 536). El estado mayor de los republicanos finge «... profundas meditaciones estratégicas [¡pero que no producen fruto alguno!]. Era un afán hueco y sonoro. Era un mugir de bueyes que no aran» (ibíd., pág. 488). A las marciales cornetas del ejército gubernamental les aplica Valle la mejor sordina humorística. Se oye... «el cacareo de un toque y el son de la marcha...» (ibíd., pág. 548).

Tampoco faltan ejemplos de «cosificación»: «Era el mayordomo tan arrugado y consumido que parecía una momia descubierta en el fondo de alguna alacena polvorienta» (ibíd., pág. 507). Del Cura nos dice que «... era su alma una luz clara y firme como piedra de cristal» (ibíd., pág. 505). Agila tiene ojos que son «... dos piedras verdes, de una dureza cruel» (ibíd., pág. 521), y la Tía Paquita tiene las manos «amomiadas» (ibíd., pág. 525).

3. CONCLUSIÓN

Admirable esfuerzo novelístico el realizado por don Ramón en esta hermosa trilogía. Desde los *Cruzados* a las últimas y emocionantes páginas de *Gerifaltes* puede señalarse el progreso ascendente del novelista consumado que, por esas fechas, era ya Valle-Inclán.

Nos parece demasiado duro el juicio de la señorita Speratti Piñero, quien, refiriéndose a la primera novela de la serie, dijo en un reciente artículo: «... Un libro sin fuerza y sin acción»[33]. Es evidente que las aventuras del Marqués de Bradomín y los terratenientes gallegos quedan muy por bajo de lo que el escritor logra a medida que profundiza en la materia y tal vez —como sugiere la referida autora— se va desilusionando con los hechos de uno y otro bando.

No podemos conformarnos con la simplista idea de que la trilogía carlista sea, como quieren ciertos críticos, una mera exaltación, una elegía brillante a la causa perdida del carlismo. La esperpentización a que somete a los dos bandos nos deja ver su verdadero sentir: Valle, pese a los propósitos iniciales que pudiera tener, nos recuerda, sobre todo, lo infructuoso de las luchas, la estupidez de la guerra civil y el sinsentido de los fanatismos. Por mucho que disculpe, por muy nobles luces que le aplique al retrato que pinta del cura Santa Cruz, Valle jamás oculta su implícita condena al fanático y criminal guerrillero. Y si se burla de las tropas gubernamentales, no hay que olvidar que sus zurriagazos críticos alcanzan también a las bandas carlistas, desunidas y desnortadas, peleando en pequeñas acciones que, sobre no ser heroicas, son perfectamente inútiles.

Tal es, a mi juicio, el uso que de la historia hizo Valle-Inclán. El pasado, si no enseña directamente lecciones al porvenir —parece pensar el autor—, puede iluminarnos para comprender el porqué de muchas cosas del presente. Nos hace volver la cabeza atrás para buscar la luz que nos guíe.

---

[33] *Cómo nació y creció «El ruedo ibérico»*, en «Ínsula», núms. 236-237, Madrid, julio-agosto 1966, pág. 1.

VII

VUELTA AL TEATRO
EN LIBERTAD

1. «LA CABEZA DEL DRAGÓN»: FARSA INFANTIL PARA MAYORES

Señala acertadamente Fernández Almagro, refiriéndose a *La cabeza del dragón:* «... la verdad es que las personas mayores pueden beneficiarse del interés escénico de la obra, en grado superior al de la gente menuda... Es que en *La cabeza del dragón* se advierte un prurito de infantilización que, menos que a nadie, puede convencer a los mismos niños»[1].

Pese a que Valle-Inclán la calificó de «farsa infantil» y a que debió ser escrita especialmente para el entonces recién fundado «teatro de los niños»[2], la obrita tiene unas características tan peculiares que me parece arriesgadamente simplista considerarla como tal farsa infantil; creo que se perderían muchas de las intencionadas alusiones valleinclanianas si la estudiásemos como mera fábula escénica para niños.

Ya dijimos que a don Ramón le hacía falta para ponerse a crear su propia obra una especie de germen motor no necesariamente de origen literario, a partir del cual, con arte muy personal, levanta luego su edificio artístico propio. Puede observarse durante toda su larga carrera de escritor una casi constante sequedad inventiva que

---

[1] *Vida y literatura de Valle-Inclán,* ed. cit., pág. 140.
[2] Don Jacinto Benavente, con la colaboración de otros autores, había fundado esta bien intencionada agrupación. Comenzaron las representaciones en el teatro del Príncipe Alfonso y continuaron luego en el teatro de la Comedia, donde se estrenó el 5 de marzo de 1909 la obra de VALLE-INCLÁN, *La cabeza del dragón.*

le forzaba ya fuese a «tomar en préstamo» situaciones o textos de otros autores o, lo que era menos arriesgado, a copiarse a sí mismo, volviendo a desarrollar con no pocos y trabajosos cambios esfuerzos anteriores.

Entonces, y tal vez por consejo de su amigo Benavente, pretendió escribir teatro para niños. Para ello nada mejor que «reconstruir» a la manera valleinclaniana la eterna y maravillosa historia del príncipe valiente que libera a la hermosa infanta de las garras de un malvado dragón. Armado con una espada de diamantes, regalo mágico de su amigo el duendecillo travieso, el joven aventurero decapita de formidable tajo a su enemigo y gana con ello la mano de la «bella infantina», uniéndose a ella en matrimonio con la aprobación de sus respectivos padres, los viejos monarcas Mangucián y Micomicón.

El argumento de que se vale el autor para «inventar» su farsa es probablemente de origen folklórico infantil [3], debiendo figurar, con diversas variantes, en no pocas literaturas. La obra escrita por don Ramón... no lo es tanto. Sometido el infantil mundo de aventuras a esas «maneras valleinclanianas» (una deformación deliberada, que deja paso a una serie casi continua de alusiones, más o menos disimuladas, a la realidad político-social de la España del tiempo en que la obra está escrita), el resultado global, repito, aunque pueda interesar a los espectadores infantiles, ya que los ingredientes del mundo mágico no se pierden, a quienes realmente va dirigida la obra es a los adultos. Tras los colorines chillones con que van adornados hechos y personajes, se transparentan, sin requerir mucho esfuerzo, criaturas y acontecimientos con los que el instintivo moralista que era Valle-Inclán no podía estar de acuerdo; de ahí sus burlas. Todavía indirectas, todavía sin demasiado sarcasmo, pero ya patentes, incluso en lo que, en principio, iba a ser una farsa para niños.

Muchos son los ecos literarios que resuenan a lo largo de esta fábula. Podría hablarse de un delicado homenaje al autor del *Quijote,* tantas son las alusiones al mundo del caballero manchego: El lugar de la acción es el Reino de Micomicón; vemos «un castillo muy torreado, como aquellos de las aventuras de Orlando»; hay una criada que se llama Maritornes, un pícaro bravucón conocido por Espan-

---

[3] Fernández Almagro sugiere que Valle, a la hora de buscar un enredo para su obra, tal vez pensó en un lema heráldico que debía conocer: «Velarde, que a la sierpe mató, con la infanta se casó» *(Vida y literatura de Valle-Inclán,* ed. cit., página 140).

dián y un viejo y ridículo militar, el general Fierabrás. Pero quizá la más intencionada alusión está puesta en boca del matón Espandián, que en una ocasión grita «... mi descanso es pelear»[4]. Uno de los monarcas tiene «... largas barbas como el viejo emperador Carlomagno»[5].

En tales alusiones o ecos literarios no vemos malicia alguna; otra cosa es cuando se acuerda de algún detalle que no entiende muy bien en los artistas de su época, como, por ejemplo, la desmedida afición que algunos modernistas habían demostrado por la música de Wagner. ¡Con qué habilidad indirecta pero efectiva, mediante una imagen animalizadora, los pone en la picota del ridículo!: «... Y en lo alto de las torres las cigüeñas escuchan con una pata en el aire. La actitud de las cigüeñas anuncia a los admiradores de Ricardo Wagner.» En la acotación siguiente añade: «... y las cigüeñas cambian de pata, para descansar antes de caer en el éxtasis musical»[6]. No son éstas las únicas veces en que nos parece adivinar una maliciosa intención de burlarse del modernismo; en más de una ocasión, al describir escenas de la obra, se diría que está trazando una cuidadísima caricatura de lo que él mismo, tiempo atrás, o su admirado Rubén, habían escrito muy seriamente: «Jardín con rosas y escalinatas de mármol, donde abren su cola dos pavos reales. Un lago y dos cisnes unánimes» (O. C., I, pág. 395). En la última escena se nos describen así los jardines reales: «El pavón, siempre con la cola abierta en abanico de fabulosos iris, está sobre la escalinata de mármol que decoran las rosas. Y al pie, la góndola de plata con palio de marfil. Y los cisnes dulces en la prora bogando, musicales en su lira curva» (ibíd., pág. 404).

También lanza alguna que otra intencionada pulla contra la moda de ciertos escritores e intelectuales españoles de su generación de «ir a dar conferencias a las Indias. (Significativamente en la obra son un «bufón» y un «ciego coplero», los que pretenden emigrar.) O contra los sabios oficiales de las Universidades. Refiriéndose a la enorme cabezota del dragón, dice uno de los personajes: «Es pesada como una tesis doctoral» (ibíd., pág. 407).

Pero cuando la artillería satírico-alusiva de Valle apunta a los terrenos gubernamentales, puede decirse que la farsa toda es una

---

[4] La cabeza del dragón, en O. C., I, pág. 408.
[5] Ibíd., pág. 401.
[6] Ibíd., págs. 378-379.

constante chirigota, tanto de la monarquía como de los políticos: «En España, donde nadie come, es la cosa más difícil el ser gracioso. Sólo en el Congreso hacen allí gracia las payasadas. Sin duda, porque los padres de la patria comen en todas partes, hasta en España» (*ibíd.*, pág. 386). Recordemos que la acción tiene lugar en un país «de fantasía», en los palacios y jardines de los reyes Mangucián y Micomicón, lo que no impide que se hable en ellos de España, si no siempre abiertamente, como en la cita anterior, sí por medio de nada casuales indirectas. Las promesas reales son «huecas y livianas» (página 381), se desploman las «reconstrucciones de los arquitectos del Rey» (pág. 377). Del primer ministro «... unos dicen que tiene la cabeza llena de humo! ¡Otros que de aire! ¡Y otros que vacía!» (página 377). En cuanto al gobierno monárquico: «¡Una casa no se gobierna como un reino! ¡Una casa requiere mucha cabeza! (pág. 377). Si del primer ministro se habla sin piedad, del maestro de ceremonias se nos dice que es, en aquel reino, «... el más sabio de los tontos» (pág. 399), no siendo más caritativo al explicar, el mismo monarca, los orígenes de la nobleza («... Un bandolero puede ser tronco de noble linaje, como nos enseña la historia», págs. 409-410); del valor del rey habla su espada «sin una mella», la cual, como explica uno de los príncipes, «mal podía tenerla no habiendo salido de la vaina» (pág. 383); y del ruinoso estado de las finanzas del Rey Micomicón comenta satíricamente el bufón: «Gasta mucho esa gente» (pág. 386). El mismo bufón —quizá el personaje más serio de la obra, y desde luego el más inteligente— expone la nada envidiable posición del monarca constitucional: «Compadre, te ha cegado la ambición... ¡Se puede ambicionar ser rey del tabaco, del cacao, del azúcar y de los rábanos! ¡Se puede ambicionar ser rey del petróleo, de los diamantes y de las perlas! ¡Se puede ambicionar ser rey de una sierra por donde haya trajín de carromatos, mulateros y feriantes! ¡Pero ser rey constitucional en el Estado de Micomicón! ¡Estabas loco, compadre Espandián!» (pág. 411). Hasta el mismo duende travieso burlonamente se compadece de los monarcas, cuyas «especies evolucionadas» han perdido incluso la capacidad digestiva; si otrora podían comerse la carne cruda, como los tigres, los leones y los gatos, ahora «... sólo pueden ser vegetarianos» (pág. 415).

No podía faltar tampoco la punzada antimilitarista; maliciosamente saca a escena, un poco por los pelos, hay que reconocerlo, a un «heroico General», del que se burla sin un átomo de piedad. Es una caricatura llena de intención —su legendario nombre, Fierabrás, le

viene de su esposa, en atención al mal genio manifestado en el ho-
gar—, estampa de la que se sirve una vez más Valle-Inclán para poner
al descubierto su declarado sentimiento antimilitarista. Mejor que
hacer aquí una resumida paráfrasis de tan divertida sátira aconsejo
al lector un detenido análisis de las acotaciones y los diálogos que
el autor pone en boca de este «venerable» personaje, condecorado nada
menos que «por combatir la filoxera» (véase especialmente la página 409 del vol. I de las O. C.).

Decididamente me parece que esta intencionada carga crítica es
lo que le sobra a La cabeza del dragón para que podamos calificarla,
como su autor quiso hacernos creer pícaramente, de simple «farsa
infantil». El esperpento está asomando la oreja tras cada escena, con-
tribuyendo a ello no solamente esa delicada transparencia crítica que
se echa de ver en casi todo el enredo de la obra, sino también los
múltiples rasgos esperpénticos que aquí y allá, cuidadosa pero sabiamente, colocó el autor.

La equivalencia «corte palaciega igual a muñecos autómatas» se
nos da repetidamente (págs. 398 y 401). Animaliza —«viéndolos»
en las cigüeñas de las torres— a los escritores modernistas; al duendecillo (que «parece un mochuelo con barbas»); a los viejos tullidos
(que «se arrastran como tortugas») y a los emigrantes («viajan como
perros»); personifica, o humaniza, al perro del ciego: «El perro del
ciego, en un rapto de risa, se muerde el rabo» (pág. 390), y más
adelante: «El perro toma parte en estas efusiones, poniéndose en dos
patas» (pág. 413). Cosifica magistralmente el viejo héroe del reino
dejándonos ver su nariz goteante como una gárgola (pág. 409); la
boca de la infantina es «una rosa» (pág. 395) y sus pies «son lirios»
(pág. 403), mientras que Espandián califica al Príncipe Verdemar de
«tocino de cielo» (pág. 393).

Al simple humor de la farsa tradicional añade Valle el condimen-
to del retorcido humor esperpéntico (ese perro, por ejemplo, que
sufre un ataque de risa y se muerde el rabo); lo grotesco —la cara
chata de la luna, el dragón «herencia de la serpiente y del caballo
con las alas de murciélago» (pág. 402) o acciones que van camino
del absurdo, como en la escena que pretende ser culminante en la
cual el anciano monarca, ante la imposibilidad de una boda conveniente, le dice a su amada hija: «Tomarás la cicuta, como aquel fi-
lósofo antiguo. Traedle una taza, Duquesa», y la apenada Duquesa
responde: «¡Oh! ¡Qué tragedia! ¡Y yo que no puedo llorar!», com-

pletando su comentario con esta deliciosa y absurda pregunta: «¿Queréis la cicuta muy azucarada, niña mía?» (pág. 410).

Humor sofisticado y sutil impregnando todas las páginas de esta deliciosa fábula valleinclaniana, humor que para ser gustado a fondo exige una experiencia y unos conocimientos que escasamente pueden tener los niños; humor esperpéntico, digámoslo ya, antecedente claro no sólo de las estupendas escenas de *Los cuernos de don Friolera*, sino del mejor teatro del absurdo posterior, español (Mihura y Arrabal, por no citar más que a los que me parecen mejores) o extranjero (Ionesco, Beckett, etc.).

Digamos para terminar que la lengua en que está escrita *La cabeza del dragón* es de una belleza admirable. Valiéndose de los recursos modernistas más conocidos (resonancias de versos y situaciones de Rubén Darío pueden espigarse con suma facilidad), inventando deliciosas frases que se harían muy pronto lugares comunes en la retórica modernista, y buscando expresividad, a la vez que le da a sus diálogos o acotaciones un aire ligero de colorido brillante y musicalidad, Valle-Inclán se va construyendo el mejor instrumento literario para el futuro. Pero aún hay más: su atrevimiento le empuja a nuevas experiencias. Como al delicado mundo de amor y encantamientos enfrenta Valle otro mundo de pícaros y rufianes, un ambiente de novela de caballería modernista frente a otro de novela picaresca deliberadamente humano, resulta tan extraño encontrarse con una mezcla admirable, por lo bien lograda, de las dos lenguas: la más refinada y musical tonada modernista, al lado del más restallante dicharacho coloquial. Para los que todavía creen que solamente «el último Valle», el de las obras finales, se sirve de la lengua hablada para inventar ese arte inimitable que es su estilo más granado, *La cabeza del dragón* puede ser la demostración palpable de su equivocación. Incluso en una obra como ésta tan claramente influenciada por el modernismo, del que, sin embargo, vimos cuán sutilmente se burlaba, el autor hace entrar una serie abundantísima de expresiones de la lengua hablada por el pueblo que ningún otro escritor hubiera considerado dignas de figurar en una obra infantil ni mucho menos en una obra de espíritu modernista.

Expresiones como «... es un bragazas» (pág. 377), «no se la da» (*ibíd.*), «está de remate» (*ibíd.*), salen de labios de los infantes reales; de Espandián, el bravucón enemigo del príncipe Verdemar, se nos hace este retrato: «Entra un famoso rufián, que come de ser matante y cena de lo que afana la coima guiñando el ojo a los galanes cuando se tercia» (pág. 388). La espada será «la tajante» (pág. 389); en una disputa, Espandián «... le escacharra el plato en mitad de la cabeza» a su coima *(ibíd)*, injusticia que hace gritar al bufón: «A una mujer se la mata, pero no se la falta» (pág. 393).

Sin demasiado esfuerzo podrían acarrearse varios ejemplos más. Terminemos este punto escuchando los lamentos de la coima del pícaro Espandián. (Contempla a su amante atado a un árbol en espera de ser azotado por el verdugo real.) Puede encontrarse en ellos una especie de resumen del espíritu total de la obra, mezcla de modernismo y humor disparatadamente esperpéntico: «Se oye el planto de la Señora Geroma, que aparece haldeando, jipando y manoteando. Sus clamores pueblan el jardín. Llegando al árbol donde está atado Espandián, suspira y pone los ojos en blanco.

—¡Espandián! ¡Marido mío! ¡Brazo de hierro! ¡No pensabas ayer, cuando me pediste el agua para lavarte el cuello, que el verdugo te enseñaba la cuerda! ¡Espandián! ¡Marido mío, que no te ponías calcetas por no darle a tu Geroma el trabajo de remendártelas! ¡Y eras tan lechuguino como el primero!» (pág. 412).

2. «CUENTO DE ABRIL»

Aunque estrenada unos días después que *La cabeza del dragón* (también en la Comedia, para el «teatro de los niños» benaventino), tenemos la sospecha de que debió ser escrita antes que la famosa farsa infantil.

Valle-Inclán escribe en esta ocasión «teatro poético». Se vale para ello de los tópicos estilísticos del modernismo, algunos de los cuales eran creación de nuestro autor y, aunque hay que reconocer que la obra tiene situaciones y versos de innegable belleza, el resultado final es una obrita de calidad más bien mediana.

Cierto que, como mantiene A. Risco, «... esta farsa en verso es quizá la más enteramente modernista que ha escrito, tanto por la forma como por el contenido» [7]. Pero nos parece que completa muy bien el juicio que la obra nos merece, las palabras de Fernández Almagro, quien, al señalar «los lugares comunes» modernistas que hay en ella, dice: «... las artificiosas decantaciones del amor al estilo del *gay*

---

[7] A. RISCO, *ob. cit.*, pág. 58.

saber que informan *Cuento de abril,* acusan el don verbal que en Valle-Inclán nunca falla. Pero los personajes hablan por hablar, sin que la acción que pudiera exigirse, dado el carácter de la obra, se logre teatralmente y sin que el verso compense en todo instante la falta de interés»[8].

Tal vez uno de los méritos de la obra —dejando de lado las innegables bellezas poéticas que pueden espigarse— sea el decidido empeño del autor por hacer «teatro poético» con un tema enteramente imaginario. Distinto al que hacían los autores precedentes, que solían aferrarse a la historia patria. Valle-Inclán, al hacer uso de su fantasía e inventarse un enredo que no pagaba tributo a las nobles hazañas de nuestros antepasados, liberaba al género de vallados no siempre positivos. Abría puertas para los creadores que pudieran venir detrás (Lorca, Alberti, Casona...).

Y es interesante también la contraposición que hace de un mundo refinado y poético, el provenzal, con el fanático, casi brutal y sombrío del castellano. La visión que nos da del infante castellano y de sus hombres despiertan ecos machadianos; años más tarde esa misma Castilla —España toda— será puesta de nuevo en la picota, en sus mejores obras.

3. «VOCES DE GESTA»

(Fue publicada el año 1911, Madrid, imprenta Alemana, y estrenada en Valencia al año siguiente).

Por razones de comodidad, ya que ambas obras tienen a primera vista por tema el carlismo, suele asociar la crítica *Voces de gesta* (tragedia pastoril) con la trilogía *La guerra carlista.* La verdad es que me parecen obras de una semejanza más aparente que verdadera.

El espíritu que da vida a este intento de «tragedia pastoril» es, a mi ver, una exacerbada idealización del vago concepto político sentimental que del carlismo en abstracto tenía Valle-Inclán. Ya vimos cómo en la trilogía carlista el desencanto alcanzaba no sólo a las tropas liberales, sino a los mismos «cruzados de la causa». Cómo, en conjunto, no era *La guerra* una auténtica apología, un canto a los

---

[8] M. FERNÁNDEZ ALMAGRO, *ob. cit.,* pág. 141.

heroicos esfuerzos por instaurar «la monarquía legítima», sino más bien una confesión de desencanto a la postre, y, tenidos en cuenta muchos detalles no siempre claramente visibles, un alegato antibelicista que denunciaba la brutalidad y sinsentido de la lucha.

En cambio, *Voces de gesta,* aunque su autor la califique de «tragedia pastoril», tiene como núcleo original la más o menos declarada intención por parte del autor de servir como de poético homenaje a la causa tradicionalista. Cierto que en la primera versión el Rey se llamaba Arquino, y no Carlino, como se llamó posteriormente; cierto que Valle-Inclán, al tratar de escribir una tragedia de tema heroico atemporalizó los hechos, de modo que tenemos ante nosotros una especie de canto a la fidelidad de una humilde pastora de cualquier lugar y tiempo; y más cierto aún que la figura —física y moral— del monarca se idealiza, se ennoblece enormemente en las páginas de Valle cuando recordamos cómo era el personaje verdadero en la historia de España. (¡Y sobre todo si lo comparamos con los nada favorecedores retratos que don Pío Baroja nos dejó del rey don Carlos en algunas de sus obras!)

Para el lector, o el espectador de la obra, el Rey Carlino es una especie de místico visionario que rehúye la lucha y busca consuelo y refugio entre los más humildes de sus súbditos; es un «... rey de ensueño, de romance y de balada, que el dolor sublima en muchos años de terrible éxodo»[9], que tiene muy poco en común con el jefe de los tradicionalistas; lo vemos derrotado y perseguido, quejándose lastimero no sólo de las heridas recibidas en desiguales combates, sino por el dolor que le produce la muerte de sus más leales soldados.

Valle quiso, a la vez que rendir homenaje al carlismo, aquella «causa perdida» a la que se refería Bradomín, escribir una nueva canción de gesta épica y modernista[10], y aunque reconozcamos momentos de auténtica belleza poética en la obra, hemos de confesar que, en conjunto, *Voces de gesta* no pasa de ser un malogrado, aunque loable, ensayo trágico. El autor eleva la lucha tradicionalista a tales alturas estéticas, a tales quintaesencias heroicas, que el resulta-

---

[9] FERNÁNDEZ ALMAGRO, *ob. cit.,* pág. 145. Véase también para este punto el ensayo citado en la nota anterior.

[10] Así ha podido decir un crítico: «Modernista el tema, modernista el aparato y la composición, el trazado de las costumbres pastoriles, la selección de vocablos en mérito al valor formal y al cuño antiguo» (REYNA SUÁREZ, *El carlismo en la obra de Valle-Inclán,* en *Ramón María del Valle-Inclán, 1866-1966* [Estudios reunidos en conmemoración del centenario], Universidad de La Plata, 1967, pág. 211.

do escénico planea a muchos codos sobre el nivel de la realidad y se malogra toda posibilidad de paralelismo entre lo que vemos en el escenario y la brutal, y en conjunto nada grandiosa, lucha entre liberales y carlistas. Si la pastora Ginebra, símbolo de la tradición, ciertamente tiene destellos de figura trágica, si el viejo Tibaldo, o el pastor Oliveros merecen nuestro aplauso como criaturas dramáticas, e incluso la figura del desgraciado monarca Carlino termina por ganarse nuestras simpatías, la obra no acaba de convencernos ni nos parece que en justicia puede ser calificada de tragedia.

Voces de gesta es, de todas las de Valle-Inclán, la única obra en donde el humor está voluntaria y tenazmente evitado, tal vez por su determinación de «lograr un clima heroico tan neto e intenso», como sospecha A. Risco[11].

La versificación es muy variada y de gran riqueza musical, predominando el verso de arte mayor; el vocabulario, pese a su variado cromatismo, tiene una cierta austeridad que casa bien con el tono más bien solemne del enredo.

Valle-Inclán, el humorista más serio de cuanto va de siglo en nuestras letras, cuando decide podar del tono humorístico a una de sus obras para entonar una especie de canto épico, no se da cuenta de que está intentando lo imposible.

4. «LA MARQUESA ROSALINDA», FARSA SENTIMENTAL Y GROTESCA

(Publicada en Madrid, imprenta Alemana, 1913). Esta pieza deliciosa es uno de los mejores logros escénicos de Valle, y desde luego el más sazonado fruto del teatro modernista hispánico. Escrita en un verso tan rico de color y musicalidad como eficacia expresiva, la lengua inimitable del autor se convierte con la misma sencillez en delicadísima poesía que en intencionada y jocunda burla.

Los desenfadados muñecos de la comedia del arte —Pierrot, Colombina, Arlequín y Polichinela— sirven de maravilla, aumentada la dosis de su cinismo, a los propósitos de Valle-Inclán: construir una burlesca farsa de ambiente dieciochesco con el eterno tema del marido burlado, en este caso un viejo Marqués nacido en Francia, pero aclimatado a vivir en España.

[11] *Ob. cit.*, pág. 75.

Bellísimos versos de una musicalidad y un ritmo pocas veces alcanzados por nuestra escena en el presente siglo [12], estupendo homenaje a su admirado amigo Rubén Darío, muchos de cuyos versos resuenan en los de Valle, cuando no se nos dan asimilados a los propios en sabia combinación [13]. Pero, repito, no debemos hablar de torpeza imitatoria, que no la hay, sino de admirable y delicado homenaje al amigo, gran poeta, admirado por Valle en público como en privado.

Desde sus primeros dramas, el malogrado *Cenizas* y la titubeante adaptación escénica del «más admirable de los donjuanes», hasta su más desenfadado esperpento, *Los cuernos de don Friolera,* sin olvidar *Divinas palabras,* el tema del viejo marido engañado atrajo a Valle-Inclán como germen dramático efectivo. El tratamiento de farsa grotesca que imprimió al tema convierten *La marquesa Rosalinda* en un claro esperpento. Tanto el enredo como sus personajes están contemplados a través de la lente irónica del autor; el resultado, como ha visto muy bien A. Risco, es que *La marquesa Rosalinda* «... en realidad es ya un esperpento, sólo que disfrazado con elementos y formas típicos de la literatura modernista, que Valle aquí disloca y deforma al extremo» [14].

Como lo hará más en detalle en *Los cuernos de don Friolera,* Valle se burla aquí del honor, tema sagrado del teatro español en general y del de Calderón en especial. Entre los múltiples reflejos literarios que pueden detectarse en la farsa, los más abundantes son los cervantinos. A Rubén y a Cervantes parece rendir homenaje de admiración a partes iguales el autor.

---

[12] Para DÍAZ PLAJA, *ob. cit.,* pág. 220, «... acaso los mejores versos del modernismo español», «verdadera fiesta mayor del modernismo» (*ibíd.,* pág. 225). Fue estrenada en el teatro de la Princesa, de Madrid, el año 1912. Vio la luz, en forma de libro (Ed. Imprenta Alemana, Madrid) en 1913.

[13] Son muchos los ejemplos. Entresacamos uno:

> *Bajo el verde palio cruza una paloma*
> *y el cisne en la onda suspira de amor*
> *y el pájaro dice su trino en la rama*
> *y el viento en la senda deshoja una flor.*

[14] Véase el interesante análisis que de *La marquesa Rosalinda* hace en su *ob. cit.,* págs. 62 a 75. Y el comentario que a *La marquesa Rosalinda* hace JOSÉ F. MONTESINOS en *Modernismo, esperpentismo o las dos evasiones,* en «Revista de Occidente», núms. 44-45, Madrid, nov.-dic. 1966, págs. 156-157.

5. «EL EMBRUJADO»
(TRAGEDIA DE TIERRAS DE SALNÉS)

El que Galdós rechazase esta obra para ser estrenada en el «Teatro Español», en 1912, debió ser uno de los principales motivos —si no el único— del exagerado y, en mi opinión, totalmente injusto menosprecio que don Ramón demostró públicamente en adelante por el gran novelista y autor de los *Episodios nacionales*. Tanto más injusto cuando sabemos que ese menosprecio sólo era aparente, ya que puede comprobarse la admiración que Valle sentía en privado por Galdós como novelista al leer las páginas mejores de *El ruedo ibérico,* que tanto deben en inspiración —en guía— al autor de *Doña Perfecta.*

Pero como la previa ruptura con María Guerrero y F. Díaz de Mendoza le habían cerrado las puertas del teatro de la Princesa para estrenar su drama, al serle rechazado ahora su petición Valle-Inclán descargó sus furias más violentas contra el director artístico del Español. Conocida es la «tumultuaria» lectura pública en el Ateneo y las protestas que dirigió contra el Ayuntamiento de Madrid por lo que don Ramón consideraba una injusticia manifiesta [15].

A medio siglo de distancia, y juzgada la obra con toda objetividad, hay que reconocer, si es cierto que Galdós la rechazó guiado solamente por su juicio crítico, que no le faltó razón; la tragedia no tiene la calidad que su autor le suponía. Como todo lo escrito por Valle-Inclán, tiene un interés cierto: bellezas de diálogos, acierto en el trazado de algunos personajes, en especial «los de abajo», los que conspiran para sacarle el dinero al viejo don Pedro, gente sin principios, así como los ciegos y pordioseros que se mueven con gracia por las tres jornadas y están diseñados de mano maestra. Pero donde la tragedia —mejor sería llamarla «drama rural con pretensiones de tragedia»— flaquea es en la misma raíz argumental: cuanto el autor quiere que resulte trágico no pasa de ser melodramático y no pocas veces falso. Ni convence la credulidad del viejo don Pedro (al que le han asesinado un hijo con el exclusivo objeto de obtener una herencia para un presunto nietecillo, habido por el muerto en la

<hr>

[15] Véase FERNÁNDEZ ALMAGRO, *ob. cit.,* págs. 147-148. *El embrujado* se publicó en Madrid, Ed. J. Izquierdo, 1913.

barragana del asesino) ni acaba de convencer la mezcla de brujería y poderes sobrenaturales con esas ambiciones mucho más elementales («sacarle los cuartos» al viejo), si bien un tanto simplemente pintados, por lo que resultan poco menos que increíbles. El resultado dramático es pobre, aunque los diálogos sean atinados y el ingenio valleinclaniano salga a relucir en situaciones muy graciosas, como la disputa de los dos ciegos, por ejemplo. Mas ni por un momento vemos desatarse ante nosotros las pasiones auténticas, que animan y justifican toda tragedia. No hay grandeza trágica ni siquiera en la figura del pobre «embrujado», Anxelo, un pobre diablo aldeano e ignorante, autor del primer crimen y muñeco en las manos de Rosa la Galana, que se vale de «extraños poderes», amén de sus encantos personales, para asegurarse la voluntad de unos cuantos infelices. Pero ni esos sospechados «poderes sobrenaturales» la libran de aparecer ante nosotros como una vulgar bribona de aldea, movida exclusivamente por unos intereses más bien mezquinos, el deseo de mejorar de fortuna a costa del rico Pedro Bolaños. Por mucho poder que tenga para convertir a sus compinches, y convertirse ella misma, en «pavorosos perros blancos que aúllan a las estrellas», Rosa Galana como criatura dramática, y mucho menos como pretendido personaje de tragedia, deja mucho que desear.

La curiosa mezcla de creencias populares —poderes ocultos para condenar a alguien a sufrir del «ramo cativo», brujería, etc.— con la mera historia del crimen campesino de que se valió el autor para su enredo, esta vez tenemos la impresión de que no se logra la fusión íntima entre ambas corrientes, de que no pasa de una torpe superposición. Tal vez imaginó Valle pasiones elementales y trágicas donde en realidad no había más que sórdidas ambiciones y crímenes brutales; al dotarlo de elementos extrahumanos —las habilidades de bruja de Rosa Galana—, subraya, quizá sin pretenderlo, la grosera raíz de los sentimientos que mueven a sus personajes, imposibilita toda grandeza trágica y, sin ella, toda tragedia.

Es una lástima que el autor rechazase, al proponerse escribir una «tragedia», el tratamiento esperpéntico para este drama rural. Sólo en algún momento utilizó la «esperpentización» y es precisamente una de las escenas más logradas de la obra, aunque ajena y absolutamente innecesaria para la comprensión de la trampa: la cómica disputa entre los ciegos de Flavia y Gondar.

6. MEDITACIONES ESTÉTICAS: «LA LÁMPARA MARAVILLOSA»

(Vio la luz en Madrid, Helénica, 1916). Muy variados han sido los juicios críticos que *La lámpara maravillosa* ha suscitado. Para muchos de los que, de modo más o menos tangencial y conciso se han ocupado de esta obra, su mérito principal reside en la belleza de la prosa en que está escrita; en la musicalidad y gracia con que el autor expone sus ideas. El contenido de lo que Valle llamó «ejercicios espirituales», es lo que suele parecer menos importante, cuando no carente de todo valor. (Recuérdense las nada caritativas palabras de Juan Ramón respecto a que la lámpara valleinclaniana tenía más humo que aceite) [16].

Para Guillermo de Torre el librito era «una digresión artificiosa de vaga mística quietista» (*ob. cit.,* pág. 122).

A pesar de las oscuridades innegables y aun cuando muchas de las ideas estéticas que expone el autor sean muy discutibles, nos parece que *La lámpara maravillosa* es no sólo el credo estético valleinclaniano, sino una colección de pensamientos o meditaciones acerca del arte literario, de lo más interesante con que cuentan nuestras letras. Los años que pasó en la finca «La merced» de su Galicia natal, aunque no tan prolíficos al principio, debieron ser fecundos en apacibles ratos de meditación: los principios estéticos que desde mucho antes guiaban más o menos conscientemente la pluma del escritor, se van concretando día tras día de «rumia espiritual», y en aquellos años en que intentó compaginar las tareas literarias con las de hombre de campo, se decidió a ponerlos por escrito.

Remitimos al lector interesado en estos problemas al estudio de Díaz Plaja, uno de los pocos críticos que han estudiado *La lámpara maravillosa* por el interés de su contenido más que por la belleza de su forma. Según el crítico, estos «ejercicios espirituales» significan «... exactamente la recapitulación teórica de toda la etapa inicial de su obra, justo cuando va a iniciarse un fundamental cambio de rumbo, el que abre el camino de su visión irónica. Es, pues, un libro lleno de conocimiento de causa, amplio y complejo, nada sencillo» [17].

---

[16] Véase JUAN RAMÓN JIMÉNEZ, *Valle-Inclán, castillo de quema,* en «El Sol», Madrid, 10 de mayo de 1936, ampliado en University of Miami, «Hispanic-American Studies», núm. 2, y recopilado en *Pájinas escojidas. Prosa,* Ed. Gredos, Madrid, 1958.
[17] *Las estéticas de Valle-Inclán,* ed. cit., págs. 98 y sig.

No cabe duda de que *La lámpara maravillosa* es un libro «complejo y nada sencillo», razón por la que no ha sido estudiado antes con el pormenor deseado. Pero nos parece que muchos de los principios estéticos expuestos en él por Valle-Inclán tienen validez referidos no solamente a esa «etapa inicial de su obra», sino a toda ella. Nosotros, a diferencia del profesor Díaz Plaja, no alcanzamos a ver en todas esas en apariencia diversas «alteraciones de ruta» cambio alguno esencial en la manera de hacer literatura. Don Ramón, fiel a sí mismo como ninguno, aunque intentó las mayores renovaciones que se han llevado a cabo en nuestras letras de los últimos cien años, fue siempre uno y el mismo artista, en progreso constante y, para nuestra fortuna, mejorando siempre lo que había escrito antes.

7. «LA MEDIA NOCHE»: PRETENDIDO FRACASO VALLEINCLANIANO

(La primera versión de esta obra se publicó en forma de serial en el diario «El Imparcial», del 11 de octubre al 18 de diciembre de 1916). Al lector atento de la obra de don Ramón no le es difícil percatarse, desde muy temprano, de que uno de los objetivos que se propuso el escritor fue la supresión (mejor dicho, la difuminación de su importancia limitadora) de la barrera espacio-temporal. Habilísimamente en las *Sonatas* y con más conocimiento en *Flor de santidad,* al conseguir aminorar las forzosas —en cuanto humanas— limitaciones temporales se va acercando a lo que su instinto creador le insinuaba que tenía que ser el arte verdadero: el logro de una belleza eterna. Recordemos que para don Ramón «Dios es la eterna quietud, y la belleza suprema está en Dios» [18]; el tiempo es una insuperable limitación humana, y el artista que logra eliminarlo de su obra obtiene una belleza que lo acerca a Dios superando así esa torpe condición humana a la que nace condenado.

Tal vez donde mejor logró acercarse a su ideal fue en sus obras más tardías, *Tirano Banderas* y el inacabado *El ruedo ibérico.*

«El Imparcial» madrileño comisionó a Valle-Inclán, a fines de 1915, para que visitase el frente aliado al objeto de escribir para sus páginas —y las de otros periódicos hispanoamericanos— unas

---

[18] *La lámpara maravillosa,* en *O. C.,* II, pág. 567.

impresiones bélicas. Don Ramón, nos dicen sus biógrafos, aceptó el encargo con alegría; ello le permitiría no sólo visitar París, que no conocía, sino la posibilidad de comprobar «conceptos anteriores» referentes a la guerra en general y a los aliados en particular [19]. Cree poseer el secreto de una nueva manera global y esclarecedora de hacer crónicas de guerra, y así lo declara a sus amigos de tertulia antes de salir para Francia: La guerra no se puede ver como unas cuantas granadas que caen aquí o allí, ni como unos cuantos muertos o heridos, que se cuentan luego en estadísticas. Hay que verla desde una estrella, fuera del tiempo y del espacio» [20].

Al modo como había intentado difuminar los límites espaciotemporales en las obras de creación, tratará don Ramón ahora de suprimirlos todo cuanto le sea posible en estas crónicas periodísticas que formarían más tarde un libro sobre la guerra; al darlo a la imprenta —en 1917— le antepuso un breve prólogo, en el que confiesa sus propósitos iniciales, y su fracaso al no poder realizarlos por completo: «Yo torpe y vano de mí, quise ser centro y tener de la guerra una visión astral, fuera de geometría y de cronología, como si el alma, desencarnada ya, mirase a la tierra desde su estrella. He fracasado en mi empeño... Estas páginas que ahora salen a la luz no son más que un balbuceo del ideal soñado» [21].

Lo que él imaginó factible, la representación total y simultánea de una realidad fragmentaria y extensísima, como eran los campos de batalla en el frente del noroeste, resultaba imposible. Lo que su intuición de artista le había hecho entrever como tentadora posibilidad —pretendía nada menos que una especie de ubicuidad casi divina—, las páginas de sus crónicas, con sus limitaciones, se lo negaban. Y confesó noblemente la derrota. Mas conviene no confundir: Valle-Inclán fracasa, si admitimos la que nos parece algo exagerada confesión propia, solamente en lo que a técnica intuida se refiere. El librito en sí tiene innegables valores como narración en prosa y nos parece un tanto injusto el juicio de F. Almagro al hablar de él como de «... unos cuantos apuntes de valor descriptivo bastante desigual» (ob. cit., pág. 171). Pensamos, con el crítico José Caamaño

---

[19] M. FERNÁNDEZ ALMAGRO, ob. cit., págs. 167 y ss., y RAMÓN GÓMEZ DE LA SERNA, Don Ramón María del Valle-Inclán, Col. Austral, Buenos Aires, 1948, páginas 120-121. Véase también el interesante ensayo de JOSÉ CAAMAÑO BOURNACELL, Los dos escenarios de «La media noche», en «Papeles de Son Armadans», t. XLIII, núm. CXXVII, Palma de Mallorca, octubre 1966, págs. 135 a 150.
[20] M. FERNÁNDEZ ALMAGRO, ob. cit., pág. 168.
[21] O. C., II, pág. 632.

Bournacell[22], que Valle-Inclán no pudo (¡ni quiso!) limitarse a ser un cronista más de las impresiones del momento; sabía, por otra parte, su necesidad de reelaborar sus propias visiones, de rumiarlas y rehacerlas en soledad, y darlas luego a conocer con esa su especialísima «mirada». Tenía puestas muchas esperanzas en algo que no acabó de redondearse como él pensaba; de aquí la confesión de su fracaso en un proyecto casi irrealizable. Pero conviene subrayar que las crónicas que componen *La media noche* tienen indiscutible valor literario. Son violentos y expresivos aguafuertes que, como otro Goya, el artista realiza valiéndose de cuadros —visiones— independientes, con el objeto de que el lector, al tenerlos frente a sí, reunidos en forma de libro, los vaya ensamblando para obtener el gran mosaico mural de una «visión estelar». Pintura miniaturista en apariencia, pero de grandes proporciones en conjunto, que deja al descubierto la brutalidad y los horrores de la guerra. Valle-Inclán, aunque sin ocultar sus simpatías por los aliados, no cae en la tentación de idealizarlos ni los convierte en héroes míticos, como había intentado, en ocasiones, con los carlistas. Junto a la bestialidad teutona pinta, con seguridad de trazo y el más impresionante y sobrio colorido, la implacable venganza del ejército inglés. Es la guerra en toda su crudeza sin embellecimientos, digresiones heroicas ni sutiles propagandas: descripciones de un tremendismo que se hace repugnante y vivo, palpitante cuadro de muerte y violencias, dolor y crueldad que nos comunican el horror que ante tan catastrófico desastre debió sentir el sensible escritor. Nada escapa a su pupila: ni los cadáveres deshechos y semiocultos en los pudrideros fangosos de las trincheras, ni el contenido e inmenso dolor de los padres que ven morir a su criaturita sin poderlo remediar, o el de la madre a la que un soldado alemán ha violado a sus dos hijas doncellas. Para obtener mayor grandeza verista el autor suprime cuanto de heroico pudo haber en las escaramuzas y la subsiguiente rotura del frente que logran los aliados. En tal desolación la auténtica triunfadora es la muerte, que sonríe agazapada tras cada línea de la descripción. Convirtiendo «en trágicos peleles» (*O. C.,* II, págs. 638 y 641) a los pobres «peludos» y animando con su presencia el campo todo de batalla: «La tierra mutilada por la guerra tiene una expresión dolorosa, reconcentrada y terrible» (*ibíd.,* pág. 667).

Esta vez Valle-Inclán no hizo esperpento: lo que tiene ante los

[22] *Ob. cit.,* pág. 137.

ojos es el más crudo y sangriento esperpento de la humanidad. De aquí que la deformación no sea necesaria para que la lección sea comprendida por quienes lean estas crónicas.

8.   «LA ENAMORADA DEL REY»: FARSA ITALIANA

A medida que avanza en la producción Valle-Inclán va dejando más y más al descubierto los rasgos y la intención «esperpénticos» de sus obras. El contenido satírico, presente en todos sus escritos en mayor o menor grado, va aflorando, desnudándose de adornos disimuladores, como si el autor tuviera ya la honda preocupación de que su verdadera intención crítica pudiese pasar desapercibida o, cuando menos, perder cierta eficacia, de seguir envolviéndola en sutilezas irónico-estéticas.

La enamorada del rey es, en este sentido, un paso más hacia el esperpento final y sin ambajes; el doble fondo aparece tan en la superficie, que en el futuro prescindirá de él en varias obras y, cuando lo mantenga será para enseñarnos el doble filo cortante de su navaja crítico-alegórica: la identidad del presente con el pasado, en *El ruedo ibérico,* o la aparente lección religiosa, tras la que se esconde una feroz parábola política de todo un período español, el de la regencia, en *Divinas palabras.*

Contrariamente a lo que mantiene M. Fernández Almagro *(ob. cit.,* pág. 183), no nos parece esta «farsa italiana»... «un cuento escénico más, sin nuevas cualidades que compensen la reiteración de ciertos efectos conocidos». Antes al contrario: bajo la apariencia del «cuento escénico» inocente se transparenta la lección crítico-burlesca contra los puristas extremados. Caricatura clarísima de los académicos y críticos tradicionalistas que tan acerbamente recibieron los nuevos modos de hacer arte literario de los modernistas. El profesor Díaz Plaja, no sin razón, ve a uno de los personajes, don Facundo, al que también se le llama don Furibundo, como la caricatura de don Julio Casares [23]. Maese Lotario, el protagonista de la obra, no

---

[23] «El personaje Don Facundo, al que por su condición colérica se le llama Don Furibundo, y al que caricaturiza como perseguidor de galicismos, obseso de la gramática y enemigo de los nuevos modos poéticos es, probablemente, una caricatura de Casares, aunque algunos rasgos de erudición cervantina hagan pensar en Rodríguez Marín o en Agustín González de Amezua» *(Las estéticas de Valle-Inclán,* ed. cit., pág. 74, núm. 28).

es sino una encarnación del mismo Valle[24], quien defiende no sólo su postura artística, sino la de todo el movimiento modernista.

El débil enredo argumental —la niña ventera que se enamora del Rey por haberlo idealizado en demasía, pero que al contemplarlo de cerca se da cuenta de su engaño, ya que lo ve viejo y feo, sin los atributos reales— es apenas el pretexto de que se sirve Valle para montar un ataque contra el chabacano gusto artístico del «indígena ibero». Maese Lotario, reflejo del Maese Pedro cervantino y anticipo seguro del Compadre Fidel de *Los cuernos de don Friolera,* maneja su retablo de marionetas para combatir la vieja retórica castellana; nacido en Italia, de la que tuvo que huir por haber muerto a un hombre en un duelo, recorre España como bululú, viviendo de su ingenio. Al fin de la obra triunfa sobre sus enemigos —don Furibundo y don Bartolo, conservadores puristas— y es nombrado consejero real.

Juguete cómico chistosísimo en el que abundan los versos hermosos y musicales, en medio de las bromas y pullazos políticos o literarios más oportunos. Valle-Inclán, dominando la manera de hacer una literatura de doble sentido, como si dijéramos, se prepara con esta obrita para sus mejores logros posteriores. La obra que le sigue, *Divinas palabras,* así lo demuestra.

Para el dramaturgo Antonio Buero Vallejo, que ha escrito un acertadísimo y perspicaz ensayo acerca del teatro de Valle-Inclán[25], la farsa de *La enamorada del rey* supera en calidad a *La marquesa Rosalinda:* «... es su sentido último el que la convierte en otro breve y encantador *Quijote,* con su ilusión y con su desengaño, Mari-Justina es la conmovedora "Doña Quijote" que Valle-Inclán recrea»[26].

---

[24] Tal es la opinión de A. Risco y Díaz Plaja; véase *obras citadas,* págs. 90 y 130, respectivamente.
[25] *De rodillas, en pie, en el aire,* en «Revista de Occidente», núms. 44-45, Madrid, nov.-dic. 1966, págs. 132 a 146.
[26] *Ibíd.,* pág. 144.

VIII

DE LLENO
EN EL ESPERPENTO

1. EL DOBLE FONDO DE «DIVINAS PALABRAS», O REALISMO VALLEINCLANIANO

E<small>L</small> año 1920 fue el más prolífico en la vida de Valle-Inclán. Cinco obras vieron la luz en aquellos doce meses[1]. Y aun cuando sea lícito suponer que no todas fueron escritas en tan breve espacio, la publicación de esas cinco obras y la calidad literaria de todas ellas demuestran que por esos años el talento creador de don Ramón estaba en sus momentos más brillantes.

De todo el teatro valleinclaniano, tan injustamente postergado, casi desconocido del público, creo que *Divinas palabras* es la obra más representada y mejor conocida por el público culto de todo el mundo. Y, sin embargo, me temo que la verdadera e intencionada lección que, disfrazada de tragicomedia, quiso darnos en ella su autor haya pasado, hasta ahora, casi completamente ignorada por la crítica y el público. Tras la aparente fábula dramática de esta «tragicomedia de aldea» se esconde uno de los más amargos y sarcásticos esperpentos que me parece no ha sido señalado antes de ahora.

Aquel doble fondo de que hablé al analizar las características del esperpento se nos aparece cada vez más visible y tremendamente

---

[1] *Farsa italiana de la enamorada del rey,* Madrid, Gráficas Ambos Mundos; *El pasajero: claves líricas,* Madrid, Tipografía Yagües; *Divinas palabras: tragicomedia de aldea,* apareció en los folletones de «El Sol», poco antes de ser publicada como libro, Madrid, Tipografía Yagües; *Luces de bohemia: esperpento,* vio la luz en la revista «España», núms. del 31 de julio al 23 de octubre, y como libro, cuatro años más tarde, Madrid, Ed. Renacimiento; *Farsa y licencia de la reina Castiza,* Madrid, «La Pluma», núms. de agosto a octubre; como libro se publicó en 1922.

acusador en esta hermosísima obra teatral. Dicho de otra manera: *Divinas palabras* no es solamente lo que a primera vista parece —una radiografía excelente de un sector humilde del noroeste español, con sus problemas de religión y moral—, sino la más acabada y perfecta esperpentización de toda una época histórica española y de los más importantes personajes de ella. Una sarcástica y acusadora caricatura de España en el período de la Regencia a la muerte de Alfonso XII.

Tras los monigotes disfrazados de Sacristán Pedro Gailo (viejo lúgubre, bizco, descuidado en el vestir, redicho y «que lo estudiaba todo en los libros») y de pícaro Séptimo Miau (su nombre era un misterio, tenía o pretendía tener «pacto con el diablo» y se ayudaba de un perrito sabio para sus fechorías) no es difícil adivinar, cuando se repara debidamente en los detalles, que Valle-Inclán está poniendo en solfa, bajo la apariencia de dos personajes salidos enteramente de su fantasía, a los dos protagonistas de los hechos políticos más importantes de la Regencia, Cánovas y Sagasta. Sería demasiado simplista pensar en meras coincidencias; son demasiados los detalles que apuntan al doble significado de la obra. Imposible la casualidad.

Cuando en 1963, en uno de los seminarios de mi curso sobre Valle-Inclán, en la Universidad de Leeds, uno de mis alumnos [2], aplicando la teoría del «doble fondo» o «transparencia esperpéntica» en las obras de Valle, me planteó la posible interpretación política de *Divinas palabras,* debo confesar que empecé por tener no pocos recelos al respecto. Era cierto que los rasgos del Sacristán y el Farandul coincidían con los de otros dos personajes de *El ruedo ibérico,* cuyos nombres eran los de los conocidos políticos de la Regencia. Receloso, pero movido por la curiosidad, comencé a buscar más semejanzas. Muy pronto me convencí de que la sugerencia del alumno no era tan disparatada como a primera vista pudiese pensarse. Cuanto ocurre en la obra tiene una curiosa equivalencia con los hechos del último tercio del siglo pasado, lo que me llevó a pensar que la «tragicomedia de aldea» tiene en la intención de su autor un significado más acusador del que señalan los críticos; planteada la posible interpretación política de la obra, analizándola a esta nueva luz, a medida que estudiaba todos y cada uno de sus personajes tratando de ver lo que podían tener de seres «históricos», así como lo que po-

---

[2] Mr. John Jones, que se halla trabajando en la actualidad, bajo mi dirección, en una tesis sobre Valle-Inclán.

día desprenderse del enredo mismo, y de la «lección de la obra», tuve que reconocer que, como en un complicado y gigantesco rompecabezas, los mil y un detalles sueltos, pero maravillosamente recortados para que puedan encajar en la trama aparente, se iban agrupando con esclarecedora significación para formar este extraño y atractivo *puzzle* de contenido mucho más amargo del que la obra tenía contemplada desde el ángulo normal. Incluso me parece ahora increíble que nadie haya denunciado antes la semejanza o paralelismo entre lo que ocurre en *Divinas palabras* y lo que sucedió en España desde 1885 hasta principios del siglo actual.

Quizá sea esa primera apariencia de «obra realista», descarnadamente denunciadora y dirigida principalmente hacia un problema de caridad y perdón provocado por otro de moral sexual, lo que haya hecho que los estudiosos no se hayan planteado la posible interpretación política que ahora proponemos. Me parece evidente que Valle-Inclán escribió esta obra en clave para que pudiésemos entenderla de las dos maneras, de otro modo creo que no se hubiera molestado en acumular tan cuidadosamente los detalles que, como veremos luego, terminan por darnos los retratos completos de los dos personajes políticos citados, así como buena parte de los sucesos de la obra tienen su antecedente en los hechos históricos del último cuarto del siglo pasado.

Divinas palabras tiene todas las apariencias de una obra realista. Algún crítico ha dicho a este propósito: «Tal vez sea *Divinas palabras* la primera obra en la que lo real impone totalmente la actitud del escritor..., el cambio de enfoque supone también un mayor acercamiento a la realidad, una máxima toma de conciencia de los temas vigentes en la España de nuestro tiempo... El texto es punzante, violento... esta obra profundamente realista...»[3].

Ahora bien, conviene aclarar que nos exponemos a llegar a conclusiones un tanto arriesgadas si no tenemos en cuenta lo que para Valle-Inclán era el realismo; no copia burda de la realidad, sino recreación e interpretación —idealización— por medio del arte, de esa apariencia que tienen las cosas, los hombres y sus acciones, tratando de calar en lo más íntimo de la llamada «realidad» para explicar el porqué y el cómo de esas apariencias externas y sacar una posible enseñanza. En esta ocasión creemos que se sirve de unas apa-

[3] RAFAEL CONTE, *Valle-Inclán y la realidad,* en «Cuadernos Hispanoamericanos» (Homenaje a R. del Valle-Inclán), núms. 199-200, Madrid, julio-agosto de 1966, página 55.

riencias de realismo (un realismo fingido, si se prefiere) para dejarnos ver lo que su penetrante mirada de artista veía bajo la aparente fábula teatral; no le interesan tanto los hechos de sus personajes ni los mismos personajes en sí, sino lo que esos hechos representan, las personalidades históricas que se esconden tras ellos y la terrible lección que para los espectadores de los años veinte (como para los espectadores de cincuenta años más tarde) significa cuanto acontece en su «tragicomedia de aldea».

Precisamente ese aparente realismo de la obra es el que ha hecho que los espectadores y los estudiosos se hayan conformado hasta ahora con la significación inmediata, explícita, de *Divinas palabras,* sin pararse a pensar que hay infinidad de detalles que están apuntando no a una mera crítica de la superficialidad de la fe religiosa en España —los aldeanos aceptan el perdón de la pecadora precisamente cuando no entienden las palabras del mensaje—, sino a poner de relieve todo el corrompido mundo de los gobernantes españoles, y la descomposición moral a que han llegado tanto los opresores como los oprimidos, en los quince largos años de la Regencia. Toda una época histórica convertida en «tragicomedia»; la obra de Valle-Inclán no es sino un graciosísimo reflejo de la realidad, una brillante «deformación», expresada en un enredo teatral con apariencias de verosimilitud en sí mismo que no es sino una esperpentización de los vergonzantes sucesos históricos, que no habían sido, en opinión del escritor, suficientemente conocidos, pues se los había revestido de cierta dignidad ocultando piadosamente sus lacras. Para el autor, esta falta de escrúpulos morales de los gobernantes, y la subsecuente corrupción de la sociedad española toda, era un mal mucho más arraigado y amenazador que la superficialidad de la fe española, por ejemplo, ya que amenazaba, a la larga, con la decadencia senil cuando no con la misma muerte política del pueblo español.

¿En qué consiste dicho mal? Precisamente —nos dice entre líneas, que es como dice las cosas siempre Valle-Inclán— en el absurdo empeño de los españoles por seguir consolándose con una especie de limbo de pasadas grandezas, mientras están siendo vilmente engañados por unos cuantos pícaros sin conciencia (políticos y terratenientes, oligarcas, clero reaccionario y burguesía de nuevo cuño). Toda esta caterva de explotadores, capitaneada por los políticos, bien seguro, se unen —aunque para guardar las apariencias se ataquen en público y se echen en cara defectos y males que no tratan de reparar en ningún momento, como sería su obligación si fuesen verdaderamente honrados— mientras embaucan con hermosas (¡y divinas!) palabras al pueblo simple, incapaz de entender tal jerigonza, pero que en su ignorancia respeta temeroso. Son las «divinas palabras» del Congreso y los discursos oficiales con las que los políticos y gobernantes encubren o disimulan sus acciones, sus acuerdos secretos para seguir aprovechándose —robándole descaradamente— del pobre inocente; «divinas palabras» que saben convertir en himnos heroicos los múltiples asesinatos de los infelices jóvenes enviados sin escrúpulos al matadero de las últimas colonias y a las escaramuzas africanas. Los jóvenes pobres, naturalmente, ya que los pudientes, mediante el pago de una determinada cuota, se liberaban del servicio militar.

Solamente así, mirando al trasluz, podremos entender totalmente el mensaje acusador que con tan intencionada ridiculización y mofa, como cuidado técnico, depositó el autor en esta obra. Pintura costumbrista en la apariencia —descripción de una determinada esfera del pueblo rural español— bajo la que se transparentan los rasgos violentados, pero todavía reconocibles, de hechos y personajes reales a los que ha ido convirtiendo en criaturas, fantoches a veces, y acontecimientos de tragicomedia. Auténtica radiografía «esperpentizada» de un pedazo nada glorioso de la historia de España. Una historia de España que en opinión del autor podía ofrecer una lección muy provechosa para sus tiempos, ya que la mayoría de los males que la aquejaban seguían siendo los mismos, y... aún para los posteriores, pues no estamos muy seguros de no haber escuchado alguna vez esas «divinas palabras» que sirven para encubrir barbaridades o crímenes, cometidos en nombre de la justicia y el orden. Fábula, o mejor, parábola política, disfrazada con la piel de cordero de una pura invención literaria... con visos realistas.

Como había hecho antes en *La guerra carlista* y *Una tertulia de antaño* (en donde, como se verá, trazó el primer satírico retrato de Cánovas que nos facilitó una de las primeras pistas que nos hizo pensar en un posible significado «oculto» de *Divinas palabras*), Valle se vuelve a servir de la historia patria con objeto de ilustrar sus lecciones más serias. Esta vez convirtiéndola en parábola total, deformándola sutilmente, esperpentizándola.

Aun cuando lo que acontece en *Divinas palabras* tiene caracteres trágicos, Valle prefirió imprimirle un tono general de comedia farsesca, por lo que la califica de tragicomedia; como sitúa la acción en un lugarcillo rural, completa la calificación llamándola «tragico-

media de aldea». Limita así en apariencia el alcance de su fábula,
si bien no se le escapa al perspicaz escritor que cuanto más y mejor
color local tenga un argumento, mayor capacidad de símbolo nacional adquiere; por otra parte, al imaginarse a España, en abstracto,
todavía hoy piensa uno (y con más razón en 1917) no en el ajetreado
mundo de las grandes ciudades o regiones industriales, sino en las
pequeñas aldeas y pueblos desparramados por su geografía. Además,
¿no era España comparada con los países más adelantados de Europa,
Alemania, Francia, Inglaterra, los países nórdicos, una especie de
región atrasadísima que en pleno siglo xx se empeñaba en seguir
viviendo sin tener en cuenta, ni desearlo, el progreso de los otros
pueblos...? El mejor símbolo, para su oculta alegoría, lo daba una
pequeña aldea; ningún escenario más apropiado para la intencionada
parábola dramática que un rincón cualquiera del agro español. Por
ello escogió su amada Galicia, donde el ambiente de ferias y romerías
del otoño se presta como de molde para servir de base a esa patulea
de pícaros y corremundos, aventureros de toda laya que viven en
franco contraste (y a su costa) con la sociedad estable.

Nunca se ha puesto en duda el que Galicia sea algo más que el
mero escenario de la obra. Para F. Almagro: «No es otro el protagonista de *Divinas palabras* que Galicia misma, la entera Galicia
rural, sorprendida en caminos, cruceros, caseríos y romerías, según
la incorporan mendigos, feriantes, viejos lugareños, mozas hechiceras,
posesos, labriegos, en desfile circular: las gentes dan la vuelta y
los extremos se tocan en el contacto de su observación y la fantasía» [4].

Opinión similar mantiene, para no citar más que otro ejemplo,
la estudiosa argentina Angélica Lacunza: «Toda Galicia se une allí
con plasticidad realista y verdad cruda. Acción y personajes sacuden
vivamente por la fuerza de su impiedad» [5].

Sí; es innegable que Galicia está visible y real en *Divinas palabras*. Pero lo que no nos han dicho los críticos es que esta vez
lo regional en la obra está representando un doble papel: *a)* realista,
en cuanto nos muestra una fábula de moralidad sexual y perdón más
o menos cristiano localizada con belleza y sabiduría artística en una
pequeña aldea del noroeste español (en realidad, lo que Valle está

---

[4] *Ob. cit.*, pág. 182.
[5] Angélica Lacunza, *Itinerario del teatro valleinclaniano,* en *Ramón del Valle-
Inclán* (Estudios reunidos en conmemoración del centenario), Universidad de la
Plata, 1967, pág. 275.

implicando es la superficialidad de la fe de esos aldeanos que obedecen el mandato divino cuando se le pide con palabras que ellos no pueden entender y obedecen y perdonan más por temor que por verdadera fe), y *b)* un papel puramente simbólico en la alegoría política que con tanto cuidado fue dibujando bajo las aparentes desventuras que surgen al enfrentarse las dos maneras de vivir, la de los pícaros errabundos frente a la que llevan los lugareños sedentarios.

2. SIGNIFICADO APARENTE DE LA OBRA

La tragicomedia está dividida en tres jornadas, la primera de las cuales tiene cinco escenas, diez la segunda y cinco la tercera, obedeciendo a un cuidado plan estructural. De estas quince escenas, once transcurren al aire libre y cuatro son interiores, tres en casa de los Gailo y una en la taberna de Ludovina. A la manera de las *Comedias bárbaras,* la acción se desarrolla en múltiples escenarios (doce en total, ya que algunos se repiten) y al autor no parecen importarle las dificultades que el futuro director teatral tendrá que resolver a la hora del montaje. La libertad imaginativa de Valle reposa en una escenografía que toma parte en el drama y, a diferencia de las recortaditas «decoraciones» que servían de fondo a las obras de principios de siglo, la suya traduce en significativo color o luces apropiadas ciertos matices dramáticos, y hasta emociones, que no son sugeridas necesariamente por los diálogos. El drama de Valle se apoya también en lo visual, lo puramente plástico que más de una vez realza, complementa o incluso sirve de contraste brutal a lo que dicen los personajes; tal, por ejemplo, la última escena de *Divinas palabras,* cuyo verdadero contenido acusatorio, no del pecado de la adúltera, sino de la ruindad de los lugareños, radica en su mayor parte en la pura belleza de color y composición del cuadro total: un paisaje de atardecer otoñal sobre el que se destaca una carreta de bueyes cargada de heno, encima de la cual pasean los aldeanos, con grosero disfrute, a la hermosa pecadora Mari Gaila, totalmente desnuda.

Para la mayoría de los críticos la lección aparente de *Divinas palabras* estriba en que pone al descubierto sin embellecimientos idílicos una Galicia miserable, pecadora y milagrera, cuyos individuos no hacen caso de lo que su religión oficial les ordena más que cuando se les habla en una lengua incomprensible para ellos, pero a la que temen. Superficialidad en su fe, crueldad con la pecadora, egoísmo, avaricia, lujuria y cuantos vicios puedan imaginarse, dominan a esa sociedad que Valle-Inclán nos muestra en sus dos variantes, la sedentaria, o establecida, representada por los Gailo y demás lugareños, y la de los corremundos sin ley moral ni freno alguno, representada por los mendigos y pordioseros, truhanes y sacadineros de toda laya que corren por ferias y mercados. Es pues, concluyen casi todos los críticos, otra denuncia más del malestar social del país, ya que de la pequeña aldea gallega podemos pasar, por extensión, al resto de la Península.

No seré yo quien mantenga que tal interpretación sea errada; lo que me parece es que ésta no es la única posible significación o lección de la obra, sino que se me aparece en ella otra intención más «valleinclaniana», mucho más sutilmente sarcástica. A través de un prodigioso esperpento, disimulado bajo las apariencias de un realismo costumbrista excelente, el autor muestra un pedazo nada ejemplar de la historia de España y juzga y acusa con el más violento desenfado a sus protagonistas, como trataré de demostrar en seguida.

Fernández Almagro mantiene, hablando de esta obra: «Nada hay en *Divinas palabras* que no esté en *Flor de santidad* o en *Romance de lobos* o en *El embrujado*. Lo que el autor añade es sencillamente hondura y calidad»[6]. Estamos absolutamente de acuerdo. Valle no hizo sino profundizar y mejorar en todos los aspectos cuanto había hecho en las obras anteriores. Y aun cuando sospecho que el crítico se está refiriendo más bien al aspecto estilístico, de técnica dramática y argumental, me parece que sus palabras tienen, para mí al menos, mucho más alcance del que él mismo creyó poner en ellas. No sólo se parece esta obra a sus hermanas por ser una perfección, un paso más en la línea teatral emprendida por Valle en aquéllas, sino precisamente (y esto creo que se le escapó enteramente a Fernández Almagro) porque, como en aquellas obras, el autor está jugando con un significado aparente y otra interpretación oculta, pero suficientemente indicada, mucho más subversiva y «desmitificadora». *Divinas palabras* es obra realista cuando no se trata de penetrar en sus mayores profundidades o de buscar ese «doble fondo» de que hablé al estudiar el esperpento en general; deja de ser obra realista (de un realismo tradicional, quiero decir, ya que, repito, incluso en su segundo

---

[6] *Ob. cit.*, pág. 182.

significado me parece ver muchísimo realismo) pasando a ser obra esperpéntica cuando descubrimos que esos tipos, en apariencia tan «sacados de la realidad», están siendo utilizados por el autor para encarnar otros personajes mucho más importantes (y, paradójicamente, mucho más reales que los otros), que pertenecen a la verdadera historia, nada brillante por cierto, de nuestro país durante los últimos quince años del siglo XIX.

A poner de relieve el realismo de *Divinas palabras,* la actualidad de los problemas que Valle-Inclán deja al descubierto en su obra, está dedicado el intencionado artículo de Francisco Olmos García *Actualités de «Divines paroles»* [7]. Analiza el crítico lo que todavía hoy sigue siendo problema sin solución y lo compara con lo que el escritor denunciaba casi medio siglo antes. La conclusión a la que llega no es muy optimista: «Depuis la publication de *Divines paroles,* les faits et les personnages qui s'y trouvent subsistent encore.» Y termina: «A en juger par les faits *Divines paroles* n'a pas seulement une actualité brûlante dans le moment que nous vivons; mais, au contraire, cette actualité persistera encore longtemps» [8].

El crítico teatral Michel Zéraffa decía en un artículo publicado en la revista «Europe», con motivo del estreno de *Divinas palabras* en París, en 1963: «Valle-Inclán nous montre un pays qui s'évade de sa misère en recourant aux sortilèges, aux fantômes, aux diables, aux superstitions, à l'alcool» [9]. Compara el trabajo de Valle con el de Lorca y señala sutilmente la diferencia: «Comme Lorca, Valle-Inclán montre l'Espagne primitive, mais chez Lorca les magies ancestrales ont un rôle positif, ce sont la réalité du peuple en attendant d'autres réalités, tandis que Valle-Inclán plonge tout dans une atmosphère de dérision. Disons que les sordides mythologies de ses personnages misérables équivalent aux pauvres illusions bourgeoises, aux sublimations des personnages de Tchékhov» [10].

Muy interesante es el estudio de Robert Marrast, traductor de la obra al francés [11]. Analiza en detalle *Divinas palabras* y hace notar la novedad de técnica y libertades dramáticas con respecto al teatro

---

[7] Publicado en «Cahiers Renaud-Barrault», núm. 43, Ed. Julliard, París, marzo 1963, págs. 45-55.

[8] *Art. cit.,* págs. 54-55.

[9] *Deux oeuvres de Valle-Inclán,* en «Europe», núms. 409-410, París, mayo-junio 1963, pág. 287.

[10] *Ibíd.,* pág. 287.

[11] ROBERT MARRAST, *Quelques clés pour «Divines paroles»,* en «Cahiers Renaud-Barrault», núm. 43, Ed. Julliard, París, marzo 1963, págs. 18-35.

español del tiempo. Enfrentando las dos maneras de vivir, Valle
—dice el crítico— señala el fracaso de la moral tradicional en Galicia, siendo el problema sexual uno de los temas mayores de la obra.
El instinto sexual empuja a Mari Gaila en brazos de Séptimo; no
puede hablarse de inmoralidad. La muerte acompaña al amor y los
personajes de ambos mundos están dominados por la sensualidad.
No es un final optimista; el perdón de los campesinos tal vez es
temporal, refugiándose los protagonistas en la Iglesia, como el criminal en otros tiempos. La mujer es una esclava del orden social,
según Valle, regido este orden por unas normas religiosas que obli-
gatoriamente son normas de vida; cuando no hay una fe profunda,
la moral así concebida lleva a la rebelión del individuo. Subraya el
crítico la importancia que la monstruosidad y el monstruo Laureaniño tienen en la obra, gusto muy español desde Valdés Leal, Quevedo, Goya, Solana y artistas contemporáneos como Ortega, Zamora-
no, etc. Termina el análisis con esta conclusión: «Il n'est pas néces-
saire de s'interroger sur la localisation temporelle de l'oeuvre; elle
ne contient aucune outrance à atténuer... La Galice de Valle-Inclán
est encore celle d'aujourd'hui: eût-il écrit hier *Divines paroles* qu'il
n'y eût pas changé un mot» [12].

Con mucha sagacidad ha subrayado Antonio Buero Vallejo la
ambivalencia de las escenas finales de *Divinas palabras* [13]. Además
de la ironía que los estudiosos suelen ver en este milagroso perdón
debido a la ignorancia campesina y la burla del mito religioso, ve
el dramaturgo cómo los campesinos intuyen por la emoción solemne
del «milagroso latín»; cómo el mismo sacristán ha comprendido —in-
tuido— tras la fracasada experiencia del suicidio; y cómo la misma
pecadora Mari Gaila, al contemplar la cabeza del idiota muerto
«... se le aparece como una cabeza de ángel»; en otras palabras, per-
cibe «... lo que de sagrado hay en toda criatura humana. La mirada
última que Valle lanza al cadáver del bufón y al resto de los protagonistas esperpénticos ya no es "goyesca", sino velazqueña. La tragicomedia termina en una verdadera catarsis» [14].

[12] *Ibíd.*, pág. 35. Véase también en la misma revista los ensayos siguientes: CHAR-
LES V. AUBRUN, *Une farce tragique*, págs. 9-17; SIMONE SAILLARD, *De D'Annunzio
a Valle-Inclán ou la naissance d'un auteur dramatique*, págs. 36-44; el ya citado
Actualité de «Divines paroles», de FRANCISCO OLMOS GARCÍA, págs. 45-55, y la
nota de ARTHUR ADAMOV titulada *Une pièce progressiste quand même...*, págs. 56-58.
[13] A. BUERO VALLEJO, *De rodillas, en pie, en el aire*, en «Revista de Occidente»,
núms. 44-45, Madrid, nov.-dic. 1966, págs. 132-145.
[14] *Ibíd.*, pág. 139.

César Barja, en su ya citado estudio [15], afirma que *Divinas palabras* es el drama más popular de Valle, hasta el punto de que apenas hay en la obra personajes independientes, siendo Galicia, el pueblo gallego, el verdadero protagonista. A parecidas conclusiones llega en su estudio J. de Entrambasaguas [16].

El crítico inglés J. L. Brooks opina en su ensayo *Los dramas de Valle-Inclán* [17] que «... Galicia sufrió el azote de su sátira en *Divinas palabras*» (pág. 180), presenciándose en esta obra «... la bajeza de la vida moderna» (pág. 189), no idealización de la región gallega; toda la sociedad está impregnada de hipocresía e inmoralidad, temerosa del poder de la autoridad, y los vecinos son hostiles a la sacristana por envidia y brutalidad, y cuando la sorprenden en una acción reprensible satisfacen su sadismo mostrándola desnuda. Aun cuando tenga cierta falta de unidad de acción a los ojos del crítico, considera que esta obra, aunque imperfecta, es la mejor de sus comedias gallegas.

El escritor Arthur Adamov, al estrenarse *Divinas palabras* en París, temeroso de que la obra de Valle fuese tomada demasiado al pie de la letra y, en consecuencia, su autor pudiera ser tenido por un reaccionario más, escribió un corto artículo titulado significativamente *Une pièce progressiste quand même...* [18]. No considera a la obra ni como reaccionaria ni como religiosa; el milagro, según él, no tiene otro efecto que el de poner fin a la orgía, generadora posible de alborotos en una sociedad podrida —literalmente podrida— que el clero y la fuerza pública, juntamente, tienen por deber que mantener como es; el lenguaje de la obra le parece a Adamov menos literario que el de Lorca. Y termina por concluir astutamente «... que la pièce permet, par son caractère ambigu, une interprétation tout autre que celle que je propose. Il y suffit, sans doute, d'un coup de pouce» [19]. Efectivamente. Otros textos de Valle-Inclán nos lo facilitaron, como veremos.

---

[15] César Barja, *Libros y autores contemporáneos,* Ed. Librería V. Suárez, Madrid, 1935.

[16] J. Entrambasaguas, *Leyendo a Valle-Inclán (Notas al márgen),* en «Cuadernos de Literatura Contemporánea», núms. 13-18, 1944-46, págs. 539-591.

[17] En *Estudios dedicados a Menéndez Pidal,* Ed. C.S.I.C., Madrid, 1957, volumen VII, págs. 177-198.

[18] Arthur Adamov, *Une pièce progressiste quand même...,* en ob. cit., páginas 55-58.

[19] *Ibíd.,* pág. 57.

3. LOS PERSONAJES Y LOS SUCESOS HISTÓRICOS VISTOS POR VALLE-INCLÁN

Es evidente, después de todas las opiniones expuestas, que *Divinas palabras* tiene a primera vista todas las apariencias de una obra realista; mas conociendo las aficiones de don Ramón a poner en todo lo que escribió una lección aparente y otra más escondida, más subterránea y por lo general de crítica mucho más descarnada, no nos conformamos, al estudiarla, con esa denuncia social y esa religiosidad triunfante del final de la obra. Así, pues, temerosos siempre de las interpretaciones esotéricas, pero empujados por el deseo de una mejor comprensión de la obra, comenzamos una exploración por otros caminos al descubrir las curiosas coincidencias de determinados personajes y hasta de no pocas acciones de la obra, con hechos y personajes históricos de una determinada época, búsqueda que muy pronto dio sus frutos. No hizo falta esperar a la «lección final», la del perdón milagroso, para que empezásemos a ver que nuestras sospechas eran fundadas. Desde la primera escena nos habían llamado la atención detalles que estaban apuntando hacia dianas muy distintas y distantes de las que se nos ponían ante los ojos. En lugar de conformarnos con ese realismo tan ponderado por los estudiosos (y que no negamos, entiéndase bien, sino que lo vemos solamente como un vehículo magnífico de que se sirvió el autor para darnos una vez más su simbólica lección amarga e intencionada), nos planteamos la duda de si *Divinas palabras* no se referiría a otras «divinas palabras» —esta vez con minúscula el adjetivo— con las que se ha embaucado al pueblo español en más de una ocasión desde los estrados políticos y gubernamentales del país. Divinas palabras o nieblas políticas incomprensibles para el vulgo tras las que se disimulan las peores fechorías y turbios manejos encaminados a despojar al infeliz ciudadano de sus derechos; para robarle sin rodeos, para explotarlo y corromperlo cuando llega la ocasión.

Con habilidad y técnica magistral el autor ha dramatizado una situación de la historia de España; ha «esperpentizado» figuras y hechos de 1885 —y posteriores— con la intención explícita de acusar a los gobernantes desaprensivos de 1920 de situaciones semejantes. Desenmascarando personajes y situaciones de un tiempo no muy lejano que pasaban por «decentes», cuando no se nos pretendía hacer creer que eran «ejemplares», Valle denuncia males que persistían en la década de los años veinte y que amenazaban con llevar al país a una catástrofe cierta. Fingiendo que está hablando de otra cosa, convierte a los políticos de más importancia del siglo XIX español en ridículos personajillos de retablo. Revive con habilidad suma tan poco gloriosos trapicheos entre los dos jefes de los partidos políticos, convirtiendo a Cánovas en un viejo sacristán de aldea y a Sagasta en un redomado pillo que seduce a la mujer de su rival y escapa, triunfador, a la hora de descubrirse su adulterio. Con una técnica perfecta de realismo simbolista, Valle nos da su opinión, lanza su anatema acusatorio contra hechos y personajes muy mal conocidos antes que él se tomara la molestia de arrancarles las máscaras, sirviéndose para ello, paradójicamente, de otras más eficaces de su invención, las del esperpento. Veamos cómo se refiere a personajes y acontecimientos dándonos, bajo «clave», unas imágenes muy «realistas», sólo que disimuladas por la grotesca máscara esperpéntica.

a) *Cánovas del Castillo*

Fueron otros textos de Valle-Inclán los que me facilitaron los primeros datos para la identificación de dichos personajes. En obra tan temprana como *Una tertulia de antaño* —de 1910, como se recordará— se hace esta oportuna referencia al jefe del partido conservador: «Ahora a la comparsa alfonsina le ha dado por decir que ese bizco tiene mucho talento. Talento de dómine que lleva la palmeta colgada de la pretina» (*O. C.*, II, pág. 332). Del «dómine» de 1910 al «sacristán» de diez años más tarde no va tanta diferencia; se trasluce ya la visión estilizada en la mirada del autor.

En *Baza de espadas,* la última e inacabada obra de Valle-Inclán, aparece de nuevo la figura de Cánovas; lo contemplamos primero en la biblioteca del banquero don José de Salamanca: «El señor Cánovas del Castillo repasaba las estanterías, asegurándose los quevedos, con nerviosa suficiencia, la expresión perruna y dogmática. Era de una fealdad menestral, con canas y patas de gallo» [20]. Cuando dialoga, poco después, con el importante financiero, se subraya que «... rectificó con pedante gramática el señor Cánovas...». Y cuando Salamanca lo llama «pozo de ciencia» y dice que en la política como

---

[20] *Baza de espadas,* Ed. Espasa-Calpe, Col. Austral, Madrid, 1961, pág. 19.

en las finanzas los estudios son menos importantes que «el golpe
de vista» y que «... los Napoleones no se hacen en las bibliotecas...», replica amostazado Cánovas: «Napoleón no era un ignorante... Es una especie totalmente equivocada..., *había estudiado mucho en los libros* antes de estudiar en los hombres». Hemos subrayado la expresión que Valle había utilizado casi idénticamente en
Divinas palabras; cuando Séptimo Miau, luego de una discusión, le
dice: «Tiene usted mucho saber, compadre», Pedro Gailo contesta:
«Estudio en los libros» (I, pág. 782). Volviendo a *Baza de espadas,*
vemos luego, y lo escuchamos hablar, que es más importante, un retrato más completo: «El señor Cánovas del Castillo peroraba con
áspero ceceo y regalía de la jeta menestral. Tenía su discurso un en-
cadenamiento lógico y una gramática sabihonda, de mucho embrollo
sintáxico.» Continúa después un largo discurso lleno de pedantes
y nada claras razones que termina con este deseo: «... abandono la
lucha política para consagrarme por entero a mis estudios de aficionado a las letras» [21].

Si cuando nos lo presenta sin disfraz alguno lo ridiculiza de tal
manera, ¿qué extraño será que cuando quiera servirse de su figura
en una parábola vejatoria y política lo satirice aún más...?

Claro que tampoco puede decirse que Valle desfiguró demasiado
a Cánovas al retratarlo como «sacristán ilustrado» en su tragicomedia. Veamos la pintura que del político nos hace un historiador re-
putado por su seriedad: «El monstruo, como le llamaban, se sintió
superior a la mayoría de sus coetáneos, y esto, aunque no lo justifique, explica la altivez de don Antonio..., que por su talento se
había encumbrado desde las capas más modestas de la clase media
a los altos puestos del Estado... *Aquel mozo escuálido, pequeño,
moreno, con pronunciado estrabismo en la mirada, descuidado en el
vestir y en continuo movimiento la fisonomía por un tic nervioso,*
llegó a Madrid sin recursos...» [22]. En las acotaciones de *Divinas palabras* pueden espigarse todos los detalles que del retrato de Cánovas,
hecho por Ballesteros, hemos subrayado; el tic nervioso le hará —en
la obra— mover las manos, produciendo un tintineo de llaves, y
levantar los brazos, muñequizándose aún más el personaje; el autor
está aprovechando detalles verdaderos para dar más vigor a su criatura teatral.

---

[21] *Ibíd.*, págs. 21-23.
[22] Antonio Ballesteros Beretta, *Historia de España y su influencia en la historia universal,* Ed. Salvat, Barcelona, 1936, vol. VII, pág. 287.

Incluso el conocido político Olázaga —nos dice el historiador— «... al conocerlo, lanzó un equivocado vaticinio: Tendrá todo el talento que ustedes quieran reconocerle, pero la facha resulta deplorable» [23]. Nos cuenta cómo de joven llegó Cánovas a Madrid, empleándose en oficinas, estudiando denodadamente durante las noches, luchando por abrirse camino en la política y encerrándose horas y horas en las bibliotecas; en cuanto a sus tendencias políticas, leemos esto: «Sus primeras simpatías políticas fueron para el partido moderado y la fracción llamada de los puritanos (entre los que figuraban el banquero malagueño Salamanca, Pastor Díaz, algunas veces el general Serrano y don Francisco Pacheco). Aparte la ideología de Cánovas, con la que fue consecuente durante toda su existencia, daba la casualidad de que los puritanos contaban entre los más conspicuos personajes al banquero Salamanca, malagueño y paisano de Cánovas» [24]. Y aunque el historiador da la razón a quienes acusan al político conservador de «doctrinario», dice que «ni su erudición ni los conocimientos teóricos nublaron su entendimiento en los momentos decisivos de su vida política». Nos habla de sus dos matrimonios (perdió a su primera mujer a los cuatro años escasos de haberse casado), y en cuanto al segundo, no silencia que los amigos de Cánovas calificaron el hecho de «terrible disparate», ya que, como sabemos, don Antonio contaba cerca de sesenta años cuando contrajo

---

[23] *Ibíd.* La caracterización que hace Valle-Inclán de Cánovas no nos parece tan exagerada cuando leemos retratos y descripciones serias del gran político; quien vea en Pedro Gailo una grotesca y malintencionada caricatura, debiera tener en cuenta descripciones como las que siguen: «... y se veía negro el criado [al afeitarlo]... para no cortarle, porque Cánovas era muy nervioso y hacía gestos conforme a las impresiones que el asunto de las Cortes o informes le producían» (MARQUÉS DE LEMA, *Mis recuerdos,* Ed. Ciap, Madrid, 1930, pág. 169). Y Fernández Almagro, en su admirable biografía del jefe conservador, no creo que intentase hacer «caricaturas» al describirlo en estos términos: «Cánovas presentaba por aquel entonces un aspecto insignificante. Pequeñito, delgaducho, moreno, con estrabismo pronunciado, no tan descuidado en el vestir como fuera más adelante y moviendo la fisonomía constantemente por efecto de un tic nervioso.» O este otro retrato que el biógrafo toma de prestado: «Los tics nerviosos de su juventud no desaparecieron, a juzgar por lo que leemos en Cañamaque [autor de *Los oradores de 1869,* Madrid, 1879] con referencia al Cánovas de las Cortes Constituyentes de 1869: «No creáis que su presencia revela nada de lo que es... Parece un hombre vulgar si lo contempláis sin saber quién es... Su estética no dice nada. Cálase los lentes con cierto garbo, guiña que es una compasión, tuerce la boca, hace mil gestos y contorsiones, se abre la raya a un lado...» (MELCHOR FERNÁNDEZ ALMAGRO, *Cánovas,* Ed. Ambos Mundos, Madrid, 1951, pág. 34). Valle-Inclán pudo documentarse ampliamente no sólo en las publicaciones jocosas de la época, en donde abundaban las caricaturas más despiadadas, sino en multitud de libros serios, crónicas y memorias, cuyas descripciones de Cánovas coinciden con rara unanimidad en pintarlo con rasgos nada favorecedores. Esta vez el retrato rayaba en el esperpento.

[24] A. BALLESTEROS, *ob. cit.,* pág. 282.

matrimonio con la joven y bella señorita Joaquina Osuna y Zabala, de la «sociedad aristocrática de Madrid».

Creo que basta con cuanto llevamos apuntado de la persona real de Cánovas, para que tengamos una idea de los rasgos esenciales de su figura y seamos capaces de ver lo que, con ellos a la vista, realizó Valle al incorporarlo a su obra.

Nadie mejor que un sacristán puritano y pretencioso, reaccionario y brutal con su mujer (aunque para su desgracia, ésta, más joven y decidida que él, se le suba a las barbas y no le tolere impertinencias) para encarnar la figura del ilustre político en la mojiganga teatral que como otro *enxiemplo* de retablo inventa don Ramón.

El personaje no está ya en la flor de la edad: «Es un viejo fúnebre, amarillo de cara y manos, barbas mal rapadas, sotana y roquete. Sacude los dedos, sopla sobre las yemas renegridas, las rasca en las columnas del pórtico. Y es siempre a conversar consigo mismo, huraño el gesto, las oraciones deshilvanadas» (*O. C.,* I, pág. 725); medio calvo, «... cuatro pelos quédanle de punta». Hay repetidas referencias al pronunciado defecto visual del político. «Sus ojos con estrabismo miran...», «Pedro Gailo pone su ojo bizco sobre el enano...» (I, pág. 727). «El sacristán, limpiándose los ojos, donde el estrabismo parece acentuarse...» (I, pág. 737), «... El sacristán se vuelve con saludo de Iglesia, y bizcando los ojos sobre el misal abierto...» (I, pág. 788).

Su descuidado aspecto en el vestir acentúa su vejez, y lo ridículo de su figura —siempre con sotana y roquete— queda realzado al máximo con el nervioso levantar los brazos al cielo y mover las manos, donde resuenan pesados llaveros. El personaje se va muñequizando progresivamente a lo largo de la obra; va dejando al descubierto sus limitaciones: esclavo de una moral y un género de vida que se vuelven contra él. Su sexualidad insatisfecha, que el alcohol deja al descubierto al privarlo de inhibiciones, se torna incestuosa inclinación hacia su propia hija, mientras la compañera de su vida, saltándose a la torera tales convenciones, se entrega feliz y repetidamente al farandul. Quiere poner freno a las libertades de su mujer, pero su debilidad se lo impide; tampoco puede tomarse la justicia por su mano, como le recomienda su propia hermana Marica, y busca consuelo emborrachándose, es decir, huyendo de la realidad. Simoniña, su hija, la única que parece conservar los pies sobre el suelo en todas las circunstancias le recomienda se busque una amante fuera de casa para solucionar sus problemas carnales, pues ella no toleraría su presencia en la casa «que otra a gobernar, aquí no entra»; pero Gailo, despojado de los vapores del vino, volverá al continuo renegar, a su triste infelicidad. De nada le valen sus conocimientos, lo que «ha estudiado en los libros», para hallar la felicidad. Acepta las ganancias de su mujer —tres duros de plata— cuando regresa al domicilio conyugal con el baldadiño muerto, aunque sabe que le han costado su deshonor, pues está convencido del adulterio de su esposa, del fracaso de su «política» matrimonial.

Tal vez donde la esperpentización me parece más sutil y mejor lograda sea en los monólogos de Pedro Gailo; el hablar pedante de los retóricos decimonónicos está deliciosa y sutilísimamente parodiado. Casi llega a la incoherencia en ocasiones, contrastando siempre con la libre y espontánea manera de expresarse de su mujer, o el habla aún más popular y bellamente recreada del mundo de los errabundos y pordioseros. (Valle, en esta obra, convirtió los dichos más vulgares, las expresiones más ordinarias del habla de la calle, en joyas literarias de una fuerza antes insospechada.) Ilustremos lo dicho con algunos ejemplos: «Marica del Reino: "¡Tarde vos dieron el aviso! Yo llevo aquí el más del día, casi que estoy tullida de la friura de la tierra." Pedro Gailo: "El hombre que tiene cargo no dispone de sí, Marica. Y ¿cómo fue que aconteció esta incumbencia?" Marica: "¡Ordenado estaría en la divina proposición!" Pedro Gailo: "¡Cabal! Pero ¿cómo fue que ello aconteció?"» (I, pág. 737). Toda la escena sexta, de la segunda jornada, en la cual Pedro Gailo discute con su hija la venganza que debe tomar de su esposa, es admirable. Cuando aún no está borracho del todo, monologa así: «¡He de vengar mi honra! ¡Me cumple procurar por ella! ¡Es la mujer la perdición del hombre! ¡Ave María, si así no fuera, quedaban por cumplir las Escrituras! ¡De la mujer se revira la serpiente! ¡Vaya si se revira! ¡La serpiente de siete cabezas!» Su propia hija, Simoniña, se burla de su discurso: «¿Qué barulla mi padre? ¡Ande a dormir!» (I, págs. 757-758). Cuando, muerto el enano, manda a su hija llevárselo a la cuñada, habla así: «Hay que evitar pleitos entre familias. Simoniña, tú le dejas el carretón a la puerta y te caminas sin promover voces» (I, pág. 769). Da luego las órdenes para exponer el cadáver del enano a la puerta de la iglesia: «Hay que muy bien lavarle la cara, rabecharle las barbas que le nacían y ponerle su corona de azucenas. Como era inocente, le cumple el rezo de ángel» (I, pág. 775). Y en la disputa final con su enemigo: «"Ver y saber son frutos de la misma rama. El Demonio quiso tener un ojo en cada sin fin, ver el pasado y el no logrado." Séptimo Miau: "Pues se salió con la suya." Pedro Gailo: "La suya era ser tanto como Dios, y cegó ante la hora que nunca pasa. ¡Con las tres miradas ya era Dios!" Séptimo Miau: "Tiene usted mucho saber, compadre." Pedro Gailo: "Estudio en los libros"» (I, págs. 781-782).

b) *Sagasta*

La intencionada esperpentización de Cánovas, imaginado como sacristán de aldea gallega, tiene relativa nobleza si la comparamos con la estampa subida de color y ferocidad crítica que de Sagasta se nos da en esta obra, en la figura del sacadineros sin escrúpulos, domador de animalitos que es el Compadre Miau.

También fue otro texto posterior de Valle el que corroboró nuestras sospechas iniciales. En *Baza de espadas* figura, entre los españoles que viven en Londres, con nombre y apellidos, don Práxedes Mateo Sagasta; desde el primer retrato que se nos hace vemos cómo Valle lo contempla siempre como a un pícaro redomado, aspecto de vagabundo tan lleno de astucias como falto de escrúpulos: «Detrás, Sagasta, manos en los bolsillos, tupé de farandul napolitano: Le faltaba una mona sobre el sombrero y el perro sabio con el platillo para recoger los cobres» [25].

Si Cánovas era un reaccionario contumaz, Sagasta, para Valle-Inclán, era el ejemplo del vividor deshonesto, pillo consumado dispuesto a cualquier jugarreta con tal de vaciar los bolsillos del crédulo populacho: «El amigo Práxedes, con maleante gracejo, remedaba el hablar extranjerizo, las ges y erres gordas del pretendiente» (*ibíd.*, pág. 167). Y en presencia del general Cabrera (con quien había ido a parlamentar, recuérdese) lo vemos así: «El amigo Práxedes, que *siempre inauguraba la feria de engaños con simpáticas zalemas,* ahora sentíase coartado, invadido por una frialdad espiritual que le abolía sus premeditadas efusiones y *todas sus artes paparrucheras de gran farandul.* Parecía que mudase de sustancia psíquica al oírse llamar con tan exacta y meticulosa impertinencia Señor de Mateo» (*ibíd.*, pág. 171). Hemos subrayado los rasgos del personaje que figuran en *Divinas palabras.* Unas líneas antes lo contemplamos acudiendo a la cita con Cabrera: «El señor Sagasta, muy tronado de

[25] *Baza de espadas,* Col. Austral, Madrid, 1961, pág. 161.

pergeño, airoso, con la chistera de medio lado, subía por la avenida de los tilos conversando con el jardinero. El conde de Morella salió a recibirle. *Este es un gitano,* será bien que yo le hable primero...» *(ibíd.,* pág. 171).

No se le escapa a Valle recordarnos la ascendencia judaica de Sagasta: «El general Cabrera... acogió con lisonjas al señor de Mateo. Restauraba con exactitud de notario eclesiástico la partida bautismal del amigo Práxedes: Atesonado, silabeaba con hipócrita deferencia el judaico patronímico: Señor de Mateo...» *(ibíd.,* pág. 171). Antes en otro retrato había escrito: «El amigo Práxedes rasgaba la boca morena sobre las dos orejas, ajudiado el azabache de los ojos, el tupé en llamarada sobre el entrecejo» *(ibíd.,* pág. 162). Cuando se refiere a Sagasta le llama siempre «el amigo Práxedes»; la esperpentización anterior de *Divinas palabras,* como sabemos, era «compadre Miau».

Si repasamos las definiciones que utiliza en *Baza de espadas* para «el amigo Práxedes» (maleante, farandul napolitano, que siempre inauguraba la feria de engaños con simpáticas zalemas, que sabía servirse de todas sus artes paparrucheras de gran farandul, gitano y, por último, que tiene ajudiado el azabache de los ojos), veremos que casi todas ellas habían sido aplicadas al personaje Compadre Miau, Séptimo o Lucero, que de las tres maneras se hacía llamar en la obra. Y por si quedase alguna duda, el autor se cuida muy bien de recordarnos al principio que «... el nombre del farandul es otro enigma», aludiendo intencionadamente al cambio de apellidos que utilizó el político liberal. Tomemos otra vez la historia de España, en nuestro auxilio: «El verdadero apellido de don Práxedes Mateo Sagasta era el de Mateo, abandonado por la sonoridad del segundo. Así Mateo es para muchos un nombre complementario del caudillo liberal... Su padre se llamaba Clemente Mateo Sagasta» [26]. El hijo, pues, legalmente, se llamó Juan Mateo Escolar. La sonoridad que iba buscando

---

[26] A. BALLESTEROS, *ob. cit.,* pág. 341. Idéntica razón nos da el biógrafo de Sagasta, CONDE DE ROMANONES, en su obra *Sagasta o el político,* Ed. Espasa-Calpe, Madrid, 1930, pág. 20. En cuanto a la identidad de la madre del político tampoco es muy esclarecedor: «De su madre, doña Esperanza, se tienen pocas noticias; sólo se sabe que era mujer de claro talento, que adoraba a este hijo con visible preferencia sobre sus otros hermanos» *(ob. cit.,* pág. 21).
Otro historiador, don SALVADOR BERMÚDEZ DE CASTRO, Marqués de Lema, nos dice a este respecto en su obra *De la revolución a la restauración,* Ed. Voluntad, Madrid, 1927, pág. 399, lo siguiente: «Don Práxedes Mateo Sagasta, cuyo verdadero nombre era Juan Mateo y Escolar, aunque la costumbre hizo conocerle por su segundo nombre de pila y el segundo apellido de su padre...»

el político al adoptar el segundo apellido paterno en lugar del primero materno dio tan buen resultado que aún hoy en día es difícil, para el lego en materias históricas, averiguar tal apellido. Ni en la *Enciclopedia Espasa,* ni en la *Británica,* ni el *Grand Littré,* figura, en la biografía de Sagasta, el nombre y los apellidos de su madre, doña Esperanza Escolar. Dicho cambio de apellidos será aprovechado por Valle-Inclán para ridiculizar aún más al personaje, achacándole un turbio motivo de ocultar su identidad ante la ley, debido a sus antiguas fechorías.

Y ya que tenemos ante los ojos el volumen histórico correspondiente al período de la Regencia, echemos una ojeada más para ver cómo se nos describe al famoso político: «Pequeño, delgado, de faz expresiva, enmarcada por una hirsuta cabellera, en la que sobresalía un característico tupé. Este tupé era muy negro en los años de juventud; gris luego, acompañaba con sus sacudidas los ademanes tribunicios de la fogosa oratoria sagastina.» Se nos dice que tenía... «su verbo singular vigor», que sustituía «los escasos conceptos en sus discursos». Conocía los hechos y los hombres: «... No era un teórico ni un glosador de las altas doctrinas de Derecho político..., no era como Cánovas hombre de copiosas lecturas; para Sagasta el gran texto era el libro de la vida, y de sus enseñanzas sabía como pocos supieron... Completaban el retrato físico de Sagasta una prominente nariz, una boca desmesurada que hundía las mejillas y que, al sonreír mefistofélica, enseñaba dos filas completas de grandes y apretados dientes. Sus ojillos negros, picarescos y expresivos, decían que su dueño conservaba en su cerebro una biblioteca de experiencias algunas duras y amargas, y otras amables y regocijadas» *(ob. cit.,* páginas 345-346).

Con estos detalles, y las peripecias políticas que caracterizaron al «hombre de la Regencia» (Cánovas es considerado por la historia como el «hombre de la restauración»), tuvo Valle más que suficiente para «esperpentizarlo»: el ingeniero de caminos de la realidad se transforma en farandulero, feriante sacacuartos y aventurero sin escrúpulos en *Divinas palabras.* Tampoco sería muy arriesgado sospechar que la seducción y entrega de Mari Gaila no sea (además de una simbólica indicación de que la cuquería sagastina fue capaz hasta de seducir a la propia política canovista) una maliciosa esperpentización de un episodio real de la vida de don Práxedes. Volvamos al tomo de la historia: «En esta época ocurre el episodio romántico de la vida de Sagasta... Le correspondió la jefatura de Obras Públicas de Zamora... Mantiene relaciones amorosas con una joven agraciada. La familia se opone al enlace con el joven ingeniero. Los padres son acaudalados y furibundos realistas y reaccionarios. Sagasta no encubre sus ideas liberales... Los padres obligan a la hija a contraer matrimonio con un capitán del ejército. Surge el drama sentimental. La desposada, apenas terminada la ceremonia se traslada a su casa y huye: Sagasta la espera en un lugar convenido y los enamorados emprenden la fuga. Hasta treinta años después del rapto no pudo Sagasta legitimar su matrimonio» (ibíd., pág. 343). En la obra de Valle-Inclán, si la alusión del rapto existe, queda reducida a la más feroz esperpentización, es una ardiente pasión física que se satisface casi animalmente en la abandonada garita de carabineros y entre los cañaverales a orillas del río; no hay amor, sino erótica atracción por parte del titiritero que burla así a su rival, seduciendo a la, por otra parte, bien dispuesta sacristana.

Se nos dice también en la historia consultada que Sagasta tomó parte en la contrarrevolución de 1856, batiéndose «... en las barricadas de los días 14 y 15 de julio... Desde entonces la actuación de Sagasta es revolucionaria. Ingresa en la masonería con el nombre de Hermano Paz» (ibíd., pág. 343). No olvidará este detalle Valle-Inclán; veremos de qué modo sutil nos lo dirá repetidamente. Admira el ver cómo supo utilizar los rasgos más importantes de los personajes esperpentizados y, sin embargo, economiza otros que hubieran sido excesivamente claros, dejando demasiado al descubierto su intencionado rompecabezas; ni el famoso tupé sagastino se menciona en la obra ni a la masonería de don Práxedes se la llama por su nombre.

También la clave para esta zona del rompecabezas (la masonería de Sagasta) nos la dará otra obra posterior, Viva mi dueño. Por boca de uno de los palaciegos nos enteramos: «¿Qué es el liberalismo? La masonería. ¿Y qué es la masonería? ¡Un pacto con el demonio!» (O. C., II, pág. 1240). Un pacto con Satanás nos suena a cosa conocida; desde la escena primera de Divinas palabras, Lucero presume de «tener pacto», y repetidamente se vanagloria de ello. Hasta Mari Gaila, en el momento de entregarse a él, cuando el farandul le pregunta «¿sabes quién soy?», contesta rendida: «¡Eres mi negro!» (O. C., I, pág. 757).

Todavía más interesante me parece este resumido balance hecho por el historiador A. Ballesteros en su citada obra, de las andanzas del cabecilla liberal: «Sempiterno conspirador, huye de las persecu-

ciones de la policía; de continuo cambia de lugar. Condenado a muerte, se hallaba escondido con Carlos Rubio. Escapó a la saña de Narváez... Cruzó la raya de Francia, pasó a París; en Mont-de-Marsan
fue detenido por los gendarmes y estuvo en prisión unas semanas.
Residió en Bayona y luego en los alrededores de París» (ob. cit.,
pág. 344). Vida tan llena de aventuras se prestaba a la esperpentización como ninguna.

Hasta la perrita de que se sirve, Coímbra, me parece una estupenda esperpentización animalizada de otro personaje famoso de
aquellos tiempos, el popularísimo orador y republicano español don
Emilio Castelar. Por los años en que la obra fue escrita debía ser ya
famosa la popular marca de gramófonos y discos musicales His master's voice, la voz de su amo, representada gráficamente con la imagen
del perrillo célebre, escuchando ante la enorme bocina del primitivo
gramófono. Para Valle-Inclán el famoso orador hubiera podido ser,
como Coímbra lo era para Séptimo Miau, la voz de su amo, un eco
del astuto farandul, una triquiñuela más de la que se vale para
«embaucar» al auditorio y aligerarles la bolsa.

c) *La comparsa política*

No nos cabe la menor duda de que tras esa cuadrilla de pícaros
y mendigos que pululan por toda la obra a modo de coro de los caracteres principales, pueden adivinarse varios personajes y personajillos más o menos importantes de la historia; títeres que sirvieron
—por su propio interés, antes de nada— de colaboradores directos
o indirectos de los «protagonistas» principales y sin la ayuda de los
cuales las cosas ciertamente hubieran tomado otros rumbos. Por desgracia no podemos emprender aquí la enorme tarea de estudiar cuantos documentos históricos serían menester para comprobar muchas
de las pistas que Valle lanza a este propósito; porque estamos seguros, y no por simple intuición de lector, sino por las causas que
apuntaré de inmediato, de que don Ramón está satirizando a un
conocido político tras ese significativo Miguelín el Padronés, por
ejemplo. ¿Quién puede ser ese otro enigmático «Conde polaco» que,
reclamado por la policía, anda ahora disfrazado de penitente...? El
ciego de Gondar, pordiosero auténtico, ser de ficción que figura en
otras obras de Valle, como recordamos, está convencido, como parecen estarlo sus compañeros, de las patrañas penitenciales de tal

sujeto; la maliciosa intención crítica del autor se transparenta bajo esos característicos detalles con que pinta a sus personajes. Si con Cánovas y Sagasta se permite libertades en obras tardías que nos sirvieron para desenmascararlos en la tragicomedia, no ocurre, por desgracia, lo mismo con los personajes de segunda fila.

Y, sin embargo, estamos seguros de que tras el Maricuela, compañero en ciertas fechorías y rival al mismo tiempo de Séptimo Miau, se esconde un intencionado retrato de alguno de aquellos magnates que hacían política girando en torno de los capitostes. Recordemos los rasgos de Miguelín el Padronés: además de «sus dengues» de invertido, que no chocan demasiado entre la plebe de pordioseros, por su condición de «libres», o liberales, el Padronés es astuto y malicioso; ladrón sin escrúpulos, se apodera de la bolsa de dinero de la madre del enano segundos después de morir aquélla al borde del camino, bolsa que es obligado a repartirse con Séptimo Miau; sabemos que anduvo mezclado en un robo, como lo atestiguan las pruebas que el compadre Miau tiene en su poder y que la Policía no consiguió nunca, por lo que tuvieron, faltos de pruebas, que declararlo inocente aun cuando cayeran sobre él todas las sospechas. Pero su compinche sabe muchas cosas que pueden ponerlo en situaciones difíciles, frente a la justicia, por lo que se avino a partir la plata que contenía la bolsa robada al enano. Aunque sus actividades delictivas son conocidas de todos, anda libre y triunfador por el mundo del hampa, parapetado tras un oficio decente. El «Padronés» corre caminos «... con el tabanquillo al hombro de los lañadores». (Una inoportuna errata hace decir en las dos ediciones que tenemos a la vista «... de los leñadores», pero por el contexto se advierte que no es más que una desdichada errata.) Va por ferias y mercados dedicado al aparente honrado menester de componer paraguas, pucheros y objetos similares.

Ahora bien, si no recuerdo mal, en la Salamanca de mi niñez los chiquillos de mi barrio, con aviesa intención que causaba un inmediato enfado por parte de las víctimas de nuestros gritos, solíamos apostrofar de «¡gobernador!» al pacífico lañador o paragüero que anunciaba sus buenos oficios por nuestra calle; a sus más o menos musicales pregones de «... se arreglan paraguas, pucheros, cazuelas y otros cacharros que componer...», le gritábamos (procurando hacerlo desde una distancia que nos diese cierta ventaja en caso de reacción persecutoria): «¡Gobernador...!» Jamás entendí por qué, pero las más de las veces la reacción no se hacía esperar; depositando en el

suelo la lata cilíndrica en donde calentaba sus soldadores y el ca-
joncillo banqueta en el que llevaba, en bandolera, otras herramientas,
nos perseguía a la carrera para castigar nuestra impertinente llamada.
La mayoría de las veces nuestra agilidad nos libraba de unos cuantos «capones», pero el menos ágil de la pandilla solía pagar aquella
«grave ofensa» que le hacíamos a los pobres lañadores.

No sé ni el origen ni los motivos que dieron lugar a tan singular
motajo. Imaginaba entonces que como aquellos seres «gobernaban»
los cacharros averiados, algún malicioso había dado en llamarlos así
para burlarse de ellos. Lo que no sospechaba entonces, y confieso
ahora tener mis dudas a este respecto, es que el tal mote estuviera
extendido por otras regiones; en todo caso, no figura tal acepción
ni en el *Diccionario de la Real Academia* ni en los de Corominas o
Julio Casares; mas si, como sospecho, «gobernador» pudo ser sinónimo de «lañador» en algunas regiones más de España que en mi
Salamanca, me parece que la alusión del autor tiene mucha carga
de intención: Miguelín el Padronés encubre, efectivamente, a un personaje que se movió en las esferas políticas de Sagasta. ¿Un encar-
gado del Ministerio de la Gobernación tal vez...? Aunque sin datos
concretos que prueben nuestra teoría, vamos a sugerir alguna posibilidad de localización, aunque no sea más que como hipotética «personificación».

Uno de los primeros personajillos que se nos vienen a las mientes
es el famoso Francisco Romero Robledo, ministro de la Gobernación en varias ocasiones y conocido popularmente por el apodo «el
Pollo de Antequera». Se hizo famoso, especialmente, por los «ama-
ños» electorales que llevó a cabo. Sin embargo, por ser de Antequera
(Málaga) no le va el apodo de «padronés»; claro que llamarlo «ante-
querano» hubiera sido descubrirlo por entero, lo que hubiese desta-
pado quizá demasiado pronto todo el sentido oculto que Valle quería
darle a su obra. Amén de que los procesos por difamación de los
herederos de «las víctimas» —algunas de ellas aún vivas cuando
se escribió la obra— se cernieran como una posible amenaza.

El historiador ya mencionado, A. Ballesteros, dice, a propósito
de Romero Robledo: «Cánovas recomendaba... la recluta de jóvenes
inteligentes que pudieran figurar en las futuras Cortes, Romero Robledo preparaba el mapa electoral con las mismas artimañas y picar-
días que harían célebre su nombre de ministro muñidor, desaprensivo e irrespetuoso para con el sufragio» (*ob. cit.,* pág. 313). Si tan

claramente nos lo pinta el más que prudente historiador, no sería muy extraño que los documentos que hubo de tener a la vista Valle-Inclán (mayormente los periódicos y revistas humorísticos y de crítica de la época, así como los tres volúmenes de Pirala sobre la Regencia) no fueran todavía más explícitos; personaje, pues, muy esperpentizable. En todo caso, formó parte del gobierno Jovellar —el de la interinidad o puente, entre el 12 de septiembre y el 2 de diciembre— y con el primer gobierno liberal conservador de Cánovas, después de la restauración; en ambos casos se encargó de la cartera de gobernación (ob. cit., págs. 213-214), así como en 1874, en el llamado «Ministerio Regencia», también había formado bajo las filas de Cánovas, siempre en Gobernación. Dos años más tarde no había tenido inconveniente en formar parte del gobierno de Sagasta desempeñando la cartera de Fomento. Tal vez sea a este Ministerio al que aluda concretamente Valle Inclán al acusar al Maricuela «del robo de la Colegiata» que no pudo serle probado; tuvo lugar antes de la muerte de Juana la Reina, es decir, antes de la Regencia, pues, como se recordará, escuchamos la disputa al comenzar la obra; hubo más de un escándalo de toda índole, malversación de fondos, exageración de presupuestos, etc. De lo que no cabe duda es de que Romero Robledo fue un pillo consumado; hablando el historiador de otro «ducho en lides electorales» —don Venancio González—, nos dice: «Su frialdad y cálculo contrastaban con la bullanga y travesura de Romero Robledo. Ambos fueron ejemplares perniciosos de amaño y corrupción electoral» (ob. cit., pág. 327). Romero Robledo sirvió bajo los dos jefes de los partidos opuestos. Uno de aquellos «oscuros negocios» que muy bien pudo servir de base a Valle-Inclán para transformarlo en el robo de la colegiata, perpetrado por los dos compinches, podría ser uno de los que menciona el citado historiador. Se refiere al gobierno, encabezado por Sagasta, de 1872: «Se habían discutido los presupuestos. Surge luego la interpelación del diputado republicano Moreno Rodríguez. Sus preguntas derribarían al gobierno. Interroga: ¿Es cierto que en una época próxima, necesitando el gobierno de fondos para uno de los muchos negocios que en tiempos de elecciones se presentan, pidió el Ministerio de la Gobernación al de la Guerra dos millones de reales de los fondos existentes en la caja de Ultramar? La segunda pregunta era corolario de la primera. Sagasta respondió con escasa habilidad. Lo cierto se transparentaba. Después de dificultosos incidentes, el expediente era entregado al diputado que lo pedía; había comunicaciones que comprometían a políticos de nota amigos de Sagasta y hasta salpicaban al soberano. Sagasta se vio precisado a presentar su dimisión»[27].

Otro personaje importante de la época fue don Eugenio Montero Ríos, nacido en Santiago de Compostela (no muy lejos de Padrón), abogado, catedrático de Derecho canónico en la Universidad de Madrid, fundador de «La Opinión Pública» y liberal progresista; desempeñó la cartera de Gracia y Justicia bajo Ruiz Zorrilla, sirviendo luego bajo Sagasta (1885) en el primer ministerio de la Regencia (Fomento) y en el segundo gobierno liberal (1892). Que sepamos, no fue tan «amañador» ni «politiquero» como Romero Robledo; pero ya dijimos que don Ramón debió estudiar mucho más de cerca que nosotros a estas figuras para documentarse y esperpentizarlos en su simbólica parábola.

d) *La comparsa social*

A la manera de coro de los personajes políticos de la época que le interesaba «esperpentizar», dio vida el escritor a una curiosísima fauna de tipos que directamente, o por medio de intencionadas y sutiles alusiones, nos obligan a pensar en fechas y acontecimientos de los últimos quince años del siglo pasado.

Intencionadamente oportuna me parece la referencia que uno de los vagabundos hace de un personaje famosísimo en las crónicas mundano-galantes de los últimos años del siglo pasado y los pri-

---

[27] A. BALLESTEROS, *ob. cit.*, pág. 187. No costaría gran trabajo aducir pruebas de los juicios adversos que la falta de escrúpulos y de honradez política de Romero Robledo, más conocido por el sobrenombre de «el Pollo de Antequera», sugirieron a los cronistas e historiadores de la segunda mitad del siglo pasado. Valle no tuvo que esforzarse demasiado para trazar la picaresca estampa que lo caricaturiza. Veamos solamente un par de muestras que no son, ciertamente, las más mordaces de las que hemos leído: «... y el ministro de la Gobernación, Romero Robledo, quedó convicto no sólo de haber perpetrado las trapacerías hasta entonces usuales, sino de haber enriquecido con otras inauditas el copioso repertorio» [se está refiriendo el autor a las elecciones de 1884] (GABRIEL MAURA GAMAZO, *Historia crítica del reinado de don Alfonso XIII durante su minoría bajo la Regencia de su madre doña María Cristina de Austria*, Barcelona, Montaner y Simón, s/a., pág. 15). Y EMILIO GUTIÉRREZ GAMERO, autor de unas amenas memorias, dejó varias semblanzas del político en las que, a pesar de la simpatía amistosa, se trasluce la «desenvoltura» y ligereza del retratado: «... la política era única enfermedad de Romero Robledo... Deseoso del poder, cultor de la amistad, eso sí, poco entusiasmo por las ideas liberales —aunque lo disimulara—, estrecho concepto del Estado, escasa ciencia, facilísimo verbo, vivo ingenio para hallar acomodamientos legales, a fin de realizar sus propósitos, y principalmente suma habilidad para hacerse simpático y ganar adeptos» [*Mis primeros ochenta años (Memorias)*, 3 vols., Ed. Aguilar, Madrid, 1962, vol. I, pág. 263].

meros del actual: Carolina Otero. Con ella, y como sin pretenderlo, Valle nos está dando una clave más para que recordemos que el verdadero contenido de la obra, los sucesos que la originaron, su oculta lección, se retrotrae hacia esos años que precedieron a nuestro siglo, y no a los inmediatamente anteriores a la publicación de la obra.

La beldad española que ganó voluntades y fortunas sobre la escena parisina y llenó con sus escándalos las crónicas mundanas de La *Belle Epoque,* aparece mencionada en la escena tercera. Encomian el garbo de Mari Gaila; el compadre Miau la imagina nacida en otras tierras, pero «el vendedor de agua de limón» lo saca de su error, abundan allí tales celebridades: «... ¡La Carolina Otero! Pues ésa es hija del legoeiro de San Juan de Valga. ¡Ésa, la propia que se acuesta con el rey de los franceses», entablándose luego este sabroso diálogo:

«—Los franceses no tienen rey.

»—Pues del que mande allí.

»—Allí es República, como debiera serlo en España. En las Repúblicas manda el pueblo, usted y yo, compadre.

»—Pues entonces, ¿con quién se acuesta la hija del legoeiro de San Juan de Valga? ¡Porque la historia es cierta! ¡Ahí tiene usted una hija que no se olvida de su madre! ¡La sacó de andar a pedir y la puso taberna!» (I, pág. 752).

No he podido fijar con exactitud la fecha de nacimiento de la Bella Otero, aunque me parece recordar que murió, casi centenaria, no hace todavía muchos años, olvidada y feliz en el sur de Francia; las enciclopedias *Espasa, Británica* y el *Grand Littré* no la mencionan entre los personajes a recordar. He consultado la autobiografía de la bailarina —en donde no es extraño no encontrar referencia a la fecha de nacimiento— y, aun cuando tengo la impresión de que dichas «memorias» están muy noveladas (debió contar con la ayuda de algún escritor francés para ayudarle a redactarlas, ya que fueron escritas en la lengua de Molière), los datos que se refieren a su infancia son muy interesantes. Según la bailarina, ella no nació en Galicia, sino en Andalucía, en Cádiz, hija de un adinerado aventurero griego llamado Carassón y una bellísima gitana que, cómo no, se llamaba Carmen. Hubo un rapto de amor, varios hijos varones, dos niñas gemelas y matrimonio al final: «Algún tiempo después, el joven matrimonio salió de Cádiz para instalarse al [sic] norte de España, en Galicia, en un pueblo llamado Balga»[28]. (Bastó a Valle cambiar la consonante inicial.) Poco tiempo después la madre comenzó a traicionar a su marido, el cual retó a duelo al rival, un tratante en vinos, Porazzo, de origen francés, y éste le mató de un pistoletazo, quedando Carolina huérfana siendo muy niña. Los amantes vivieron luego juntos y Carolina comenzó una vida de aventuras y luchas, sufrimientos y triunfos ruidosísimos que llenaron de escándalo las crónicas de los periódicos de nuestros puritanos abuelos y que aquí no nos interesan más que de pasada.

La mención de «la bella Otero» está hecha, repito, con toda sutilidad; para llevarnos hacia esa década final del siglo pasado. No se olvide que la referencia a la Otero ocurre en la obra muy poco antes de la muerte del enano. (Poco antes del «desastre» del 98, Cuba y Filipinas arrebatadas de manos españolas, el fin del Imperio, en la simbólica parábola.)

Otro personaje secundario, poco importante en sí, pero que tengo la impresión de que el autor lo saca a manera de «mojón» para indicar la época verdadera en que ocurren los hechos de la obra, es el soldado que se mueve entre la tropa de mendigos y trajinantes: «... un mozo alto, con barba naciente, capote de soldado sobre los hombros, y el canuto de la licencia al pecho. Tiene cercenado un brazo, y pide limosna tocando el acordeón con una mano» (I, página 761). Debió ser una estampa bastante común por las tabernas, fígones y ferias de España, a fines de siglo pasado, la de los «licenciados» de Cuba y Filipinas, a los que la injusta guerra había dejado inválidos y la más que injusta política social había condenado luego a la mendicidad; es el único que no se asombra del engendro, por haber visto «casos superiores, fenómenos», quién sabe en qué lejanos mundos. Este soldado proyecta el disfraz que debería llevar el idiota, para ser explotado con mayor provecho, y cuando el malvado Padronés da de beber en exceso a Laureaniño, gritándole: «Bebe, Napoleón Bonaparte», el soldado sugiere: «Píntale unos bigotes a lo Cáiser» (I, pág. 762).

Misteriosos y sin duda cargados de un significado que tal vez no hayamos acabado de desentrañar, son esa pareja de ancianos que acompañan a una «niña blanca con hábito morado». Ellos, viejos... «con las arrugas bien dibujadas y los rostros de un ocre caliente y

---

[28] *Memorias de la Bella Otero*, traducción y prólogo de JOAQUÍN BELDA, Editorial Atlántida, Madrid, sin año, pág. 41.

melado, como los pastores de una Adoración»; «la niña, extática, parece una figura de cera entre aquellos dos viejos de retablo». Son los únicos que se compadecen del enano; los únicos que le ofrecen alimentos y amor, un poco antes de su muerte: «¿Quieres pan de la fiesta, Laureaniño? ¿Y un melindre?» A lo que contesta el enano con un grosero «¡releche!», apostillando la celestinesca Tatula: «Se encandila viendo a la rapaza. ¡Es muy pícaro!» No obstante, la niña deja sobre los andrajos que cubren al enano «guindas y roscos, y vuelve a sentarse en medio de los padres, abstraída y extática» (I, pág. 762).

¿Simbolizará esta «niña extática» a la otra «niña», la primera República, en la que el pueblo español tenía puestas tantas esperanzas a la caída de Isabel II...? ¿Aquella República de tan corta duración que hubiera podido salvar al pueblo...? No hay duda de que esta niña delicada y enfermiza representa la inocencia, tal vez lo que pudo ser —pero no lo fue por su temprana muerte— la salvación del muerto. Viste «hábito morado», color, como sabemos, que diferencia la bandera republicana de la monárquica. Está condenada a morir y hace su aparición en la «parábola» un poco antes de la muerte del idiota... ¡Misteriosa niña extática...!

En una sociedad tan depravada no puede extrañar demasiado la presencia del mismo diablo o el galleguísimo «trasgo», quien, luego de la muerte del idiota, «ofrece sus servicios» a Mari Gaila. Lo sobrenatural ocupa totalmente la escena octava. Al principio es cierto que la sacristana intenta apartarlo de sí mediante conjuros que no surten efecto; poco después acepta complacida: «Mari Gaila se siente llevada en una ráfaga, casi no toca la tierra. El impulso acrece, va suspendida en el aire, se remonta y suspira con deleite carnal. Siente bajo las faldas las sacudidas de una grupa lanuda.» Luego se desvanece... «y desvanecida se siente llevada por las nubes. Cuando tras una larga cabalgada por arcos de luna abre los ojos, está al pie de su puerta» (I, págs. 766-767).

¿A qué misteriosos aquelarres, a qué bestiales placeres conduce el trasgo cabrío a Mari Gaila...? El autor no es claro a este respecto; imaginamos que está más que insinuando la capacidad de traición de la sacristana, posible símbolo de la política nacional, que perteneciendo al sacristán, se había entregado antes a su más enconado rival y ahora lo hace al «enemigo» por antonomasia. Para Franco Meregalli esta escena es como la «esperpentización» del rapto de Europa: «Esperpéntica è anche la scena di Mari Gaila rapita dal "trasgo cabrío", in un modo che ricorda la scena iniziale de *Romance de lobos,* ma trascrive l'elemento spettrale in chiave grottesca, facendo di Mari Gaila una specie di Europa rapita quale l'avrebbe potuta dipingere il Goya delle serie nere» [29].

Moviéndose por toda la obra hay otro personaje, la celestinesca Rosa la Tatula, compañera de la madre del enano y alcahueta luego de los amoríos de Miau y la sacristana; ella, como Benita la costurera y las beatas que entran y salen de la iglesia, o los campesinos de las escenas finales, completan el extraordinario retablo que es esta intencionada parábola a la que, como al dios Jano, podemos —debemos— encontrarle y contemplar en sus dos caras.

4. LA OTRA CARA DE «DIVINAS PALABRAS»

Convencido de que las semejanzas entre los personajes de *Divinas palabras* con los protagonistas de los hechos históricos aludidos no podían ser casuales, empecé a cerciorarme de que tras aquella «tragicomedia de aldea», disfrazada de fábula de adulterio y perdón, se escondía otra intencionada parábola político-social. Más y más detalles me fueron dando la razón.

La muerte de la Reina al borde del camino, dejando al «idiota» —su propiedad y fuente segura de ingresos— sin protección y en peligro de ser explotado más desaprensivamente por sus «hermanos», y el subsecuente «apaño» del posible turno en la obtención de beneficios, gracias a la exhibición del indefenso «enano hidrocéfalo», ese repartirse las ganancias los dos bandos de la facción familiar nos señalaban muy a las claras una esperpentización de un hecho importante de nuestra historia: la muerte del monarca Alfonso XII, dejando al pueblo español sin responsable directo, la regencia de María Cristina hasta la mayoría de edad del heredero y el reparto que del poder hicieron durante dicho período los partidos más fuertes, conservadores y liberales en las personas de Cánovas y Sagasta, en el discutido «Pacto del Pardo».

Observada a esta luz, la tragicomedia «de aldea» tenía mucho más significado, era más valleinclaniana y denunciadora que la fábu-

---

[29] FRANCO MEREGALLI, *Studi su Ramón del Valle-Inclán,* ed. cit., pág. 36, y recogido posteriormente en su libro *Parole nel Tempo,* Mursia, Milán, 1969, págs. 25-86.

la realista del enfrentamiento del sacristán y el titiritero disputándose una mujer. El adulterio de Mari Gaila —importantísimo en la «obra realista»— veremos cómo es casi un elemento secundario, importante, pero muy lejos ya de ser el elemento central, en la parábola política, en donde cobra toda la importancia que tiene la explotación, corrupción y mofa que del enano (¡el pueblo idiota, para los políticos!) hacen unos y otros. La disputa entre los dos protagonistas con que se abre la tragicomedia no es sino el enfrentamiento, el choque, de dos actitudes vitales de la sociedad. Pedro Gailo, personaje laico, aunque vive a la sombra de la iglesia y significativamente vista durante toda la obra una sucia y raída sotana, es el representante de la tradicional sociedad estable, pobre y conservadora (conservadora, no se olvide), que le impone unas normas de vida y unas obligaciones no siempre fáciles de cumplir. Reniega de los que, como Séptimo Miau, llevan una vida errante, sin respeto alguno por lo que él considera moral tradicional, gozando en consecuencia de libertades y privilegios que él no tiene precisamente por haber aceptado los principios mismos de esa moral, que su antagonista no acata, y considera que tal género de vida es nocivo para la sociedad estable y, por tanto, ilegal.

El corremundos se llama Lucero en esta primera escena («... el nombre del farandul es otro enigma, pero la mujer le dice Lucero», *O. C.,* I, pág. 725); anda por las ferias acompañado de su manceba, una guitarra, un perrito sabio que atiende por Coímbra y un pájaro de la suerte llamado colorín. No tiene más ley que la que le dictan sus necesidades y explota la credulidad de las gentes con la engañifa de los animalitos amaestrados y su fina labia, reconocida y admirada por la tropa de maleantes y gente del hampa entre los que convive. El aire liberal (liberal, recordémoslo) de sus andanzas le da un halo demoníaco ante los ojos beaturrones del sacristán («Estos que andan por muchas tierras, torcida gente. La peor ley... ¡Todos de la uña! ¡Gente que no trabaja y corre caminos...!», *ibíd.);* el mismo Lucero se vanagloria de estar «descomulgado»: «¡A mucha honra! Veinte años llevo sin entrar en la iglesia!» y, lo que es mucho peor, de «... tener pacto con el «compadre Satanás», para apabullar aún más a su declarado rival, el sacristán.

Dos personajes, dos géneros de vida (y ¿por qué no dos partidos políticos?) enfrentados desde la primera escena.

Entre las viejas beatas que salen de la iglesia vemos a Juana la Reina que «tira de un dornajo con cuatro ruedas, camastro en donde

bailotea adormecido un enano hidrocéfalo»; va muy enferma y la-
menta no haber podido comulgar, pero su hermano el sacristán le
dice que «no había partículas en el copón». Es curioso, y no mera
casualidad, que si bien la tragicomedia se desenvuelve a la sombra
de la iglesia, jamás veamos a un eclesiástico; el autor sólo nos muestra al sacristán Pedro Gailo; no está interesado en el clero.

Juana la Reina «... mendiga por ferias y romerías con su engendro»; a pesar de tener sus raíces en los sedentarios, se mueve entre
los errabundos. Explota al hijo idiota, corriendo caminos, y se nos
dice que el pobre enano representa un sacadineros excelente; su
madre es aficionada a la bebida hasta el exceso, y poco antes de
morir habla de «un mal que me come en el propio lugar del pecado»
que denota excesos de otra índole. (Si, como sospechamos, el personaje de Juana la Reina es una esperpentización del rey Alfonso XII,
esta mal intencionada alusión deja al descubierto una posible enfermedad muy diferente al «proceso pulmonar tuberculoso» que figura
en las historias del período como causante de la muerte del monarca [30]. Pedro Gailo se esfuerza por hacer ver a los concurrentes al

[30] Sin embargo, dicho sea en honor de la verdad, hemos de reconocer que nos
ha sido imposible encontrar el menor dato que pudiese probar o documentar la
acusación de Valle-Inclán, si es que la maliciosa insinuación tiene la aviesa intención
que le suponemos. Pasé no poco tiempo leyendo libros de memorias, recuerdos, etc., de
la época; revisé la prensa más importante y en especial la prensa jocosa y satírica, la de
los partidos antimonárquicos —donde suponía habría alusiones más o menos tenden-
ciosas—, pero ni una sola vez encontré insinuación alguna que denotase el carácter
«venéreo» de la enfermedad que acabó con la vida del rey Alfonso XII. Habría que
pensar, para disculpar tan gratuita acusación, en una reminiscencia literaria, a las que
tan aficionado fue siempre don Ramón, esta vez la del famoso romance «ya le comen,
ya le comen...»
    Con todo, la muerte del rey fue rodeada de un cierto misterio, como se recordará.
Los políticos temían que si la verdadera causa trascendía al pueblo, las consecuencias
no serían muy buenas. De aquí que la palabra «tuberculosis» no figurara en el parte
facultativo que se publicó anunciando el fallecimiento real. El doctor IZQUIERDO HER-
NÁNDEZ, en su libro *Historia clínica de la Restauración,* Ed. Plus Ultra, Madrid, 1946,
lo explica en detalle. Habla también de cómo el doctor Camisón, uno de los tres
que asistieron al rey en su enfermedad, hizo venir de Alemania instrumental moderno,
e incluso medicamentos, para tratar un sufrimiento de laringe. También parece que
se sospechó un sufrimiento de la vista, ya que entre el instrumental llegado había
«... instrumentos y medicinas que se utilizan en oculística. Es posible que todas estas
lacras, difíciles de ocultar, impulsaran al propio enfermo a encerrarse para morir en
el palacio del Pardo» (pág. 246, *ob. cit.*). Señala también que «el secreto» partía
de una orden de Cánovas: «Cánovas... exigió a García Camisón que guardara silencio,
apelando a su patriotismo... era preciso que la gente no supiera que moría tuberculoso, pues, conocida la contagiosidad de la tisis, podría servir de arma política a republicanos y carlistas... y ocasionar todo esto un grave perjuicio a la dinastía» (*ibíd.,*
págs. 246 y ss.).
    Tampoco ocultan los cronistas que se ocupan del rey la inclinación de éste por
las aventuras amorosas, desde la muerte de su amada Mercedes, la primera mujer.
Ninguno disimula tal aspecto del carácter real, y hasta hay quien afirma que sus

«velorio» de su hermana que «... la difunta finó por haber bebido de alguna fuente ponzoñosa, pues ya van muchas desgracias en ganados y cristianos así aparejadas» (I, pág. 739). La cual causa, aunque sepamos que es falsa, es menos «infamante» para la buena reputación de la finada que el admitir que murió a consecuencia de sus excesos alcohólicos que todos conocían o los que ella misma insinúa momentos antes de morir.

El infeliz enano hidrocéfalo —otras veces es llamado «el idiota» o «el monstruo» y más comúnmente, como negándole toda personalidad o cosificándolo, se utiliza la significativa metonimia «el carretón»—, el desgraciado inocente, huérfano de tutela, amor y autoridad que lo proteja en lugar de beneficiarse a su costa, cae en manos de los explotadores, quienes, con hábiles maniobras (que en mayor escala se llamarían «jugadas políticas»), tratan de quedarse con él por los beneficios materiales que representa, no por el amor que como deudos deberían sentir hacia el infeliz desgraciado, incapaz de defenderse por falto de luces.

Surge la disputa, ya que ambas partes de la familia están interesadísimas en «ocuparse» del enano, y resuelve el problema un «alcalde pedáneo», Bastián de Candás, el cual, vista la discusión de las «facciones», propone una solución (¡un pacto!) amistosa e inteligente: repartirse la explotación del monstruo como si de un molino harinero se tratase, durante períodos de tiempo equitativos; es decir, propone el turno en el «manejo» del idiota, en su «explotación». Las dos partes, no sin disputas, aceptan tan sabio arreglo y beben

constantes enredos eróticos le debilitaron y contribuyeron a su temprana muerte. El mismo doctor Izquierdo, en la *ob. cit.,* dice: «... fue muy español y, por tanto, pasional..., sus devaneos fueron la comidilla de los salones» (pág. 204) y habla de las amantes más conocidas; más adelante dice: «... así él, que vivía en el mundo, no en la celda de un convento, reanudaba también su vida activa, sus placeres, tan pronto la tos, la fiebre y el deliquio se lo permitían» (*ibíd.,* pág. 241).

Theo Aronson, autor del libro *Royal Vendetta. The crown of Spain,* que me parece una interesante historia de los últimos Borbones, dice a este respecto: «The combination of Bourbon sensuality, tubercular restlessness, and marital indifference compelled him to look for distraction beyond the place. He did not, of course, have to look far. There were any number of young women ready to satisfy his needs... Charming women, says one of his biographers, literally forced their way into the palace...» (*Royal vendetta. The crown of Spain 1828-1965,* Ed. Oldbourne, Londres, 1966, pág. 131). Y en cuanto al aspecto enfermizo y cansado, que las malas lenguas achacaban a sus «excesos sexuales», tiene esto que decir en su defensa, el autor de este libro: «By 1885, the tenth year of his reign... Alfonso was beginning to look much older. He seemed listless, his cheeks were pale and he was losing weight. There were whispers that he was wearing himself out through sexual excesses, but, these excesses were really the manifestations of a temperament made frantic by the advances of consumption. He himself scoffed at the idea of being ill and hotly resented any suggestion that he was an invalid» (*ibíd.,* pág. 139).

para festejarlo la castiza y españolísima «copeja» de aguardiente. (Nótese que la «autoridad» que soluciona el problema, el alcalde «pedáneo», es un arcaísmo en sí misma denotando la anacrónica manera de gobernar por la que se regían los pueblos de España.)

Este curioso «apaño» está trascendiendo en intención. Alude a otro conocido «arreglo político» del que se habló mucho después de la muerte de Alfonso XII. El tan debatido «Pacto del Pardo».

5. LECCIÓN DE HISTORIA: EL LLAMADO «PACTO DEL PARDO»

Tuviera lugar o no, es lo cierto que durante muchos años se habló de un arreglo llevado a cabo por los dos bandos políticos de más peso en la segunda mitad del siglo XIX. Dice la historia: «De este famoso acuerdo se ha culpado durante mucho tiempo a Cánovas, y hasta una fracción de su partido había de separarse disgustada con el rumbo político impreso por su jefe.» No se sabe a ciencia cierta dónde tuvo lugar el famoso encuentro; los cronistas discrepan sobre la fecha y punto de la reunión: Maura Gamazo dice que tuvo efecto la entrevista de Cánovas y Sagasta el 24 de noviembre de 1885 en el edificio de la calle de Alcalá, que ocupaba la Presidencia... El señor Fabié opina que debía llamarse «Pacto de la Moncloa», porque la conversación entre los dos prohombres se verificó el 23 de noviembre en el palacete del citado parque «... Cánovas participó a su interlocutor su parecer acerca del derecho indiscutible de doña María Cristina, que no había de llamarse reina gobernadora, sino reina regente. Expuso, además, su parecer de que debía inaugurarse con el nuevo reinado una nueva política y, por tanto, pasar el poder al partido liberal. Sagasta asintió. La especie tan difundida luego del acuerdo para un turno pacífico no tiene consistencia y era entonces prematuro que se planteara»[31].

Valle-Inclán convierte el hipotético «encuentro» en una escena del mejor esperpento; no es un lugar secreto, sino en el mismo velorio del cadáver de la Reina. Al aire libre, en el atrio de San Clemente y con «el bulto ensabanado» de la muerta como presidiendo.

[31] A. BALLESTEROS, ob. cit., pág. 348. Para una noticia más detallada de cuanto se refiere al llamado «Pacto del Pardo», véase la citada obra de GABRIEL MAURA GAMAZO, Historia de la Regencia..., especialmente págs. 24 y ss.

Todo, dice el autor, «tiene el sentido irreal y profundo de las consejas».

El sentido común —¡y el interés!— de ambas partes aconseja cautela y escuchan, no sin manifestar sus recelos, la solución que propone el pedáneo: «¡Y todo ese hablar salió a cuento del pleito que tratan entre sí de sustentar dos hermanos propios carnales!»

El «pacto» es de una comicidad extraordinaria, hilaridad sofrenada, y por ello más significativa la intención política, y la disputa se convierte así en una de las mejores escenas de la obra. Sobresalen especialmente las vaguedades de uno y otro bando a la hora de ponerse de acuerdo:

«Pedro Gailo: "Lo que propone aquí este vecino honrado es un consejo, y a nosotros cumple tomarlo o dejarlo. Mi sentir ya está manifiesto, el tuyo debes declararlo." Marica del Reino: "Mi sentir está con el tuyo, y de ahí no me descarrío." Mari Gaila: "Retuertas vienen esas palabras." Marica del Reino: "Claras como el sol." El Pedáneo: "Veremos si yo marcho por tus caminos, Marica del Reino. A mi ver, con tales palabras quieres significar que te avienes con aquello que se avenga este tu hermano." Marica del Reino: "¡Claramente!" El Pedáneo: "¿Y tú qué respondes, Pedro del Reino?" Mari Gaila: "Este bragazas se conforma al respective." El Pedáneo: "Pues muera el cuento."» (O. C., I, pág. 741).

El pobrecito enano desvalido, incapaz de defenderse, pasa a ser mero instrumento de la avaricia de quienes van a «gobernarlo»; equiparado a un par de vacas primero, pasa luego a ser «el carretón», objeto de negocios y no de amorosos cuidos, de quienes se ocupan de él. Como el pueblo simple, en la intencionada parábola valleinclaniana, Laureaniño es objeto de las mayores degradaciones y burlas, con tal de satisfacer las avariciosas intenciones de quienes lo explotan. Creo innecesario tener que aclarar que para mí el enano es el personaje más cargado de simbolismo de toda la obra; es la vil explotación del pueblo. Falto de juicio, es la víctima de la rapacidad e inmoralidad de los que se ocupan de él; comienza por ser fruto o consecuencia de la degradación de sus padres. Se contenta con la escasa comida y la abundante bebida que le administran primero su propia madre, luego sus tías. (No hay mucha diferencia en el trato entre una y otras.) Sin luces de conocimiento para discernir su propia desgracia y rebelarse actúa como un manso animal cualquiera; ha aprendido entre los pícaros a lucir sus habilidades: hacer el gato, imitar el ruido del cohete y a balbucear alguna que otra grosería u obscenidad que hace reír al simple auditorio. Y quién sabe a qué perversiones está aludiendo el autor cuando —subrayada la inocencia del monstruito— señala su rijosidad, manifiesta desde las primeras escenas («... y el enano, hundido en el jergón del dornajo, vicioso bajo la manta remendada, hace su mueca», *O. C.*, I, pág. 729). Contrastando especialmente con la niña de hábito morado, pálida y enfermiza, toda blanca como una imposible pureza en tal ambiente, que va con sus padres a la romería; todavía es más depravada la triquiñuela de su tía Mari Gaila, quien para sacar más plata tiene la ocurrencia de «enseñar las vergüenzas del engendro» al público de las ferias.

Señala Fernández Almagro que «lo monstruoso reclama un puesto muy señalado en la tragicomedia»; el enano aludido en el texto, para el crítico, tiene la tradición española de la inclinación hacia lo extraordinario, como en Velázquez, en Goya y en los pintores más modernos: Zuloaga y Solana. El enano «descubre, a no dudarlo, una peculiar propensión de la raza en Valle-Inclán, que es en *Divinas palabras* el más Valle-Inclán de todos los Valle-Inclanes» [32]. Puede que sea cierta esa propensión de la raza hacia lo monstruoso, pero no nos cabe la menor duda de que aquellos enanos cabezones de los inimitables cuadros velazqueños, salvo la mirada enternecida con que están contemplados, no tienen tanto de común —aparte su deformidad— con el enano de Valle-Inclán.

El monstruo de *Divinas palabras* representa no a un ser concreto deforme y desgraciado, como los enanos de Velázquez, sino a los millones de infelices explotados y escarnecidos por la avaricia y el descarado inmoralismo de quienes debieran ser sus gobernantes justos, sus protectores. Laureaniño el idiota es la más tremenda y efectiva metáfora de toda la intencionada parábola valleinclaniana. En esta ocasión el autor contempla al monstruo con evidente simpatía dolorida, que no le impide pintarlo con los colores más ásperos, precisamente para afear aún más la conducta de los responsables. Ha contemplado al idiota casi con ternura velazqueña en lugar de adoptar la ridiculizadora actitud con que suele mirar a los otros personajes. En el fondo es la compasión por el que sufre la que le hace obrar así; ve cuanto hay en él de víctima inocente. Aunque privado de la razón, no deja de ser una criatura humana todavía más digna de nuestro amor y cuidados que los seres normales. Sin embargo,

---

[32] M. Fernández Almagro, *ob. cit.*, pág. 181.

el enano no recibe el trato de ser humano más que después de muerto, cuando ha dejado de ser. La simpatía del autor, púdicamente disimulada, pero no por ello ausente, está con el «enano hidrocéfalo»; por ello la voz acusatoria es más dura tanto con los Gailo como con los «liberales», mendigos y sacadineros, cuando lo tratan como a un objeto, sin piedad alguna y acaban por matarlo.

No. Valle-Inclán no está solamente rindiendo culto al «iberismo» tradicionalmente aficionado a lo monstruoso, a enseñar descaradamente, y hasta con una mueca de burla, lo deforme y tullido de la humanidad; esta vez el autor muestra el enano hidrocéfalo para subrayar aún más la corrupción de quienes lo «gobiernan», la flagrante injusticia social y la inmoralidad absoluta que reinan en la «aldea» nacional. El infeliz enano convertido en una mercancía más entre las manos de negociantes y desaprensivos sacadineros, es la imagen del pueblo español, oprimido y explotado por monarcas y políticos de uno u otro bando. Su sola presencia «vale un horno de pan», es «un premio de la lotería»; como sugiere uno de los personajes, el enano, explotado por un hábil negociante, como el compadre Miau, por ejemplo, produciría todavía mucho más; sería «para lucirlo en una verbena del propio Madrid». Y hasta se sugiere la caracterización: «Tú como sacabas dinero era con barbas, una joroba y el bonete colorado.» El bestial asesinato (literalmente lo ahogan con aguardiente) lo libera de tan degradantes escarnecimientos.

6. LA AMARGA LECCIÓN DE «DIVINAS PALABRAS»

Es bien conocida la afición que tuvo siempre Valle por el ocultismo y toda clase de manifestaciones esotéricas; de ahí su inclinación a expresarse por medio de parábolas. Creía en la poderosa lección del artista, en el mensaje, más que en la denuncia abierta del intelectual; tenía sus dudas acerca del método realista o naturalista para comunicar su sentir a los lectores de sus novelas y espectadores de su teatro. Creo haber subrayado en los capítulos precedentes el proceso de «simplificación», el cómo va despojando de estos velos esotéricos a su obra, a lo largo de toda la vida. Proceso de simplificación que llegará —sin perder por ello la deformación esperpéntica, antes al contrario: aumentándola— a la denuncia directa, sin rodeos, velos ni disimulos, de los esperpentos finales y, en especial, *El ruedo ibérico.*

Como si desconfiara de que sus lecciones fuesen a quedarse demasiado ocultas bajo ese enredo aparente del que a todas había dotado, llega un momento en el que el autor decide confesar su juego. Ese momento será la obra que sigue inmediatamente a *Divinas palabras, Luces de bohemia.* En ella Valle-Inclán nos advierte ya sin rodeos que la única manera de corregir los males del país es la de mostrarlos bajo una deformación descarnada y brutal que ponga al descubierto cuanto haya de falso y de injusto, cuanto haya de castigable y corregible en nuestra realidad histórica, en la sociedad toda de España, que a él le parece ya una deformación de la llamada civilización europea.

Pero aunque antes no hubiera mostrado su juego tan a las claras, no puede decirse (estudiando su obra como lo hemos ido haciendo hasta aquí) que el autor no hubiera denunciado cuanto le parecía falso, injusto o castigable de nuestra sociedad; toda su obra, de una manera o de otra, responde a esa intención, más que a la postura de esteta que se le ha señalado.

Divinas palabras, bajo la apariencia de una tragicomedia aldeana y realista, es la denuncia más atrevida de los «enjuagues» y tejemanejes políticos a que fue sometida España, a la muerte de Alfonso XII, por los dos prohombres más significativos de la política española del siglo XIX, Cánovas y Sagasta. ¿Por qué se sirvió Valle-Inclán en esta obra más que en ninguna otra del «doble fondo» esperpéntico?, es la pregunta que, incluso después de convencidos de que la obra tiene ese doble fondo o significado político que no ha sido denunciado antes de ahora, nos hemos hecho repetidamente. La razón de más peso me parece la que ya apunté antes, el temor de ir demasiado lejos en las acusaciones personales de algunos protagonistas todavía vivos a la publicación de la obra o de sus mismos descendientes, que hubieran podido entablar proceso de difamación contra el autor de tal «libelo». El panorama político de los años veinte, a ojos de Valle-Inclán, no había cambiado nada respecto a los enjuagues que él denunciaba en su parábola. Acusar sin rodeos no le podía conducir más que a la prohibición de su obra o al proceso legal. Le quedaba la salida tentadora de la «deformación esperpéntica»; esta vez bajo el disfraz de una obra realista normal. Con argumento que apuntaba a un mal existente en el país —la superficialidad religiosa del pueblo todo—, pero que se disparaba hacia el blanco oculto de la corrupción política y social de España, hace su más complicado y bello esperpento. Sinteticemos, para concluir, la amarguísima lección que tras este fatigante análisis hemos visto en *Divinas palabras.*

Primera jornada: La acción en un rincón típico del país. Una aldea, *España campesina y atrasada,* en la cual precisamente los personajes están ante el pórtico de una iglesia. *Dos polos opuestos de la sociedad, nómada uno, sedentario el otro: dos partidos políticos enfrentados se disputan.* El nómada va acompañado de su amante —*la política del momento*—, de la que se deshará sin escrúpulos poco después, dejando ver sus entrañas de mal padre; sufre los ataques e insultos del sacristán, representante de la sociedad estable y tradicional, *conservadores contra liberales.*

Juana la Reina, *la monarquía dominadora, enferma de muerte* a consecuencia de sus excesos alcohólicos y amorosos, sale arrastrando un carretón en el que exhibe un *enano hidrocéfalo, el pueblo sin cordura, incapaz de defenderse de las iniquidades* que puedan cometerse contra él; muere la Reina al borde de un camino, quedando el idiota a merced de los familiares, *la política explotadora;* el alcalde pedáneo, *el cacique local,* encuentra la solución o arreglo ideal: turno en la explotación del engendro, *Pacto del Pardo.* Beben y festejan el «apaño».

Segunda jornada (Ha pasado el tiempo y se nos indica de manera muy sutil; por las quejas de Marica sabemos que el idiota en el turno o turnos que a ella le han correspondido, y debido al amor con que lo trata y las deferencias que para él guarda, le ha producido escasas ganancias): Mari Gaila, *política del conservador, se hace muy popular* entre los nómadas y vagabundos, *entre los liberales.* Traiciona sin escrúpulos a su hombre entregándose al cabecilla del otro bando; pese a que su viejo marido sabe hasta latín, el matrimonio no se lleva bien. Un amigo del farandul, *algún político que le hacía el juego a los dos bandos,* se venga del titiritero triunfador: atiborra de alcohol al enano que muere repentinamente (¿Montero Ríos al firmar el «Tratado de París»...?); *acaba la miserable vida que le restaba al Imperio, al mismo pueblo español,* mientras, por la traición de Mari Gaila, *se unen pecaminosamente los dos bandos responsables.* La sacristana decide volver a su lugar para echar la culpa de la muerte del engendro a «los otros», *entregándose al mismo*

15

diablo para llegar antes a su destino, unión de la que no deja de sacar un gozo manifiesto. Dejan luego el cadáver abandonado ante la puerta de la cuñada, intentan así *echarle la culpa al otro bando,* y los cerdos (¿brutal alusión esperpentizada del más grande poderío económico, los Estados Unidos de América...? No se olvide que para los españoles de las últimas colonias era el pueblo de «los choriceros»; y entre chorizos y cerdos...), los cerdos, repito, medio devoran los restos abandonados (¿Puerto Rico, Cuba, Filipinas...?), *desastre del noventayocho.*

Tercera jornada: Sigue la explotación del engendro, ya cadáver. Los *amantes* se dan cita y son *sorprendidos en pleno pecado* por su enemigo el Padronés, que los denuncia al pueblo. *Castigan a la pecadora,* mientras dejan libre al verdadero culpable («el hombre hace lo suyo propio. En las mujeres está el miramiento»). El burlado sacristán intenta el suicidio, pero fracasa. Decide perdonar a la adúltera interpretando la parábola evangélica. Tomando prestada la fórmula de la Iglesia, entrega un cirio a la pecadora; cuando pronuncia las palabras en la lengua de todos, los aldeanos le insultan y se burlan de él. Recurre al latín, *la cortina de humo de las «divinas palabras», la oratoria del Congreso y los políticos y gobernantes,* y todos, como por milagro, dejan caer sus piedras y cesan de acusar a la pecadora; se van retirando, por temor a que bajo esas palabras misteriosas e incomprensibles no haya escondida una amenaza de castigo, andar en justicias. ¿Qué hacer...? «¡Sellar la boca para los civiles, y aguantar mancuerda!» Los políticos conservadores, sirviéndose de la Iglesia y de la fuerza en caso necesario, continuarán su vida como si nada hubiera pasado; el pueblo, otro enano idiota, seguirá siendo explotado por los que gobiernan sin entender aquel juego, sufriendo como parece ser su destino...

La crítica en general mantiene la opinión de que *Divinas palabras* es una de las mejores obras del teatro de Valle-Inclán; también a mí me lo parece, y con *Los cuernos de don Friolera* creo que es lo mejor que se ha escrito en nuestro teatro en lo que va de siglo. Incluso sin tener en cuenta ese doble fondo tan intencionado, que le da una profundidad y un contenido insospechado hasta aquí, creo que puede mantenerse que Valle-Inclán logró en esta maravillosa «tragicomedia de aldea» los momentos más brillantes de su carrera de dramaturgo. La verosimilitud de sus personajes —a los que utiliza, como hemos visto, en su doble papel realista-simbolista— y el lenguaje en que se expresan, explican el éxito de esta obra cuantas veces se ha llevado a la escena. No comprendo bien las restricciones que hace en sus alabanzas el crítico Franco Meregalli; preguntándose si la obra es literariamente un acierto, dice que «lo è senza dubbio in alcuni momenti e per alcuni aspetti». Le parecen bien las acotaciones —uno de los puntos fuertes de Valle, según el profesor italiano—, tan buenas como las de las *Comedias bárbaras,* pero encuentra que la afean algunos «elementi parodistici». Le parece que a veces la escena «e condotta con grazia» mas... «piú volte le situazioni si riprendono, quasi si ripetono, e ciò può dare un'impressione di lentezza e di dispersione» [33]. Lamento no estar de acuerdo en absoluto con la opinión del por otra parte fino crítico. No veo situaciones repetidas, y el ritmo de la obra me parece apropiadísimo culminando en ese final a la vez grandioso y emocionante de la pecadora expuesta a la vergüenza pública, el pobre sacristán intentando matarse sin conseguirlo y la realización del «milagroso» perdón. No veo dispersión alguna, sino, por el contrario, un ordenar la acción con miras a que todos los elementos vayan encaminados a lograr el sorprendente y convencedor final milagroso.

Unas pocas palabras más referidas a la técnica esperpentizante seguida por el autor en esta obra. Se sirve de ella con maestría tan absoluta que resulta menos obvia que en las obras anteriores. Como toda *Divinas palabras* es una gran esperpentización de la vida política en España, durante la Regencia, el autor no abusa de los detalles esperpénticos, como había hecho antes. Los asimila a la acción, forman parte de ella a la manera de las puntadas del tejedor que son parte del tapiz o del bordado. Hay que buscarlos con cierto cuidado para que resalten.

Animalización: Siete casos hemos contado; Simoniña está animalizada y «cosificada» a la vez (abobada, lechosa, redonda, con algo de luna, de vaca y de pan...», I, pág. 734); el idiota hace el gato y emite sonidos de animal, (I, págs. 742-743); el sacristán en otro tiempo fue «tan gallo y ahora te dejas pisar la cresta» (I, pág. 753); el enano al morir «se voló de este mundo» (I, pág. 764); la vieja Marica del Reino «tiene los pechos de cabra seca» (pág. 770); un grupo de niños está visto como «un vuelo de rapaces» (pág. 773), y el sacristán en la tremenda escena final «sube al campanario, batiendo en la angosta escalera como un vencejo» (pág. 787).

---

[33] Franco Meregalli, *ob. cit.*, pág. 37.

Cosificación: Evidentemente, el ser humano más «cosificado» es el infeliz idiota. Cerca de una docena de veces es mencionado por los otros personajes como «el carretón», metonimia cosificadora muy gráfica (págs. 740, 741, 743, dos veces, 744, tres veces, 746, dos veces, 771 y 772). A la amedrentadora «pareja de la Guardia Civil» se la describe vista sólo en sus arreos: «El correaje, los fusiles, los tricornios destellan en la carretera cegadora de luz»... (pág. 748); «el sacristán tiene algo que recuerda la llama amarilla de los cirios» (pág. 752); la niña extática, acompañada por sus ancianos padres, «... parece una figura de cera entre aquellos dos viejos de retablo» (pág. 762, dos veces); y cuando el enano, ya muerto, está a la puerta de la iglesia, «las manos infantiles enclavijadas sobre la cobija, tienen un destello cirial» (pág. 770), siendo su cabeza «de cera» (página 779); Rosa la Tatula, vista de lejos, es un «garabato negruzco de una vieja que galguea» (pág. 782).

Animación: Menos ejemplos que de ordinario. Hay un «camino galgueando» (pág. 773); «un campo costanero sube por el flanco de la Colegiata» (pág. 749); los aldeanos lanzan piedras, una de ellas «rueda burlona por el tejado» (pág. 773) y las «campanas bailan locas» (pág. 786).

Humanización: Utilizada poquísimo; solamente el perro del titiritero, Coímbra, aparece irónicamente «humanizado» al obedecer las órdenes de su astuto amo; e igualmente «el pajarito de la suerte» aparece descrito así: «Colorín, caperuza verde y bragas amarillas...» (pág. 750). En cuanto al proceso «muñequizador», personajes vistos como peleles, se utiliza con relativa frecuencia para describir al sacristán Pedro Gailo; la muerte también convierte a los humanos en peleles, en los casos de Juana la Reina y su desgraciado engendro.

En resumen, muchos menos elementos «esperpentizantes», como si temiese abusar de ellos en este, para mí, su máximo esperpento. Se dio perfecta cuenta de que el todo era un formidable deformar la realidad (convertirla en algo que no es lo que parece a primera vista) por lo que no le hacían falta muchos detalles claramente esperpénticos.

IX

LECCIÓN TEÓRICO-PRÁCTICA
DEL ESPERPENTO:
EL AUTOR EXPLICA SU JUEGO

1. «FARSA Y LICENCIA DE LA REINA CASTIZA»

Vio la luz en la revista «La Pluma», números de agosto y septiembre de 1920. Como libro fue publicada dos años más tarde (Artes Gráficas de la Ilustración).

Si en *Divinas palabras* disfraza un pedazo de nuestra historia con vestidos de tragicomedia aldeana, en la obra siguiente, para estar seguro de que hasta los menos despiertos entienden su lección, vuelve a servirse de la historia reciente, pero esta vez arrancándole a manotazos violentos todo posible ropaje de adorno, dejándola desvergonzadamente en cueros vivos ante el espectador. Satiriza sin piedad y acentúa tanto las notas burlescas, que lo que hubiera podido ser un esperpento más, al tender a la deformación absoluta se queda en un simple «farsa de muñecos».

La anécdota argumental pudiera ser verdadera; las ardientes pasiones de Isabel II y la indiscreción de quienes la ayudaban en sus poco ejemplares devaneos, provocaron más de una delicada situación en las altas esferas gubernamentales, como sabemos; es el tratamiento farsesco, elegido por el autor, el que la hace inverosímil. Si Valle-Inclán —como se ha sugerido repetidamente— quería mofarse de la figura de Isabel II y de su corte, si trató de hacer una «sátira política» descarnada, nos tememos que esta vez se pasó de la raya. El dardo cargado de mordacidad se perdió en el vacío, mientras dio en plena diana la flecha de la pura comicidad. Porque no hay duda de que *La farsa y licencia de la reina Castiza* es obra muy graciosa, con versos ágiles y llenos de la mejor facundia valleinclaniana; pero obra menor, si la comparamos con las otras burlas isabelinas, que son los tres volúmenes del inacabado *El ruedo ibérico*. Hacemos nuestras las palabras de A. Buero Vallejo, quien, al referirse a esta obrita, mantiene: «Cuando Valle intenta escribir un esperpento absoluto, su poder deformante, falto de contraste, se trivializa y el escritor, paradójicamente, no puede llamar esperpento a su obra. *La reina Castiza* intenta ser un esperpento absoluto: pura befa deshumanizada. Y se queda por ello en simple farsa» [1].

No pensamos, como piensa F. Almagro, que en *La reina Castiza* «apunta un esperpento» [2]. Nos parece, por el contrario, que esta obrita es un paso paralelo si se quiere, pero al márgen, de la senda emprendida mucho antes, que le llevaba hacia el esperpento. Una bufa pirueta cómica que sólo un gran artista de la talla de Valle-Inclán podía permitirse sin menoscabo.

2. «LUCES DE BOHEMIA»: ILUMINACIÓN DE UNA TRISTE REALIDAD

Tenía don Ramón cincuenta y cuatro años de edad al escribir esta obra. Como si empezara a estar cansado de que sus lecciones no hubieran sido entendidas, decide explicar su técnica. No con un ensayo prologal o paralelo a ella, sino desde dentro de la misma obra dramática; el personaje central, el poeta ciego y fracasado Max Estrella, al borde mismo de la muerte, habla por Valle-Inclán. Explica en qué consiste el esperpento en la tantas veces citada escena XII, con la esperanza de que por fin el duro de mollera público español abra los ojos a la lección que se le intenta dar.

Desgraciadamente, salvo para una minoría de hombres de letras y estudiosos, ha tenido que pasar casi otro medio siglo para que la lección de éste y otros esperpentos valleinclanianos empiece a ser comprendida por el «público español».

Ya dijimos anteriormente que el esperpento, contra lo que mantiene más de un crítico, no surge con *Luces de bohemia,* sino que, por el contrario, esta obra es como la culminación, el redondeamiento y explicación estética de una manera de enfrentarse a la realidad,

---

[1] *De rodillas, en pie, en el aire,* en «Revista de Occidente», núms. 44-45, Madrid, nov.-dic. 1966, pág. 140.
[2] *Ob. cit.,* pág. 179.

de un modo —¡nunca una moda!— de hacer literatura, original e intencionada cuyas raíces hay que buscar en la obra toda anterior de Valle-Inclán. Lo único verdaderamente nuevo es el mote. En los diez años finales de creación (a partir del año 1930 don Ramón escribió muy poco) va despojando de matices disimuladores, trampas sutiles y escurridizas que apuntan en una dirección y conducen a otra muy diferente, a la mayoría de sus obras; desilusionado por la más que mediana acogida que el público dispensó a sus obras anteriores, va dejando ahora al descubierto, a veces descarnada, doloridamente, lo que su mirada de artista sensible y grande, descubre en el mundo que le rodea. Y si en *Divinas palabras* se transparentaba una sarcástica parodia de acontecimientos históricos relativamente cercanos, en el esperpento actual, so pretexto de adentrarse en el mundo curioso de la bohemia literaria, que él conocía muy bien, Valle va a dejar al descubierto no sólo un mundo de escritores más o menos fracasados, sino la más demoledora y verídica radiografía de la sociedad toda de la España de los años en que está escribiendo.

Aun cuando iban siendo numerosísimos los ensayos consagrados en los últimos años a la obra de Valle-Inclán (especialmente los aparecidos con motivo del reciente centenario del autor) no teníamos hasta hace poco un estudio detallado de *Luces de bohemia*. Afortunadamente para el lector, esta obra cuenta ya, en mi opinión, con el mejor y más pormenorizado análisis dedicado a un esperpento en particular: Zamora Vicente, quien ya había analizado diversos aspectos de la obra en varios artículos y un ensayo largo, eligió como tema de su discurso de recepción en la Real Academia Española de la Lengua el estudio del «primer esperpento»; y en un hermoso y paciente esfuerzo, ejemplo de claridad y de total honradez de investigador, nos ha explicado la génesis, contenido y significado real de tan extraordinaria obra [3]. Remitimos a nuestros lectores a dicho trabajo, limitándonos aquí a resumir las más importantes conclusiones:

El esperpento, contra lo que ha podido mantenerse, es una «criatura artística admirable, repleta de testimonio y de vida, libros de denuncia, formidable fe de vida de un hombre que ha mirado su paisaje humano con una angustiosa voluntad de perfección» (página 15); en *Luces de bohemia* «... urge ver una llamada a la ética,

---

[3] A. ZAMORA VICENTE, *Asedio a «Luces de bohemia»* (primer esperpento de Ramón del Valle-Inclán). Discurso leído en su recepción pública. Ed. Academia Española, Madrid, 1967; ampliado posteriormente en el libro *La realidad esperpéntica (Aproximación a «Luces de bohemia»)*, Ed. Gredos, Madrid, 1969.

una constante advertencia y corrección» (pág. 17); los espejos deformantes están en la mirada del artista, más que en el callejón del Gato; a fin de siglo las deformaciones y parodias estaban muy de moda
en el mundo literario, lo que debió contribuir a la «formación» de
esa peculiar manera de contemplar la realidad. Hace Zamora Vicente
un detallado e interesante estudio de las parodias y la influencia que
en Valle-Inclán pudieron tener para ayudarle a construir su original
esperpento; se fija especialmente en la sutil creación del personaje
central, el poeta Max Estrella, contrafigura del conocido escritor y
bohemio «Alejandro Sawa, muerto, ciego y loco, en 1909», sugiriendo muy sagazmente que la figura de don Latino de Híspalis, cínico compañero de aventuras del poeta, no responde a un ser vivo determinado, como se han empeñado en demostrar varios críticos, sino
sencillamente a un desdoblamiento de la personalidad del poeta: «Lo
que Sawa había hecho en el envés de su cara noble y avasalladora.
El otro Sawa. El que, lejos de la sabiduría verlainiana, engaña a
quien puede y vive del sablazo ocasional» (pág. 39); señala después
la importancia de los muñecos y peleles en las sátiras, el poso literario —literatización— de la obra filtrándose por todas las rendijas
y cuanto hay de queja, de protesta testimonial: «Sí, es indiscutible
que *Luces de bohemia* es una obra con un fuerte trasfondo de protesta social» (pág. 61). El artista, con lágrimas en los ojos, trata de
echar una mirada a la España que le rodea; lo que descubre no
puede ser más desolador: «El contorno de Valle era una España
caduca, enfermiza, sin arraigo ni ética» *(ibíd)* y con furia, nacida
de amor, no se olvide, nos da su testimonio: «Esto es *Luces de bohemia:* la concreta España, sorprendida en el reverso de su llamativa
traza, cáscara que se desmorona al ser exhibida fríamente» (pág. 62).
¿Por qué tan amarga pintura...? Simplemente: «Esa España está
vista, repito, a través de una lágrima (excelente y bien explicable
espejo cóncavo) o estrujada entre los dedos. Y de ahí lo resultante:
esquinadas aristas, maltrecho proceder, pérdida de la solemnidad y
del engolamiento, marcha hacia la nada total» (pág. 63). Valle-Inclán
no tuvo, por otra parte, que deformar demasiado algunos detalles
que hoy podrían parecernos exagerados; todo ese mundo de la bohemia, de la pobretonería y del hambre, estaban aún desgraciadamente
muy vivos en los primeros veinte años del siglo; los políticos desaprensivos, los artistas de la pluma más o menos fracasados, el mundo de miseria que sirve de fondo a las peripecias del poeta ciego,
no son sino un reflejo directo de la realidad, como demuestran tes

timonios nada «esperpentizados» de Baroja, Eugenio Noel, Eduardo Zamacois y Pérez de Ayala [4].

Pequeños sucesos que van sabiamente mezclados con los acontecimientos importantes de la vida española y que dan a *Luces de bohemia* ese aire de crónica veraz: «Queda, pues, claro que Valle-Inclán somete a una revisión el paisaje todo de la vida nacional.» Y señala el crítico agudamente la diferencia que hay entre esta clase de crítica y la de los saineteros o periodistas anteriores: «Todo queda depurado, ahilado, vestido súbitamente de una desencantada tristeza, trascendido» (pág. 83).

No menos lleno de interés y acierto me parece el denso capítulo dedicado a estudiar la lengua de *Luces de bohemia*. Con admirable concisión y oficio de filólogo expertísimo, ayudado por una sensibilidad muy aguda, nos va descubriendo matices lingüísticos interesan-

---

[4] Con paciencia ejemplar, el profesor Zamora Vicente ha ido localizando no sólo las personalidades más relevantes de los personajes de *Luces,* sino las docenas de alusiones a otros detalles o figuras que fueron significativos en el tiempo que abarca la obra, aproximadamente de 1909 a 1924, ya que, como demuestra el crítico, Valle fue añadiendo detalles al original publicado en la revista «España» hasta su aparición en forma de libro, extendiendo a su gusto la época. Aunque Alejandro Sawa falleció en 1909, la muerte de Galdós no ocurrió hasta 1920; y la aparición sobre la escena de Rubén y otras alusiones intencionadamente temporales, como las diversas revueltas huelguísticas, nos amplían considerablemente el lapso de tiempo abarcado por la obra.

Resumamos las más importantes «localizaciones»: Max Estrella es la contrafigura de Alejandro Sawa; Madama Collet, su mujer, Jeanne Poirier, y el matrimonio tenía efectivamente una hija; don Latino ya dijimos que era desdoblamiento, la otra cara, de la personalidad del bohemio; don Gay Peregrino es Ciro Bayo; Zaratustra, el librero Pueyo; el ministro, don Julio Burell; Basilio Soulinake es Ernesto Bark; la lotera «Pisabién», una vendedora de lotería apodada «ojo de plata»; Rubén Darío, Dorio de Gadex y Gálvez (Pedro Luis de Gálvez) figuran con sus nombres o pseudónimos. Y en cuanto a los «epígonos del parnaso modernista» nos dejan entrever los nombres de muchos poetas de segunda fila que figuran en los periódicos y revistas de la época: Goy de Silva, Antonio Andión, Rafael Lasso de la Vega, Juan José Llovet, Camino Nessi, González Olmedilla, Moreno de Tejada, Cristóbal y Miguel de Castro, etc. Quizá Emilio Carrere, Pedro de Répide. Toda una flotante teoría de gentes, con preocupaciones económicas, vocación de versificador y paisaje noctámbulo. Figuras espectrales casi, que forman el poso aliquebrado de los vencidos. Desfile carnavalesco, «pipas, chalinas, melenas», la cáscara rugosa de una fugaz fruta, poesía» (págs. 32-33).

Véase también para este punto los trabajos de FERNÁNDEZ ALMAGRO, *Vida y literatura de Valle-Inclán,* ed. cit., pág. 188; GUILLERMO DE TORRE, *La difícil universalidad española,* ed. cit., págs. 137-138, y JACQUES FRESSARD, *Un episodio olvidado de la guerra carlista,* en «Cuadernos Hispanoamericanos», Madrid, julio-agosto 1966, pág. 366.

Entre la ya muy abundante serie de estudios consagrados a *Luces de bohemia,* me parece que, además de los citados, sobresalen entre los mejores los ensayos de GONZALO SOBEJANO, *«Luces de bohemia», elegía y sátira,* en «Papeles de Son Armadans», t. XLIII, núm. CXXVII, Mallorca, octubre 1966, págs. 89-106, y EMILIO MIRÓ, *Realidad y arte en «Luces de bohemia»,* en «Cuadernos Hispanoamericanos, núms. 199-200, Madrid, julio-agosto 1966, págs. 247-270.

tísimos. Señala cómo Valle retrata sutilmente «a un personaje por el rictus lingüístico que le caracteriza. En el caso de Rubén, era típicamente artístico» (pág. 94); subraya el crítico los importantes añadidos de la edición final de 1924 con respecto a la primera versión de la revista «España», así como las concomitancias lingüísticas de algunas expresiones de *Luces* con *Tirano Banderas,* ya en preparación por entonces. Del máximo interés, repito, me parecen las páginas del profesor Zamora Vicente en las que estudia el «habla esperpéntica», deteniéndose, por ejemplo, en el uso, significado y evolución del término «grotesco», tan del gusto de los escritores de principios de siglo; el cómo se filtra en la obra el habla popular, o el uso peculiar del adjetivo múltiple en Valle-Inclán, consagrando unas páginas que se nos antojan cortísimas —tan sustanciosas y ricas, nos saben a poco— a señalar los muy abundantes madrileñismos, los vulgarismos, los términos jergales, así como los gitanismos que enriquecen la obra considerablemente: «En Valle-Inclán todo esto se crece hacia un coloquio de universal proyección artística» (pág. 113). Páginas antes nos había dicho con esclarecedora exactitud: «La deformación idiomática es el gran brillo, el prodigio permanente del esperpento» (pág. 90).

Termina tan magnífico estudio, que tan desmañadamente he intentado resumir aquí, apuntando convincentemente las influencias que la más moderna de las artes, el cinematógrafo, pudo tener sobre Valle.

3. ESTRUCTURA DRAMÁTICA DE «LUCES DE BOHEMIA»

Al objeto de dar la impresión de continuidad en ese descenso desesperado a los infiernos de la realidad madrileña[5] el escritor no

[5] El profesor y crítico RICARDO GULLÓN ha señalado muy acertadamente: «En el nivel simbólico, *Luces de bohemia* puede leerse como la narración de un descenso a los infiernos, que aun en la degradación esperpéntica sigue conservando angustiosa grandeza.» Y completa así su inteligente punto de vista: «Que los círculos infernales sean tabernarios más que dantescos, es natural. ¿Cómo podrían ser de otra manera en el escenario madrileño?... El destino del vate... y el del hombre a secas no es por eso menos trágico; aún parece serlo más, pues la ruindad del medio y de sus habitantes quita grandeza a la inmersión en los abismos: Dante tuvo por compañero a Virgilio; a Max le acompaña el misérrimo don Latino (obsérvese la transparente alusión del nombre), quien, lejos de guiarle, le desorienta, engaña y abusa de su debilidad» (*Realidad del esperpento,* en «Ínsula», núm. 257, Madrid, abril 1968, pág. 10).

ha dividido la obra en jornadas, como acostumbraba. Ha preferido que las escenas vayan en un bloque compacto, como escalones progresivos hacia la aniquilación total; las tres últimas —consecuencia inexorable de las anteriores— serían como el colofón que concluye el todo.

Comienza el «viaje» al término de la primera escena, que transcurre en un quinto piso, el guardillón donde habita Max Estrella. Acompañado de su cínico lazarillo, don Latino, eco esperpéntico de Virgilio, guía del Dante en los infiernos, bajan primero a la cueva de Zaratustra, donde se enredan en bizantinas discusiones «de intelectuales sin dos pesetas». Ajenos por completo a las miserias que los rodean y al dolor del pueblo —«... un retén de polizontes pasa con un hombre maniatado»...—, discuten denunciando la escasa consistencia de la religiosidad española: «una chochez de viejas que disecan al gato cuando se les muere» [6]. Caen más tarde por la taberna de Picalagartos, se emborrachan y gritan por las calles, siendo detenido Max, y acaban por descender otro «escalón» más, el del Ministerio de la Gobernación, en cuyos sótanos es encerrado el poeta. En las tinieblas del calabozo conoce Max a un obrero catalán, anarquista, condenado injustamente, con el que comparte el dolor llorando de rabia al saberse impotente ante tanto crimen. Los amigos y admiradores del poeta logran su libertad intercediendo desde la redacción de un periódico; visita el poeta ciego, camino de su libertad, al ministro de la Gobernación, antiguo aficionado a la poesía y amigo juvenil de Max. Acepta una generosa —pero encanalladora, por venir de donde viene— limosna que se apresura a dilapidar en una costosa cena, en compañía de Rubén Darío, a quien encuentran medio alcoholizado en la soledad tibia de un café. Más meditaciones filosóficas, paseo nocturno y otro escalón descendente: el mundo de las prostitutas callejeras. Después presencian el dolor inmenso de una madre a la que le han asesinado una criaturita de pocos años, escuchan las «justificaciones» de los comerciantes y la Policía, y, herido de muerte, participando del dolor y el sufrimiento de «los de abajo», pide el poeta a su lazarillo: «... sácame de *este círculo infernal*». Acto seguido se escucha una fusilada y no tarda el sereno

---

[6] Me parece muy interesante la observación que a este respecto hace EMILIO MIRÓ en su estudio *Realidad y arte en «Luces de bohemia»*, en «Cuadernos Hispanoamericanos», núms. 199-200, Madrid, julio-agosto 1966, pág. 266: «Frente al anticlericalismo de Baroja, la crítica de Valle ofrece la vertiente positiva de un replanteamiento de lo religioso».

del barrio en explicar la causa: «Un preso que ha querido fugarse» (I, pág. 937). Al darse cuenta Max de que el joven obrero catalán ha sido brutalmente asesinado, confiesa no ser capaz ni de gritar: «¡Me muero de rabia! Estoy mascando ortigas... La Leyenda Negra en estos días menguados es la historia de España. *Nuestra vida es un círculo dantesco*. Rabia y vergüenza. Me muero de hambre, satisfecho de no haber llevado una triste velilla en la trágica mojiganga...» (I, pág. 938). Impotente contra las brutales injusticias, propone el poeta a su lazarillo un «regenerador suicidio» tirándose ambos del viaducto; mas no le hace falta. Sus minutos están contados por «la fatal»; a la puerta de su casa, luego de explicar en qué consiste el esperpento y de tener una segunda visión admonitoria (esta vez pesimista: contempla su propio entierro), el bohemio empedernido, símbolo de un romanticismo exagerado, con sus noblezas y sus defectos, expira de frío y de tristeza, mientras el miserable «guía» le despoja del billetero, por una vez lleno de algo más que de ilusiones insatisfechas. (Irónicamente, pocas horas más tarde, el décimo de lotería que le había comprado a «la Pisabién» saldría ganador del primer premio. El ruin Latino disfrutó, robándosela, de la tardía fortuna del bohemio).

Las tres escenas últimas, el velatorio en casa del muerto, el entierro, al que acuden Bradomín y Rubén Darío, y la escena entre «la gente del hampa» en casa de Picalagartos, son, como dije, el epílogo a ese descenso a los infiernos de la realidad española del poeta Max Estrella.

Argumento lineal, hacia abajo y sin respiros en el acontecer. Total libertad en cuanto a juego escénico, pero menos dificultades de montaje que las *Comedias bárbaras*: policías a caballo persiguiendo a los huelguistas y alborotadores; varios animalitos que intervienen en la cueva de Zaratustra, el perrillo de don Latino, otro can vagabundo que cruza la escena, mira las estrellas y se orina contra un farol al morir el protagonista; dificultades todas de las que puede prescindirse, en caso necesario, sin que pierda un ápice la obra en su valor ni en su intención. Lo que causa asombro, por su riqueza y el manejo habilísimo con que está utilizado, es el caudal lingüístico de Valle-Inclán. Las hablas diferentes y apropiadísimas de todos y cada uno de los personajes; la relativamente noble manera de expresarse del «hiperbólico» Max Estrella, contrastando con la ruindad y mezquinería del zalamero y vil don Latino; los matizadísimos dejes de extranjera de Madame Collete («¡por Dios, hija, no digas demencias!», «... vas a tomarte un disgusto...», etc.); la extraordinaria caricatura del «alemán fripón» Basilio Soulinake, fruto son del talento sin igual de artista maduro de que a estas alturas gozaba don Ramón. Gracia verbal, sexto sentido que le hacía descubrir el dicharacho más soez, la frase de más colorido y belleza, de más expresividad y plasticismo tanto en las esferas más distantes del vivir ordinario como en los reflejos de la mejor literatura de habla hispana. Siempre con el oído bien atento, supo detenerse en medio del arroyo y agacharse a rescatar expresiones y dichos que, sin el poder discriminatorio de Valle, habían sido antes exclusivas ordinariéces o groserías irrepetibles que los dramaturgos serios habían desdeñado por considerarlas insultantes para el buen gusto y los delicados oídos del público burgués que llenaba los teatros españoles.

Como los acontecimientos en la obra, la lengua que la sirve se hace noble o se acanalla, se dignifica o envilece a medida que los hechos lo precisan; los matices del habla de sus personajes en cada momento están traduciendo con asombrosa exactitud los sentimientos y pasiones que los dominan.

Pese al acento trágico y desolador de todo este «viaje sin retorno» a lo profundo de los infiernos de la vida cotidiana en el «Madrid absurdo, brillante y hambriento» que don Ramón conoció como nadie, el inigualable poder cómico del autor se transparenta incluso en las escenas más intencionadamente serias de la obra. Tal, por ejemplo, la discusión acerca de España y su religión, en la absurda cueva de Zaratustra; la reunión de los «epígonos» modernistas, de quienes se burla el autor sin rodeos; las estupendas visitas «tabernarias», la delicadísima «escena pecaminosa» del poeta con «la Lunares», prostituta adolescente en que la más contenida ternura hacia la chiquilla —¡otra víctima más!— nos va ganando la partida en fuerte contraste con la baja lubricidad de don Latino y la vieja que lo engatusa. Tal vez la nota más cómica surja —brutal contraste— en los momentos del velatorio del poeta, cuando el cochero fúnebre viene a buscar «el fiambre», y la portera de un lado y Soulinake del otro se enredan en una discusión que resulta muy cómica. Burlas que no respetan ni la paz de los muertos, con los intencionados comentarios de los sepultureros, esperpénticas resonancias de los de Shakespeare.

Humor amargo que sólo se detiene ante los dos momentos más serios de la pieza: en el calabozo, al hablar el poeta con el obrero catalán, condenado inocentemente, y en la escena callejera en que la madre, otra leona herida, manifiesta en gritos desgarradores el dolor por su inocente hijito, asesinado estúpidamente por una bala perdida de la fuerza pública. ¡Qué lejos esta auténtica, dolorosísima, queja de aquel bellísimo planto de Mari Gaila a la muerte de su cuñada!

En cuanto a la repetida teoría de que Valle-Inclán utilizó la figura del conocido escritor y bohemio Alejandro Sawa, añadamos lo que nos parece una aclaración de justicia. Indiscutiblemente don Ramón se sirvió de la pintoresca figura del escritor para construir a su imagen y semejanza el personaje central de su obra. Lo que nos parece que no se ha subrayado suficientemente, en mi opinión, es que Valle-Inclán no se limitó a copiar más o menos fielmente los rasgos de Sawa, sino que, dejando en libertad su instinto creador, fue insuflando en su criatura literaria cuanto había de inconformismo, de rebelde protesta (de no querer participar en una mojiganga política con la que no podían estar de acuerdo) en la juventud intelectual de principios de siglo y, en particular, en el propio Valle. Aunque la figura externa la tomara prestada del autor de *Iluminaciones en la sombra,* el espíritu que lo anima, la radical grandeza de alma y, pese a su ceguera, la clarividencia con que denuncia las iniquidades y la podredumbre de la sociedad española del primer cuarto de siglo, responden como sabemos a la manera de ser y pensar del propio autor [7].

En el complejo «hiperbólico escritor» se escondió lo mejor de la personalidad del inconformista y rebelde Valle-Inclán, disfrazado de bohemio ciego que desciende, por última vez y sin posible retorno, a las profundas entrañas de la realidad —«humana comedia»— española. Y que ni siquiera se preocupó por disimular cuanto el personaje tenía de queja personal lo prueba, por ejemplo, el detalle que hace referencia al sillón vacío de la Real Academia, el de Galdós, que no quedó vacante hasta 1920; difícilmente lo hubiese podido ocupar Alejandro Sawa, muerto hacía diez años... Otra vez más vemos al escritor sirviéndose de la realidad, acomodándola a sus ideas previas de modo mucho más sutil a como lo haría el creador torpe que inventa o imita tipos de una sola pieza. Compleja como el alma del artista verdadero que la creó, es la personalidad de Max Estrella.

---

[7] Tal es la opinión de GONZALO SOBEJANO: «Pero Valle-Inclán puso algo, bastante, de sí mismo en Max Estrella, porque también él vivió una bohemia heroica y hubo de sufrir —o eludir a tiempo— ciertas experiencias de su personaje» (*art. cit.,* pág. 91).

Y, puestos a aclarar, conviene también que recordemos que el joven obrero barcelonés, aunque toma prestado el nombre de un célebre anarquista —Mateo Morral— (sin duda quiso Valle recordar así la mítica figura del que pudo haber sido asesino de los reyes el día de la boda) es un ser mucho más complejo que aquél. Como ha demostrado José A. Gómez Marín en su intesante estudio *La idea de la sociedad en Valle-Inclán,* «el preso Mateo es un obrero barcelonés que representa en su dramática situación a todo un proletariado regional y que habla inspirado por una conciencia de clase... —producto elaborado en el crisol de un medio coherente y nutrido de un aparato ideológico eficaz. Mateo posee datos sobre el concepto marxista de revolución, que sólo puede haber obtenido en un medio abundante de propaganda y proselitismo...—, tipo mixto de revolucionario de fondo anarcoide, pero con importantes implicaciones marxistas» [8].

No; no son todos «monigotes», «fantoches» o «personajes granguiñolescos» los que se mueven en el esperpento, pese a las superficiales apariencias. Ni el doloroso y triste peregrinar del poeta derrotado y ciego es un viaje sin sentido: tras su, en apariencia, balbuceante caminar, somos llevados, de la mano de un ciego, a la más asombrosa y lúcida excursión, hacia una realidad española enfermiza que se está descomponiendo ante nuestra asombrada mirada. Tras las peripecias del exagerado bohemio y las andanzas de esos pobres ilusos epígonos del modernismo, podemos contemplar la amarguísima enfermedad de injusticia, hambre y miseria moral y material que aquejaba a la caótica sociedad española del primer cuarto de nuestro siglo.

El autor no ofrece medicinas para curarla, pues no las tiene, pero con su ojo penetrante de artista, preocupado con mucho más que con la mera estética, está diagnosticando las dolencias principales. Sólo quien sabe el mal que le aqueja puede hacer algo por curarse.

[8] Taurus Ediciones («Cuadernos Taurus», núm. 76), Madrid, 1967, pág. 133.

4. TÉCNICA DE LA ESPERPENTIZACIÓN EN EL LLAMADO «PRIMER ESPERPENTO»

Si, como proclama más de un crítico, *Luces de bohemia* fuese verdaderamente el primer «esperpento» escrito por el autor, tendríamos por fuerza que encontrarnos en esta obra con una serie de recursos técnicos novedosos con respecto a las anteriores. Sin embargo, como ya anticipé, la única novedad que presenta, además del mote genérico, es la explicación teórica que acerca del «esperpento» contiene la escena décimo segunda.

Para el lector atento de las obras anteriores, ni la deformación lograda en *Luces* era cosa nueva, ni la técnica empleada para conseguirla difiere en esencia de la llevada a cabo en obras tan tempranas como los primeros cuentos, *Flor de Santidad,* las dos primeras *Comedias bárbaras* o la trilogía carlista. Aunque parezca extraño, ni siquiera los ejemplos de «animalización» aumentan, si hacemos un cotejo con las obras del mal llamado «período modernista»; catorce casos en total hemos señalado en *Luces.* (Recuérdese que en *Gerifaltes de antaño* empleó dicho recurso 44 veces; 17 en *Resplandor* y 15 en *Los cruzados de la causa,* obras no consideradas por la crítica como «esperpénticas»).

A Zaratustra, el deshonesto librero de ocasión nos lo presenta el autor una vez «abichado y giboso —la cara de tocino viejo y la bufanda de verde serpiente—» (I, pág. 896), y otras tres bajo el aspecto «cosificador» de fantoche (I, págs. 896 y 898). A don Latino de Híspalis en dos ocasiones lo llama Max su perro (págs. 897 y 926), otra vez será «cerdo hispalense» (pág. 934), «ilustre camello» (página 929) y «chivo loco» (pág. 955); el poeta Rubén, mostrado por don Latino, está «como un cerdo triste» (pág. 928), los tres intelectuales sin dos pesetas están en la cueva de Zaratustra «... reunidos como tres pájaros en una rama» (pág. 898); el «honrado pueblo» cuando se rebela contra las injusticias sociales lanza «un rebuzno libertario» (pág. 907); la visión de uno de los epígonos del modernismo es francamente «animalizadora»: «Dorio de Gades, feo, burlesco y chupado, abre los brazos, que son como alones sin plumas en el claro lunero» (pág. 908); a uno de los guardias en la comisaría lo califica Max de «gusano burocrático» (pág. 912); «los obreros se reproducen populosamente, de un modo comparable a las moscas.

En cambio los patronos, como los elefantes, como todas las bestias poderosas y prehistóricas, procrean lentamente» (pág. 915); una de las prostitutas del nocturno «paseo» madrileño es «... canosa, viva y agalgada» (pág. 942); y la visión cargada de irónica comicidad, del alemán Basilio Soulinake, se nos da bajo este animalizante «retrato»: «Aparece en la puerta un hombre alto, abotonado, escueto, grandes barbas rojas de judío anarquista y ojos envidiosos, bajo el testud de bisonte obstinado» (pág. 945).

En cuanto al recurso «muñequizador», mediante el cual el autor nos deja ver a sus personajes como meros fantoches o monigotes de un teatro de guiñol, sólo aparece utilizado en seis ocasiones: tres ya mencionadas para la figura de Zaratustra, el explotador librero de viejo; otra implícita en la descripción que nos hace del señor ministro de la Gobernación (pág. 923) y las dos últimas para definir a los epígonos del modernismo asistentes al velatorio del poeta: «... tres fúnebres fantoches en hilera» (págs. 942 y 944).

Tampoco vemos muy utilizado el recurso que llamábamos de «cosificación»: seis veces en total. Los dos amigos, cuando hablan en la tercera escena, son «sombras en las sombras» (pág. 901) así como el Marqués y Rubén son, en el cementerio, «... dos sombras rezagadas» (pág. 949); y el «cotarro modernista» se nos retrata con significativa exactitud «cosificadora»: «... pipas, chalinas y melenas del modernismo» (pág. 911) y en otra ocasión como «... greñas, pipas, gabanes repelados y alguna capa» (pág. 917); para la desconsolada madre es un «rosal de mayo» la criatura muerta (pág. 937), y el ciego Max, cuando aún no le anublan la mente los vapores del alcohol tiene una noble «... cabeza rizada y ciega, de un gran carácter clásico arcaico, recuerda los Hermes» (pág. 894).

Un tanto cubista es la visión que se nos da de la calle madrileña por donde «tambalean» su borrachera los dos bohemios: «... una calle enarenada y solitaria. Faroles rotos, cerradas todas ventanas y puertas. En las llamas de los faroles un igual temblor verde y macilento. La luna sobre el alero de las casas, partiendo la calle por medio. De tarde en tarde, el asfalto sonoro. Un trote épico. Soldados romanos. Sombras de guardias» (págs. 905-906).

Y en el viejo café los inevitables espejos en los que se reflejará —deformándose— la mísera realidad: «Las sombras y la música flotan en el vaho del humo, y en el lívido temblor de los arcos voltaicos. Los espejos multiplicadores están llenos de interés folletinesco. En su fondo, con una geometría absurda, extravaga el café. El compás canalla de la música, las luces en el fondo de los espejos, el vaho del humo penetrado del temblor de los arcos voltaicos cifran su diversidad en una sola expresión. Entran extraños, y son de repente transfigurados en aquel triple ritmo, Max Estrella y don Latino» (pág. 928).

Encontramos un sólo ejemplo de «animación», en la estupenda imagen ultraísta del timbre telefónico: «De repente el grillo telefónico se orina en el regazo burocrático» (pág. 922). Y otro caso de humanización de un animalito: «... un perro golfo que corre en zigzag. En el centro encoge la pata y se orina. El ojo legañoso, como un poeta, levantado al azul de la última estrella» (pág. 941).

Vemos, pues, que el escritor no ha tenido que inventar ni un sólo recurso diferente a los que nos tenía acostumbrados para lograr esa «deformación» de que nos habla su personaje principal. No encontramos sino la misma mirada compadecida y penetrante —tal vez más transida de dolor por cuanto ve que mucho antes, cuando todavía reinaba en él cierto optimismo— de que se sirvió para crear las *Sonatas,* la trilogía carlista o sus «elegías bárbaras».

5. «LOS CUERNOS DE DON FRIOLERA»

Apareció primero en la revista «La pluma» (núms. 11 y 15 de abril y agosto de 1921) y como libro cuatro años más tarde.

Como repetidamente hemos señalado, la pluma de don Ramón desde muy temprano en su carrera de escritor, parecía dirigirse, en cada nueva obra, a denunciar encarnizadamente un determinado problema; si no proponía una solución, al menos dejaba al descubierto lo que de criticable, de falso o negativo, encontraba en muchas de nuestras «glorias históricas» (nada gloriosas, a sus ojos) o en determinados principios ético-morales que, desde tiempo inmemorial, habían sido aceptados por los españoles y en opinión de Valle-Inclán contribuían a deformar, cuando no a destruir del todo, nuestra auténtica personalidad.

Por medio de intencionadas «cargas explosivas», hábilmente disimuladas en la estructura misma de la obra, el escritor trataba de hacer saltar en pedazos unos cuantos tópicos, principios y creencias que engañadoramente regían demasiadas veces las normas morales o artísticas de la sociedad española en que le tocó vivir.

Uno de estos tópicos o principios tenidos por sacrosantos no sólo en el mejor teatro clásico, sino en la misma realidad vital del pueblo español, era el tema del honor. Todavía más que el principio en sí, lo que desataba las iras del autor, del artista, eran las funestas consecuencias que en forma de abominables melodramas modernos que defendían tal principio del honor se «perpetraban» con machacona repetición sobre los escenarios españoles, o lo que era aún mucho peor, se propagaban entre la masa inculta del vulgo en forma de viles romances o coplas de ciego.

Creo que se restringe injustamente la intención de la obra cuando se extrema la sospecha de que la queja valleinclaniana nacía solamente por motivos estéticos. Crítico hay que mantiene que don Ramón escribió *Los cuernos de don Friolera* para atacar la mala literatura, sin importarle mucho las doctrinas morales que regían al pueblo por él satirizado [9]. Pienso, por el contrario, que a don Ramón debía parecerle monstruoso —como confieso que siempre me lo ha parecido a mí— el que un pueblo que se tiene por civilizado (que se jacta de profesar ejemplar catolicismo y hasta de ser «la reserva espiritual del Occidente») aceptase como válido el brutal principio de que el marido afrentado debía procurarse una venganza sangrienta para lavar así su honra mancillada.

Tenemos que reconocer que no nos suena a exageración imposible la sarcástica forma en que se enfrenta con este punto el autor en los mismos comienzos de la obra. Responde así a don Friolera uno de los carabineros interrogado a este respecto: «"¿Qué haría usted si le engañase su mujer, cabo Alegría?" "Mi teniente, matarla como manda Dios"» (I, pág. 1000).

La furia de Valle-Inclán no va dirigida solamente contra las «atrocidades literarias» que en forma de pésimos dramas, mediocres folletones por entregas o ramplonas coplas de ciego defendían tal principio del honor, sino contra el principio mismo, contra su falsedad radical acatada casi ciegamente por un pueblo que incluso tenía a gala defender tan absurdo como criminal principio, considerándolo poco menos que como «privilegio exclusivo» de los españoles.

Para terminar con tan irracional actitud, a la vez que con las más que mediocres dramatizaciones escénicas que con dicho tema arrancaban los aplausos de un público nada exigente en sus gustos artísticos, escribió Valle este esperpento. Al poner como protagonista a

<hr />

[9] Véase A. RISCO, *ob. cit.*, págs. 98 y 107.

un teniente de carabineros, la sátira se agudiza doblemente, ya que los códigos del honor son aún más implacablemente rigurosos para los militares que para los ciudadanos civiles. La feroz parodia de los dramas pasionales (tan en boga en el mal teatro neorromántico de los últimos y primeros años de siglo) que es este esperpento deja al descubierto no sólo la brutalidad del llamado «código del honor», sino que da ocasión al autor para lucir sin rodeos su antimilitarismo, en un país en el que la dictadura militar se había impuesto «como mejor solución» en demasiadas ocasiones.

Con todo, dada la complejidad técnica e intencional de la obra, no se ha puesto totalmente de acuerdo la crítica a la hora de fijar su sentido verdadero. Para Manuel Durán [10], *Los cuernos de don Friolera* es algo más que la sátira del honor calderoniano y declaración de antimilitarismo como hasta aquí hemos señalado, sino que, como *Luces de bohemia,* es otro reflejo de la vida española: «Obra que en su dramatismo, su confusión de planos que se entrecruzan y su tono grotesco y paródico nos da una imagen fiel no sólo de aquellos años de la vida española, sino de todo el siglo xx, tan grotesco y dramático, tan confuso y oscilante». Muy similar sentido le encuentra Juan Ignacio Murcia que la califica de «satire de la vie espagnole» [11]. Zamora Vicente ve en esta obra una clara parodia «del tema del honor calderoniano» [12]. Díaz Plaja la interpreta, en cambio, como «la visión de un Otelo degradado en caricatura grotesca», señalando, con razón, que para Valle el moro de Shakespeare es siempre la encarnación humana de los celos. Y ve también agudamente el crítico lo que en la obra de Valle hay de intencionada «parodia de *El gran galeoto* echegarayesco, la muchedumbre murmuradora vista por su lado grotesco» [13], que se traducen en una serie de alusiones directas a la famosa obra de Echegaray *El gran galeoto.*

José Francisco Gatti concluye en un interesante estudio, consagrado justamente a fijar el sentido de esta obra, que son varias las intenciones del autor; hace de ella «... sátira de la sociedad, destrucción de valores tradicionales españoles, parodia literaria, reno-

[10] «*Los cuernos de don Friolera*» *y la estética de Valle-Inclán,* en «Insula», núms. 236-237, Madrid, julio-agosto 1966, pág. 28.

[11] Véase *Les aboutissants du Grand-Guignol dans le théâtre d'essai en Espagne,* en *Le théâtre moderne. Hommes et tendances,* París, 1958, pág. 251.

[12] Véase *En torno a «Luces de bohemia»,* en «Cuadernos Hispanoamericanos», núms. 199-200, Madrid, julio-agosto 1966, pág. 219, y *Asedio a «Luces de bohemia»,* ed. cit., pág. 57.

[13] *Las estéticas de Valle-Inclán,* ed. cit., págs. 238-239.

vación estética. Pero el designio fundamental es darnos la imagen del hombre —y especialmente del hombre español— tal como el autor lo contempla desde su altísimo plano aéreo y su nueva perspectiva» [14].

Summer M. Greenfield señala con agudeza: «El tema del honor se extiende hasta el absurdo en *Don Friolera,* al reflejar a un tiempo tres imágenes en el espejo: el pundonor calderoniano, el código del honor entre los militares y el ya viejo argumento tal como se presenta en el melodrama burgués del siglo XIX por Echegaray y otros autores» [15].

Fernández Almagro lo ve sobre todo como «sátira rabiosamente hostil a tipos o ideas de carácter burgués o castrense» antes que como simple burla del marido ofendido a que tan aficionado fue nuestro teatro clásico: «¿No es automático, leyendo *Los cuernos de don Friolera,* el recuerdo del *miles gloriosus?*» [16].

En lo que sí están de acuerdo casi todos es en decir que ésta es una de las mejores obras teatrales de Valle-Inclán, sólo superada para varios de ellos por *Luces de Bohemia* y hasta más de uno la declara, hablando del esperpento, «... la obra maestra de esta modalidad» [17].

6. ESTRUCTURA TEATRAL Y ENSEÑANZA DE «LOS CUERNOS DE DON FRIOLERA»

Técnicamente, nos encontramos ante la obra más compleja de todas las de Valle. Como si no hubiera quedado satisfecho con la definición que del esperpento nos había dado en *Luces,* vuelve a explicarnos las posibilidades pedagógico-reformadoras del nuevo género.

La obra está dividida en tres partes: Un prólogo [en el que por el recurso del teatro dentro del teatro dos personajes «reales» que recorren España «... por conocerla, y divagan alguna vez proyectan-

<hr/>

[14] *El sentido de «Los cuernos de don Friolera»,* en *Ramón María del Valle-Inclán, 1866-1966,* Universidad Nacional de La Plata, 1967, págs. 310-311.
[15] *Reflejos menores en el espejo cóncavo,* en «Ínsula», núms. 176-177, Madrid, julio-agosto 1961, pág. 16.
[16] *Vida y literatura de Valle-Inclán,* ed. cit., págs. 193-194.
[17] G. TORRENTE BALLESTER, *Panorama de la literatura española contemporánea,* Ed. Guadarrama, Madrid, 1956, pág. 180.

do un libro de dibujos y comentos» (I, pág. 991), contemplan y
aplauden la sencilla farsa del cornudo que presenta un ciego bululú],
la parte central o esperpento propiamente dicho, y un epílogo en el
que volvemos a oír los comentarios que hacen los intelectuales del
prólogo tras haber escuchado el «vil romancero» a que la ramplona
literatura popular ha traducido los acontecimientos narrados en la
parte anterior.

Nos parece que para una total comprensión de lo que el autor
quiso decir en esta complicada obra, tanto el prólogo como el epílogo, son parte esencial de la misma, y prescindir de ellos conduciría
a una peligrosa simplificación: ver en ella, sin más, la caricatura de
los dramas decimonónico-calderonianos, restringiendo así a un mero
fin estético-literario las conclusiones éticas del autor. La prueba de
que al ridiculizar el drama de honor no pensaba don Ramón solamente en la literatura, nos la dan esas intervenciones de los dos intelectuales.

¿Quién son esos dos «personajes reales» y para qué los utiliza
Valle-Inclán...? La respuesta a esta doble pregunta me parece que
nos permitirá luego vislumbrar con mayor posibilidad de acierto la
verdadera intención del escritor.

Comienza la acción del prólogo «en el corral de una posada» durante las ferias de Santiago el Verde, lugarejo lindero con «la raya
de Portugal»; entre el trajinar de los feriantes y arrieros vemos a
los dos amigos cubiertos con boinas azules —automáticamente esas
gorras nos hacen pensar en las figuras de un conocido pintor vasco—
que lo observan todo con «un gozo contemplativo casi infantil y casi
austero». Uno de ellos es don Manolito el Pintor (una inoportuna
errata en la edición de *Obras completas* lo ha convertido para más de
un crítico en don Manolito el Pinto) que tiene «... expresión mínima
y dulce de lego franciscano», mientras que el otro parece «un espectro de antiparras y barbas». Algún crítico, suponemos que ingenuamente guiado por esos rasgos con que el burlón autor se ha divertido en «disimularlos», ha creído reconocer en ellos a don Pío Baroja
y don Miguel de Unamuno [18]. Nos parece más acertada la opinión
de Zamora Vicente a este respecto: «... a través de estos "datos"
disimuladores se reconoce a Darío de Regoyos y a Emile Verhae-
ren...» autores del famosísimo libro de viajes por tierras vasco-na-

[18] DAVID BARY, *Notes on «Los cuernos de don Friolera»*, en «Hispania», núm. 1,
Appleton, Wisconsin, XLVI, marzo 1963, págs. 81-83.

varras *La España negra,* que tanto influyó sobre toda la generación del 98 [19].

Pero todavía más que una digresiva identificación exacta de estos personajes interesa el intencionado uso que de su presencia en la escena hace el autor. Frente al mundo de la farsa ellos son la realidad inteligente. Por su boca hablará el autor para decirnos lo que opina acerca de varios problemas importantes; especialmente será su portavoz, como han visto varios críticos, don Estrafalario, el espectro de barbas y antiparras al que «disimula» convirtiéndolo en herético exclaustrado. En su caminata por tierras de España van parándose a contemplarlo todo, admirando lo admirable —el cuadro del «Orbaneja de genio», por ejemplo— y burlándose de lo risible. En el corral de la posada, luego de haber discutido de metafísica a propósito de una pintura que llevaba un ciego, nos dice don Estrafalario que reservamos nuestra compasión y nuestras burlas «para aquello que nos es semejante»; que su estética «es una superación del dolor y de la risa» y que «quisiera ver el mundo con la perspectiva de la otra ribera».

En esto entra en el corralón de la posada un ciego bululú, que esconde bajo la capa «los muñecos de un teatro rudimentario y popular», y sin más preámbulos empieza la representación; ayudándose de una «desvencijada zanfoña», teclea un aire de fandango mientras recita o canta los viejos y toscos versos de su ingenuo teatro; el acólito, rapaz lleno de malicias, mueve los muñecos, escondido bajo la parda capa del ciego.

El bululú acusa al fantoche de que su amante le traiciona. Niega el teniente Friolera y, aun cuando ella no es su esposa (y no puede, por tanto, ser juez de su honra), llama a la pecadora, la cual acude defendiéndose; pero como las pruebas que sugiere el Compadre Fidel la declaran culpable, el teniente, para vengarse, descarga sobre ella una tunda de «tajos y cuchilladas con la cimitarra de Otelo». La fantocha, que se hace la muerta para librar el pellejo, atrapa un duro de plata (que el teniente hace sonar para comprobar si estaba viva), y, escondiéndolo bajo la liga, termina la representación con un alegre «¡Olé la trigedia de los *Cuernos de don Friolera!*» (I, página 995).

Farsa de amante celoso, burlas donosas, «trigedia» que no tra-

---

[19] Véase A. ZAMORA VICENTE, *En torno a «Luces de bohemia», ob. cit.,* página 210, nota 14.

gedia. Así lo entienden los dos amigos que aplauden encantados al final de la burlesca representación, con el inevitable comentario dialogado: Teatro de origen latino, con humor y moral «tan contrario al honor teatral y africano de Castilla». A don Estrafalario le parece el tabanque superior al «retórico teatro español» de raíces «judaicas, como el honor calderoniano». Teatro dogmático —y de ahí su crueldad— «muy diferente a la crueldad magnífica shakesperiana que era ciega»; a falta de dicha grandeza (la pura emoción de la fiesta de toros se la hubiese podido dar) «... tiene toda la antipatía de los códigos, desde la Constitución a la gramática» (I, pág. 996).

«¿Hay redención posible?», pregunta el pintor. Don Estrafalario contesta que la lección del ciego es clara: las burlas más despiadadas es lo que se merecen conceptos que —como el del honor— rigen y empequeñecen tanto el drama como el alma de los españoles; el autor teatral, al poner en solfa a sus personajes, se convierte en un demiurgo superior. (Otra vez explica Valle, en acertada imagen, la postura del autor de los esperpentos.) La gran lección del pícaro ciego es, sencillamente, que con sus burlas desmiente la validez de tan reverenciado «principio del honor».

El núcleo central de Los cuernos lo constituye el esperpento propiamente dicho, la deformación sistemática de una realidad concreta: situación del marido engañado (un militar español) vista con los ojos escéptico-burlones del «compadre» don Ramón del Valle-Inclán. Como este «demiurgo» no cree en el principio del honor, al contrario de lo que ocurría con nuestros autores clásicos, y más recientemente con los dramaturgos que imitaban torpemente el drama de honor, los personajes, convertidos en peleles al someterse a unas normas éticas falsas, no pueden ser criaturas trágicas, sino héroes tragicómicos de una sangrienta burla con intención regeneradora. Son seres de carne y hueso a los que las absurdas normas vitales por las que se rigen acaban por extraerle toda su humanidad, convirtiéndolos inevitablemente en acartonados fantoches y ridículas marionetas.

El arte paródico de Valle-Inclán está en su mejor momento al realizar esta atrevida y regocijada sátira del honor español. Transcurre la acción en San Fernando de Cabo Estrivel, ciudad costera del sur de España. Doce escenas en nueve lugares diferentes. Un anónimo denuncia la infidelidad de la esposa del teniente de carabineros don Pascual Astete [20] al que escuchamos al comenzar el esperpento

---

[20] No me parece enteramente casual que el apellido del protagonista de Los cuernos de don Friolera sea el mismo que el del autor del más popular Catecismo de la

en un revelador monólogo; es un viejo sentimental y un poco ridículo, pero denota cierto buen sentido; pese a lo cual, y por pertenecer al mundo militar, se verá obligado a limpiar su honra con una sangrienta venganza, que para eso es español «... y no tengo derecho a filosofar como en Francia» (I, pág. 999).

Don Friolera, mote por el que es conocido en el pueblo, por ser su interjección favorita, «era feliz sin saberlo», llevaba una vida matrimonial relativamente tranquila, hasta que la denuncia de su deshonor viene a interrumpirla. Su primera reacción es la de no darse por enterado, continuar la vida como si el venenoso anónimo no le hubiese alcanzado. Mas pensando «en la galería», se da cuenta de que tal actitud en un militar es, en España, insostenible; bien a su pesar se ve forzado a «limpiar su honra con sangre», por pertenecer al cuerpo de carabineros: «el oficial pundonoroso jamás perdona a la esposa adúltera»; solamente «... el paisano, y el propio oficial retirado, en algunas ocasiones, muy contadas, pueden perdonar. Se dan circunstancias. La mujer que violan contra su voluntad, la que atropellan acostada durmiendo, la mareada con alguna bebida...»; pero las excepciones tampoco cuentan para él, por servir «en activo»...

En este prodigioso monólogo del protagonista se nos deja al descubierto la incongruencia del llamado «principio del honor»; por lo matizado, por lo cómico de sus implicaciones y lo sutilmente con que se dibuja el dilema brutal en que se encuentra el pobre Friolera, me parece que es uno de los más felices momentos de la obra. Deja muy en claro el autor que su protagonista no es quien elige «la vía reparadora», sino que lo hace empujado, contra su voluntad, por las circunstancias. Como ha dicho R. Gullón, don Friolera acepta el papel de defensor de su honra sin sentir ningún deseo de representarlo[21].

Es más, cuando comienza el esperpento el espectador se percata de que las acusaciones del anónimo son exageradísimas, por no decir falsas del todo. Doña Loreta, la mujer del teniente, es una coqueta más tonta que maliciosa; acepta complacida, como casi toda mujer

doctrina cristiana, que en las escuelas españolas millones de niños hemos tenido que estudiar. Al fin y al cabo el _Catecismo_ del padre Astete es una codificación de la doctrina moral del católico pueblo español. Maliciosamente esperpentiza así Valle su antipatía por los códigos, sean de la clase que sean.

Como tampoco me parece casual que la entrometida vecina, que con su maliciosa denuncia, siembra la discordia y provoca la catástrofe final se llame apropiadamente doña Tadea Calderón...

[21] Véase _Realidad del esperpento_, en «Ínsula», núm. 257, Madrid, abril 1968, pág. 10.

de su escaso talento, las finezas y galanterías cursis de un barbero marchoso, pero no le ha sido infiel a su marido, ni, por lo que allí vemos, piensa serlo en el futuro.

Desde el punto de vista teatral la escena segunda es una regocijada parodia de los «momentos apasionados» de los dramas que «privaban» sobre los escenarios de fines de siglo; comicidad del mejor sainete en la que el habla de Pachequín, el barbero, tiene mucho de los héroes del género chico, a veces tan madrileñísimo, por ejemplo, como el Felipe de *La gran vía:* «No sea usted satírica, doña Loreta. Concédame que algo se chanela», dice el barbero al principio de su serenata «d'amore»; ella le contesta en el mismo tono: le reprocha su «jarabe de pico», que se pasa las tardes «de bureo», etc. Pachequín es un rapabarbas redicho que se nos va retratando magistralmente en sus intervenciones. Utiliza el impersonal de modestia, habla del «sepelio», se confiesa «un pipi sin papeles que está por usted ventolera», aconseja a la casquivana tenienta «andar con pupila» y cuando ésta le dice que si traicionase a su marido el teniente los mataría a los dos Pachequín trata de quitarle importancia diciendo «¡sería un por demás!». Con todo, piensa en la fama póstuma y hasta se consuela con ella proponiéndole a la tenienta «¿no le agradaría morir como una celebridad y que su retrato saliera en la prensa?»; la coqueta no es de la misma conformidad: «¡La vida es muy rica, Pachequín!». Asombrado el cortejador interroga: «¿Es posible que no le camele a usted salir retratada en el "ABC"?», y responde ella gachona: «¡Tío guasa!», rematando el barbero con la popularísima y sainetesca expresión: «¿Quiere decirse que le es a usted inverosímil?» (I, págs. 1000-1001).

El cuadro siguiente se desarrolla junto a las tapias del cementerio; don Friolera, que se pasea a solas con sus amarguras, evita toda conversación amistosa con su rival; por la conversación que tiene éste con unos contrabandistas, sabemos que don Friolera, en Algeciras, «... sirviendo en clase de sargento... estaba tenido por sujeto mirado y servicial, de lo más razonable y decente del Cuerpo de Carabineros» (pág. 1004), pero los tiempos han cambiado y ahora está hecho un carcamal, es interesado y hasta hay sospechas de que su mujer se la pega. Cuando se topa don Friolera con la presunta autora del anónimo, doña Tadea Calderón, vieja fisgona a la que el autor «animaliza» intencionadamente, el teniente pierde los estribos y agarrándola del moño le recrimina su conducta; es doña Tadea la degradada y maliciosa contrafigura de Yago en la inmortal obra de

Shakespeare. Sólo que mientras aquél desataba los celos del moro por envidia, la vieja fisgona siembra la discordia en el matrimonio por pura malicia: por ser ella la representación del «honrado pueblo español», depositaria del tan venerado principio del honor. Como dije, Valle-Inclán es con ella implacable; la califica de «lechuza», «vulpeja», «tarasca», «pajarraco», tiene aspecto «ratonil» y lengua de serpiente.

Al comenzar las disputas matrimoniales, el teniente y «su señora» se convierten en auténticos fantoches, como se desprende de las acotaciones del autor. (Cuando los humanos aceptan principios o códigos insostenibles, pierden su personalidad, se convierten en muñecos, marionetas, nos dice maliciosamente el autor entre líneas.) La violenta disputa es una excelente parodia del alto drama burgués del trasnochado romanticismo que hacía furor hacia fines del siglo XIX (el mismo gusto por lo romántico al que el Valle-Inclán juvenil había sucumbido al escribir su primer drama, *Cenizas,* justo es reconocerlo); por si quedase alguna duda, el autor alude en el texto al dramaturgo de más éxito, Echegaray. Pachequín, al hacerse cargo de la repudiada esposa, es intencionado y burlesco eco de las palabras del protagonista de *El gran galeoto* (maliciosamente caricaturizadas, claro): «¡El mundo me la da, pues yo la tomo, como dice el eminente Echegaray!» (I, pág. 1010) [22].

No menos «pelele» será la figura del seductor, el redicho barbero, al que vemos acogiendo en su casa a la abandonada esposa en las escenas siguientes que son puro remedo sarcástico de tantas escenas «apasionadísimas» de obras tan famosas como la ya mencionada de Echegaray o *El nudo gordiano, La esposa mártir, La pasionaria* o *La desequilibrada,* dramas, nos recuerda el autor no sin malicia en el epílogo, con los cuales iba «... a llevarse los cuartos la María Guerrero». Escuchamos los mayores tópicos romanticoides, promesas de fidelidad y amor puro imposibles, lagrimoteantes y cómicos parlamentos que gracias al poder burlesco del autor subrayan lo acartonado y falso de las «triunfales obras dramáticas» que esperpentiza; aquel matrimonio antes tan feliz, enredado ahora en las más melodramáticas disputas que suenan, inevitablemente, a bufonesca farsa.

---

[22] Lo que el protagonista de *El gran galeoto* dice es distinto. Ernesto, en una situación semejante, se expresa así: «Nadie se acerque a esta mujer; es mía. / Lo quiso el mundo; yo su fallo acepto. / Él la trajo a mis brazos; ¡ven Teodora!» (acto III), escena XI (final), JOSÉ ECHEGARAY, *El gran galeoto,* en *Teatro escogido,* Ed. Aguilar, Madrid, 1955, pág. 782.

Don Ramón no duda, decidido a ridiculizar tales «dramones», en servirse de los recursos más utilizados por las llamadas «obras de astracán» y los mejores sainetes; repetidamente escuchamos un recurso típico de sainete en la disputa de los esposos. El teniente Friolera grita enfurecido: «¡Es inaudito!», a lo que la esposa responde ignorantona: «¡Palabrotas no!» (I, págs. 1007 y 1014); en tres ocasiones a lo largo de la misma disputa intenta el sufrido teniente prohibir a su esposa el empleo del diminutivo cariñoso con que antes lo llamaba: «—¡Pascualín! —¡Pascual! ¡Para la esposa adúltera, Pascual! —¡Pascualín! —¡Exijo que me llames Pascual! —¡Pascualín! —¡Pascual! ¡Para ti ya no soy Pascualín!» (I, páginas 1008-1009); e incontables son las frases expresamente sacadas de los referidos dramones y la alta comedia de celos: «Con vuestra sangre lavaré mi honra»... «¿No ves resplandecer nuestra inocencia?»... «¡Mátame! ¡Moriré inocente!»... «¡Pon un bálsamo en el corazón de tu papá!»... «Ya no soy nada para ti, mujer fatal?»... «Juntos hemos arrostrado la sentencia de ese hombre bárbaro que no te merece»... «... ¿dejar un ser nacido de mis entrañas? ¡Considera que soy esposa y madre!» (exclamación repetida varias veces en la misma escena). Cuando la protagonista, luego de haber sido arrojada de la casa por su marido, le pide comprensión y ayuda al barbero, le dice: «¡Pachequín, respétame! ¡Yo soy una romántica!» A lo que el galán barbero responde: «En ese achaque no me superas. Cuando te contemplo, amor mío, me entra como éxtasis.» La conversación que sigue —pura delicia cómica— está cuajada de cursilerías sentimentales que más de una vez debieron hacer saltar la carcajada al autor cuando las escribía; momentos hay en que parece complacerse en darnos los títulos de las obras que intentaba poner en la picota de su sátira: «—Es de rosas y espinas nuestra cadena! —¡Tú la rompes! —¡No me ciegues! —¿Adónde vas? Cortemos, Loreta, este nudo gordiano. —¡Soy esposa y madre! —Estás haciendo de mí la esposa mártir», etc. Termina la escena en el franco despeñadero de lo bufonesco: la tenienta, deseosa de calmar a su marido a cualquier precio, decide emborracharlo con «anisete escarchado». El teniente de carabineros al que el principio del honor había degradado se convierte ahora en muñeco total.

Coloquial es el tono de la siguiente, que transcurre en el café de doña Calixta; el rumor de la traición de la tenienta se ha extendido por la ciudad, y Curro Cadenas, un contrabandista, dialoga con la dueña. Lengua hablada llena de expresiones del mejor sainete; utiliza el autor dichos populares, gitanismos y términos de caló, con tal de acercarnos a la entraña del habla del pueblo. Expresiones como «estar mochales», «dejar caer un machacante» —por cinco pesetas—, «cornea sobre esa querencia un toro marrajo» (aludiendo a los trabajos del teniente Robirosa por evitar cierto contrabando), «está usted más que penetrada» —por darse cuenta—, «no se ponga usted enigmática», «hay que ganarse el manró», «oído al repique», «sacarnos los cuartos», «hablar sin macaneos», «camelar», «de extranjis», «dar mulé», «se guipa», «cegar a su alojado con dos veraguas» —dos billetes de cien pesetas— o «cuarenta machacantes», como, inquiriendo, aclara doña Calixta (I, págs. 1020-1021).

El regocijado tono de farsa burlesca que hasta aquí tiene la obra pierde los alegres y llamativos colores en la escena siguiente, para convertirse en violenta y sarcástica sátira. La paleta del pintor, como cansado de emplear tonos matizadamente coloridos, se diría que se cubre ahora con sombríos grises y negros o se llena de violentos rojos y amarillos, con los que termina el cuadro. Las burlas amables e irónicas de antes se transforman en la escena del tribunal de honor en una cáustica acusación, dirigida principalmente contra el mundo de los militares. De todos es conocido el fuerte sentimiento antimilitarista de Valle-Inclán, manifiesto en toda su obra. Puede decirse sin temor a errar que en esta escena octava de *Los cuernos de don Friolera* la malicia crítica del autor se combina con su experiencia dramática y un manejo acertadísimo de la lengua para darnos no sólo el más brillante de los ataques a la brutalidad sensual de aquellos «señores oficiales», sino una de las escenas más cómicas y mejor logradas del teatro español de todos los tiempos.

Desde la descripción que nos hace al principio, preñadísima de intención y en la que la ironía burlesca se convierte en amarguísimo sarcasmo, abierta y declaradamente esperpéntico (*O. C.,* I, página 1022), hasta la grave decisión que toman tan marciales sujetos, la pluma de Valle se va convirtiendo en afilado bisturí para dejarnos ver, por lo que dicen, por cómo se expresan y cómo piensan, las entrañas de estos tres personajes, depositarios orgullosísimos del honor militar. Vivisección admirable. El hablar es pretencioso y grandilocuente, vano y redicho, cuando los escuchamos al principio; poco a poco, con gradación cuidadísima, van perdiendo engolamiento a medida que se alejan del problema que los ha reunido. Primero discuten del honor, pero una oportunísima digresión acerca de «la historia» nos permite enterarnos de la opinión que

tienen respecto de muchas cosas. Sus almas, paso a paso, van desnudándose de la prosopopeya de altos e importantes jueces del tribunal de honor de que se habían revestido para la ocasión. Y toda la
escena es un delicioso juego de matices burlescos por medio del cual
Valle-Inclán no sólo propina tremendos latigazos críticos a la intolerancia hispánica en cuanto se refiere al sacrosanto tema del honor,
sino que nos deja al descubierto cuanto hay de ridículo en todo juicio
«temerario» a este respecto. Tanto más cuanto que el espectador, a
estas alturas de la obra, sabe muy bien que en realidad no se ha producido la verdadera ofensa al honor del sufrido don Friolera. Que
doña Loreta, si casquivana y corta de caletre, no ha incurrido todavía
en ninguna falta grave contra el honor matrimonial; que dicho tribunal se ha constituido solamente movido por las malas lenguas, la
envidia y las habladurías de un pueblo que se complace en las más
torpes suspicacias.

Por la conversación de los tres «señores oficiales» nos enteramos
de su verdadera urdimbre moral; de su concepto del heroísmo y las
pequeñas ambiciones de ascensos y recompensas, en forma de «medallas pensionadas», que mueven sus acciones. Para ellos, acostumbrados a la vida en las Colonias, toda lengua que no es español tiene
que ser «tagalo»; lo cual, dicho sea de pasada, da pretexto a Valle-
Inclán para inventar el que me parece delicioso pastiche lingüístico
con unas pocas frases y exclamaciones groserísimas, en su pretendida
traducción, y en las que, salvo la palabra «bata», que significa muchacha, no hay más que la apariencia de «tagalo». Creo que son
pura y divertida invención valleinclanesca. Con todo, el pastiche es
muy cómico y le sirve al autor para concluir con un estupendo chiste
(«—Al parecer, posee usted a la perfección el tagalo. —¡Lo más in-
dispensable para la vida!»), si tenemos en cuenta lo que se nos dice
que significan tales «conocimientos» en nuestra lengua.

El recuerdo de los años pasados en las Colonias vuelve a dar
motivo a Valle para manejar despiadadamente el látigo crítico. La
punzante radiografía moral de estos singulares caballeros, representantes del honor hispano, si envuelta en comiquísimos dicharachos,
no deja lugar a dudas: el autor los está juzgando con toda severidad
para hacernos ver el absurdo del juicio del honor que ellos mismos
están representando. Precisamente, la escena toda se hace más sarcástica; el comentario, implícito y explícito, de Valle-Inclán, más
amargo si se recapacita que estos personajes están reunidos allí precisamente para «velar por el decoro de la familia militar». El violen-

to sarcasmo valleinclaniano brilla con su mejor luz en la parte final de la escena, cuando, vueltos al asunto grave que los ha congregado, deciden empujar al colega, el infeliz Friolera, a un crimen declarado para lograr una «reparación del honor mancillado». Recuperan el tono oficial y grave, ambiciosamente pedante, del comienzo, se vuelven a poner el uniforme de «guardianes del honor», y graves y solemnes estos pobres títeres, representantes de la más cicatera y limitada humanidad, dictan sentencia contra su desgraciado colega. Toda la enseñanza que Valle-Inclán buscaba al escribir esta magnífica obra se hace patente en esta logradísima escena. Estos tres personajillos, encarnación de la intolerancia de nuestra sociedad, estos tres tipos de farsa más que de auténtico «drama», intentando hacer todo lo contrario, dan la puntilla al «españolísimo» sentimiento del honor convencional y falso y en el que nadie, con un mínimo de inteligencia, puede creer en pleno siglo xx. Tras haberles escuchado exponer sus «elevados» ideales, «¿quién va a ser tan simple como para creer en semejantes tonterías...?», nos parece volver a escuchar al demiúrgico don Ramón del Valle-Inclán, hablándonos «entre telones», con la más expresiva de sus carcajadas...

Si, como ha sugerido la crítica, *Los cuernos de don Friolera* es la versión degradada e hispánica de *Otelo,* este lamentable «tribunal de señores oficiales» sería la versión ibérica del Senado veneciano.

Las escenas finales son la trágica consecuencia de postura tan estólida; los famosísimos versos calderonianos, «Al rey la hacienda y la vida se ha de dar...», producen ecos esperpentizados en boca del infeliz Friolera, cuando habla con su hija, chiquilla que «tiene la tristeza absurda de esas muñecas emigradas en los desvanes»: «... Tu padre el que te dio el ser, no tiene honra monina. ¡La prenda más estimada, más que la hacienda, más que la vida!... ¡Friolera!» (I, pág. 1027).

Batalla verbal (que degenera en bufo pim-pam-pum de barraca de feria, al atacar a la vecina con «naranjas podres») entre el teniente y su fisgona vecina, doña Tadea Calderón, causante y culpable de toda su desdicha. Ridícula visita del colega Rovirosa en la que se le comunica oficialmente la decisión tomada por el tribunal de honor, y por fin el derrumbadero grotesco, la consecuencia inevitable del fanático culto al principio del honor: en el jardín nocturno la tenienta, empujada en brazos del galán que la corteja por la debilidad estúpida del marido, decide huir llevándose con ella «al tierno fruto de sus entrañas». Cuando se disponen a saltar la tapia del huerto, sale, medio borracho, pistolón en mano, el «deshonrado teniente», y, disparando contra los que huyen, considera su honra lavada. Acto seguido se persona en casa de su coronel para dar parte de lo acontecido.

Dicha visita da ocasión a Valle, otra vez, para sus acerados ataques antimilitaristas. La intimidad hogareña del oficial está presentada con ojos terriblemente burlones y contrasta la actitud del coronel y su esposa, que leen enternecidos el folletín de «La Época», con la trágica irrupción del más que desdichado don Friolera: viene, medio ofuscado por el alcohol con que intentó ahogar sus penas y armarse de valor para llevar a cabo su «reparación», a confesar lo que él considera «lavado de su honra». Ignora todavía que tal «reparación» no ha sido sino el más necio crimen que podía haber cometido: la muerte de su inocente hijita. El jefe felicita a su subordinado al escuchar sus palabras: «Teniente Astete, si su declaración es verdad, ha procedido usted como un caballero. Excuso decirle que está interesado en salvarle el honor del Cuerpo. ¡Fúmese usted este habano!»

La farsa tragicómica que es todo el esperpento alcanza toda su amarga y significativa intención en estas últimas líneas de la obra: la esposa del coronel, que salió como disparada a terminarse de vestir a la llegada del infeliz don Friolera, retorna consternada a la habitación para deshacer el equívoco. La muerta no ha sido la «esposa infiel», sino la inocente hija del matrimonio. Lo que hasta entonces había sido una farsa bufa se convierte de golpe en un lamentable y triste drama. La malicia del autor se echa de ver hasta en la última palabra del esperpento, y vuelvo a pedir al lector que tenga muy presente esta admirable escena final para comprender del todo la amarga lección que Valle-Inclán depositó en la que me parece una de las más bellas creaciones dramáticas españolas de lo que va de siglo (vol. I, págs. 1041-1042).

El epílogo de la obra lo constituye un «romance de ciego» y los comentarios que, desde la cárcel, hacen a dicho romance los dos intelectuales del prólogo. «Estamos en una ciudad blanca dando vista a la costa de África»; pregona romances un ciego y escuchan tras las rejas las cabezas rapadas de los presos. Los hechos que narra el ciego son los mismos, en sustancia, que los del esperpento, pero exageradamente abultados, para exaltar como a un héroe ejemplar las acciones de don Friolera. Graciosísima y mal intencionada esperpentización; parodia no del romancero popular, sino de la «vil literatura» hecha por copleros desaprensivos y sin cultura, los cuales, remedando las creaciones de lo que pasa por bella literatura, prostituyen las letras y las costumbres incitando al crimen más monstruoso, proclamando enseñanzas contrarias a toda moral y ensalzando al pobre títere a una verdadera apoteosis de héroe nacional.

Los amargos comentarios de los dos amigos cierran el ciclo abierto en el prólogo: sólo las maliciosas burlas del ingenuo paso del compadre Fidel pueden regenerarnos.

Ha señalado el crítico David Bary[23] que en *Los cuernos de don Friolera* Valle-Inclán trata de dar «tres versiones de la misma historia»; me parece que sería más justo decir que en las tres partes el autor muestra lo siguiente: en la primera, el ideal de lo que debiera ser el llamado principio del honor; burlas amables sin derramamiento de sangre. En la segunda, lo que es la realidad esperpéntica, lo que, por desgracia, sucede en España a la hora de enfrentarse con los llamados delitos contra el honor. En la tercera, la imagen de esa realidad en la más vil y chabacana de las literaturas, el resultado literario de esa brutalidad: el vil romance o copla de versificadores ignorantes que convierten en héroe nacional al criminal que se toma la justicia por su mano, empujado a ello por una sociedad vengativa que se apoya en principios vacíos de sentido.

Actitud regeneradora la del prólogo, mientras que en el esperpento propiamente dicho, como en el epílogo, el autor adopta una clara actitud negativa dejando sentir su indignación en forma de exageradas e intencionadísimas estilizaciones.

Estilizaciones que no acaban de eliminar nunca cuanto de pobres criaturas humanas tienen los personajes del esperpento; no son don Friolera y su coqueta esposa, Pachequín o los tenientes del admirable tribunal de honor los «muñequitos sin sangre» que algún crítico ha señalado. Es el brutal principio del honor, al que, como «buenos españoles», rinden culto, el que los va convirtiendo inevitablemente en violentos fantoches. No obstante lo cual, como muy agudamente ha visto Franco Meregalli, los personajes de *Los cuernos* «... sono bensi deformati, ma non perdono per questo una loro umanità, che è patetica e insieme grottesca: le motivazioni psicologiche dell'agire dei personaggi vi sono violentemente deformate, non soppresse»[24]. El patetismo resulta grotesco, es cierto, pero el drama no es por ello menos doloroso: las habladurías de una vieja entrometida, la brutal intolerancia de toda una sociedad y el tener que aceptar por

[23] *Art. cit.*, pág. 81.
[24] Franco Meregalli, *Studi su Ramón del Valle-Inclán*, ob. cit., pág. 49.

la fuerza un papel de vengador en la tragicomedia de su vida, convierten a don Friolera en parricida forzoso. El crimen resulta aún más absurdo porque su mala estrella le hace errar el tiro dirigido contra los presuntos culpables, haciendo blanco en la inocente criatura. Pero el dolor del pobre diablo es sincero, y, el desastroso final, una honda lección para una sociedad cristiana que, en lo tocante al honor, aceptaba como ejemplares, principios absolutamente insostenibles, opuestos a toda moral.

X

EL ESCRITOR EN SUS MEJORES MOMENTOS

1. «CARA DE PLATA», NUEVO ENFOQUE DE UN TEMA VIEJO

CERCA de quince años habían transcurrido entre la publicación de *Cara de Plata* y las otras dos obras que su autor nos dijo formaban una trilogía dramática con el título de *Comedias bárbaras*. Y si en la obra de todo escritor no deja de reflejarse de alguna manera el paso del tiempo, en la de Valle-Inclán —toda ella un ejemplar esfuerzo por mejorarse— es natural que esos catorce años largos se hagan evidentes. Tanto, que a la hora de analizar este tercer brote con el que el autor quiso recomenzar, *a posteriori,* la trilogía, echamos de ver en ella tales diferencias respecto a sus hermanas, que dudamos de si será provechoso estudiarla como su autor pretendía, es decir, como mero complemento de aquellas dos.

No me refiero a las diferencias que pudiéramos llamar «externas», de pura técnica dramática o de estilo, que, aunque las haya, y no pocas, la mayoría de ellas —especialmente esos rasgos esperpénticos, tan señalados por casi todos los críticos— existían ya más o menos a la vista en las otras dos; las diferencias más importantes residen, a mi juicio, en el contenido. Aquel don Juan Manuel Montenegro de *Águila de blasón* y, sobre todo, de *Romance de lobos,* encarnaba no sólo el fin de toda una raza, la de los altaneros mayorazgos, aún viva a principios de nuestro siglo en las regiones menos avanzadas de España, sino que simbolizaba la triste suerte de una sociedad de nobles raíces que había sido incapaz de evolución; que se había degenerado y acababa trágicamente a manos de sus propios descendientes. En el primer don Juan Manuel Montenegro, consciente o inconscientemente, el autor contemplaba una España viejísima que se había sobrevivido soñando en viejos, nobles y gloriosos tiempos sin hacer nada positivo por mejorar el presente. El mayorazgo y su familia eran, por así decirlo, los reflejos de una realidad social en descomposición; eran los vehículos de que se servía el autor para acercarse más a la realidad española, gran tema del 98.

En cambio, en *Cara de Plata* don Juan Manuel y el resto de los personajes adquieren otro valor simbólico; ya no encarnan la vieja raza condenada a la desaparición, sino a la misma humanidad debatiéndose entre dos polos opuestos; personifican ahora uno de los aspectos que si se había insinuado más o menos veladamente en toda la obra de Valle-Inclán, sólo en los últimos años de escritor nos los descubre casi al desnudo y en toda su importancia: la eterna lucha entre el bien y el mal. Este sentido metafísico, palpable en *Cara de Plata,* estaba ausente en sus hermanas mayores.

No estoy seguro, sin embargo, de que lo que se propuso hacer el escritor al dar comienzo a esta obra no fuera, efectivamente, algo muy distinto a lo que salió de su pluma. Habiendo dado muerte al caballero en *Romance de lobos* no podía —para completar su figura— sino añadirle lo que fuera necesario al principio. Al retornar a sus antiguos personajes, el escritor, preocupado esencialmente con problemas muy distintos a los de la primera década del presente siglo, en su ánimo de aclarar dichos problemas no debió percatarse de que esta obra, salvo la coincidencia de ambiente y personajes, tenía mucho más que ver con las escritas por entonces (*Sacrilegio, Ligazón, La rosa de papel* y *La cabeza del Bautista,* especialmente) que con las dos primeras *Comedias bárbaras.*

Por otra parte hay un detalle más que abona mis sospechas de que el resultado final no fue exactamente lo que el autor se había propuesto en un principio al querer completar la trilogía: el título mismo, *Cara de Plata* está sugiriendo unos derroteros muy diferentes. Esperábamos ver al segundón, don Miguelito, convertido en héroe principal, pero bastan las primeras escenas para que nos demos cuenta de que, a pesar de las simpatías que el autor mostraba por él en las otras dos obras, tampoco en ésta adquiere la categoría de personaje principal que tiene su padre, el viejo caballero o el mismo antagonista de aquél, el sacrílego Abad de San Clemente de Lantañón. En realidad, esta obra tiene no uno, sino tres protagonistas de los cuales podría decirse que el menor es precisamente Cara de Plata.

El profesor J. Alberich ha estudiado con admirable sagacidad las diferencias esenciales que hay entre *Cara de Plata* y sus hermanas de trilogía; remitimos a tan excelente ensayo a los lectores interesados en este punto [1].

Además de las diferencias señaladas, quizá la más sobresaliente sea la de pura técnica teatral; aquella complicada construcción —excelentemente resuelta, como señalamos en su lugar oportuno— se simplifica notablemente, ganando así en concisión y en belleza. El barroquismo lingüístico de las primeras dos obras se ha reducido

---

[1] No obstante lo cual, resumo aquí las ideas más importantes de tan excelente ensayo, titulado *«Cara de Plata», fuera de serie* y publicado en «Bulletin of Hispanic Studies», Liverpool, vol. XLV, octubre 1968, págs. 299-308: Comienza por señalar las diferencias más sobresalientes entre *Cara de Plata* y sus hermanas de trilogía; le parecen evidentes las estilísticas que, aunque importantes, no bastarían por sí solas para hacer ver la separación; hay semejanza de ambiente, caracterización y tema, aunque el paso del tiempo refleja, tal vez a pesar suyo, la evolución ideológica y vital del autor. A pesar del título de la obra, Cara de Plata, el hijo del caballero don Juan Manuel Montenegro, no es el auténtico protagonista de esta tercera *Comedia bárbara*, y aunque esta obra supere en sencillez y firmeza a la técnica de las otras dos, no forma con ellas un tono homogéneo, por lo que le parece al crítico que deberá ser estudiada y juzgada como obra independiente, cuyo sentido no es ya el mismo.

La personalidad del caballero es muy distinta a la que tenía en las otras dos comedias. Aquí se acentuarán sus rasgos tiránicos y no ama a sus inferiores como lo hacía allí; el antiguo hidalgo, antes paternalista y dominador, está pintado casi como un moderno patrono. Están latentes las quejas y reivindicaciones de justicia social por parte de los humildes.

Leída la obra como quiere el autor que lo hagamos en la trilogía, resultan algunas incongruencias, como la de que don Juan Manuel se cansa de ser clemente y generoso antes de llegar a serlo en *Águila* y *Romance*. La sociedad misma, de mendigos, criados y aldeanos sumisos antes, con aires de mansedumbre evangélica, sale ahora pintada con trazos más en la línea de la sociedad picaresca y degradada de *Divinas palabras;* pero si leemos la obra independientemente de sus «hermanas», tales incongruencias dejan de serlo.

El abad de Lantañón es el antagonista del viejo hidalgo, enfrentándose así «dos voluntades energuménicas, dos soberbias satánicas capaces de llegar al sacrilegio por aniquilarse la una a la otra». Cambio de enfoque, por otra parte, ya señalado por el mismo Valle-Inclán, en carta a su amigo, el crítico mejicano don Alfonso Reyes. [Y publicada por éste en su libro *Tertulia de Madrid,* Espasa-Calpe, Buenos Aires, 1945, págs. 75 y ss., y que había sido publicada previamente por don Ramón en la revista «España», Madrid, vol. X, núm. 412.] Habla allí el autor de la «impiedad gallega como motivo inspirador de la trilogía», impiedad que no se percibía en las otras dos comedias, salvo alguna que otra irreverencia. El tema de lo demoníaco, insinuado en *Romance,* se amplía en *Cara de Plata;* es la eterna lucha entre el bien y el mal, ya denunciada por Pérez de Ayala (*Divagaciones literarias,* Madrid, 1958) vistos no como conceptos metafísicos, sino en cuanto entidades vivas, omnipotentes y trágicas.

Concluye Alberich que «este sentido demoníaco y nihilista de las pasiones se intensifica en especial, e incluso se torna más metafísico hacia 1920...», y aun cuando la intención del autor es que uniéramos esta obra a las otras dos para formar una trilogía, la verdadera significación no aparece plenamente hasta que la separamos de sus hermanas y la emparentamos con esa otra familia de criaturas valleinclanianas a la que pertenece por la fecha y por lo íntimo de su concepción.

enormemente y los diálogos, sin perder belleza, han ganado en expresividad; adornos que allí aparecían un poco gratuitamente han desaparecido ahora, quedando únicamente lo esencial.

De las tres *Comedias bárbaras, Cara de Plata* es la de menos duración. La acción está mucho más concentrada —17 escenas frente a las 32 de *Águila* y las 18 de *Romance*—, con lo que la obra gana en intensidad dramática; el tiempo es el que transcurre ante los ojos del espectador: comienza la acción al amanecer y termina a la media noche, es decir, una jornada preñada de sucesos. El autor, en la carta citada al crítico Alfonso Reyes, explicaba que trató de llenar el tiempo como el Greco había hecho con el espacio en su obra más famosa, *El entierro del conde de Orgaz*, «por la angostura del espacio». Este «no dejar espacios vacíos» se traduce en la técnica dramática en la desaparición absoluta de las escenas y detalles no esenciales; aquellos adornos —bellísimos adornos, cierto, pero puestos por el autor como de relleno— que se percibían en *Águila* y *Romance* desaparecen ahora. Gana la obra en sobriedad, y el simple enredo argumental —el enfrentamiento de los dos personajes dominados por el mal— destaca con más fuerza, sin pretextos que distraigan la atención del espectador.

El «enemigo malo» no sólo domina a los personajes principales (ambos lo invocan, le entregan voluntariamente su alma con tal de lograr sus deseos), sino que se pasea a lo largo de la obra encarnado en un misterioso y siniestro personaje, Fuso Negro, que, como un diablo menor, aparece una y otra vez en los momentos culminantes de la obra. Las antiguas simpatías de Valle-Inclán por el ángel del mal y las fuerzas ocultas alcanzan aquí una fuerza tremenda, una grandeza aterradora; dijérase que *Cara de Plata* es el retablo demoníaco más logrado de cuantos intentó hacer el autor. El mal triunfa sobre el bien y adivinamos unas veladas y terribles carcajadas luciferinas en ese extraordinario final de sacrilegio y profanación.

Que *Cara de Plata* no sigue la línea de sus hermanas mayores, lo demuestra también otro detalle que me parece importante: el empleo dosificadísimo del humor y la ironía. De todos es sabido la importancia enorme que tales ingredientes tienen en la obra toda de don Ramón. Sin embargo, en *Cara de Plata* el escritor administra con sabia economía los rasgos humorísticos, temeroso sin duda de que un exceso de burlas pudiese rebajar el hondo patetismo, y el significado último de muchas de sus escenas. Nótese que el bufón, don Galán, contrapeso burlesco de la conciencia pecadora del Montenegro de las dos primeras comedias, desaparece casi enteramente en la tercera; solamente lo vemos en una brevísima aparición, en la última escena, y su cometido no tiene nada de cómico cuando aconseja buen sentido a su amo.

Los destellos humorísticos —dejaría de ser Valle-Inclán si pudiera decirse que en esta obra no hay humor— brotan aquí y allá a lo largo de la acción con la violencia de la chispa al ser golpeado el pedernal: «¡En ti está revestido Satanás!», dice el abad a Cara de Plata; y responde éste: «¡Hoy me santiguo con el rabo!» O cuando doña Jeromita, burlesca caricatura de la beatona hispánica, aconseja al clerigote que ponga paz entre los soliviantados aldeanos, responde el irascible «ensotanado»: «¡No me sale del bonete!»

Solamente en una escena, la tercera en la jornada final, el prodigioso maestro de lo cómico que es Valle-Inclán deja paso a uno de sus estupendos respiros burlescos. Me refiero al momento en que el sacristán, obedeciendo órdenes del sacrílego abad, hace creer a su familia que es víctima de una súbita enfermedad y está a punto de entregar su alma a Dios. La sacristana, algo más que cargada de bebida y rodeada de chiquillos que parecen seguir con aprovechamiento el ejemplo materno, contemplan asombrados la inesperada y repentina «agonía» del cabeza de familia. Mezcla admirable de lo tragicómico con lo puramente farsesco; discursos apropiadísimos del «moribundo» que contrastan por lo redicho de su estilo con el habla populachera de la borracha sacristana.

Dicha escena, repito, es un respiro, una válvula de seguridad comiquísima y muy acertadamente colocada después de una de las más violentas de toda la obra, la del encendido encuentro de los soberbios y orgullosos personajes centrales. La soberbia de don Juan Manuel y el abad, el orgullo satánico que los domina y enfrenta, son verdaderamente estremecedores; el autor, tal vez sin percatarse, al acentuar los rasgos del desapoderado orgullo de su antiguo personaje está creando un ser que se aparta mucho del primitivo don Juan Manuel. En la citada carta a Alfonso Reyes [2] habla de la impiedad

---

[2] «He querido renovar lo que tiene de galaico la leyenda de don Juan, que yo divido en tres tiempos: impiedad, matonería y mujeres. Este de las mujeres es el último, el sevillano... El matón picajoso es el extremeño... El impío es el gallego, el originario, como explicaba nuestro caro Said Armesto. El convidado de piedra es, por solo bulto de piedra, gallego. Aquí la impiedad es la impiedad gallega; no niega ningún dogma, no descree de Dios; es irreverente con los muertos. Fatalmente, la irreligiosidad es el desacato a los difuntos Estas ideas me guiaron con mayor conciencia al dar remate a *Cara de Plata*» (pág. 75 del estudio citado).

como raíz de su personaje; ello es cierto en lo que se refiere a este
don Juan Manuel de *Cara de Plata;* pero el otro, por muy lascivo,
dominador y ególatra que nos parezca, por muy pecador que fuera,
no puede decirse en puridad que sea un verdadero impío.

Como para acentuar la impiedad del nuevo Montenegro el autor
crea en *Cara de Plata* el personaje del abad, una contrafigura espléndida, dramáticamente hablando, desdoblamiento admirable del bárbaro vinculero, un don Juan Manuel con sotana, como ha dicho acertadamente el crítico italiano Franco Meregalli: «La maggiore novità
di *Cara de Plata,* nei confronti delle altre due *comedias,* è costituita
dalla figura dell'Abate di Lantañón, uno di quei prelati di campagna
in cui sopravvivono l'orgoglio, i vizi e la combattività dei vecchi prelati del tardo Medio Evo, amanti piú di menar le mani, della buona
mensa e delle belle ragazze che del cantar messa. Si tratta d'un antagonista di Juan Manuel, anzi, in fondo, di un Juan Manuel in sottana» [3].

En ambos, a pesar de ellos mismos, como tal vez el pesimista
don Ramón pensaba de la humanidad toda, triunfa el mal; como
a Luzbel, el desapoderado orgullo los convierte irremediablemente
en rebeldes.

2. «LA ROSA DE PAPEL» Y «LA CABEZA DEL BAUTISTA»: ¿NOVELAS O MELODRAMAS?

Aparecieron estas dos obritas, en su primera edición de 1924, en
la colección «La Novela Semanal» y tal vez por ello llevaban el subtítulo de «Novelas macabras».

Ya sabemos el escaso interés que a las barreras genéricas prestó
siempre el autor. Años después las incluyó —con otras tres piezas
más— en un volumen titulado *Retablo de la avaricia, la lujuria y la
muerte* [4]; esta vez las subtituló «Melodramas para marionetas».

Si, como ya anticipé, una de las constantes de mayor relieve en
la obra de Valle que llevamos estudiada era la más o menos visible
pugna en que se debate la humanidad entre el bien y el mal, al ana-

---

[3] Franco Meregalli, *art. cit.,* pág. 31, reproducido con ligeras variantes en su libro *Parole nel tempo,* Ed. Mursia & C., Milán, 1969, pág. 54.
[4] Madrid, Rivadeneira, 1927 (*Opera Omnia,* vol. IV). Contiene *Ligazón, La rosa de papel, El embrujado, La cabeza del Bautista* y *Sacrilegio.*

lizar las que componen este *Retablo* podemos concluir que el autor parece haber perdido (si es que la tuvo alguna vez) la fe en el triunfo final del bien; da la impresión de que contempla con amarga decepción el inexorable triunfo de la muerte a que conducen las pasiones con que el «enemigo» ha ido enredando a los incautos mortales para apoderarse de sus voluntades. Avaricia y lujuria son las dos puertas principales por donde nos incita a entrar «el Malo» para arrastrarnos al definitivo triunfo de la muerte; una muerte a la vez física y espiritual, ya que el triunfo del maligno implica la pérdida del rescate divino, el fin de toda esperanza en un más allá mejor.

Los personajes de *La rosa de papel* se comportan y gesticulan con los exagerados movimientos de marionetas que encarnasen, por deliberado propósito del autor, uno de los más melodramáticos momentos del acontecer humano: el final, por muerte de la esposa, de un matrimonio nada bien avenido.

El marido, Simeón Julepe, un herrero de pueblo, anarquizante y alcoholizado, descubre a la hora de la muerte de su mujer que ésta ha logrado reunir, no sin muchos esfuerzos («¡Tantos trabajos para juntarlos! ¡Tantas mojaduras por esos caminos! ¡La vida me cuestan!», I, pág. 810), una regular fortuna, para seres tan humildes. Nada menos que siete mil reales, que los avariciosos deseos de las vecinas al comunicar la noticia irán aumentando exageradamente; primero la Disa le dice a sus comadres: «¡Veinte mil reales deja ahorrados...!» (I, pág. 818); más tarde la Pingona, portadora del féretro que encargó el marido, pregunta si es cierto «... que la difunta deja un gato de dos mil pesos» (o sea, cuarenta mil reales). Por cierto que la misma Pingona insinúa maliciosamente el origen, tal vez *non sancto,* de dicha fortuna al repetir que la finada sabía hacerse «... con muy buenas amistades» (I, pág. 819); y cuando las otras vecinas, empeñadas en alabar a la difunta, hablan de «... las manos de señorita...» que aquélla tenía, de lo buena «... mujer de su casa» que era, la Pingona insiste maliciosamente «Sabiéndose buscar las amistades» (I, pág. 820).

Fuese cual fuese el origen de la fortuna que «tantos trabajos costó a la difunta», nos interesa sobre todo las consecuencias inmediatas que los siete mil reales van a tener en el borracho; la transformación que en ser tan brutal se lleva a cabo en los momentos finales de esta corta pero intensa obra. Aunque la causa de tal metamorfosis no sea, como veremos, solamente el hallazgo de dicha fortuna. Simeón Julepe hará otro descubrimiento para él aún más importante.

Al principio de la obra sólo le interesa el dinero al degenerado esposo; cuando sospecha que sus vecinas se han apoderado del codiciado tesoro, las amenaza con la muerte; hallados los siete mil reales que la moribunda había subido a esconder en el desván, comienza un «planto» más teatral que sentido: «... la voz del borracho se remonta con treno afectado y patético». Con retórica de melodrama sentimental discursea Simeón Julepe llamando a su fenecida Floriana: «¡Esposa y madre modelo en los cuatro puntos cardinales! ¡Una heroína de las aventajadas!» (I, pág. 816); su dolor está muy lejos de convencer a nadie. Cuando vuelve de encargar el féretro, su estado de embriaguez ha empeorado, si juzgamos por su titubeante caminar. El autor nos dice en oportuna acotación: «Julepe tiene la mona elocuente» (I, pág. 820). Promete a gritos «rendirle el último tributo en el cementerio». Le anuncia que «el orfeón Los Amigos cantará en su honor "la Marsellesa"». A pesar de su borrachera no deja de notar el cambio que se ha operado en la apariencia de la difunta; las caritativas vecinas han lavado y adornado su cadáver, la han vestido con sus mejores galas y le han puesto entre las manos «una encendida rosa de papel».

El borracho, representando hasta entonces el personaje de «esposo inolvidable», como graciosamente le hace decir el autor, prometiéndole a la muerta «los honores debidos», descubre de pronto algo que no había notado en vida de la difunta: tiene una atractiva belleza. Amortajada con su «pañoleta floreada», sus «botas de charol y unas medias listadas», se le aparece al beodo marido como una «visión celeste»; el descreído anarquista se la imagina llegando al cielo: «¡Se van a ver cosas chocantes en la puerta del cielo! ¡Rediós, cuando tú comparezcas con aquel buen pisar que tenías, los atontas!» (I, pág. 821).

Las vecinas le aconsejan moderación, pero el herrero admirado de la milagrosa transformación continúa: «¡Rediós, era mi esposa esta visión celeste y no sabía que tan blanca era de sus carnes! ¡Una cupletista de mérito, con esa rosa y las medias listadas!»

Deseoso de permanecer a solas con su redescubierta esposa, trata de poner en la calle a las entrometidas vecinas; presa de un progresivo deseo amoroso, compara a su esposa con «una estrella de la Perla», sin duda uno de los cabarets que en la imaginación del beodo figuran como el non plus ultra de la belleza femenina. Creciendo en admiración, la contempla con ojos diferentes: «... vale más que el cupletismo de la Perla!»; en su deseo de conservarla, está dispuesto a pagar cuanto le pidan: «¡Rediós, médicos y farmacéuticos, vengan a puja para embalsamar este cuerpo de ilusión! No se mira la plata. Cinco mil pesos para el que la deje más aparente para una cristalera. ¡No me rajo! ¡Tendrás una cristalera, Floriana! Estoy en mi derecho al pedirte amor!» Ebrio ahora no sólo de alcohol, sino de una pasión irrefrenable y desesperada, enteramente distinta, avanza dando traspiés para «amar» a la difunta; tropieza y cae, abrazándose al cadáver, pero en su caída una de las candelillas prende en la gran rosa de papel y al segundo estalla todo como en una llamarada infernal. Muerta, féretro y hasta el mismo Simeón Julepe, quien, «abrazado al cadáver, grita frenético», son envueltos por las llamas. Mientras las vecinas retroceden «aspando los brazos... toda la fragua tiene un reflejo de incendio».

Tremendo final en el que el herrero borracho Simeón Julepe, atraído hacia la que fue su mujer con una pasión que desborda lo normal, sucumbe a esa llamada misteriosa y superior, irresistible y mágica, por obra y gracia de los adornos de que se reviste la muerte, su esposa.

Para David Bary, que ha estudiado con cierto detalle la obra [5], esta súbita transformación del borracho, este descubrimiento de atractivos que no parecía haber visto antes en su compañera, se deben a esa «inaccesible categoría artística» lograda por los adornos, puede que de mal gusto («... promueven un desacorde cruel y patético, acaso una inaccesible categoría estética», I, pág. 820), de que nos habla el autor, entre las cuales figura prominentemente la rosa de papel que da título a la obra. Para el crítico, *La rosa de papel* vale no sólo como obra literaria en sí, sino «... también por lo que en ella dice Valle-Inclán de sus intenciones estéticas» [6]. La rosa que adorna el cadáver de Floriana —su pañoleta y sus botas de charol— tienen un efecto mágico y la transforman a los ojos del marido; la «eficacia estética» de estos elementos no reside en sí —en esa nueva dimensión estética—, sino «... en su fuerza, su capacidad de apoderarse de la imaginación del espectador» [7]. Y «la visión» de su difunta «... produce en Simeón un milagro... Empieza a tomar por el cadáver engalanado un interés que no había demostrado en vida de su mujer». Gana en sinceridad, se transforma todo él, «... hablando

[5] *La inaccesible categoría estética de Valle-Inclán,* en «Papeles de Son Armadans», Palma de Mallorca, t. LII, núm. CLVI, 1969, págs. 221-238.
[6] *Ibíd.,* pág. 222.
[7] *Ibíd.,* pág. 233.

en público de su amor con una sinceridad loca y desesperada...
Julepe o lo que puede la inaccesible categoría estética de don Ramón
del Valle-Inclán» [8].

Aun cuando no le niego la razón al crítico, debo confesar que,
para mi gusto hila muy fino para llegar a la conclusión de su ensayo, pero se queda corto en cuanto a señalar las más ocultas intenciones del autor. Es evidente que hay una súbita transformación en
los sentimientos del herrero; el avaro borracho de la primera parte
de la obra declara a gritos un insospechado amor por su mujer...
muerta. Está dispuesto incluso a desprenderse de lo que más ambi-
cionaba, el «capital» juntado por la difunta, para que «médicos y
farmacéuticos» se la conserven embalsamada. Pierde teatralidad en
su comportamiento y gana en sinceridad. Sea esa inaccesible categoría
estética o no la que opera el cambio, lo cierto es que contemplamos
a Julepe entera y súbitamente dominado por una inclinación de tintes
claramente sádicos; el orfeonista aficionado, el anarquista brutal y
dominado por la bebida, se ve arrastrado de repente por una incontenible y extraña urgencia amorosa que le fuerza a reclamar de la
muerta ciertos «derechos» que no puede alcanzar por vías normales.
La necrofilia, es bien sabido, es «una de las clásicas variaciones del
sadismo» [9].

Si la pasión amorosa conducía a la muerte en no pocas obras anteriores de Valle-Inclán, en estas piezas finales, cuando, repito, parece contemplar a los seres humanos sin un gramo de optimismo,
viéndolos en todas sus miserables limitaciones y esclavos de Satanás, la situación parece haber dado la vuelta en sentido contrario: la
muerte conduce al amor, si bien este amor prohibido excede los
límites de la normalidad.

Tal sentimiento necrófilo se ve aún con mayor claridad en la
segunda de las «Novelas macabras», *La cabeza del Bautista.*

Es casi un lugar común, en la crítica a esta obra, señalar el poema trágico *Salomé,* de Oscar Wilde, como su antecedente seguro;
desde Fernández Almagro [10] hasta el más reciente artículo que de ella
se ocupe, todos señalan que don Ramón debió de inspirarse en aquella obra. No contradigo radicalmente la opinión, pero me parece que

    [8] *Ibíd.,* págs. 236-237. Véase también para este punto el ensayo del profesor
J. L. BROOKS, *Valle Inclan's, «Retablo de la avaricia, la lujuria y la muerte»,* en
«Hispanic Studies in honour of I. González Lluvera», Oxford, Dolphin, 1959.
    [9] Véase MARIO PRAZ, *La carne, la morte e il diavolo nella letteratura romantica,*
Sansoni editore, Florencia, 1966, pág. 211.
    [10] *Ob. cit.,* pág. 204.

hay que puntualizar —como lo ha hecho de pasada el profesor Díaz Plaja [11]— que el interés por el tema de Salomé y la degollación del Bautista se remontaba a todo el arte de la segunda mitad del siglo pasado, muy especialmente entre los llamados «escritores decadentes». Oscar Wilde no hizo en su drama sino popularizar la leyenda del imposible amor de la hija de Herodías por el Bautista [12].

Si Leonardo nos había dejado la imagen de un andrógino en su interpretación plástica del San Juan, un pintor francés del siglo XIX, Gustave Moreau, nos dejó su visión «decadente» del tema. En el salón de 1876 expuso dicho pintor dos obras: un óleo, *Salomé,* y una acuarela titulada *L'Apparition.* Fue sobre todo la primera la que llamó la atención de los artistas «decadentes», en especial del escritor J. K. Huysmans, autor de *À rebours,* especie de biblia del decadentismo, en donde, según el crítico Mario Praz, en su excelente obra *La carne, la morte e il diavolo nella letteratura romantica,* «tutta la fenomenologia di codesto stato d'animo è illustrata fin nei minimi particolari in un personaggio esemplare, des Esseintes» [13]. El entusiasmo de Huysmans por la obra de Moreau, se comunicó pronto a otros escritores; como la exposición de 1856 lo había sido para los prerrafaelistas ingleses en la persona de Dante Gabriel Rosetti, el triunfo del autor de esta *Salomé* significó no solamente su consagración, sino la popularización del tema clásico tanto en pintura como en literatura.

La ensangrentada cabeza del Bautista, ofrecida sobre una bandeja de plata a una bellísima bailarina semidesnuda, se prestaba como ningún otro tema de la antigüedad a la interpretación de artistas que empleaban para «hacer arte» cuanto de morboso y malsano, cuanto de chocante a la conciencia burguesa ordinaria pudiesen encontrar. Aquel gusto por el exotismo cultivado especialmente por T. Gautier, Leconte de Lisle y el mismo Gustave Flaubert estaba en el aire en la segunda mitad del siglo pasado, y no extraña que un pintor como Moreau se inspirase en la literatura coetánea para «construir» sus cuadros y que éstos, a su vez, sirvieran para encender aún más los sentimientos de delectación morbosa de otros escritores.

En la narración *Hérodias* de Flaubert, Salomé no es más que un

[11] *Las estéticas de Valle-Inclán,* ed. cit., págs. 142-143.
[12] Oscar Wilde escribió su drama originalmente en francés en 1891, siendo publicado dos años más tarde. En 1894 Lord Alfred Douglas lo tradujo al inglés, siendo ilustrado por Aubrey Beardsley, para Bodley Head.
[13] *Ob. cit.,* pág. 286.

instrumento de la venganza de su madre, que se ha sentido ofendida por la acusación de liviandad del Bautista. En cambio, en un poema de Heine —*Atta Troll,* escrito en 1841— la esposa de Herodes estaba ya dominada por ese «amor maldito» hacia la ensangrentada cabeza del Bautista que la heroína de Wilde volverá a sentir. Otro cuadro de Henri Regnault, actualmente en el Metropolitan Museum, de Nueva York, sirvió a Banville para volver al tema, inspirándose también en los versos de Heine. Y utilizando el tono irónico de este mismo autor, Jules Laforgue había creado en su obra *Moralités légendaires* (1886) una Salomé caricaturesca. En los últimos años del siglo pasado, el portugués Eugenio de Castro (*Salomé e outros poemas,* 1896) y los franceses Guillaume Apollinaire y Stéphane Mallarmé (1898) volvieron a utilizar el tema.

No cabe la menor duda de que la más popular de todas estas obras es la del escritor irlandés, por lo menos entre el público no especializado. Como dice el citado crítico Mario Praz: «Le Salomé del Flaubert, del Moreau, del Laforgue e del Mallarmé sono note solo ai letterati e agli squisite, ma la *Salomé* del geniale istrione Wilde la conoscono tutti» (*ob. cit.,* pág. 279).

Lo que me interesa aclarar cuanto antes es que la *Salomé* de Wilde, aparte de haberle podido sugerir el motivo a nuestro autor, no tiene nada que ver con *La cabeza del Bautista* de Valle-Inclán. Nos parece que no anda muy acertado Díaz Plaja al afirmar «que del modelo noble que del tema nos ofrece Oscar Wilde deriva Valle-Inclán la caricatura degradadora que supone el esperpento de *La cabeza del Bautista*» (*ob. cit.,* pág. 143), siguiendo en esto la teoría de M. Fernández Almagro. Creo, por el contrario, que son dos obras enteramente diferentes. La distancia radical entre ambas no es sólo de estilo (escrita la de Wilde en una hermosa lengua «decadentista», con giros de un esteticismo que hubieran ido mucho mejor con el Valle de los primeros cuentos, mientras la obra de éste utiliza una lengua populachera y deliberadamente achabacanada, aunque rica y apropiadísima para lo sórdido del tema). La diferencia esencial, digo, está en el contenido, en la personalidad de las dos protagonistas y los sentimientos que las mueven a obrar como lo hacen.

La Salomé de Wilde obra por despecho, movida por un perverso amor insatisfecho, apoyada vagamente por el odio que hacia el profeta sentía su madre, la mujer del tetrarca. Al principio fue la curiosidad la que la atrajo a escuchar las palabras del aprisionado Bautista; mas al contemplarlo de cerca, un deseo carnal irrefrenable se apodera de ella y se lo confiesa así al prisionero: «Jokanaan, I am amorous of thy body; Thy body is white like the lilies of a field... It is of thy hair that I am enamoured, Jokanaan... It is thy mouth that I desire, Jokanaan... I will kiss thy mouth, Jokanaan. I will kiss thy mouth!» [14]. Pide, suplica, exige y cuando el Bautista se aparta de ella descendiendo, lleno de ira hacia la pecadora, al pozo-prisión, la bailarina, despechada y llena a su vez de ira, planea su castigo. La danza de los siete velos para el Tetrarca le facilitará su tremenda venganza. El ilimitado premio ofrecido por Herodes será la cabeza de su imposible capricho erótico. Cuando el Tetrarca pretende negar tan pérfida recompensa, Salomé le aclara que no quiere la cabeza del profeta para vengar las ofensas que aquél había hecho a su madre, sino «para su propio placer»: «It is for my own pleasure that I ask the head of Jokanaan in a silver charger» [15]. No hay más motivos, pues, que el maligno deseo de «hacer suya» la boca muerta del Bautista. Aquel amor maldito que no pudo satisfacer en vida del amado prisionero, encuentra su morbosa y macabra realización cuando Salomé, dueña ya de la cabeza degollada del profeta, besa mordiendo sus fríos labios «... como uno muerde un fruto maduro». El insatisfecho deseo que Salomé sintió con todas las fuerzas de su cuerpo joven, su fogosa virginidad empujándola a hacer suyo aquel «cuerpo blanco como los lirios del valle», se calma temporalmente con el amargo sabor de los violáceos labios del Bautista decapitado; termina la tragedia en el momento en que la princesa perversa se pregunta «... si el sabor amargo de la boca del profeta —sabor a sangre— no será el verdadero gusto del amor...» (El gusto por las mujeres vampiros también figuraba entre las morbosidades conocidas por los decadentes y seguidores del Marqués de Sade.) Horrizado Herodes ante la sádica inclinación de Salomé, en un rapto de cólera, manda a sus soldados que la maten; cuando desciende el telón final la vemos morir aplastada bajo los pesados escudos de los soldados del Tetrarca.

Lujuria desatada, capricho sexual insatisfecho y consuelo en la torpe venganza de «hacerlo suyo» después de muerto, eran los móviles de la princesa de Judea.

¿Cuáles son los que mueven a la Pepona, en la obra de Valle-Inclán...? El motivo primario que impulsa a la querida de don Igi

[14] *The works of Oscar Wilde*, Collins, Londres, 1957, págs. 553-554.
[15] *Ibíd.*, pág. 555.

a la «degollación» del Jándalo es más sórdido: es la avaricia, el amor al dinero de su amante en primer lugar. La Pepona sugiere al viejo indiano don Higinio Pérez que se deshaga rápidamente del aventurero y chantajista, mozo ultramarino de buena planta, asesinándolo mientras ella lo «encalabrina», representando una comedia de fáciles amoríos. Ella es el cebo con que atraer a la presa; hasta entonces no hay por su parte sentimiento o inclinación amorosa alguna. De otra manera hubiera preferido escaparse con el aventurero joven que habría cobrado la suma de dinero que el asustado indiano viejo, por miedo, estaba dispuesto a pagar. Mas no lo hace; antes al contrario, aconseja a su amante el violento crimen para acabar de una vez para siempre con el peligro del chantaje por parte de su antiguo cómplice en un pasado crimen. Enterrado en el huerto, bajo los limoneros, nadie se percatará de la desaparición del transeúnte.

En otras palabras: propone un frío y deliberado asesinato por interés. Sin su maligna complicidad, el pobre indiano viejo no hubiese osado ni imaginar tamaño crimen. Mas he aquí que el destino le juega a la Pepona una mala pasada; en brazos del Jándalo, representando, como habían convenido los amantes, su papel de cebo amoroso y disfrutando del abrazo algo más de lo que ella hubiera sospechado, se siente dominada, en el momento mismo en que su cuerpo se mancha con la sangre caliente del Jándalo (consecuencia de la cuchillada que a traición le ha propinado don Igi), por un incontenible deseo físico de entregarse a aquel cuerpo joven que se desmadejaba asesinado entre sus brazos. Es la muerte misma del Jándalo, la sangre caliente del joven, sobre su piel, la que enciende perentoria y perversamente en la carne de la Pepona los irrefrenables deseos de la entrega amorosa.

Incluso contra su voluntad, se aferra al cadáver del aventurero, rueda con él por tierra, intenta volverlo a la vida mientras maldice a su querido. La muerte del Jándalo arrastra así a la infeliz coima a otro amor imposible.

Otra vez más la avaricia conduciendo al desastre de la muerte; pero otra vez más —y no por azar— la muerte encendiendo a su vez la llama del amor prohibido, el amor «necrofílico», tan caro a los escritores decadentes, con los que hay que relacionar esta tremenda pieza, más que con la de aparentemente similar situación de Oscar Wilde. Como la protagonista de aquél, la barragana del viejo muerde, sí, la boca del muerto. Pero mientras Salomé se vengaba mordiendo la yerta boca que no había querido aceptar sus impuras ofertas amorosas, la Pepona descubre el deseo sexual más violento en el instante mismo en que su pretendiente amoroso se le enfría entre los brazos. El triunfo del mal es absoluto.

Más que una esperpéntica «caricatura degradadora» del tema de la *Salomé* wildeana, don Ramón nos dejó su versión moderna y desesperanzada de un caso semejante. Pero ya sin la grandeza decadentista del poema trágico, sin los adornos a que en los primeros años de su carrera de escritor había sido tan aficionado. Pero no por ello de menos mérito literario.

La intensidad dramática que alcanza la obrita, el patetismo final y el humor amargo que el autor logró extraer de tan escabroso tema la convierten en una de las más aplaudidas y bellas de todas las suyas.

3. «LAS GALAS DEL DIFUNTO»: LA OTRA CARA DEL «DON JUAN»

La obra que hoy conocemos bajo este título (y que con *Los cuernos de don Friolera* y *La hija del capitán* forman la trilogía esperpéntica «Martes de Carnaval») vio la luz en 1926, independientemente de las que habían de ser sus compañeras de volumen; llevaba el título *El terno del difunto. Novela*[16]. Son muy pocas las variantes introducidas por el autor en la versión definitiva, además del cambio en el título y unas cuantas expresiones degradadoras.

En un admirable ensayo, ejemplo de concisión y profundidad, ha demostrado Juan Bautista Avalle Arce[17] que *Las galas del difunto* no es otra cosa que la esperpentización del *Don Juan Tenorio* de Zorrilla.

Ya indicaba en su lugar que las *Sonatas* eran, a mi juicio, una amable esperpentización modernista de la figura del gran personaje literario. Burla burlando había reconstruido Valle-Inclán cuatro momentos de la vida del burlador, un don Juan al que su autor quería «el más admirable de los don Juanes».

Se diría que ahora, casi pasado un cuarto de siglo, Valle, des-

[16] Colección «La novela mundial», vol. X, Ed. Rivadeneira, Madrid, 1926. En 1930 volvió a publicarla en un volumen titulado *Martes de carnaval,* en unión de *Los cuernos de don Friolera* y *La hija del capitán,* esperpentos.
[17] *La esperpentización de Don Juan Tenorio,* en «Hispanófila», núm. 7, Madrid, 1959, págs. 29-39.

engañado y pesimista, se esfuerza por descubrirnos el reverso de la medalla. Pintar el otro don Juan; donde antes había burlas amables, pullas irónicas, habrá ahora violentos y grotescos zurriagazos para quitar cuanto de noble y embellecedor pudiera haber en la figura del don Juan más popular en España, el de Zorrilla; definitivo afán desmitificador. El héroe legendario se transforma en el antihéroe picaresco, rufián sin escrúpulos ni elegancias, como si los años pasados por él le hubieran ido destrozando las prendas más nobles. Aquel marqués que se vanagloriaba de ser de la más noble estirpe, guardia noble del Santo Padre en Roma, reaparece ahora degradado y convertido en «pistolo repatriado», excombatiente de la guerra de Cuba. El don Juan Tenorio zorrillesco será aquí Juanito Ventolera, diminutivo de clara intención peyorativa con apellido que proclama sus virtudes: «soberbia, vanidad, presunción»; pesimista y cínico aventurero, delincuente rapaz que no duda en cometer un robo sacrílego —apropiarse de las galas del difunto, desenterrando al cadáver para ello— ni despojar luego a la viuda del finado de una buena suma de dinero con la que invita a una fiesta a los asistentes del prostíbulo.

La degradación no se limita al personaje más importante, sino a la obra toda, y en ella al mito. Doña Inés ya no es la virginal novicia del convento, sino una moza del trato en un burdel, la cual ni siquiera figura con nombre propio, sino como «la Daifa»; la abadesa del convento será ahora la dueña celestinesca; Brígida es «una bruja trotaconventos», y el comendador se transforma en un avariento boticario, al que don Juan ya no mata, al menos directamente, puesto que el disgusto que le produce la presencia de Ventolera como alojado forzoso en su casa y la carta de la «deshonrada hija», que encuentra el pistolo en el arroyo, serán la causa del soponcio que acaba con la vida del viejo. Los nobles amigos de Tenorio se transforman en tres soldados hambrientos que andan hamponeando unas viandas para matar el hambre, «banquete» al que es invitado el desvergonzado ladrón de cementerios. («Tres soldados famélicos, con ojos de fiebre, merodean por las eras. Pedro Maside camina con dos palomos ocultos en el pecho. El bizco Maluenda esconde los pepinos y tomates para un gazpacho. Franco Ricote anda escotero...», O. C., I, pág. 971).

La escena de la seducción —Juanito Ventolera «le cae simpático» a la niña del pecado y ésta le ofrece «gratis» sus encantos en su primer día libre— queda reducida a una grotesca propuesta de cambalache: medallas y condecoraciones a cambio de una noche de placer. La celebérrima misiva amorosa es también objeto de esperpentizada alusión; como muy bien dice Avalle Arce: «Para completar la grotesca igualdad de situación no falta ni siquiera la famosa carta, trastocada, desde luego, en sus señas. No es carta de don Juan a doña Inés, sino de la Daifa a su padre, y tampoco es exaltada declaración amorosa, sino, más bien, dolorida admisión de bancarrota física y moral»[18]. Y hasta el rapto de la heroína (don Juan, liberando a la novicia de las rejas conventuales) tiene aquí su contrapartida esperpéntica: el golfales Juanito Ventolera, adornado con las «galas del difunto», acude al prostíbulo a rescatar a la «garza enjaulada» con los billetes que acaba de robar en casa de la viuda del boticario.

Además de las alusiones indirectas que dejan transparentar la intención del autor de esperpentizar la famosa obra de Zorrilla, Valle-Inclán se preocupó especialmente de que los lectores —o espectadores— de su obra la entendieran así, y para ello la alude sin rodeos en varias ocasiones. Cuando el excombatiente busca en el cementerio la tumba del boticario y descubre a sus compañeros de infortunio, les dice: «Parece que representáis el Juan Tenorio. Pero allí los muertos van a cenar de gorra» (I, pág. 972); poco más tarde, en la misma escena, el Bizco Maluendas, asombrado del arrojo de Ventolera, que va a profanar la tumba, le dice: «Ese atolondramiento no lo tuvo ni el propio Juan Tenorio» (ibíd.). Por último, en la escena cuarta, la de la cena, Franco Ricote, admirando el cinismo de Juanito, que se propone reclamarle a la viuda el bombín del difunto, exclama: «¡Ni el tan mentado Juan Tenorio!» (ibíd., pág. 976).

En la escena séptima, cuando llega Ventolera a «la casa del pecado», vestido con el traje del muerto, su bombín y su bastón, dispuesto a «armar la gran juerga» y a gastarse el dinero que le ha robado a la viuda, le dice a la dueña: «Madre priora, ¡quiero llevarme una gachí! ¡Redimirla! ¿Dónde está esa garza enjaulada?» (ibíd., pág. 984). Así describía la vieja criada a doña Inés en la obra de Zorrilla. Y en los últimos momentos del esperpento escuchamos uno más de los famosos versos del Don Juan Tenorio: «¡Has heredado! ¡Eres huérfana! ¡Luz de donde el sol la toma, no te mires más para desmayarte!» (ibíd., pág. 986).

Es evidente el interés del autor por subrayar sus propósitos: volver a poner en movimiento un mito famoso de nuestra literatura. Ahora bien, así como en la España del siglo XIX, aunque ya sin el

[18] Ibíd., pág. 34.

brillo de los Siglos de Oro, cabía cierta grandeza tanto en las figuras dramáticas como en el fondo social en el que se movían, en los aledaños del siglo XX le parece a Valle-Inclán que la situación del país no permite tales florituras; el héroe se transforma en un redomado rufián, y el fondo sobre el que se mueve no puede ser menos grandioso. Porque a la vez que apunta el autor que sus personajes son los mismos del drama de Zorrilla, ni por un momento descuida el hacernos ver que los tiempos en que ahora se mueven son muy otros. Y la dolorida realidad que se transparenta tras las acciones de sus criaturas, aunque deformada, no lo es tanto como para que dejemos de percibir una España más cercana al momento en que fue escrita la obra que la que nos pretende mostrar, la que siguió al desastre del 98. Volveremos a este punto más adelante.

Don Juan, como la España de los primeros años del siglo XVII que le vio nacer, con los años ha ido perdiendo grandeza. El héroe de Tirso era joven, gallardo, libertino, creyente, aunque rebelde, rico, y si bien dominado enteramente por la sensualidad, es una fuerza de la naturaleza obediente a cierta fatalidad que disculpa un tanto sus acciones; cuando no se trate de aventuras eróticas, incluso es capaz de sentimientos nobles.

El de Zorrilla —por no fijarnos más que en los antecedentes más famosos—, dos siglos más tardío, sin perder del todo tales características, adquiere otras que disminuyen, cuando no las anulan, aquéllas: es un jactancioso terrible, con cierta ambigüedad en lo que toca a sus creencias religiosas, aunque acabe triunfando el bien y salvándose por amor de su amada.

Y en la obra del mismo Valle-Inclán, las dos versiones que nos había dejado del personaje, el Marqués de Bradomín y el fiero don Juan Manuel de Montenegro, aunque ya fatalmente resbalando hacia el despeñadero final (especialmente el segundo como vimos en su lugar), conservan ciertos trazos de grandeza. La España agonizante en que se movían aquéllos, aunque decrépita y herida de muerte, guardaba brillos y aire noble en sus salones; mas ahora, la España en que se mueve Juanito Ventolera —presunción, soberbia, vanidad— es un puro cadáver en franca y desagradable descomposición. Y tanto como las hazañas del pícaro repatriado, le interesan al escritor los escenarios sobre los que se mueve. Yo diría que en el fondo Valle-Inclán ve a su protagonista como una consecuencia inevitable de la bancarrota histórica del país.

La escena político-militar queda habilísimamente trazada, un poco como de soslayo, pero no por ello menos intensamente en los momentos del encuentro del «devaluado» conquistador con la heroína; ya no es el héroe de los tercios españoles en Italia, ni el guardia noble de Su Santidad, sino un repatriado sin grandeza ni fortuna: «Alto, flaco, macilento, los ojos de fiebre, la manta terciada, el gorro en la oreja, la trasquila en la sien» (I, pág. 967). No cree en valores ni en heroísmos, siendo su escepticismo consecuencia del vacío moral en que le ha tocado vivir; la guerra no tiene ya ni la excusa quijotesca de «una causa perdida» como las peripecias carlistas en las que perdió su brazo Bradomín. De la guerra colonial habla así Ventolera: «Allí solamente se busca el gasto de municiones. Es una cochina vergüenza aquella guerra» (I, pág. 965).

El diálogo entre la moza del trato y el ex combatiente está lleno de alusivas e intencionadas críticas a la política seguida por los gobernantes en lo que se refiere a las guerras coloniales. Se critica la actitud de los que mandan y se compadece a las pobres víctimas de la guerra. No hace falta subrayar que tales intencionadas protestas antimilitaristas se dirigían en el año de la publicación de la obra no tanto al pasado colonial cuanto a un presente, entonces, mucho más cercano. *Las galas del difunto* vieron la luz bajo la dictadura de Primo de Rivera, cuando aún se escuchaban los últimos ecos de los disparos de otras guerras absurdas, como la mayoría de ellas; las escaramuzas africanas gracias a las que tantos hicieron carrera a costa del sacrificio de miles de vidas inocentes.

Ni la moza del trato ni el soldado se dejan embaucar por las apariencias heroicas: «Cuando no queda otro remedio, todo quisque saca los redaños»; las cruces y condecoraciones, testimonio de sus «hazañas bélicas», no le sirven a Ventolera más que para «tratar de hacer changa» con la Daifa a cambio de «una dormida»; viene sin un céntimo: «Es el premio que hallamos al final de la campaña. ¡Y aún nos piden ser héroes!» Al comentario admirativo que la Daifa tiene por las cruces de Juanito, responde éste con un gráfico exabrupto:

«—¡Has sido un héroe!
»—¡Un cabrón!» (I, pág. 967).

Unos cuantos brochazos acertados, utilizando los colores adecuados para el asunto del cuadro le son suficientes a Valle para crear el telón de fondo social, caldo de cultivo apropiadísimo en el que se desenvuelve su pícaro personaje. Las niñas del pecado, la dueña del

prostíbulo, una vieja de resonancias archiliterarias —Celestina y Trotaconventos en un cuño—, unos cuantos repatriados famélicos y la
familia y amigos del boticario don Sócrates Galindo, le bastan para
darnos un trasunto del país. Con admirable economía de recursos
el autor crea un ambiente que está dejando al descubierto la caótica
situación de España en el primer cuarto del siglo actual; las intencionadas alusiones en los diálogos revelan muy eficazmente ese malestar de ruina física y moral.

El avariento boticario, negándose a perdonar a su desgraciada
hija, representa la intransigente sociedad pequeño-burguesa, incapaz
de cualquier rasgo noble, pero escudándose paradójicamente en una
«honra familiar mancillada» por la conducta de la infeliz.

Las discusiones de los soldados nos dejan ver, al través de unos
resquicios muy apropiados, el mundo de la política y los militares:
las guerras no son más que el pretexto para el medro de los que
mandan; salvo que no se hacen en «tierra sagrada» son un «despojar a los muertos» de sus bienes, como el que hace Ventolera en el
camposanto. El tema de la patria chica dará disculpa a uno de los
soldados para hablar de los gobernantes gallegos:

«—¡Ladrones de la política!

»—¡Tampoco te contradigo! Pero muy agudos y de mucho provecho.

»—¡Para sus casas!

»—¡Para ministros del rey!» (I, pág. 974).

Incluso la creencia supersticiosa del citado gallego es disculpa
excelente para otra punzada a la actividad política: «¡Que se pro-
nuncien los difuntos me parece una pura camama! ¡Para tus luces,
este mundo y el otro bailan en pareja! Hay correspondencia. ¿Y ba-
tallones sublevados...? ...¿Y capitanes generales descontentos...?»
A lo que maliciosamente apostilla el bizco Maluenda: «¡Panoli! ¡En
el otro mundo no se reconocen los grados!» (I, pág. 975).

La llegada de Juanito Ventolera corta la discusión; viene de visitar... «las calderas del rancho que atiza Pedro Botero», y con su
aire impío y su osadía, asusta a los amigos. Cuando le señalan éstos
«el mal camino que lleva —de perdición completa—», sonríe cínicamente respondiendo que «... dando la cara no hay bueno ni malo»,
a lo que su paisano Maside replica: «Para vivir seguro, fuera de la
ley, se requieren muchos parneses. Das la cara y te sepultan en presidio.» A lo que Ventolera declara su total rebeldía: «¡Hay que ser

soberbio y dar la cara contra el mundo entero! A mí me cae simpático el Diablo», añadiendo: «El hombre que no se pone fuera de la ley, es un cabra» (I, págs. 976-977).

Tampoco desaprovecha la ocasión para dirigir sus dardos satíricos contra lo que él consideraba la rapacidad y el materialismo de una parte importantísima de la sociedad hispana, la Iglesia. En la persona de un sacristán zalamero que viene a «pasar la cuenta» a la viuda por los servicios de cera, órgano y cantores del funeral, descarga el autor su comentario burlesco; como muy apropiadamente dijo Avalle Arce en su estudio, presenta... «... en sustancia los últimos ritos considerados como baratillo» [19].

Por cierto que será tan «caritativo» y reaccionario personaje quien, en compañía del rapista, que también viene a reclamar el pago por sus servicios, sugiere una pista para difuminar aún más las barreras temporales, no tan bien delimitadas en la obra como a primera vista parece. Ya adelanté antes que me parece que la intención de Valle es esperpentizar la época misma en que está escribiendo y no la que por los detalles de las guerras coloniales se refiere al desastre del 98. Es la España de Primo de Rivera la que sirve de marco a las andanzas de este «degradado don Juan», sospecho, creo, con razón. Aparentando hablar de una época inmediata del pasado le queda más libertad al autor para dejar al descubierto las faltas de la que tenía ante sí. Aunque en *La hija del capitán,* escrita poco después, hable sin rodeos, a don Ramón le gustaba, como hemos dicho repetidamente, disfrazar sus fábulas de un cierto aire de misterio y cosa vieja; le parecía que hablando en clave le entenderían los inteligentes, para los que hablaba, mejor que haciéndolo sin rodeos. Con habilidad extraordinaria sabía despistarnos y hacernos creer —cuando le venía en gana— que sus tiros iban dirigidos contra un blanco, mientras la realidad era que daban en el centro del opuesto. Maneja muy expertamente con su única mano el acordeón temporal que se achica o alarga a la medida de sus necesidades. Por otra parte, los años del «desastre» no son para Valle-Inclán solamente los de finales de siglo; con razón pensaba que el país había hecho muy poco por superar tan graves males en los primeros veinticinco del siglo actual. Pero volvamos a la «pista» de que hablé antes: Hablando los dos interesados personajes con la viuda, comenta el reaccionario sacristán sobre la corrupción de la sociedad: «Toda la España es una de-

[19] *Ibíd.*

magogia. Esta disolución viene de la prensa», a lo que añade el rapista: «Ahora le han puesto mordaza», para concluir el sacristán: «Cuando el mal no tiene cura.» ¿Será muy arriesgado pensar que los personajes —y tras ellos el autor— se están refiriendo a la censura de prensa impuesta por el dictador...?

Es cierto que Ventolera es «un repatriado de la campaña colonial», pero no se olvide que por campaña colonial podía entenderse la guerra de África; y hasta la última escena no escuchamos al pícaro afirmar que es un «repatriado de Cubita libre». ¿No serán estas alusiones, precisamente, la cortina de humo tras la que disimula Valle-Inclán el verdadero objetivo de su fuego graneado...? Precisamente en la escena primera escuchamos decir al repatriado: «Mi palabra es de Alfonso», o sea, «de rey». Ahora bien, si está hablando en 1898 no podía referirse más que al fallecido Alfonso XII, que había muerto hacía casi tres lustros; en cambio, si, como sospecho, habla en mil novecientos veintitantos, el monarca mencionado sería Alfonso XIII. Corrobora mi sospecha el comentario de los tres soldados que hablan de «los ministros del rey» y no —como debieran haberlo hecho, si estuvieran a fines del siglo XIX— de la reina Regente. En un artista tan meticuloso y ordenado como Valle-Inclán no caben tales «descuidos» más que si son «intencionados»; me parece que ya he dicho que en toda la obra de este artista tan consciente no hay un solo detalle que esté allí sin algún motivo; aunque a veces nuestra torpeza no logre descubrirlo.

4. «LIGAZÓN» Y «SACRILEGIO»: AUTOS PARA SILUETAS

El amor que sintió Valle a lo largo de toda su vida por la literatura primitiva fue algo mucho más hondo que una simple postura estética, como lo demuestra este volver, en sus últimas obras teatrales, a entroncarlas con las sencillas moralidades medievales. El artífice barroco de las *Comedias bárbaras* es capaz ahora de simplificar sus dramas de modo increíble; como en aquellos sencillos diálogos morales del medioevo, estas obritas de Valle-Inclán se reducen a una acción mínima, sin adornos ni pretextos, y su denso mensaje, su pesimista enseñanza, consiguen una tensión dramática que sólo se encuentra en las mejores piezas del teatro universal.

Con todo, conviene que señalemos de inmediato la radical diferencia que separa a las obras de don Ramón de las que fueron sus lejanos antecedentes. En las moralidades medievales contemplábamos al hombre debatiéndose entre los dos polos del bien y del mal; lo veíamos sucumbir a veces a las tentaciones del diablo, pero ofreciendo resistencia y saliendo victorioso en la mayoría de las ocasiones, terminando por lo general con el triunfo del bien sobre el enemigo malo. Posteriormente el teatro español produjo los autos sacramentales, en los que la simple moralidad se convertía en complicados debates teológico-filosóficos en defensa de algún misterio, terminando por lo general en un canto al Santísimo Sacramento. En todas aquellas obras el triunfo definitivo del bien era *conditio sine qua non*.

En estos dos «autos para siluetas», en cambio, las cosas no terminan tan bien como en aquéllos. Se diría que el autor ha perdido toda la fe en la redención final del hombre; que contempla a la criatura humana dominada inevitablemente por las más elementales y bajas pasiones, la lujuria y la avaricia, por las que es capaz de sacrificarlo todo. No sólo triunfa el mal, sino que se enseñorea de su victoria, resonando a lo largo de las dos obras como el eco de una carcajada satánica que las hace aún más patéticas. Y la contemplación desesperanzada del hombre debatiéndose inútilmente entre las manos de Satán produce en Valle-Inclán el humor más sarcástico de toda su carrera.

Ligazón es un auto, sí, pero no sacramental, sino demoníaco. Fue estrenada el 8 de mayo de 1926 en el teatrito experimental «El mirlo blanco» que los Baroja habían organizado en su casa. Si en las obras que había escrito con la esperanza de verlas representadas en los teatros, el artista no había cedido a los gustos de «la bestia fiera», como llamó Lope al público de su tiempo, mucho menos se iba a doblegar cuando escribió para una minoría selecta de teatro experimental.

Despojando al enredo de todo pretexto espectacular escribió esta corta pieza tan llena de bellezas como de un estremecedor triunfo del mal. Cuatro personajes intervienen en ella (el quinto, «un bulto jaque de manta y retaco», es asesinado sin que pronuncie una palabra) y los cuatro se mueven por avaricia o por lujuria. La madre y la vieja celestinesca, apropiadamente llamada la Raposa, ambicionan demasiado el dinero y tratan, la una con sus zalameras buenas razones, la otra con su autoridad materna, de conquistar a la moza para que se entregue a un jaque rico que la desea; mas la chiquilla prefiere darse a alguien de su predilección, y como no parece tener mucho galán entre quien elegir, escoge a un afilador que oportunamente le hace la corte. Al esquematizar aquí el argumento de la obra nos percatamos de que hemos dejado fuera quizá el elemento más importante de su dramatismo: la dosis de malignidad que domina por entero a estas «siluetas» como las llama su creador; las viejas movidas por la avaricia, empujando a la mozuela al pecado, para ganar una prometida recompensa; la moza, que no obedece más que a su lujuria, atrapando con sus malas artes de brujería al moscón rijoso, que es el afilador transeúnte, y haciéndolo su cómplice en el asesinato del galán rico, al que las viejas habían facilitado la entrada en casa. Avaricia y lujuria enfrentadas en singular combate y ambas desencadenando el crimen. Ambiente nocturno y sobrenatural logrado con una economía de recursos admirable.

Personajes unidimensionales, cierto, pero a los que su misma entrega al mal les da una grandeza asombrosa; las dos viejas se jactan de dominar el arte de las brujas, mas la mozuela, ejerciendo el suyo, sabe asegurarse el triunfo de su voluntad. Adivina, por medios sobrenaturales, las andanzas del afilador cuando está lejos de ella; y cuando lo tiene a su vera, casi lo obliga a ser su aliado. Los recelos que ante los ocultos poderes de la joven tiene el afilador, pronto se desvanecen con la esperanza de satisfacer su deseo sexual. Con todo, aún estuvo a punto de volverse atrás, mas la astucia y los sabios conocimientos de la mozuela lo obligan a comprometerse:

«—¡Por Cristo que bruja aparentas!

»—¡Yo lo soy! Beberé tu sangre y tú beberás la mía.

»—¡Vaya un sacramento! Perdona, niña, si me rajo, pero ya estoy con soguilla» (I, pág. 805).

Pero acaba por sucumbir a los deseos de la joven, entra «a deshacerle la cama» y, cuando llega el jaque, ayuda a la mozuela: «Cuatro brazos descuelgan el pelele de un hombre con las tijeras clavadas en el pecho.»

Esta niña de *Ligazón* me parece la encarnación demoníaca más lograda de las intentadas por Valle-Inclán; una especie de diablo femenino que responde a las creencias y supersticiones del pueblo, más que a las especulaciones de los teólogos.

Sacrilegio debió ser escrita por los mismos meses que su compañera, pues fue incluida en el volumen *Retablo de la avaricia, la lujuria y la muerte* en 1927.

Como la anterior, es otra prueba más de la fascinación que por las creencias religiosas, o las rebeldías del hombre contra esas mismas creencias, sentía Valle-Inclán. Vale la pena recordar que lo religioso tiñe como ningún otro elemento la obra toda de este autor. Desde los primeros cuentos decadentistas y llenos de influencias transpirenaicas, aunque también de elementos del folklore gallego, a las obras de puras resonancias galaicas o los últimos capítulos del inacabado *El ruedo ibérico,* raramente hay una página de Valle que no esté de alguna manera traspasada de religiosidad más veces fuera que dentro de una estricta ortodoxia. La heterodoxia de Valle-Inclán proviene, paradójicamente, de su credulidad; dispuesto a creer a pies juntillas en lo maravilloso de leyendas y creencias populares [20], las supersticiones más elementales y los milagros de santos o demonios tradicionales, se sentía incapaz, sin embargo, de aceptar las enseñanzas ortodoxas de la religión católica.

De aquí la presencia casi constante de un sentimiento místico heterodoxo en su obra y la cantidad de veces que nos tropezamos en ella con la encarnación de esa rebeldía, Satán mismo bajo una forma u otra, siendo una de sus favoritas la elemental y clásica personificación del macho cabrío o trasgo, con su secuela de brujas y toda suerte de criaturas infernales. (También lo encontramos en forma de gato, de perro blanco, de búho siniestro y hasta bajo forma humana, como el loco Fuso Negro.) Las referencias diabólicas varían entre «el Malo», «Patillas», «Tío Mengue», etc. [21]

Son varios los casos de «sacrilegio» que el autor presenta a lo largo de toda su obra, siendo los más sobresalientes los que lleva a cabo en las *Comedias bárbaras* el seminarista Farruquiño y el abad de Lantañón. El episodio que sirvió a Valle-Inclán para esta última pieza del *Retablo* es uno de los muchos casos de «ajuste de cuentas» o venganza, entre bandoleros de la serranía andaluza, que debieron llevarse a cabo con harta frecuencia en la España del siglo pasado. No importa tanto investigar la posible fuente [22], puesto que lo que da grandeza literaria a la obra no son los hechos, sino el tra-

---

[20] Véase la preciosa anécdota que cuenta, para ilustrar este tema, RAMÓN SENDER en *Valle-Inclán y la dificultad de la tragedia,* ed. cit., págs. 135-136.

[21] Véase para este tema el excelente estudio de DELFÍN LEOCADIO GARASA, *Seducción poética del sacrilegio en Valle-Inclán,* en *Ramón María del Valle-Inclán (1886-1966)* (Estudios reunidos en conmemoración del centenario), Universidad Nacional de La Plata, 1967, págs. 414-432.

[22] Ha sido sugerida, como para cuanto se relaciona con las andanzas de los bandoleros que aparecen en *El ruedo ibérico,* la obra de JULIÁN ZUGASTI, *El bandolerismo. Estudio social y memorias históricas* (3 vols.), Ed. Espasa-Calpe, Madrid, 1934.

tamiento dramático que el autor le dio, así como el énfasis que sobre
la sacrílega confesión que uno de los protagonistas, el bandido apodado Padre Veritas, lleva a cabo.

Según sospecha la cuadrilla de bandoleros, su prisionero, el Sordo
de Triana, Frasquito Machuela, los ha traicionado denunciándolos a
la justicia (a los «vellerifes», en expresivo dicho del Vaca Rabiosa):
«Esa mala faena pide pena de muerte.» Maniatado y con una venda
en los ojos lo tienen en una cueva de la sierra, tratando por todos
los medios de saber si verdaderamente ha sido él quien los ha denunciado. («Compadres, el rejo con que niega me ha puesto en recelo.
¡A ver si hemos equivocado el rastro!», dice Patas Largas.) Condenado a muerte y obstinado en su silencio, recurren a la estratagema
de aparentar que acceden a su última voluntad, la de proporcionarle
un confesor. Para ello uno de los bandoleros, conocido por el Padre
Veritas, que se acuerda de sus latines de monaguillo («Tengo completos los estudios de teología. Tres años he sido monago», dice so-
carronamente) representa la comedia del fraile que regresa de Tierra
Santa, luego de haberle sido afeitada una corona por uno de sus compinches.

Al principio del sacrílego sacramento de la penitencia, los bandoleros se las prometen muy felices y comienzan todo con un aire
de mofa y chirigota que no tarda en desaparecer. A la farsa forma-
lística del Padre Veritas —pronuncia unos latines macarrónicos de
gran fuerza cómica en el contexto— responde el sincero arrepentimiento del condenado a morir; lo que prometía ser una sacrílega
fiesta para la cuadrilla sin entrañas, se va transformando progresivamente en un acto ejemplar. El reo, que no sospecha el engaño de
que está siendo objeto, va limpiando su alma de pecados en una confesión que resulta uno de los momentos más emocionantes y bellos
logrados por el autor. Como sonámbulos, pasmados ante la confesión
de los hechos terribles del Sordo de Triana se van acercando al preso
que, vendados los ojos y sordo como es, no se percata de su presencia. Escuchan admirados el relato de sus crímenes y el tremendo
pasado delictivo del prisionero («La estrella de mi nacimiento no
me ha consentido ser hombre de bien... y siempre esquiciándome
el sino de mi nacimiento», con cierto dejo fatalístico de un Segismundo de los caminos) y, sobre todo, presencian aterrados, cercano ya
el fin de la confesión, cómo el señor Frasquito, convencido de que
lo van a matar, manifiesta su perdón para quienes van a terminar
con su vida. La emoción sube al máximo cuando el pobre condenado

se percata de que no sabe cómo rezar y pide ayuda al «confesor» con el acto de contrición.

Si toda la obrita está escrita en una lengua que es una maravilla de expresividad pintoresca, apropiados coloquialismos y desgarrada comicidad, en estos momentos finales a esas cualidades se unen la emoción más verdadera y un delicado temblor poético que las convierte en puro milagro literario; tal es la fuerza de la petición del Sordo de Triana, que se siente al borde de la muerte y no quiere ser arrastrado a los infiernos por el mismo Satanás: «¡Ayúdeme a lavar esta conciencia tan negra! ¿Cómo se reza, padre reverendo? Que soy sordo. ¡Si no me gritan a la oreja, jonjana! ¡Señor mío Jesucristo, Dios y hombre verdadero! Ahí me atranco. ¡Padre reverendo, que estoy con medio cuerpo en la sepultura, y sin haber formulado alguna oración no van a recibirme en el cielo! ¡Que Satanás me arrebata de los pelos! ¡Gríteme a la oreja su reverencia!» (I, pág. 890).

Cuando el bien parece que va a triunfar sobre el mal y la ejemplar confesión del Sordo está a punto de producir el milagro del perdón entre sus enemigos, el capitán, temiendo ese sentimiento de piedad que como a los demás le va brotando de lo más hondo de su conciencia, acaba de un disparo a bocajarro de su retaco con la vida del bandolero: «Si no le sello la boca, nos gana la entraña este tunante» *(ibíd.)*.

El disparo del capitán acaba con el Sordo y nos despierta a la realidad del ensueño a que nos había conducido la sacrílega farsa sacramental. Las «siluetas» de este macabro «auto» se recortan, en mi opinión, con más nitidez que las de las otras piezas que forman el volumen; el recuerdo que dejan en el lector, más duradero, aunque no estemos de acuerdo con el profesor J. L. Brooks [23], que considera esta obra como la representación de la completa degradación de la humanidad. Los bandoleros como hemos señalado «arreglan cuentas pendientes»; a su manera «hacen justicia» castigando al que sospechan culpable de traición y delación. No matan tan gratuitamente como cree el crítico: «These bandits take prisoners and kill them simply for their amusement. One feels that they will forget this episode as soon as something else turns up and that, for them, human life has no value or importance.» En esta ocasión al menos los personajes de Valle-Inclán actúan todo lo injustamente que se quiera, pero con un motivo claro, la venganza.

[23] *Art. cit.*, pág. 100.

Nos parece más acertado cuando afirma que la reducción a sombras de los seres humanos es la fase final de la evaluación de la humanidad por Valle. La sombra es «unidimensional» y para el autor el hombre puede ser pintado sin relieve, ya que solamente hay un aspecto de su carácter que merece la pena de ser mostrado, su egoísta instinto de sobrevivir: «This may express itself in a casualness towards the lives of others, in the avaricious desire to acquire wealth as a protection, or in sexual lust» [24].

5. «LA HIJA DEL CAPITÁN»: BEFA ANTIDICTATORIAL

Natural es que el tradicional antimilitarismo valleinclaniano se exacerbase al máximo durante los años de la Dictadura de Primo de Rivera. Dejándose llevar de tales sentimientos y buscando la manera de burlarse del régimen dictatorial, desprestigiándolo cuanto le fuera posible al mismo tiempo, escribió este corrosivo esperpento, que vio la luz en la colección «La novela mundial» —julio de 1927— para ser retirado de inmediato por la Dirección General de Seguridad, que lo consideró en una nota publicada en los periódicos «de atentado a las buenas costumbres» [25].

Pese a su tono granguiñolesco y su intencionado aire caricatural he de confesar que, por sus meros valores literarios, me parece digna de mejor suerte de la que hasta el presente parece haber tenido; creo que no se le ha consagrado todavía el análisis que merece y la mayoría de las referencias críticas que esta obra suscita o son brevísimas o están escritas como de pasada.

Según Fernández Almagro, don Ramón basó el argumento de *La hija del capitán* «en la más cruda versión popular del crimen recién perpetrado por el «capitán Sánchez», en complicidad con su hija María Luisa» [26]. Valle adivinó en este enredo la posibilidad única de dirigir sus ataques más acerados contra el dictador y contra los militarismos, y valiéndose de su experiencia dramática y su dominio lingüístico llevó a cabo el esperpento más esperpéntico de cuantos salieron de su pluma. Empeñado en dejar al descubierto cuanto

[24] *Ibíd.*
[25] Véase Francisco Madrid, *ob. cit.*, pág. 71.
[26] *Ob. cit.*, pág. 207.

veía de negativo en lo que pasaba por «ejemplar patriotismo», llevó sus ataques a extremos inconcebibles... incluso para el inventor del esperpento; intencionadamente dio a esta obra más aires sainetescos de los que tenían las otras dos (Los cuernos y Las galas) para subrayar así cuanto de farsa y de populachero patriotismo había en la conducta de los personajes, cuando no de absoluta deshonestidad. Lo extraordinario es que, pese a las evidentes exageraciones que distorsionan la visión valleinclaniana del asunto, a pesar de lo increíble de la trama que da pretexto al golpe de estado, con el que un importante general disfraza de pronunciamiento patriótico para salvar al país un crimen accidental, consecuencia de unos amoríos suyos con la hija del capitán, el autor logra sus propósitos y, lejos de «pasarse de la raya» en la denigración, la bufonada esperpéntica fue —¡y lo sigue siendo!— una certera bomba contra muchos tópicos patrioteriles y del honor con que suele disculparse y disfrazarse todo régimen de fuerza. Bajo las abultadas deformaciones y los colores chillones con que el artista pinta su cuadro, no es difícil reconocer defectos muy reales de la sociedad hispánica.

Para rebajar al máximo la calidad moral de sus personajes el autor los condena a hablar una lengua acanallada y populachera, llena de expresiones jergales y chulapas que hacen imposible toda nobleza de alma en los hablantes; como en todo escrito de un gran artista la forma no es más que la materialización del contenido.

Cuando escuchamos hablar a los golfos madrileños, como cuando hablan «los príncipes de la milicia», el tono es decididamente degradatorio; Valle supo aprovechar al máximo su absoluto dominio de los términos coloquiales más groseros y logra situaciones cómicas extraordinarias, aunque el tono de burlesco patriotismo de que está impregnada toda esta sarcástica fábula sea, en conjunto, más bien patético.

Aunque las críticas más acerbas vayan dirigidas al régimen de fuerza, conviene que subrayemos que Valle no se contenta con denunciar la estolidez y vanidad de quienes ostentan el poder. Tampoco escapan de la picota de sus sarcásticas burlas otros sectores de la sociedad española que de algún modo representaban un papel importante en los años de la Dictadura: los «camastrones» burgueses y toda una laya de señoritos socios del Bellas Artes, por ejemplo, no salen mejor parados; los periodistas y la corrupción de sus campañas son también puestos en solfa de modo eficaz; su Majestad Católica, que contempla babiecamente emocionado la trampa inmunda del «hijo de Marte» para encubrir su cínico comportamiento; su Ilustrísima el señor obispo, que baila, con su presencia, al aire que le tocan; las nobles señoras de diversas piadosas asociaciones...

Aire de bufonada, sí, pero transparentando —mejor que muchas páginas de las llamadas «realistas»— con acusadora lucidez la triste situación de España. Califíquesela o no de libelo, *La hija del capitán* es una pieza teatral que no desmerece en nada en el conjunto de las de su autor. Detrás de muchos de esos «brillantes discursos» que tan «heroicos» fantoches pronuncian, ¿no descubrimos con cierta vergüenza los negros nubarrones amenazantes que producirían la más bárbara tormenta de sangre que asoló a España unos cuantos años después de haber sido escrita esta obra...? Y las tertulias del Café Universal, con sus componentes pintorescos, como el inefable Salón de Bellas Artes, retratados con tanta gracia por Valle, ¿habrá muerto definitivamente, en las capitales de provincia especialmente, ese mundillo de «señores bien» que se reunían habitualmente en su casino o en su café favorito, a practicar ese hábito tan español y tan mezquino de las murmuraciones venenosas, los chismes más salaces y las lujurias más o menos reprimidas, disfrazadas de chistes de última hora...?

Acusar a Valle de exagerado en esta obra me parece una simplificación inadmisible, fácil escapatoria, un evadir el enfrentamiento con la realidad. Porque si es cierto que el autor subraya, como el caricaturista, los rasgos deformes del modelo, no lo es menos que gracias a ese subrayado nos percatamos de ángulos que habían dejado veladamente disimulados, cuando no intencionadamente ocultos, los afeites de otros pintores con menos profundidad en la mirada.

Debajo de esa extraordinaria ridiculización de las «virtudes» de tanto falso «héroe» nacional, detrás de esos fantasmones llenos de entorchados y condecoraciones adivinamos mucho «nombre glorioso» de quienes condujeron al país de mal en peor. En la escena penúltima la befa se torna en dolorido sarcasmo cuando, conociendo los verdaderos motivos que los impulsan escuchamos las ridículas arengas de aquel «hijo de Marte» que se cree sus propias mentiras: «Redactaré un manifiesto al país. ¡Me sacrificaré una vez más por la patria, por la religión y por la Monarquía!..., yo soy el único que inspira confianza en las altas esferas. Allí saben que puedo ser un viva la virgen, pero que soy un patriota y que sólo me mueve el amor a las instituciones. Yo sé que esa frase ha sido pronunciada por una augusta persona. ¡Un viva la virgen, señora, va a salvar el trono de San Fernando!» (I, pág. 1071).

Y ese final apropiadísimo, convertido ya todo en auténtico derrumbadero burlesco, con el tren real que se aleja tras los inevitables discursitos, bandas de música y compañía de honores con bandera; todos felices y contentos con el brusco cambio dado al país... por los accidentados amoríos de un general y el crimen de un golfo que, como dice su amante, la Sini, «se descacha de risa» al presenciar tan disparatada como solemne farsa.

El discurso de doña Simplicia me parece una de las páginas más logradas de Valle; rezuma tópicos patrioteriles, grandilocuencia vana y una actitud de autosatisfacción verdaderamente increíble; y, sin embargo, ¡cuántas veces se han escuchado en el ámbito hispánico —del lado de acá, como el otro lado del Atlántico— las mismas o parecidas «músicas celestiales»...! Doña Simplicia simboliza toda una sociedad reaccionaria y egoísta, aduladora de los que gobiernan y de cortas luces en el caletre, que predicando amor al prójimo y una mayor espiritualidad, explota al humilde sin remordimientos. Tanto en España como en Hispanoamérica... cuánta doña Simplicia anda suelta todavía, con los papeles de su «improvisado discurso» preparados en su bolsón de mano. Para coronar tan estúpida perorata, el autor pone en boca de la importante dama una referencia literaria («... pero el honor es patrimonio del alma / y el alma sólo es de Dios...») que estalla aquí como un chistoso cohetazo: «¡Vuestros son [sus corazones], tomadlos! ¡Ungido por el derecho divino, simbolizáis y encarnáis todas las glorias patrias! ¿Cómo negaros nada, diga lo que quiera Calderón?» (I, pág. 1076).

Al escuchar las altisonantes y hueras frases de doña Simplicia no puedo evitar el recuerdo de otro personaje —otra situación— de novela posterior y su estupendo discurso lleno de ignorante y tosca adulación a quien ostenta el poder por la fuerza bruta: el discurso que pronuncia «la lengua de Vaca» en la novela de Miguel A. Asturias *El señor presidente* [27].

Conocida es la admiración que por la obra de Valle-Inclán siente el reciente Premio Nobel; el escritor mismo ha confesado noblemente cuánto debe su novela más popular a *Tirano Banderas*. Me parece

---

[27] MIGUEL ÁNGEL ASTURIAS, *El señor presidente*, Ed. Losada, Buenos Aires, 1955, págs. 101-102.

un deber de justicia señalar esta fuente valleinclaniana en uno de los más excelentes escritores contemporáneos en español, aunque no sea más que como un pequeño desagravio al autor que durante más de medio siglo se le han ido rastreando, con inútil y maliciosa terquedad, los posibles antecedentes literarios de todas y cada una de sus obras.

XI

EL NOVELISTA EN PLENA MADUREZ: «TIRANO BANDERAS» Y «EL RUEDO IBÉRICO» (I)

1. «TIRANO BANDERAS»

Lo mejor de nuestra crítica literaria, con rara unanimidad y, a mi juicio, con toda la razón, considera a esta obra como una de las más altas cimas de la novela española de todos los tiempos, y para no pocos estudiosos (y hasta para el mismo autor) es la mejor de Valle-Inclán.

Ante la abundancia y excelente calidad de los estudios consagrados a *Tirano Banderas,* en lugar de intentar un estudio por cuenta propia que, en el mejor de los casos, pudiera conducirme a muy semejantes conclusiones a las que los expertos estudiosos de Valle habían llegado mucho antes que yo, prefiero intentar primero un resumen de las ideas expuestas en los que tengo por más acertados.

César Barja fue uno de los primeros en indicar en su penetrante estudio de la obra de Valle-Inclán [1] que *Tirano,* por voluntad decidida de su autor, era una síntesis del mundo hispanoamericano. Como *El ruedo ibérico,* tenía una técnica casi teatral, predominando los diálogos sobre la narración, siendo esta esquemática, como las acotaciones escénicas. En cuanto al estilo, dice Barja que si la prosa ha perdido la musicalidad de las *Sonatas,* ha ganado, en cambio, en animación y en vida; es ahora nervioso y recortado, telegráfico, chispeante de imágenes, disciplinado y admirablemente expresivo; lengua llena de expresiones populares e innumerable serie de americanismos.

---

[1] *Libros y autores contemporáneos,* Ed. Librería General de V. Suárez, Madrid, 1935, págs. 360 a 421; edición reproducida por Las Americas Publishing Company, Nueva York, 1964.

Fernández Almagro, ante quienes pudieran acusar a Valle de confusionismo lingüístico, les recuerda que tales vocablos «rebosantes de color... ciñen, con perfecta adecuación de formas, el cuerpo de la novela palpitante de vida» enriqueciendo el habla castellana con las aportaciones hispanoamericanas, al igual que había hecho antes con el gallego. Trabaja por conseguir un «idioma imperial», dando entrada en él a expresiones populares, jergas del suburbio, en actitud de salvación lingüística, culminando *Tirano* la tarea emprendida muchos años antes: «*Tirano* no es en puridad sino otro esperpento, el primero de ellos, sin duda...» (*Vida y literatura de Valle-Inclán*, ed. cit., págs. 217-218). Subraya la experta mezcla de términos procedentes de las más apartadas regiones geográficas del español, desde Méjico a Buenos Aires, de Cuba a Perú a la vez que de Madrid, Sevilla y cualquier aldea gallega, compensadas las posibles dificultades de comprensión con las bellezas más exquisitas. Destaca la parte técnica, proveniente del «arte nuevo» de la posguerra, como la visión cubista del circo Harris, o la cinematográfica, sin que escape a la sagacidad del crítico que la vigorosa escena final se inspira en las crónicas que relatan la vida y muerte de Lope de Aguirre [2].

Para Fernández Almagro los hechos de esta novela están sugiriendo los días finales del Méjico revolucionario que dan al traste con Porfirio Díaz, aunque la figura del dictador está deliberadamente difuminada; no hay clave de personajes ni los sucesos corresponden exactamente a la realidad histórica. Muy distinta esta novela de Valle a todas las anteriores, y, sin embargo, se podría decir que a todas las asimila «en un orgánico proceso de superación» (pág. 222).

Imprescindibles para todo estudio valleinclaniano son los excelentes ensayos de Emma Speratti Piñero. Entre todos ellos sobresalen los que se refieren al *Tirano*, agrupados para nuestra comodidad en el libro *La elaboración artística en «Tirano Banderas»* [3], calificado con toda justicia por Díaz Plaja como de «magistral estudio» [4].

[2] Para este punto, véase el interesante ensayo de JUAN IGNACIO MURCIA, *Fuentes del último capítulo de «Tirano Banderas» de Valle-Inclán*, en «Bulletin Hispanique», Burdeos, 52, 1950, págs. 118-122; el libro ya citado de EMMA S. SPERATTI PIÑERO, *La elaboración artística en «Tirano Banderas»*, y el ensayo de JOSEPH H. SILVERMAN, *Valle-Inclán y Ciro Bayo*, en «Nueva Revista de Filología Hispánica», números 1-2, año XIV, Méjico, 1960, págs. 73-88.
[3] Edición «El Colegio de Méjico», Méjico, 1957. Dichos estudios sobre el tirano han sido incluidos en un libro de reciente aparición, en el que la autora colecciona todos sus trabajos sobre Valle-Inclán: *De «Sonata de Otoño» al «Esperpento»* (Aspectos del arte de Valle-Inclán), Ed. Tamesis Books Ltd., Londres, 1968.
[4] *Las estéticas de Valle-Inclán*, ed. cit., pág. 252.

Estudia primero las fuentes históricas de que se sirvió el autor y cómo fue Valle enriqueciendo el texto hasta transformar la historia en obra de arte; explica también la «elaboración» del relato revolucionario de un escritor mejicano cuyo seudónimo era doctor Atl, y al que Valle-Inclán convierte en prisionero del tirano llamándolo doctor Atle.

Interesantísimo es el capítulo en que estudia las constantes mejoras, las sutiles alteraciones a que el autor somete su obra, llamando la atención hacia esa especie de desquiciamiento temporal con el que consigue dar una sensación de continuidad muy lograda, como una eternidad, «especie de constancia en movimiento ininterrumpido que convierte a la obra en un absurdo satánico» (ob. cit., pág. 71).

Subraya cómo Valle se sirve de las sensaciones visuales y auditivas y cómo casi siempre son éstas las que sirven al artista para hacernos entender su personaje; analiza los recursos impresionistas empleados para destacar la impresión de vaciedad, de ausencia o anulación de la personalidad ante el tirano (ejemplo: «un grupo de uniformes que choteaba en el fondo...», II, pág. 692), el empleo del llamado «estilo vivido» o indirecto libre, el uso del gerundio en lugar de la correspondiente oración de relativo, de las frases explicativas y de los grupos duales consonantados, burla amable, tal vez, del estilo modernista.

Considera la autora a *Tirano Banderas* como la culminación del proceso esperpéntico y hace un valioso y detallado recuento de los elementos que lo integran (a los que me referí en el primer capítulo) y entre los que destaca el uso de los espejos que, si mencionados explícitamente sólo tres veces, están funcionando casi constantemente, ya que la pupila del autor, que lo contempla todo, es en sí misma un espejo deformante; «animaliza» la realidad y hay como un homenaje a Goya en esta visión degradadora. Utiliza también el cubismo y otras tendencias avanzadas de las artes plásticas de su época y se subraya también el empleo de la muñequización o uso de «peleles» para significar la progresiva anulación de la humanidad en un pueblo totalmente dominado por la tiranía. Máscaras, teatralería, vacuidad retórica que se conjuga con el vacío espiritual de los personajes y el comportamiento tragicómico de los personajes.

Señala también la burlesca interpretación por parte de Valle de «la tendencia sentimentaloide de los hispanoamericanos» manifiesta en las alusiones indirectas o en la inclusión en el texto de ciertos versos de Espronceda, terminando este magnífico estudio con un

ejemplar ensayo sobre «El lenguaje americanista» que Valle empleó
con tanto acierto para lograr esa «América en síntesis» de que habló Pedro Henríquez Ureña[5]. Vocablos deliberadamente «desplaza-
dos» en el espacio y hasta en el contenido semántico por el autor
para indeterminar la localización geográfica de la novela, al igual
que la fauna animal y humana variadísima y rica en color, como lo
es la del mundo americano. Excelente trabajo, repito, el de la señorita Speratti que ha contribuido como muy pocos estudios a la mejor comprensión de tan compleja como bella novela.

A destacar esta riqueza de tonalidades y la maravillosa síntesis
lingüística que es la obra de Valle está consagrado un breve cuanto
enjundioso artículo de Zamora Vicente titulado *Variedad y unidad
de la lengua en «Tirano Banderas»*[6], en donde hace resaltar el total
acierto de Valle al servirse de un material, el español, complejísi-
mo y proveniente de los más apartados rincones lingüísticos del orbe
hispano; riquísima variedad con léxico de toros, de la diplomacia,
de la plebe madrileña y de los más apropiados americanismos, logra
«el conjuro del sonar, una vivencia, una condición espiritual»...
dando «... realidad al carácter esencial de la lengua: la variedad, la
infinita variedad concreta, dentro de la unidad más rígida: la del
espíritu, la de la creación literaria» *(ob. cit.,* pág. 128).

E. García de Nora, en su obra *La novela española contemporánea* (ed. cit., págs. 49-96), considera que *Tirano Banderas* es la primera novela esperpéntica y la obra culminante del Valle narrador;
le parece una fusión perfecta de lo descriptivo ambiental, la crónica
novelesca y la pura novela de acción. Encuentra absoluta maestría
en la técnica de acciones y descripciones sintéticas que convergen tu-
multuosamente hacia el final a un tiempo previsto y sorprendente
en su explosiva y esquemática sobriedad. Es un todo novelesco sorprendente, deslumbrante y complejo, armónico como obra de arte
y veraz en cuanto a las alusiones históricas de ciertos países hispanoamericanos.

Cerramos este apresurado repaso de los, en mi opinión, mejores
trabajos críticos consagrados a *Tirano,* resumiendo el excelente y
pormenorizado estudio de Ricardo Gullón *Técnicas de Valle-Inclán*[7].

[5] PEDRO HENRÍQUEZ UREÑA, *Don Ramón del Valle-Inclán,* en «La Nación», Buenos Aires, 26 de enero de 1936.
[6] Aparecido en «La Nación», Buenos Aires, 29 de julio de 1951, y recogido en
el libro *Voz de la letra,* Ed. Espasa-Calpe, Madrid, 1958, págs. 122-128.
[7] «Papeles de Son Armadans», t. XLIII, núm. CXXVII, Palma de Mallorca,
octubre 1966, págs. 21-86.

Valle novelizó «la degradación del hombre por la tiranía» ejemplificándolo en Hispanoamérica. Obra de imaginación en la que «el cómo se dicen las cosas» constituye la novela misma. Cuidadosísima construcción. Las imágenes sirven para dejar al descubierto las ideas, distinguiendo el crítico cuatro «niveles de significación»: a) el puramente narrativo, que muestra cómo el hombre sometido a la tiranía pierde las características humanas; b) el histórico, que presenta un círculo vicioso: una tiranía conduce a otra y el lenguaje corrompido falsifica la realidad (tirano = salvador de la patria; asesinatos = actos de justicia); c) el simbólico presenta un mundo dominado por los poderes demoníacos, siendo el infierno la realidad en que se vive y el cielo la posibilidad con que se sueña; d) el nivel figurativo deja ver el esquema de una especie de zarabanda medieval, o danza de la muerte, hacia la que caminan los personajes. Estructura cerrada sin digresiones ni episodios marginales, como un cuadro cubista en la que el llamado «contenido» de la novela se manifiesta en su estilo. El tiempo se descompone en momentos «para dar la impresión de simultaneidad propia del cuadro cubista». No hay ordenación cronológica, todo es simultáneo y converge en las escenas finales; el «tempo» novelístico es vivísimo —todo ocurre en dos días y la mañana de un tercero—, adquiriendo un ritmo como de pesadilla o frenesí hacia la muerte. Polo opuesto de la novela reportaje, parábola gigantesca que nos da el destino del hombre. Forma teatral, guiñolesca y como de gigantesco circo infernal, donde los personajes animalescos c autómatas están presididos por un Satán que domina el vértigo de «la función». Círculos concéntricos —anulación del tiempo— de esbirros, prostitutas, casino español y el más infernal, el del fuerte-prisión de Santa Mónica; la realidad contemplada por el autor en una tiranía no admitía otra forma que la esperpéntica. Se pregunta el autor si esto es realismo: «Lo es, si no llamamos realismo a la reproducción mecánica, sino a la expresión significante de lo real» (pág. 42). Realidad, que no realismo, pues nos da una imagen perfecta de la podrida realidad de un mundo dominado por la tiranía. Esperpentiza al romanticismo en esa Lupita de estirpe romántica, convirtiendo a la esproncediana Jarifa, aquel ángel negro de la literatura española, en una daifa de la mancebía de Cucarachita. La «escena de amor entre Nachito y Lupita trata de mostrar la inanidad de los sentimientos románticos» (pág. 43). Puro folletín que no pierde su aire de cuadro de costumbres, de malas costumbres. Masa de observaciones digeridas y transformadas con lucidez y escrita sobre reminiscencias literarias. Hay elementos de la novela que serían irreales, sacados del contexto, pero no lo son en el libro, como el amuleto de Zacarías o lo grotesco de Nachito. Los personajes son típicos, se parecen a ciertas figuras reales, como Santa Fe de Tierra Firme y Tirano Banderas son la quintaesencia del mundo hispanoamericano y de los tiranos que lo desangran. El carácter esencial del personaje se nos da en sus gestos, y el indio teme el poder infernal del tirano por creer que tiene pacto con el diablo. Objetos y hombres adquieren una animación o cosificación especial al tomar parte en tan macabra función.

Termina tan admirable ensayo con un interesantísimo análisis que del uso del incipiente «monólogo interior» —al que llamó con expresivo nombre toboganes de sombra— hace Valle-Inclán en su novela; el pensamiento del personaje drogado se manifiesta no como el ordinario fluir de la memoria en los personajes de la novela tradicional, sino como arrastrando «... elementos sólidos, imágenes perceptibles en su separación» (pág. 76).

2.   ¿TIENE EL «TIRANO BANDERAS» OTRA CARA OCULTA...?

Me apresuro a declarar que acepto la opinión general respecto a creer que en *Tirano Banderas* no hay claves visibles que lo refieran a un determinado «tirano» o país hispánico, sino que trata del tirano en general en un ilocalizable país de Hispanoamérica; tanto la escena como los personajes, y la lengua empleada para crearlos, son un deliberado esfuerzo por conseguir esa maravillosa síntesis de país hispánico de ultramar. Todo parece tan transparente, que plantearse el problema de un segundo significado implícito daría pie a que se me acusase de obsesión esoterista. Lejos de ella.

Con todo, me parece que no se ha subrayado bastante lo que en esta novela puso Valle-Inclán de ataque al tirano..., que podría servir también para la propia «madre patria». Si *Tirano Banderas* carece de ese «doble fondo» que tenían los otros esperpentos, debemos admitir que es un caso único entre la cuarentena larga de obras de Valle-Inclán que llevamos analizadas. ¿Por qué razón iba el autor a cambiar de táctica en los últimos años de su carrera literaria, cuando la técnica novelística o dramática no tenía secreto alguno para él...? ¿Tal vez su afición al esoterismo, a rodear sus acres comentarios y denuncias de intencionadas nieblas despistadoras, desaparece repentinamente, harto de hablar por medio de parábolas y de ser mal comprendido por los escasos lectores...? Cuesta trabajo admitir tal razón, cuando en la obra siguiente, *El ruedo ibérico,* vuelve a servirse de ese «doble fondo» lleno de intención que nadie ha echado de menos en *Tirano Banderas.* (Veremos cómo en la inacabada trilogía nos describe el pasado español para hablarnos en realidad, para juzgarlo, del presente que le tocó vivir y hasta para profetizar un amargo futuro del que sólo la muerte le eximiría llevándoselo consigo unos meses antes de la terrible experiencia.)

Me pregunto, con la cautela que requiere toda suposición o pregunta para cuya respuesta no contamos con suficientes pruebas o argumentos lógicos de peso, si no serán esos colores chillones fácilmente reconocibles en una tierra caliente abstracta, pero ciertamente hispanoamericana, los que están actuando esta vez de «disimuladores».

Es evidente que tras el macabro Santos Banderas, encarnación y símbolo del poder usurpado por la fuerza brutal, y hasta personificación visible de la muerte aniquiladora, no se esconde el nombre de cierto general que gozaba a la sazón de las particulares antipatías del escritor. Santos Banderas personifica el poder dictatorial, anomalía que sólo puede producirse en sociedades asentadas sobre una base de injusticia social como lo eran las repúblicas hispanoamericanas y a las que no dejaba de parecerse por entonces la Madre Patria, pues no hay que olvidar que desde el 13 de septiembre de 1923 el general Primo de Rivera se había hecho con el poder por medio de un golpe de Estado; para don Ramón, cualquier clase de usurpación de poder, por mucha suavidad con que fuese disimulada, era una atrocidad que corrompía al dominador y al dominado. No necesito recordar la oposición violenta que el escritor demostró ante la Dictadura de Primo de Rivera. Y no creo casualidad pura el que pocos meses después del golpe de Estado comunicase el escritor a su amigo, el crítico mejicano Alfonso Reyes, que estaba preparando «... una novela americana: *Tirano Banderas*», «... con rasgos del doctor Francia, de Rosas, de Melgarejo, de López y de don Porfirio»[8]. En fin de cuentas el tirano no es sino la esperpentizada realidad de un dictador.

---

[8] *Carta de Valle-Inclán a don Alfonso Reyes; apud* E. SPERATTI PIÑERO, *ob. cit.,* pág. 147.

Al atacar a la especie el autor no necesita ponerle rasgos «distintivos» a su personaje, lo que explicaría la ausencia de claves; el servirse de un escenario hispanoamericano permitía al artista disimular en cierto modo —asegurándose de que no podrían prohibir su obra las censuras del dictador español— sus intenciones más hondas: desprestigiar todo abuso de poder. Al mismo tiempo un escenario hispánico del otro lado del Atlántico se prestaba a tonos mucho más llamativos de color, que atraerían más fácilmente la atención de los lectores. Tal experiencia no era nada nuevo, ya que Valle, desde sus juveniles andanzas por aquel «México que se escribe con equis», la había intentado con éxito. El escenario, como el alma del turbio protagonista, como la lengua en que el autor crea la novela, serán también productos de síntesis estudiadísimas. Maravilla artística que reproduce mágicamente un pueblo hispánico en el que por expresa voluntad del escritor pueden reconocerse muchos rasgos privativos del país que don Ramón conocía mejor y llevaba más hondo en su afecto, Méjico [9]. Un pintoresco y bellísimo mosaico humano, que con los colores y dibujos más típicamente hispanoamericanos deja transparentar el substrato histórico-social español de donde había tomado el ser; un arma, la esperpéntica, que, apuntando a una quimérica república hispánica y destruyendo con su fuerza crítica la superficie tiránica, pone, al mismo tiempo, una intencionada carga explosiva en las entrañas de una sociedad que, como la del mundo hispánico, estaba basada, a juicio del escritor, en la más abominable injusticia social. Tal es, creo yo, «la otra cara del tirano», el otro cortante filo del cuchillo crítico que ha sido olvidado en beneficio de los brillos y resplandores artísticos del que vemos sin demasiado esfuerzo.

Olvidando esta voluntad de síntesis, o incapaces tal vez de calar sutilezas tanto estructurales como de intención en la novela, ciertos críticos han caído en lamentables errores de apreciación. Alguno hubo que la juzgó de «superficial americanada» o deformación de la verdadera América [10]; otro acusa al tirano de ser «demasiado esquemático» y al escritor de no haber sido capaz de esperpentizar a Porfirio Díaz [11], pero los mayores zarandeos críticos se los ha propinado al

---

[9] «... esa tierra caliente, que alberga un impreciso país de la América Hispana, que se parece más a Méjico que a otro alguno, que muchas veces sólo es Méjico» (JORGE CAMPOS, *Tierra caliente,* en «Cuadernos Hispanoamericanos», núms. 199-200, Madrid, julio-agosto 1966, pág. 419).

[10] R. BLANCO FOMBONA, *En torno a «Tirano Banderas»,* en «Gaceta Literaria», Madrid, 15 de enero de 1927.

[11] «Un Porfirio Díaz può essere criticato, ma non è facile «esperpentizzzarlo» ciò può in parte spiegarci perchè il personaggio ci lasci perplessi, ci ricordi la vecchia

Tirano, Ricardo Navas, en su apasionado estudio «*Tirano Banderas: América como espectáculo*» [12].

Con intuición genial había descubierto don Ramón que España, involuntariamente tal vez, había enterrado la semilla de la tiranía desde los primeros años de la Conquista y civilización del Nuevo Mundo, al esforzarse por mantener unas formas de gobierno demasiado absolutistas. Se lo debió recordar la aprovechada y atenta lectura de la primer novela hispanoamericana que relata los hechos de otro tirano de ingrata memoria, *Facundo Quiroga,* del político y estadista argentino Domingo Faustino Sarmiento, pues sabida es la admiración que por tal obra sentía don Ramón [13].

Que no se dirige solamente hacia el lado americano del tirano y la tiranía, podría probarse mediante una simple comparación con otra gran novela de idéntico tema, *El señor presidente,* de Miguel Ángel Asturias. El mundo sobre el que se asientan ambos tiranos —aparte de la común ausencia de honestidad política y absoluta injusticia social en el país— tiene marcadas diferencias. Los dos tratan de retratar la especie, más que a un determinado tirano, aunque para el escritor guatemalteco el dictador Manuel Estrada Cabrera fuera un buen modelo; pero mientras que en la novela de Valle-Inclán España y los españoles tienen tanta resonancia como lo meramente americano, en la del guatemalteco lo español ha sido asimilado por completo y ni por un momento se nos insinúa, más que por el peculiar comportamiento de los personajes, que aquélla es una sociedad de ascendencia hispánica. Es decir, el autor de *El señor presidente* trata de crear —y lo consigue admirablemente— una realidad tiránica hispanoamericana que, aun siendo anónima, se parece a Guatemala en particular, mientras que en *Tirano Banderas* el autor se esfuerza deliberadamente por incluir en su esfera no sólo a todos aquellos pueblos, sino al que los hizo posibles, la decaída España cuya sociedad rural en pleno siglo xx parecía más bien una fosilizada estructura medieval que avanzaba en su modernización a pasos lentísimos. ¿Por qué, si no, las andanzas de los españoles —representantes oficiales de España y los «gachupines» allí afincados— ocupan

incapacità d'esser equanime del suo autore» (FRANCO MEREGALLI, *Studi su Ramón del Valle-Inclán,* Venecia, 1958, Librería Universitaria, pág. 50).

[12] Véase *Literatura y compromiso,* Ed. Instituto de Cultura Hispánica de São Paulo, Brasil, 1963?, págs. 53 a 69. Lamento —por tratarse de un antiguo condiscípulo y amigo de la Universidad salmantina— estar en absoluto y total desacuerdo con las objeciones que Navas hace a *Tirano Banderas.*

[13] Véase EMMA SPERATTI PIÑERO, *ob. cit.,* pág. 117, nota 18.

lugar tan privilegiado en una novela que debiera ser exclusivamente
hispanoamericana por su ambiente y sus personajes...? Ellos son,
claro está, los sostenes sobre los que se apoya el tirano; se oponen
a toda revolución o reivindicación social, por parte del humilde obrero (indio o español, que tanto da) y cuando don Celes dice: «El indio dueño de la tierra es una utopía de universitarios», me parece
estar escuchando en términos similares a ciertos señorones españoles
que defendían un absurdo latifundismo hasta no ha mucho tiempo.

La prohibición inmediata de su obra *La hija del capitán* sirvió
de lección a Valle, y para evitar otra posible censura del dictador,
disfrazó su ataque con aires y colores transatlánticos. El general Primo de Rivera no podía darse por aludido, el ataque iba dirigido a
la especie y Valle-Inclán dejaba al descubierto «... aquella España
que él no quiere. La misma de los versos de Machado o de las in-
dignaciones de Unamuno» [14]. Esos «abarroteros, empeñistas, chulos
del braguetazo, patriotas jactanciosos, doctores sin reválida, periodistas hampones y ricos mal afamados» son las columnas sobre las
que se asienta el edificio de la autoridad usurpada; son los que, para
seguir beneficiándose de la explotación de la masa, hacen el juego
al tirano.

Había otro elemento en la sociedad peninsular que no tenía pa-
rangón en la sociedad de las repúblicas hispánicas, puesto que en su
mayor parte al sonar la hora de la independencia colonial había preferido regresar a las vastas propiedades familiares, a sus viejos títulos nobiliarios. Me refiero a la nobleza. Valle-Inclán le reservó un
lugar privilegiado en su escarnecedora denuncia. Su representante, y
el de la Monarquía española, no se olvide, es el barón de Benicarlés,
carcamal degenerado y ridículo en el que hasta el título suena a sarcasmo, ya que siendo impotente y homosexual... es barón [15]. Falto
de recursos, esclavo de las drogas y los amores de un chulo de la peor
especie, el embajador de España —que es como decir la España oficial— mueve, sin embargo, hilos importantes entre las marionetas
del mundo diplomático; aunque desprecia a la nueva burguesía mer-
cantil y a los adinerados terratenientes, se apoya en ellos para vivir
de prestado con arreglo a pretéritas grandezas, a la vez que le hace

---

[14] JORGE CAMPOS, *Tierra caliente*, en «Cuadernos Hispanoamericanos», núms. 199-
200, julio-agosto 1966, pág. 435.
[15] DAVID BARY, en un reciente artículo, ha sugerido la posibilidad de identificar
al corrupto Benicarlés con la misma Isabel II; véase *¿Quién es el Barón de Benicarlés?*, en «Ínsula», núm. 266, Madrid, enero 1966, págs. 1 y 12.

el juego al tirano, consciente de que un régimen democrático y justo no toleraría ni su degradada corrupción ni su influencia social.

Nobleza, burguesía, clase media y, al fondo, la masa sufriendo en silencio, hasta que llegue el momento en que, harta de sufrir, dé rienda suelta a sus deseos de venganza y se convierta todo en un vendaval de sangre y fuego; nada falta al pintoresco cuadro cuyo dibujo y colorido está insinuando un escenario más amplio todavía que el de la vasta América.

En autor tan consciente de la intención y logro de su obra no nos extraña descubrir que fue *Tirano Banderas* la obra de la que más orgulloso se sentía en los últimos meses de su vida. Muy poco antes de morir, recluido ya en el sanatorio compostelano, pide a su admirador y amigo, el doctor García Sabell, un ejemplar de la novela. Lee y relee con muestras de aprobación. En palabras del erudito médico y ensayista excelente, «Sus preferencias iban, decididas, hacia *Tirano Banderas.* Ese era su gran libro, la muestra paradigmática de lo que debe ser una literatura de creación» [16].

Murió satisfecho y consciente de haber llevado a cabo la gran obra de arte de la lengua española por la que tan denodadamente había luchado los setenta duros años de su vida.

3. ÚLTIMAS LECCIONES DE HISTORIA: «EL RUEDO IBÉRICO» (I)

La incomparable maestría estilística alcanzada por Valle-Inclán en sus últimas obras, y en especial en *El ruedo ibérico,* facilitó el pretexto para que la inmensa mayoría de sus estudiosos hayan mostrado una marcada preferencia en sus trabajos de análisis, por lo que, bastante inexactamente, por otra parte, viene llamándose «la forma» de dichas obras; por conveniencia, incapacidad de penetración o perezosa y cómoda postura que trata a toda costa de no poner al descubierto «muerto» alguno, cuyo «desenterramiento» pudiera resultar peligroso para los tiempos que corren, sólo unos cuantos estudiosos [17]

---

[16] Véase Domingo García-Sabell, *El verdadero don Ramón,* en *Ramón María del Valle-Inclán* (Estudios reunidos en conmemoración del centenario), Universidad Nacional de La Plata, 1967, pág. 67.

[17] Es preciso señalar entre los más sobresalientes los ensayos siguientes: Julián Marías, *Vuelta al ruedo,* en «Revista de Occidente», núms. 44-45, Madrid, noviembre-diciembre 1966, págs. 166-202; J. A. Maravall, *La imagen de la sociedad arcaica en Valle-Inclán, ibíd.,* págs. 225-256; Manuel García Pelayo, *Sobre el mun-*

se han tomado la molestia de preguntarse por el contenido, la intención crítica y la carga ética que a mí me parecen tan obvias en la inacabada trilogía.

Y aun cuando todavía no contemos con un pormenorizado análisis, no digo ya de algo tan vasto como el habla de Valle-Inclán, sino ni siquiera de un estudio detallado del estilo de *El ruedo ibérico,* son ya numerosísimos los artículos periodísticos, ensayos en revistas y hasta, recientemente, libros, consagrados a «cantar esas maravillas formales», esas «insuperables bellezas literarias» que a nadie que haya leído una página de don Ramón pueden pasársele por alto; pero «despachando» por lo general en unas pocas líneas —como si ello fuera de importancia secundaria— cuanto se refiere al contenido y la intención de dichas obras. Es decir, que no conceden apenas importancia a lo que con esas tan hermosas palabras dijo o quiso decir el escritor.

Creo que tiene toda la razón José A. Gómez Marín (uno de esos pocos estudiosos que sí se pregunta por el contenido de la obra de Valle) cuando dice: «Sin embargo, la obra de nuestro autor viene siendo presentada desde el prisma único de la estética, con la intención de fraccionarla y restarle coherencia efectiva. Se nos ha mostrado un Valle-Inclán esteticista, diluido en logros estilísticos, maestro de una secreta alquimia palabrera, mientras que se ocultaba el contenido ácido de su crítica histórica y el alcance de su protesta. Tal vez por eso su influencia es notable en el plano formal, hasta el extremo de que puede afirmarse su presencia directa en la casi totalidad de la reciente narrativa española, desde Cela a Luis Martín Santos, mientras su significación crítica ha venido siendo exigua» [18].

Para no pocos estudiosos (entre los que nos sorprendió encontrar al profesor J. F. Montesinos) dicho contenido apenas tiene importan-

do social en la literatura de Valle-Inclán, ibíd., págs. 257-287; CARLOS SECO SERRANO, Valle-Inclán y la España oficial, ibíd., págs. 203-224; JOSÉ A. GÓMEZ MARÍN, Valle: estética y compromiso, en «Cuadernos Hispanoamericanos», núms. 199-200, Madrid, julio-agosto 1966, págs. 175-203; FRANCISCO YNDURAIN, «La corte de los milagros» (Ensayo de interpretación), ibíd., págs. 322-346; así como las páginas consagradas a El ruedo ibérico en los estudios generales tantas veces citados a lo largo de este trabajo, de FERNÁNDEZ ALMAGRO, GARCÍA DE NORA, CÉSAR BARJA, DÍAZ PLAJA y A. RISCO. Aunque no traten más que indirectamente del contenido de la trilogía, conviene tener también en cuenta los ensayos de M. MUÑOZ CORTÉS, Algunos indicios estilísticos del último Valle-Inclán, en «Cuadernos Hispanoamericanos», números, 199-200, Madrid, julio-agosto 1966, págs. 114-147, y el de EUSEBIA SÁNCHEZ GARRIDO, La técnica narrativa en «El ruedo ibérico», en Ramón María del Valle-Inclán, 1866-1966, ed. cit., págs. 433-460.

[18] Valle: estética y compromiso, en «Cuadernos Hispanoamericanos», núms. 199-200, Madrid, julio-agosto 1966, pág. 180.

cia —tal es su escasa consistencia—, y concretándose al de *El ruedo ibérico* estiman que la inacabada serie no tiene más objeto que el de ser una desatada burla de un período del reinado de Isabel II: «Historia caricaturesca de las postrimerías del reinado de Isabel II; personajes de farsa trazados con rasgos burlescos, en los que la figura humana se difumina para dar paso al fantoche...», dicen los autores de una conocida *Historia general de la literatura española e hispanoamericana* [19]; «... series de esbozos satíricos encadenados por un hilo casi invisible», es *El ruedo ibérico* para el crítico inglés J. L. Brooks [20]; para otro, en la inacabada trilogía «... apenas existe trama argumental, los episodios se acumulan en descabelladas peripecias inconexas, pero que van formando un enorme y pesimista panorama» [21]; y para Montesinos, el contenido «... no sabe ser otra cosa que befa septembrina... ¿Qué quiere Valle-Inclán? Que toda aquella España isabelina fuera absurda y grotesca podría aceptarse... Pero lo que realmente fuera aquello, o la recreación novelesca de lo que pudiera ser, no parece propósito del novelista, atento sólo a befar a sus muñecos, todos unos fantoches, todos unos miserables...» [22].

Sin demasiado esfuerzo podríamos acarrear muchas más opiniones en el mismo sentido, pero me parece que bastan para ilustrar lo que tengo por una postura crítica cicatera e injusta. Julián Marías, con su habitual penetración, ha contestado a tales críticos con estas acertadas palabras, que ahorran todo comentario: «Los que sólo ven el escarnio y lo grotesco, están de vuelta sin haber ido; Valle-Inclán está también prendado de la España isabelina, de España entera, con su atractivo inevitable; pero como tiene unos ojos que no perdonan nada, ve el otro lado, la miseria, la farsa, la ridiculez... Los ojos se le van tras esa misma España que está zahiriendo; cuando da latigazos, los da en su propia carne; tampoco a Valle-Inclán, hombre del 98, podrán quitarle «el dolorido sentir» [23].

El agudo dardo crítico de Julián Marías da certeramente en la diana: a Valle le duele esa España que él intenta reconstruir cuando ha transcurrido ya más de medio siglo.

[19] Díaz Echarri y Roca Franquesa, Ed. Aguilar, Madrid, 1960, pág. 1374.
[20] Véase *Los dramas de Valle-Inclán, art. cit.,* pág. 198.
[21] Rafael Conte, *Valle-Inclán y la realidad,* en «Cuadernos Hispanoamericanos», núms. 199-200, Madrid, julio-agosto 1966, pág. 58.
[22] José F. Montesinos, *Modernismo, esperpentismo o las dos evasiones,* en «Revista de Occidente», núms. 44-45, Madrid, nov.-dic. 1966, pág. 163.
[23] *Vuelta al ruedo,* ensayo citado, pág. 190.

Pero aún hay más: tras esa visible «diana» creo que el autor nos está mostrando un segundo «blanco» más intencionado y, como siempre, veladamente oculto por una apariencia primera. Me refiero al doble fondo que todo esperpento lleva en sí; la otra oculta intención, la verdadera «revelación» que las estupendas parábolas anteriores nos habían dejado ver. ¿Cuál es el «doble fondo», si es que lo tiene, de esta brillante trilogía...? ¿Para qué fue escrito *El ruedo ibérico?*

Contrariamente a lo que mantienen aquellos críticos [24] que no han visto más que las bellezas externas y la «befa septembrina» malintencionada de Valle para desprestigiar una figura histórica, estoy convencido de que hubo otra intención más profunda que movió la pluma de Valle al escribir *El ruedo ibérico.* No sólo le empuja el indudable propósito artístico que le guio siempre, mejorar cuanto había hecho antes, logrando una novela histórica personalísima, a la vez que como un ascético penitente se aplica el látigo purificador en las doloridas carnes propias de su amor a España, sino que al hacerlo va en busca de una enseñanza inmediata para el lector de los años en que escribe... y para el del futuro.

Valle había hablado, según hemos ido viendo a lo largo de este estudio, sirviéndose de parábolas; ¿por qué va a cambiar en su última obra...? Desconfiado del poder del realismo tradicional literario, inventó su propia manera «mágica» de hablar con el lector por medio de esa «visión deformada», que no lo es tanto a la hora de la verdad, pero que, según el autor, permite que veamos las interioridades de lo mostrado mucho mejor que la simple reproducción fotográfica o la tarjeta postal coloreada.

Valle-Inclán tenía por norma no copiar la realidad a la manera como lo hacían los demás —incluidos sus compañeros de generación, a los que admiraba y respetaba—, sino que se valía de métodos propios, aspirando siempre a obtener resultados mejores en su trabajo. Burlándose de un pasado relativamente reciente y poniendo al descubierto cuanto había de falso, de inmoral y podrido en una sociedad pretérita que se parecía extraordinariamente a la suya, llamaba la atención de sus lectores para que meditasen y se diesen cuenta de lo poco que habían mejorado las cosas durante los cincuenta años

---

[24] Además de los citados, habría que añadir docenas y docenas de nombres cuyos trabajos hemos leído pacientemente, pero que por su escaso interés o las disparatadas conclusiones a que llegan, creo que no merecen la pena de ser traídos a colación.

transcurridos. Por otro lado no se le ocultaba que durante la Dictadura de Primo de Rivera cualquier obra que se atreviese a la denuncia abierta, usando inevitablemente de nombres y apellidos ficticios, pero «reconocibles», le exponía a muy serios conflictos con la ley; el proceso por difamación, por no pensar en otros inconvenientes más radicales, debieron hacerle más cauto. Sirviéndose, pues, de un período más o menos lejano de la historia patria disimulaba en cierto modo su verdadera intención; el mensaje —palabra que se ha puesto tan de moda, muchos años después— iba implícito en aquella «befa isabelina». Cuanto afirmamos no son meras intuiciones de lector apasionado, sospechas más o menos posibles; nuestra convicción de que el autor utilizó el pasado para atacar y denunciar su presente se apoya en textos valleinclanianos anteriores a la publicación de El ruedo ibérico.

En La lámpara maravillosa había escrito en 1914: «Quien sabe del pasado, sabe del porvenir. Si tiendes el arco, cerrarás el círculo que en ciencia astrológica se llama el anillo de Giges» [25]. Y como aclaración de lo anterior, escribe luego: «Y es gran verdad que los ayeres guardan el secreto de los mañanas. Si volvemos los ojos a lo que pasó, sabemos de lo venidero, pero no será sin evocar toda nuestra vida y desandar los caminos llorando sobre ellos, porque sólo en este dolor y en este arrepentimiento se despierta la conciencia y alumbra la luz del más allá...» (O. C., II, pág. 620).

Los «ayeres isabelinos» se le ofrecían como tentadora metáfora de la terrible realidad de los años veinte. Podría decirse sin temor a errar que el pasado, como tal pasado, no le interesa al autor de El ruedo ibérico. Sirviéndose de él, sin embargo, podría hablar del presente —de su presente, que él veía en toda su mezquindad real— a sus contemporáneos... y a los que vendríamos más tarde. Porque los males de los alborotados amenes isabelinos continuaban aquejando al paciente, la sociedad española, cada vez más enferma, cincuenta años más tarde, y, hasta si se me apura, un siglo después.

Tal intención crítica del autor no se le escapó a los más agudos estudiosos de su obra; Fernández Almagro mantiene: «Hay pasajes en El ruedo ibérico escritos con el ánimo predispuesto al comentario

---

[25] O. C., II, pág. 569. La importancia que concede a esta «teoría circular» lo prueba la composición de La corte de los milagros, en donde los capítulos están dispuestos sin ninguna duda a manera de círculos concéntricos. Sobre este punto, véase el interesante ensayo de JEAN FRANCO, The concept of time in «El ruedo ibérico», en «Bulletin of Hispanic Studies», vol. XXXIX, núm. 3, Liverpool, 1962, págs. 177-187.

de lo presente, confundiéndose los "amenes" del reinado de Isabel II con los de Alfonso XIII»[26]. Y Guillermo de Torre nos recuerda en el ensayo *Valle-Inclán o el rostro y la máscara*[27] las palabras de Pedro Salinas a este respecto: «*La corte de los milagros* y *Viva mi dueño* proyectan históricamente hacia lo pasado un dolor coetáneo de Valle-Inclán y cabría titularlos, mirados en lo conceptual, "los orígenes del 98" o "los polvos de estos lodos". En aquella corte de monarcas degenerados, politicastros farolones y generales de chamasco [*sic*] y cuartelazo, se perfilan todos los desengaños que aguardaban a España. Valle-Inclán cuenta las cosas de la reina Isabel con un fuego satírico harto vivo para gastarlo en cosas del pasado, porque en realidad está viendo en ellas ensayos y precurso del presente.»

Desgraciadamente no se le han prestado a estas opiniones la atención que, a mi juicio, se merecen, y la consecuencia es que todavía hoy muchos estudiosos se empeñan en no buscarle a *El ruedo* otros valores que los puramente estéticos. Valores que no sólo nadie discute, sino que no pierden un ápice de su brillo, antes al contrario, ganan en densidad, cuando, a la vez que las bellezas lingüísticas, se le descubren a estos dos volúmenes y medio el verdadero significado, la intención implícita que con tanto cuidado depositó en ellos su autor.

Se olvida con demasiada frecuencia que quien pasa todavía por el mayor defensor en España de las teorías *l'Art pour l'Art même,* el autor de las *Sonatas* y creador del «esperpento» había hecho públicas unas declaraciones en 1920 en las que negaba radicalmente la vigencia de tales teorías: «No debemos hacer arte ahora, porque jugar en los tiempos que corren es inmoral, es una canallada. Hay que lograr primero una justicia social»[28].

Extrañísimas debieron parecer en 1920 estas palabras a los lectores de Valle que no conocieran de él más que las *Sonatas* y cuentos primeros; por aquellos días se publicaron *Luces de bohemia* y *Divinas palabras,* obras en las que, como se ha visto, el autor tomaba partido abiertamente. A nosotros, que hemos seguido paso a paso la obra toda del escritor, tal postura nos parece consecuencia inevitable, evolución normal de unos principios ético-artísticos que se

---

[26] *Vida y literatura de Valle-Inclán,* Ed. Taurus, 1966, págs. 233-234.
[27] Del libro *La difícil universalidad española,* Ed. Gredos, Madrid, 1965, páginas 161-162.
[28] Entrevista concedida a Cipriano Rivas Cherif y publicada en «El Sol», Madrid, 3 de septiembre de 1920.

podían entrever incluso en los primeros tanteos de escritor, en plena época modernista; su pretendida evasión —«escapismo»— no era sino la manifestación de su inconformismo, un rechazo consciente (otra forma de denuncia) de la mediocre realidad que le ofrecían los últimos años del siglo XIX y los primeros del XX. La situación de España, del mundo, en los años que siguieron a la primera guerra mundial convertía el «puro cultivo de la belleza literaria» en simple «canallada» y la sensibilidad de don Ramón así lo proclama abiertamente abogando ahora por una especie de «literatura comprometida» —expresión que se acuñaría mucho después— y pidiendo, en consecuencia, una justicia social.

¿Cómo podía el escritor emprender una tarea tan ambiciosa como la que se plantea en *El ruedo ibérico* con el exclusivo objeto de lograr una obra bella sin otra intención que recrear las desatinadas actuaciones de nuestros antepasados...? Precisamente porque adivinó cuanto de lección podían ofrecer a nuestros tiempos los errores antiguos es por lo que con su arte inigualable quiso dar vida —y lo logró— a todo un período histórico; el paralelismo era tan evidente —¡nada había cambiado en esencia en aquellos cincuenta largos años transcurridos desde la caída de Isabel II!— la lección tan directa, que el artista maduro y consciente que era por esos años Valle-Inclán no pudo resistir la tentación de aprovecharla. Denunciando la inconsistencia moral, la corrupción de la sociedad española en todas sus esferas en la época isabelina, el autor satiriza por extensión la «calma chicha» de su propia época; denuncia abiertamente lo absurdo de una política ineficaz, en los años veinte, el conformismo inoperante de la sufrida clase media y la falta evidentísima de esa «justicia social» de que nos había hablado en la entrevista de «El Sol». Mirando en apariencia atrás con ira, descubre las lacras de su tiempo... y por milagro de intuición artística o de profeta histórico, anuncia los peligros del porvenir; si sus ojos contemplan airados el pasado, la lección se dirige, sin lugar a dudas, al futuro. A su propio tiempo tanto como al nuestro.

4. PASADO, PRESENTE Y FUTURO DE LA REALIDAD ESPAÑOLA: ACERCAMIENTO A LA TÉCNICA DE «EL RUEDO IBÉRICO»

En una entrevista que se publicó en 1926, unos meses antes de que viese la luz el primer volumen de *El ruedo ibérico,* expuso don Ramón lo que se proponía hacer en la obra que tenía entre manos: «No es..., a modo de episodios, como los de Galdós o los de Baroja. Es una novela única y grande, al estilo de *La guerra y la paz,* en la que doy una visión de la sensibilidad española desde la caída de Isabel II. No es la novela de un individuo, es la novela de una colectividad, de un pueblo» [29].

Está clarísimo que lo que pretende hacer no es una mera caricatura del pasado, una burla irrespetuosa de la corte isabelina, ni mucho menos una simple reconstrucción histórica, sino que quiere dar «una visión de la sensibilidad española desde la caída de Isabel II», una excursión en profundidad al alma de toda una colectividad, dejando al desnudo la manera de ser de nuestro pueblo. Para lograrlo planeó una novela de extensión inaudita en nuestra literatura: nueve volúmenes la iban a componer, divididos en tres series de a tres títulos cada una. La primera, titulada *Los amenes de un reinado,* estaba formada por *La corte de los milagros* (I), publicada en Madrid, Rivadeneira, 1927; *Viva mi dueño* (II), *ibíd.,* 1928, y cuyo título primitivo iba a ser *Secreto de estado,* según se anunciaba en el volumen precedente, y *Baza de espadas* (III), que, como es sabido, quedó inacabada, habiendo visto la luz en las páginas de «El Sol» en 1932 y como libro en 1958, Ed. AHR, Barcelona; la segunda serie —*Aleluyas de la Gloriosa*— la compondrían *España con honra* (IV), *Trono en ferias* (V) y *Fueros y cantones* (VI); la serie final —*La restauración borbónica*— llevaba como títulos *Los salones alfonsinos* (VII), *Dios, patria, rey* (VIII) y *Los campos de Cuba* (IX).

Desgraciadamente, lo avanzado de su enfermedad, las complicaciones de los problemas familiares y, sobre todo, en mi opinión, la falta de tranquilidad y sosiego para la enorme tarea de documen-

---

[29] Citada por EMMA SUSANA SPERATTI PIÑERO, en su artículo *Cómo nació y creció «El ruedo ibérico»,* en «Ínsula», núms. 236-237, Madrid, julio-agosto 1966, pág. 30.

tación que tan vasto plan literario exigía, no le permitieron acabar ni siquiera los tres volúmenes de la primera serie. A partir de 1930 escribió poquísimo, y la muerte lo arrebató en los primeros días del aciago año de 1936.

a) *El problema espacio-temporal*

Eliminar las barreras espacio-temporales había sido una de las tareas que el escritor se había propuesto desde sus inicios [30]; sus conceptos Dios = eterna quietud, y Satán = mudanza constante, influyeron más o menos visiblemente en toda su obra, ocupando lugar preferente dicho tema en la que más se acerca a lo que fue código estético del escritor, *La lámpara maravillosa*. Atemporalizaciones más o menos acabadas logró en *Sonatas, Flor de santidad* y *Tirano Banderas*, por lo que, técnicamente, estas novelas valleinclanianas resultaban mucho más de nuestro tiempo —¡sólo los auténticos genios se adelantan al suyo!— que las de sus coetáneos Unamuno, Baroja y Azorín, por ejemplo, *Amor y pedagogía, Camino de perfección* y *La voluntad,* según señaló acertadamente Rodolfo Cardona [31].

Detener el tiempo en un instante, fragmentarlo para conseguir el arte que obligue al espectador a ver en todo y en cada momento lo que tiene de germen de eternidad, obligan a Valle a crearse una técnica que no es la de la narración tradicional que se desarrollaba con cronología regular: «En función de esta concepción del tiempo y del espacio artísticos Valle idea, pues, la novela en cuanto a la forma, como una sucesión de cuadros, y en lo que respecta al asunto, como una cadena de situaciones que se justifican por ellas mismas, pero referidas, claro está, a un denominador común: personaje o un momento histórico» [32].

[30] Véase para este punto el ensayo de RODOLFO CARDONA, *El tiempo en «Sonata de otoño»,* en *Salvador de Madariaga. Liber amicorum,* Ed. College d'Europe (Ed. Du Tempel), Bruges, 1966, así como el artículo citado de JEAN FRANCO, *The concept of time in «El ruedo ibérico».*
[31] *Art. cit.,* pág. 356.
[32] A. RISCO, *La estética de Valle-Inclán,* ed. cit., pág. 136. El capítulo *Espacio y tiempo* de dicho libro me parece uno de los estudios más imprescindibles en lo que se refiere a este tema; con claridad ejemplar, A. RISCO analiza los medios de que se vale don Ramón para «detener» el tiempo: especial estructura —a base de «cuadritos discontinuos»— de sus novelas; reiteración de palabras o gestos idénticos en diversos momentos; utilización frecuente del gerundio que presenta la acción en su desenvolvimiento, y difuminación intencionada de los escenarios, entre los principales (véase especialmente las páginas 128 a 162).

Esta técnica personal, esta fragmentación, ha conducido a mucha gente a conclusiones un tanto peregrinas; el crítico, asombrado ante tales novedades técnicas, antes que confesar su incomprensión se sale por las tangentes fáciles de señalar «flaquezas» como la de que «carecen de un verdadero hilo argumental», o «continuidad narrativa», «falta de verdaderos personajes individuales», «abundancia de peripecias secundarias que distraen la atención del lector», etc.

Incluso los que sí han entendido la intención del autor, cuando, en un intento de aclararnos esa «técnica especial» nos hablan de la sutil «atemporalización» llevada a cabo por Valle-Inclán, caen en errores de apreciación de cierto bulto. A. Risco, por ejemplo, asegura en su excelente libro, refiriéndose a *La corte de los milagros,* que «... la acción de la novela dura unos quince días, pero el lector sólo haciendo un gran esfuerzo de atención se percatará de ello» (*ob. cit.,* pág. 114). No sabemos cuál es la base de los cálculos del crítico, pero veremos cómo hemos llegado a resultados muy diferentes en lo que se refiere a la duración temporal de dicha novela. En cuanto al otro estudioso tantas veces citado por nosotros, Díaz Plaja, asegura en el suyo que «... en *El ruedo ibérico* lo temporal no cuenta apenas. No se ha reparado, por ejemplo, en que las trescientas páginas de *La corte de los milagros* transcurren entre el día de Pascua de 1868 y el 21 de abril del mismo año, fecha del entierro de Narváez..., el día de Pascua cayó este año en 12 de abril...»; es decir, que para Díaz Plaja las 300 páginas de la novela cubren exactamente nueve días.

Por los periódicos del tiempo puede constatarse que la ceremonia de la entrega de la Rosa de Oro a Isabel II se celebró el 12 de febrero [33]. Según la información del periódico «La Época», la cere-

---

[33] Agradecemos el envío de una copia del artículo publicado en «La Época» de Madrid a nuestro colega y amigo C. G. Minter, antiguo alumno nuestro en la Universidad de Leeds. El señor Minter trabaja en la actualidad en una tesis sobre las fuentes históricas de las obras de Valle-Inclán.

En cuanto a la «Rosa de Oro», no debieron ser pocos los comentarios malintencionados que la concesión de tal «premio» suscitó aquel año y mucho tiempo después. Valga como ejemplo esta página de un libro de fines de siglo: «Hay algo aún más insufrible que la violencia, y es el escarnio. En tanto que doña Isabel, literalmente hipnotizada por Marfori, el padre Claret y sor Patrocinio, seguía con su habitual placidez la política suicida de González Bravo, concibió el pontífice Pío IX la idea de enviarle la «Rosa de Oro», «para atestiguar (textual), y declarar pública y solemnemente, y con perenne monumento, el amor cordialísimo que te profesamos, carísima hija de Cristo, así por los egregios méritos para con Nos, para con la Iglesia y esta Sede Apostólica, como por las altas virtudes con que brillas».

«O Mastai Ferretti ignoraba lo que sucedía en tierra española o su concepto de la virtud no era el que suelen tener los hombres honrados.»

Y añade el autor en nota a pie de página: «El señor don Laureano Figuerola, cuya severa probidad nadie pondrá en duda, en un discurso que pronunció en las

monia tuvo lugar en la capilla real, y asistieron con sus majestades las personalidades más importantes de la Corte; la santa misa fue oficiada por el arzobispo reverendo padre Claret, y actuó de «ablegado» pontificio el secretario de la Nunciatura, don Luis Palloti, a quien la reina premiaría más tarde con la gran cruz de Isabel la Católica.

Posteriormente se celebró en palacio un banquete para festejar dicha entrega de la Rosa de Oro, banquete del que también da cuenta «La Época» del 14 de febrero de dicho año: «Asistieron unas 130 personas y el convite se celebró en el salón llamado de las columnas, en el que había dos mesas en forma de herradura.» Con sus majestades estaba lo más sobresaliente de la Corte y, naturalmente, el presidente del Consejo de Ministros, general Narváez, que no estaba en realidad enfermo, como nos lo presenta Valle en su obra.

La fecha del fallecimiento del duque de Valencia fue el 23 de abril; el cadáver fue embalsamado el 24, permaneciendo expuesto en la Presidencia del Consejo el 25. El 26 fue trasladado a la basílica de Atocha, cortejo fúnebre que Valle describe en las últimas páginas de *La corte de los milagros*. El día 27 salieron los restos mortales de Narváez en un tren especial hacia Loja, donde debía ser enterrado el 29, según «La Correspondencia» del día 26: «... y llegarán a Loja el miércoles, donde se disponen unos funerales suntuosos en la parroquia de Santa María, que es la suya, y en ella fue bautizado».

La novela abarca, pues, casi dos meses y medio: del 12 de febrero al 26 de abril; sabemos, sin embargo, que la enfermedad que acabó con la vida del duque de Valencia duró pocos días, dato que aprovecha el autor con gran habilidad, poniendo a Narváez ya enfermo desde las primeras páginas y sincopando de manera muy eficaz aquellas casi diez semanas transcurridas en la realidad desde la en-

---

Constituyentes de 1869 siendo ministro de Hacienda, refiere que en palacio había para cada jornada, por ejemplo, de Aranjuez, de la Granja, etc., un servicio de alhajas en caja especial rotulada»; y después de decir que aquellos servicios habían ido desapareciendo, añade: «Hasta hay el hecho singular de que uno de esos servicios de plata se fundió por *veinticinco mil duros* como legítima retribución de aquella Rosa de Oro cuya historia todos conocéis.» Hay que convenir en que, con este curiosísimo dato, la gracia resultaba bastante menos graciosa» (MIGUEL VILLALBA HERVÁS, *Recuerdos de cinco lustros*, imprenta la Guirnalda, Madrid, 1896, pág. 297).

Para quienes todavía opinan que Valle-Inclán «se cebó» inventando datos maliciosos para satirizar ferozmente a la reina Isabel II en *El ruedo ibérico*, las palabras anteriores debieran sacarles de su error. Valle satiriza, sí, pero siempre basándose en hechos ciertos.

trega de la Rosa de Oro papal, reduciéndolas efectivamente en su novela al período breve de la enfermedad del presidente.

Esto de «estirar y encoger» a voluntad del tiempo no era nada nuevo, por otra parte, en Valle-Inclán. Recordemos qué difícil es percatarse a la primera lectura en *Sonata de Otoño* de que sólo son cinco las noches que los amantes pasan juntos, hasta la muerte de Concha y final del libro. La habilidad del autor para ir difuminando el tiempo nos ha engañado de tal manera, que tenemos la impresión, al término de la novelita, de haber asistido a un largo «otoño» de la aventura erotizante de Concha y el marqués, cuando en realidad no asistimos más que a cuatro noches y al comienzo de la final, para la desdichada enferma.

Al obrar así en *La corte de los milagros* borra casi por completo los límites temporales, y aun cuando a nadie se le oculta que los hechos narrados tuvieron lugar en los últimos días del reinado de Isabel II, no es muy difícil ver la correspondencia de tales «desgracias» con lo que estaba sucediendo en los años del reinado de Alfonso XIII.

b)   *Descomposición de una época y fragmentarismo literario.
     Estructura de «El ruedo ibérico»*

Si tuviéramos alguna vez que demostrar la inseparabilidad de «fondo» y «forma» en literatura, lo haríamos sin gran esfuerzo, por lo claro que resulta, con la obra de Valle-Inclán *El ruedo ibérico*. En ella la estructura técnica no sólo está dictada por el contenido, sino que, muchas veces, es ella misma, una forma en apariencia heterodoxa, el verdadero contenido.

Esa, a primera vista, complejidad no obedece, como sospechan algunos críticos, a simple incapacidad del autor para dotar a su obra de una a modo de columna vertebral en torno a la cual van girando personajes y acontecimientos, sino, precisamente, al deseo de don Ramón de adecuar su técnica lo más exactamente posible a la materia que está tratando. Quiere recrear un período calamitoso de lo que para él era la descomposición del alma de la sociedad española, y para ello nada mejor que hacerlo valiéndose de una especie de pintura «fragmentaria». Como no le es posible aplicar la lente del microscopio a una superficie extensa, prefiere hacerlo limitándose a parcelas, o «placas», menudas que luego irá ensamblando cuidadosamente para que formen el enorme mural —gigantesco rompecabezas— que su cerebro de artista conscientísimo había vislumbrado *in toto*. Como en un vastísimo mosaico nos tropezamos con infinidad de piezas de color y forma muy diferentes entre sí que, contempladas individualmente, pueden a veces no dar idea muy cabal de lo que representan en el cuadro final; sin embargo, esas miniaturas de que tanto se ha hablado y que han confundido al lector apresurado que trata de leer a Valle con la misma facilidad con que se leen, por ejemplo, los *Episodios* de Galdós, esos cuadritos de Valle, contemplados a la necesaria distancia, con la perspectiva que quiere su autor que los contemplemos (desde arriba a poder ser, a vista de pájaro, o desde un avión detenido milagrosamente sobre un paisaje determinado), nos dan el mejor panorama de la realidad española en los tristes días de Isabel II. Ellos son no solamente el mejor retrato que puede hacerse de la sociedad española de la segunda mitad del siglo pasado: son una sangrante radiografía del alma de esa sociedad enferma que nos deja ver los males que la aquejan, un aviso de la necesidad urgente de un tratamiento eficaz —por doloroso que sea—, si no queremos ver muerto del todo al «paciente».

Para pintar una sociedad en descomposición, en vías de «fragmentarse» en partículas cada vez más diminutas, ¿qué método mejor que el de la miniatura, o lo que es lo mismo, de la fragmentación pictórica...? Con todo, pese a esa aparente falta de «hilo argumental» que denuncian críticos tan ponderados como Fernández Almagro, *El ruedo ibérico*, visto desde la necesaria distancia, deja al descubierto no los mil riachuelos de sucesos independientes, sino que, unidas sus aguas, como el autor quería que los viéramos, forman un caudaloso avanzar de la acción principal, perceptible siempre a pesar de los meandros en que parece irse represando —para seguir con la imagen hidrográfica— que nos la disimulan.

Valle-Inclán quiso imaginarse España como una inmensa plaza de toros, de donde el apropiado título de su «inmensa novela». Y debió tener tan gráficamente grabada dicha imagen en su cerebro creador, que hasta la estructura de los tres volúmenes que nos dejó está concebida y llevada cuidadosísimamente a cabo en forma circular [34], o por mejor decir, en círculos concéntricos, como un gigantesco ruedo taurino... contemplado como a él le gustaba ver las cosas: desde una estrella.

[34] Según demostró JEAN FRANCO en su excelente estudio *The concept of time in «El ruedo ibérico»*, ya mencionado.

XII

ÚLTIMAS LECCIONES DE HISTORIA: «EL RUEDO IBÉRICO» (II)

1. VOL. I: «LA CORTE DE LOS MILAGROS»

*L*A *corte de los milagros,* recordémoslo, se divide en nueve libros o capítulos [1]; y son precisamente nueve (como han visto muy bien J. Franco y A. Risco en sus *obras citadas*) por el prestigio mágico de tal guarismo, dadas las aficiones del autor al ocultismo y al significado más profundo de las cifras. Veremos con qué sutileza de creador va disponiendo los elementos de su novela de manera que acaban por formar el primero y el último capítulo un círculo perfecto que encierra dentro de sí otra serie de círculos menores y concéntricos: el 2.º enlaza con el 8.º, el 3.º con el 7.º y los tres centrales están formando como el núcleo más hondo. No sería muy arriesgado pensar que el autor más o menos directamente deseaba que recordásemos otros círculos famosos, los infernales de la *Divina comedia.* No se olvide que el libro quinto, el central y más «profundo» en la estructura circular de la novela, en el que parece se trasparentan las «infernales» dolencias de la sociedad española en todas sus esferas, lleva el significativo título de "La soguilla de Caronte"...

Tal estructura circular, por otro lado, sugiere eternidad, algo que no tiene principio ni fin, con lo cual el autor no sólo quiere detener

---

[1] Nueve libros tenía la primera edición, Madrid, Rivadeneyra, 1927, y cuando en 1931 vuelve a publicarla por entregas en «El Sol», el autor le puso una especie de «entrada» o libro introductorio titulado *Aires nacionales;* mas en las ediciones posteriores, incluidas las tres de *Obras completas,* siempre se ha conservado la forma primitiva de nueve libros o capítulos, sin incluir el que fue añadido a la edición que publicó el periódico.

mágicamente la historia que recrea, sino que al hacerlo trata de borrar toda barrera temporal, haciendo que el ayer se funda con el hoy ante los ojos del lector, para ser un anuncio del mañana. Acerquémonos de una vez al «entramado» de la novela, primera de la serie inacabada, *La corte de los milagros:*

A)   Libro primero: LA ROSA DE ORO.—Lo componen 12 cuadritos, la acción de los cuales transcurre toda en el palacio Real. Primero nos presenta el acto solemne y lleno de pompa cortesana de la entrega de la Rosa de Oro, recompensa papal a «las altas prendas y ejemplares virtudes» de la reina. La maliciosa pluma de Valle deja al descubierto la oquedad mental de las que debieron ser las más altas y nobles esferas de la sociedad hispana, sin necesidad de tener que hacer comentario directo; valiéndose el autor del que Julián Marías ha llamado muy apropiadamente «comentario intrínseco» [2], la técnica utilizada en la narración es ya un puro e intencionado comentario. Las «plumas, bandas, espadines y mantos» que llenan los regios lugares celebran con bobalicona simpatía el fausto acontecimiento. Una incursión por las habitaciones privadas de la reina nos deja al descubierto su estulticia, sensualidad y total inconsciencia, así como en el baile regio —«rigodón diplomático», lo llama el autor— veremos su declarada rijosidad, y en el besamanos que lo precede, su infantil vanidad al tiempo que nos enteraremos del mal estado de la Monarquía. Termina esta admirable pintura palaciega acompañando a la reina hasta su lecho para verla adormecerse «cobijando ilusas esperanzas».

B)   Libro segundo: ECOS DE ASMODEO.—Lo componen 27 «cuadritos», cuya extensión total es algo más del doble que la del libro anterior. El título debió sugerírselo a Valle la lectura de una sección de «La Época», mantenida por el periodista Ramón de Navarrete y Landa [3], que utilizaba tal seudónimo. Estos «ecos» son una especie de reflejos de la sociedad isabelina muy personales: lo mismo los cuadros que transcurren en el palacio del marqués de Torre Mellada,

---

[2] *Vuelta al ruedo,* ensayo citado, pág. 172.
[3] FERNÁNDEZ ALMAGRO, en la excelente biografía de *Cánovas,* dice de este personaje: «Cánovas hizo intensa vida de sociedad en los salones, cuya crónica llevaba al día en las columnas de "La Época" Pedro Fernández, más tarde Asmodeo: don Ramón de Navarrete, del que se decía que forraba de hule los bolsillos de su levita o de su frac para llevarse dulces y golosinas a su casa» (MELCHOR FERNÁNDEZ ALMAGRO, *Cánovas,* Ed. Ambos Mundos, Madrid, 1951, pág. 136).

que los nocturnos, que tienen por escenario el casticísimo café Suizo, o la popular taberna La Taurina, así como la breve visita de las aristocráticas damas al barrio de los humildes, donde habitaba el guardia asesinado brutal y gratuitamente por los señoritos juerguistas y gamberros de la peor especie, son una visión dolorida y angustiosamente verídica de lo que en puridad tendría que ser la mejor sociedad española.

El palacio de los marqueses de Torre Mellada (matrimonio en descomposición, como la misma nobleza que representan) y sus famosas tertulias; los entresijos de la hispana aristocracia puestos al desnudo en toda su ridícula pequeñez. El pincel de Valle-Inclán traza con segura línea un cuadro tremendo de dibujo y colorido bellísimos, la más feroz acusación contra aquellos seres privilegiados. Se adivina el dolorido temblor —tras una aparente frialdad de narrador que permanece al margen de lo que cuenta— con que inventa don Ramón el miserable crimen llevado a cabo por «los clásicos niños bien»; la indignación contenida al hacernos ver cómo se esfuerzan unos y otros —el fantasmón del marqués tanto como el «gallo polainero», el poeta don Adelardo López de Ayala— por quitar importancia a tan bestial asesinato y por disculparlo como «una chiquillada más» de esos niños grandes e irresponsables de la mejor sociedad madrileña.

Es posible que este episodio sea inventado, pero en una sociedad así de corrompida, sucesos parecidos no sólo son verosímiles, sino que debieron suceder con harta frecuencia. Y en lo de «echar tierra al asunto» —desde la reina para abajo todos están interesados, por la cuenta que les trae, en que el hecho quede impune—, tratándose de sujetos de determinada clase, la sociedad española de los últimos cien años ha visto casos muy parecidos. Escándalos similares han sido más de una vez «silenciados» so pretexto de no provocar peores ejemplos en el pueblo llano, en lugar de castigar como se merece a los culpables, vengan de la clase social que vinieren. Y hasta se habrán encontrado atenuantes, o incluso cometido atropellos legales como el que cometen en la novela de Valle los forenses, que declaran que el infeliz guardia asesinado fríamente para diversión de gamberros y prostitutas había muerto de «ataque apoplético», consecuencia de ser «... un borracho sempiterno, y reventó».

La corrupción es total: la reina, con sus «caprichos amorosos» vergonzantes; el ministro de la Gobernación, que, forzado por aquélla, tiene que cerrar los ojos ante el crimen más abominable, para

conservar su puesto y en la esperanza de adquirir otro mejor; los
nobles, los privilegiados..., todos participando de la disolución general para poder «comerse» el pedazo correspondiente de «la gran
tarta» de los favorecidos por la fortuna. ¡Qué moderno todo esto...!

C+d) Libro tercero: EL COTO DE LOS CARVAJALES.—Compuesto de once cuadritos. Parte de él transcurre en el tren, la gran
innovación isabelina, camino de la finca de Torre Mellada, adonde,
aconsejado por «las altas esferas», se lleva a los protagonistas de la
hazaña que costó la vida al infeliz guardia municipal hasta que ce-
sen los rumores de escándalo que circulan por Madrid.

La afilada pluma valleinclaniana, en el episodio del maletilla que
viaja sin billete, nos pone de manifiesto la brutalidad de la fuerza
pública al mismo tiempo que lleva a cabo un graciosísimo cuadro
anticlerical al subrayar la intolerancia del cura hispano frente a la
compasión del extranjero «vendedor de biblias». Y descendiendo un
escalón más en nuestra excursión al centro de la sensibilidad española, penetramos en el «tercer círculo», el agro español en una finca
típica de la Mancha andaluza. Refugio de bandoleros y caballistas,
en el que el mismo administrador —el Niño de Benamejí— es un
forajido más, y la representación del «honrado pueblo» es un aguafuerte violento, sin idealizaciones «costumbristas». Al Valle preocupado por la sociedad hispánica no se le escapa cuánto tiene la gente
campesina de ciertos medios, quizá por los siglos que ha tenido que
soportar las injusticias de los que mandan, de los «amos», de
intolerancia brutal, de crueldad para con sus semejantes y hasta
—aunque disfrazado de anhelos de justicia social— de servilismo
casi animal. Todavía más descarnado es el retrato que de «los de
abajo» nos da el autor en los tres libros siguientes, verdadero núcleo
alrededor del cual giran los demás.

D) Libro cuarto: LA JAULA DEL PÁJARO.—Quince cuadritos enteramente dedicados a los secuestradores, que, capitaneados por «don
Segismundo», ambicioso y cucañero administrador del marqués, tienen su refugio en aquel coto. Son los fachendosos Viroque, Vaca
Rabiosa, Carifancho y Patas Largas, gente del bronce y del retaco,
sin más ley que una vaga excusa para sus crímenes y latrocinios: la
de despojar a los capitalistas de unos bienes adquiridos con el sudor
y sufrimiento del pobre.

Así como la nobleza estaba contemplada en decadente corrupción, ahora Valle-Inclán se enfrenta con otro sector no menos corrupto, el de la sociedad más humilde. El pesimismo del autor no deja lugar a dudas: no ve en estos caballistas al «bandido generoso», popularizado en la segunda mitad del siglo pasado por coplas y novelas por entregas, con mucho de romántica idealización; los caballistas de *El ruedo,* como su contrapartida en el otro extremo de la sociedad española, la nobleza y la alta burguesía, están pintados sin el menor matiz embellecedor. Son tipos de la peor especie, jayanes sin conciencia que roban, secuestran y matan como consecuencia de la amoralidad general del país. Valle en ningún momento los poetiza —como lo habían hecho las coplas y leyendas del Tempranillo y Diego Corrientes—, sino que nos los hace ver en toda su salvaje mediocridad. Han capturado un mozancón, hijo de un acaudalado terrateniente (¡que ni siquiera se apresura a pagar el rescate pedido por los bandidos, para librar así la vida de su heredero!), y deliberan acerca de lo que deben hacer ante la negativa del rico a pagar lo que él considera excesivo. Tienen escondido al preso en una cueva, bajo el molino, y presenciamos las brutales deliberaciones de estos rufianes, así como la total amoralidad de la molinera y el capataz del marqués —cachicán, lo llama el autor—, que satisfacen sus necesidades sexuales como dos animales rijosos en el corral y a despecho de que horas antes acaba de fallecer la mujer del capataz (su cadáver aún no ha recibido sepultura), y que el molinero, un baldado sin entrañas, está en la cocina con los otros bandoleros. Egoísmos sórdidos, erotismo primario y sin delicadezas, amoralidad total y sin remedio; carentes de la «instrucción» de las clases superiores, los de abajo no le van a la zaga en cuanto a corrupción, a ojos del autor.

D) Libro quinto: LA SOGUILLA DE CARONTE.—Lo componen dieciocho cuadritos de considerable extensión. Me parece que nadie se ha parado a pensar en el simbolismo del título de este libro «central» en la novela. Por si no fuera bastante sugerente, los círculos que vamos descendiendo camino del «meollo» de esa sensibilidad española de que nos habló el autor al explicar sus propósitos, este libro quinto, epicentro de *La corte de los milagros* en su construcción circular, con el macabro episodio del entierro de la capataza, nos vuelve a traer reminiscencias intencionadas del infierno dantesco. Para cruzar la Estigia estaba Caronte con su barca; para cruzar el riachuelo español —exageradamente crecido con las aguas de una tormenta primaveral— no se cuenta más que con la simple «soguilla» del barquero infernal; la intención es transparente.

Mientras los señores ocupan sus ocios en cacerías o estúpidas discusiones sobre caballos de raza indispuestos, y los jóvenes se enredan en aventurillas eróticas más o menos vergonzantes (el amante real no tiene inconveniente en descender de «favorito de su majestad» a seductor de la hija del cachicán), el pueblo llano, contemplado con ojo implacable por el autor en el velorio, nos deja ver su contextura moral. Ignorantes, maliciosos y con una especie de fanatismo supersticioso en lugar de auténtica religiosidad, no es tampoco el pueblo la parte sana de una sociedad que pudiera enfrentarse, con esperanzas de victoria, a las clases superiores. Su amoralidad corre pareja con la de aquéllas. Creen justificado el asesinato más vil y el latrocinio declarado: «La rebaja de caudales, aun cuando los ricos la acriminasen, era obra de justicia. El derramamiento de sangre en casos extremos tampoco merecía el vituperio con que lo señalaban» [4], monologa, al tiempo que reza en la iglesia, el viejo capataz del marqués. O como dice el cínico Segismundo (que representa a la clase media camino de formar la nueva burguesía por medios ilícitos casi siempre y especie de «puente» entre los dos extremos de la sociedad española): «¿Qué trascendencia puede tener que en uno de sus predios [habla al marqués] se robe una bestia, *se cometa un crimen o se esconda un secuestro?* Usted vuela por encima de *los accidentes naturales de la vida del campo*» [5].

Creo también que es sintomático el que los dos únicos personajes que no parecen impregnados de la inmoralidad total de esa sociedad pintada por Valle, Bradomín y Feliche, protagonistas de un romántico idilio que parece flotar por encima del barro y las aguas turbias que encenagan el ruedo español, permanezcan al margen de tanta miseria, discutiendo nada menos que el pesimismo cervantino reflejado en el *Quijote*.

D) Libro sexto: PARA QUE NO CANTES.—Lo componen diez cuadritos y es como la culminación y broche de oro con que se cierra ese «anillo central», las arenas del ruedo, de la novela, la vida en la provincia. Frente a los edulcorados tonos que Théophile Gautier y Prosper Merimée habían empleado al retratar a sus bandidos y

---

[4] *La corte de los milagros,* en O. C., II, pág. 950.
[5] *Ibíd.* El subrayado es mío.

caballistas generosos, Valle nos los deja ver, intencionadamente, en toda su miseria humana; los colores no son muy llamativos, predominando las gamas frías de grises y negros, sobre los que se encienden los rojos resplandores de la sangre. El resultado del cuadro, en conjunto, es una tremenda pintura goyesca que no puede por menos de sobrecoger el ánimo del que la contempla con cierta detención.

Temiendo la posible traición de su compinche, capturado por los civiles, para evitar que «cante» y los delate, no dudan en recurrir al crimen más odioso para «sellar su boca». La misma Juana de Tito, la lúbrica bisoja amante del capataz, declara la sentencia de muerte de su baldado marido. El autor no saca conclusiones, sólo nos pide que aprendamos la lección y descubramos la consistencia del alma de los de abajo.

d + C) Libro séptimo: MALOS AGÜEROS.—Diez cuadritos de similar extensión que los del libro anterior. La acción, en su mayor parte, tiene lugar otra vez en el tren, como en el libro tercero; sólo al final regresamos a las «altas esferas», es decir a casa del «cotorrón» marqués de Torre Mellada.

Con el cortesano personaje —acompaña al barón de Bonifaz, llamado a la Corte por González Bravo— viajan un mayoral de ganadería, representante de la naciente clase media, y un pintoresco coronel Sagastizábal, quien, «con su familión» de hijos, mujer y mucamas, da pretexto al autor para introducir y discutir la llamada «España de ultramar»: el tema de las colonias, su terrible malestar y la última sorda batalla librada entre las autoridades militares y eclesiásticas que se disputaban el poder en «las ínsulas antillanas». Páginas deliciosas de humor y chispeante crítica anticlerical y antimilitarista.

B) Libro octavo: RÉQUIEM DEL ESPADÓN.—Compuesto de veintiún cuadritos, como el segundo y el quinto, y una extensión doble que la de los capítulos ordinarios. La acción transcurre en «las altas esferas» político-sociales del «ruedo». (A partir del libro quinto, en el que desde el principio nos habíamos ido desplazando en viaje descendente a las mayores «profundidades infernales» del «honrado pueblo», vamos ascendiendo gradualmente en esta segunda mitad de la novela como en viaje de regreso a «las alturas» del comienzo.) Principia en los salones de Torre Mellada, con una de las tertulias a las que acude lo más sobresaliente de la sociedad cortesana; visitamos

21

luego la Presidencia del Consejo, en donde presenciamos los turbios manejos de Torre Mellada, Adolfito Bonifaz y el ministro don Luis González Bravo, cada uno de los cuales trata de sacar el mejor partido posible de una situación anómala.

Nos dirigimos luego al Ateneo Literario y Artístico, escenario de una singular justa literaria tan disparatada como ridícula entre el rey Consorte y el duque de Montpensier; no acertamos a presenciarla porque el autor nos lleva al palacio del marqués de Redín, cuyo hijo de trece años ha intentado suicidarse sin éxito. (A este personaje, Agila, lo habíamos visto mucho antes, en la trilogía de *La guerra carlista;* como allá, lo utiliza ahora Valle-Inclán —haciéndole retroceder en edad— para mostrarnos una vez más el fruto desgraciado de la corrupta nobleza española.)

En rápido vislumbre nos lleva, en el cuadrito XIII, a la habitación donde expira «el espadón»: «... íbase de este mundo amargo a todo el compás de sus zancas gitanas... Don Ramón María Narváez, duque de Valencia, grande de España, capitán general de los Ejércitos, caballero del Toisón y presidente del Real Consejo, hacía su cuenta de conciencia...» *(O. C.,* II, págs. 1024-1025).

Los rapidísimos cuadros que siguen, extraordinarios de color, gracia y concisión, nos muestran la rebotica del licenciado Santa Marta, la escena callejera del guitarrista ciego don Felipito y el borracho anónimo que, enfrentados a la autoridad —el guindilla Parrondo—, salen malparados; escenas que, como la que sigue en el café de Platerías —con su variopinta clientela, entre la que vemos al barón de Bonifaz en animado coloquio con el cínico administrador don Segismundo, quien, perseguido por la Policía, anda ahora disfrazado de clérigo—, son contrapunto exacto de las que habíamos presenciado en el libro segundo, y representan el estado de agitación en que están las clases media y obrera a la espera de tan ansiada revolución, la llegada de «la Niña».

Los cuatro últimos cuadros de este libro transcurren otra vez en el palacio de Torre Mellada, como para que contemplemos a esta pareja, arquetípica de la nobleza hispana en los tristes días isabelinos, en la intimidad, en toda su risible pequeñez. Tanto el marqués como su esposa, la lánguida y romanticoide marquesa Carolina, amante otrora del cuñado, Fernandito Redín, resultan patéticamente ridículos; la capacidad de invención caricaturesca de Valle brilla a sus mayores alturas en estas intencionadas estampas de la nobleza hispana. Y haciendo el último esfuerzo ascendemos un paso más para elevarnos finalmente hasta lo más alto de la regia escalinata.

A) Libro noveno: JORNADA REGIA.—Compuesto de catorce cuadritos y dedicado enteramente (como el primero, con el que el autor quiere que lo enlacemos) al palacio y a la persona de Isabel II. De nuevo su majestad la reina, contemplada en inefables momentos de intimidad; ignorante como una comadre popular, se deja dictar en su ignorancia beatona por la sagacísima madre Patrocinio. Es una «majestad» sin majestad alguna, chabacana, de inteligencia nula, fanática y milagrera que consulta las cartas y cree en bobos y fingidos milagros de una monja retorcida y ambiciosa; la ironía valleinclaniana alcanza, al describir estos lamentables sucesos, sus mejores alturas. Sin impertinentes comentarios, sin pretenciosas soluciones, Valle-Inclán nos muestra —al reconstruir toda una época en sus más tristes e íntimos detalles— el tremendo dolor que le produce a su sensibilidad de artista privilegiado, el contemplar una España inconsciente y banal, mediocre y triste en la que la miseria de millones de personas por un lado, el fanatismo reaccionario de las clases privilegiadas por el otro y la injusticia social, disculpaban crímenes y atropellos increíbles. Una España, la de los últimos meses isabelinos, que se parecía mucho, pese al relativo progreso que se había verificado en no pocos aspectos, a la España de los años veinte que Valle tenía delante al escribir su novela; en su opinión, los males que sufría España amenazaban con hacerse crónicos, por lo que se esfuerza en denunciarlos al lector del futuro. Nos comunica con arte superior, su honda pena, su amargo desprecio por lo corrupto, lo políticamente inservible y lo falsamente grande de personajes y personajillos de toda una época histórica que el falso pudor de otros historiadores menos perspicaces había recubierto de piadosos velos. No es desamor de España, sino todo lo contrario. Ama —¿acaso sueña Valle con un imposible?— una España diferente, limpia, honrada y verdadera, no un antruejo de falso relumbrón y fingido colorete. Ama aquella España con que soñaban los «regeneracionistas» y los colegas del 98; la España que buscaban Machado y Unamuno, Maeztu y Baroja.

Quiere sobre todo don Ramón llamar la atención de los españoles de los años venideros (el lector de su tiempo como el del nuestro) para que, meditando sobre tantas calamidades ocurridas en 1868, se percate que muchas de ellas aún estaban, por desgracia, vivas, cincuenta, cien años más tarde. Tal es la lección del moralista de que nos habló Pedro Salinas [6].

El brevísimo —y concentrado en irónicas descripciones— cuadrito final pinta de mano maestra el pomposo traslado de los restos mortales de Narváez, entre aclamaciones de populachero y fácil patriotismo: «Madrid le despedía tendido por las calles, animado y bullanguero con tantos brillos de bayonetas, roses, plumajes y charangada de metales... El rey Consorte, exiguo y trípudo como una peonza, presidía el duelo. Pasos de bailarín y arreos de capitán general» *(O. C.,* II, págs. 1061-1062).

Tras esta fatigante paráfrasis, por la que rogamos perdón a los lectores familiarizados con la obra de Valle, pero que hicimos en beneficio de los estudiantes más necesitados de auxilio, puede asegurarse que *La corte de los milagros* contemplada con la perspectiva necesaria, lejos de ser «novela confusa» o de carecer de una «columna vertebral técnica», se nos aparece cuidadosísimamente construida y, lo que es mejor, con una manera novelística original que, cuando se lee con la calma requerida, se manifiesta lógica y clara. El todo es un gigantesco mural formado por innumerables y detalladísimas miniaturas de colores muy vivos, cuya prodigiosa estructura técnica nos permite hacer gráfica la imagen que debió ser el germen de la novela en la mente del escritor: España isabelina = una gigantesca plaza de toros. Veámoslo: si, como adelantamos al principio del análisis de *El ruedo,* en este primer volumen el capítulo 1.º enlazaba con el 9.º (ambos transcurren en «las alturas» del país, en el palacio Real), y unidos forman un apretado círculo dentro del cual se contienen los demás, coincidiendo 2.º con 8.º, 3.º con 7.º y 4.º con 6.º, actuando el 5.º como de núcleo central en torno al cual gira el resto del «ruedo», no cuesta mucho trabajo llegar a la representación gráfica de tal esquema o idea tras la que el autor plasmaba de forma palpable la imagen de su novela (España misma) como un inmenso «ruedo» taurino:

[6] *Literatura española. Siglo XX,* Ed. Robredo, Méjico, 1948, pág. 114.

LA ROSA ① DE ORO
ECOS DE ② ASMODEO
EL COTO DE ③ LOS CARVAJALES
LA JAULA ④ DEL PÁJARO
· PARA QUE ⑥ NOCANTE·S
LA SOGUILLA ⑤ DE CARON-TE
MALOS ⑦ AGÜEROS
RÉQUIEM ⑧ DEL ESPADÓN
JORNADA ⑨ REGIA

Observado el dibujo con atención, se verá que no está muy lejos de ser la representación esquemática —contemplada a vista de pájaro— de una plaza de toros; el «ruedo ibérico» del título observado desde una posición «independiente». (¿Cómo contemplan los muertos la vida «desde la otra ribera», o con la «visión cósmica» que intentó adoptar en su temprana obra *La media noche...?*)

Los tres capítulos centrales, que tienen, como se recordará, por escenario el coto de los Carvajales, están consagrados casi en su totalidad al «honrado pueblo», víctima de la fiesta la mayoría de las veces, y forman lo que un escritor sensacionalista hubiera llamado «las arenas sangrientas»; los capítulos 3.º y 7.º están como de «callejón de la plaza» o barrera separadora entre el ruedo propiamente dicho y los «tendidos» que ocupan los capítulos 2.º y 8.º y que forman el soporte de la masa burguesa, entre la que, inevitablemente, se han colado (¿o habrán empeñado el colchón o la máquina de coser de «su señora», para sacar el importe de la entrada...?) algunos menestrales y representantes del sufrido pueblo, que también disfruta de un buen espectáculo taurómaco; todos llenan lo que en la plaza de toros real serían las barreras y tendidos. Por último, los capítulos 1.º y 9.º están formados por los «palcos reales», que son como los miradores que lo dominan todo desde las alturas.

Como habíamos adelantado, se nos confirma así que en la obra de Valle-Inclán la forma no es sino el mismo contenido o fondo hecho visible, la materialización de lo que el autor tiene que decir en absoluta inseparabilidad del «cómo» lo dice. Para no dejar ni un cabo suelto en tan cuidadosa estructuración hasta el número de páginas de cada capítulo, está obedeciendo a un plan predeterminado, como se ve en nuestro esquema final:

Libro	Páginas	Escenario
1.º - A	20	Palacio Real.
2.º - B	40	Altas esferas cortesanas.
3.º - C+d	20	Viaje en tren y llegada al coto.
4.º - D	17	Coto de los Carvajales.
5.º - D	36	Coto de los Carvajales.
6.º - D	17	Coto de los Carvajales.
7.º - d+C	17	Coto y viaje en tren, regreso a Madrid.
8.º - B	40	Altas esferas cortesanas.
9.º - A	18	Palacio Real.

2. VOL. II: «VIVA MI DUEÑO»

No menos compleja y cuidadosamente trabajada es la estructura de *Viva mi dueño,* segundo volumen de la inacabada serie. Como *La corte de los milagros,* esta novela tiene nueve capítulos o libros de mayor extensión, por lo general, que los de aquélla (270 páginas en la edición de *O. C.* que manejamos, frente a las 225 de *La corte).*

Para que no haya dudas en cuanto a la estructura «circular», los cuadritos primero y último de la novela (salvada la escasa diferencia que hay entre las frases «chismosos anuncios» y «Periquito gacetillero» con que comienzan uno y otro) son idénticos.

El libro primero, como su contrapartida el noveno, con que el autor espera que lo relacionemos, tiene un escenario múltiple. Contemplamos en rápida sucesión como de fogonazos al magnesio, multitud de estampas revolucionarias que, a manera de «hojas de almanaque» o diminutos recuadros periodísticos, nos dejan ver cuanto ocurría en España y fuera de ella en los días que precedieron al destronamiento de Isabel II. En las oficinas ministeriales, al igual que en los cafés de los emigrados, en Londres, París, Hendaya y Lisboa, vamos viendo las maniobras de los conspiradores contra la Monarquía en la figura de Isabel II.

El libro segundo —que se continúa y completa en el octavo— nos deja ver las altas esferas de la sociedad y la política; el autor escoge los ángulos menos favorecedores para cuanto retrata con su implacable pluma, y el resultado es un estudio admirable de la total desintegración moral —¡e incluso física!— de la aristocracia y nobleza del país, por una parte, y de los «nobles políticos», por otra, quienes con sus nada «nobles» triquiñuelas tratan de sacar el mayor partido posible de un río de aguas cada vez más sucias en el que todos se disputan la pesca más provechosa.

Contra lo que mantiene A. Risco[7], me parece que estos dos «libros» no forman una unidad temática verdadera con el 4.º y el 6.º Si es cierto que en el 2.º y el 8.º entrevemos, de pasada, la figura de la reina, como espectadora de los Bufos, en el 2.º, en una corrida de toros y luego en una entrevista con el nuncio pontificio, en la que también contemplamos al reverendo padre Claret, la «señora» está vista un tanto de soslayo, como una parte que es de esa nobleza a la que el autor consagra esos dos «libros». En cambio, los 4.º y 6.º —titulados respectivamente «Las reales antecámaras» y «Barato de espadas»— están consagrados enteramente a mostrarnos con todo lujo de detalles la corte española y sus intrigas. La figura central es la de la reina, y es obvio que el autor quiere presentárnosla en toda su insignificancia humana, llena de flaquezas, ignorante y rijosa, populachera y avulgarada. Sobresalen, por la excelente calidad literaria, tanto como por la intencionada burla humorística que representan, los cuadritos que transcurren en las habitaciones privadas de la soberana. Acompañada de «la doña Pepita Rúa, dueña del tiempo fernandino», la vemos en momentos de suma intimidad, haciendo confidencias a la dueña harto subidas de color acerca del comportamiento en la alcoba de su galán de turno, Adolfito Bonifaz, quien, en el colmo del cinismo y la desvergüenza, comienza a explotarla como lo haría el chulo más ordinario, haciéndole empeñar parte de sus alhajas. Lascivia de baja estofa, en lugar de verdadero amor, al igual que en el sexto libro nos encontramos que el fanatismo mila-

[7] *Ob. cit.*, págs. 145-146.

grero y timorato substituye a la auténtica fe. Los monarcas obedecen ciegamente los mandatos de la monja milagrera y del «obispo de Trajanópolis», que tratan de organizar en su beneficio las conjuras reaccionarias.

Vemos, por otra parte, el avispero cortesano en toda su actividad: los generales unionistas, descontentos por el ascenso inmerecido de los «moderados» Pepe Concha y Manolo Novaliches, pasean por el Prado su disgusto. Todo son promesas vanas, falsedad y chamarileo en las alturas políticas; todo está corrupto y falso, intrigas apostólicas que gracias a la astucia de la monja milagrera hacen que los intereses del insignificante rey Consorte coincidan con los de la liviana Isabel.

La pluma de Valle, más precisa y expresiva que nunca, capaz de crear bellezas extraordinarias, se va haciendo ahora más amarga, más implacable en su ánimo de denunciar.

El libro quinto, centro verdadero de la novela, y el de mayor extensión, transcurre en Solana del Maestre, lugarón en la «llanura fulgurante» y en cuyo término municipal se halla la finca de Torre Mellada. Asistimos en compañía del «figurón palaciego», sus amigos e invitados, a las ferias de «tan culta población» que se celebran, como casi todas en España, con función religiosa, novillada y corrida de vaquillas, amén de ferial de ganados, y animado todo por las castizas murgas, el abundante morapio y los ruidosos cohetes.

Este «libro» central, eje alrededor del que —como en la novela precedente— giran los restantes, se me antoja que el autor lo ve como reflejo sintético de la caótica situación de la España isabelina; nobles y villanos enredados en intrigas y peleas tan absurdas como sangrientas; gitanos y payos se juegan la vida con estúpida fanfarronería tratando de animar así lo que resultaba una caricatura grotesca de la llamada «fiesta nacional», lamentable espectáculo de torerillos fracasados y cobardicas. Los dos pobres maletillas son incapaces de lidiar a la fiera con arte y valor, y, tras la muerte del primer toro, los espectadores se enredan en salvaje pelea; el barón de Bonifaz, para ayudarse en sus planes de seducción a la sobrina del cura, se lanza al ruedo a pelear junto al gitano viejo, antiguo bandolero de la cuadrilla del Tempranillo; en la reyerta, Bonifaz resulta herido de un navajazo. Y, valiéndose de la hospitalidad que le brinda el padre cura de los Verdes, aprovecha el tumulto de las fiestas para seducir cínicamente a la citada sobrina «a domicilio», pues lo hacen guardar cama en la propia habitación del sacerdote. Quien, al descubrir la afrenta a altas horas de la noche, persigue a tiros al seductor, que escapa por la ventana como un vulgar ladronzuelo. El sacerdote jura venganza contra el barón y se convierte más tarde en favorecedor de la revolución...

Por la riqueza de colorido, el tono joco-serio con que está contado todo, y la admirable abundancia de vocabulario de que se sirve el autor, me parece este «libro» uno de los más memorables de toda su obra. Tal vez para reflejar el caos más completo, la confusión de valores que se daba en los últimos estertores isabelinos en todo el «ruedo ibérico», Valle-Inclán introduce una cantidad increíble de términos jergales o lengua gitana, en algunos casos —capítulos XIII y XXX— tan abundantes que resultan oscuros al no familiarizado con las dificultades del caló.

La impresión que produce el conjunto no puede ser más atroz: nos damos cuenta de cuanto de farsa grotesca —¡de pelea entre gitanos!— tuvo la vida toda en la España de 1868; colores subidos, trapicheos y seducciones, confusión y robo en el «espanto» producido por un gitano en el ferial de ganados, mal olor, odios y sangre...

Volviendo a la arquitectura estructural de *Viva mi dueño,* hay que hacer notar que, como en *La corte de los milagros,* los «libros» que por el tema y escenario que tienen se corresponden, ocupan aproximadamente el mismo número de páginas. El esquema de este segundo volumen de *El ruedo ibérico* viene a ser el siguiente:

Libro	Páginas	Escenario
1.º - A	18	Múltiple. Conjuras revolucionarias.
2.º - B	33	Altas esferas cortesanas.
3.º - C	35	Córdoba. Intrigas revolucionarias
4.º - D	25	Escenas íntimas de palacio.
5.º - E	44	Solana del Maestre.
6.º - D	28	Intimidades e intrigas en palacio.
7.º - C	31	Córdoba: más intrigas.
8.º - B	34	Altas esferas cortesanas.
9.º - A	22	Múltiple. Conjuras revolucionarias.

Esquema que, llevado a su representación gráfica de círculos concéntricos, vuelve a sugerir una plaza de toros contemplada a vista de pájaro:

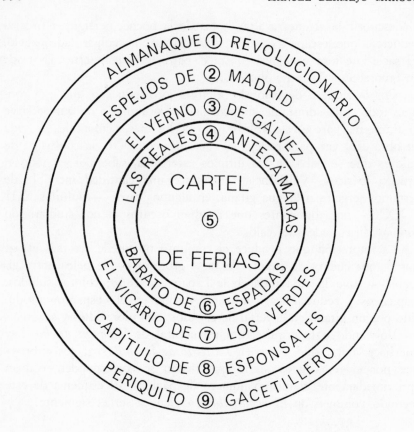

3. VOL. III: «BAZA DE ESPADAS»

Como, por desgracia para las letras españolas, el tercer volumen
de la serie —*Baza de espadas*— quedó inconcluso, no tendría objeto
el que intentásemos un estudio de la estructura de esa mitad escasa
de la novela proyectada. No obstante, y para completar cuanto llevamos dicho acerca del contenido de la que tenemos por la obra más
importante de las de Valle-Inclán, recordemos lo que el autor quiere
decir en las que me parecen las mejores páginas salidas de su pluma;
páginas que dejan ver una total madurez en el oficio de escritor, un
dominio absoluto en cuanto al lenguaje y una extraordinaria y muy
consciente economía de recursos literarios. Cualidades éstas que si
pueden, tras una lectura superficial, hacer aparecer dichas páginas
como menos brillantes, menos cromáticas y hasta de humor más so-
frenado que las de los otros dos volúmenes, las dotan, sin embargo,

de una elegante y expresiva sobriedad. Aparece más a la vista, más en la superficie, una especie de invitación a la reflexión, una llamada a que consideremos la hondura y seriedad de los problemas en que se debatía la pobre España. Llamada ya aparente en *La corte* y *Viva,* pero que podía pasar allí un tanto desapercibida por el chisporroteo bellísimo de las imágenes y metáforas y cuantos recursos novelísticos había empleado tan magistralmente el autor para recrear unos tiempos calamitosos del pasado que tenían mucha semejanza con los que corrían cuando el novelista trataba de llevar a cabo su «interpretación y estudio del alma de España». Como el Goya de las pinturas negras de la famosa «Quinta del Sordo», prescinde Valle-Inclán en su tercer volumen de *El ruedo ibérico* de la brillante gama de colores de que se había servido anteriormente, sin que por ello pierda un ápice ni el dibujo ni la belleza general del «cuadro» realizado; antes al contrario, gana, si cabe, en belleza de concisión y en dramática expresividad.

Baza de espadas, a diferencia de sus hermanas de serie, que tenían nueve «libros» cada una, iba a constar de varias partes, de las que no podemos conjeturar ni la extensión ni, salvo la primera, los títulos. La primera parte, inacabada, lleva el expresivo título de *Vísperas septembrinas.* Contamos solamente con cinco libros, cada uno de ellos con su correspondiente subtítulo y compuesto por un número desigual de capítulos o «cuadritos» de extensión por lo general breve, pero muy variable, desde cuatro líneas escasas, el primero, hasta algo más de cinco páginas los más extensos. El conjunto de la novela, gracias a esta técnica «miniaturística» y de concisión extraordinaria da aún mayor impresión de «disgregación» —desmoronamiento— de la sociedad que refleja, de la que se tenía al leer sus hermanas de trilogía.

La frase se adelgaza, pierde un tanto su barroquismo afiligranado, ganando en expresividad; se diría que cada palabra lleva en sí un mundo de sugerencias y que, pese a su relativa sobriedad, comparada con las otras dos novelas, el mensaje que el autor quiere darnos llega ahora más directo, más sin aquellos deliciosos pero a veces enredadizos «meandros» que eran las brillantes e irónicas imágenes de que se servía para «reinventar» el mundo isabelino. Lo malo es que este «mensaje principal» —la prédica anarquizante— ha pasado hasta hace poco prácticamente desapercibido por el lector medio, cuya atención está ganada por las estupendas aventuras con que Valle «dora la píldora». El libro primero se titula *¿Qué pasa*

en Cádiz?, y está compuesto por XIII cuadritos (16 páginas en total, en la edición de Austral), algunos de ellos tan breves como el
que abre la novela: «Fluctuación en los cambios. La Bolsa en baja.
Valores en venta. El marqués de Salamanca sonríe entre el humo de
un veguero. Un agente de cambio se pega un tiro: "¿Qué pasa en
Cádiz?"» [8].

Como se ha repetido, «estilo telegráfico». De urgencias sugeridas
por esa especie de economía en las explicaciones. Transcurre todo
él en casa del marqués de Salamanca, el conocido banquero y hombre
de negocios del reinado isabelino. Llega primero «Asmodeo, el brillante cronista», que se propone «dar un sablazo» al marqués; con
parecidas intenciones se presenta luego Adolfito Bonifaz, el cual
anuncia que la reina ha prescindido de «sus servicios», pues se propone, en adelante, «llevar vida santa». Para compensarle de alguna
manera le ha sido ofrecido «un turrón», como se decía en el siglo XIX: el cargo de superintendente de Manila. «¡Para hacerse mi-
llonario! Es una breva de ex ministro», le dice el experto financiero.
Adolfito, sin remilgo alguno, busca la ayuda del marqués para ne-
gociar «la bicoca» vendiendo ese «derecho legal al robo» y continuar en la capital su vida de señorito inútil.

Despide el financiero al ex favorito real y contemplamos la llegada de un político importantísimo en la segunda mitad del siglo
pasado: don Antonio Cánovas del Castillo. El retrato que de él nos
hace el autor es magistral, como ya indicamos en el capítulo dedicado a *Divinas palabras*. Pocas veces la capacidad caricaturística en la
literatura alcanzó tan formidables alturas como alcanza Valle-Inclán
en la creación de tan excelente personaje. No sólo lo vemos moverse —un cierto aire de autómata, nerviosos movimientos de manos
y facciones, «la expresión perruna y dogmática»—, sino que le escuchamos el discurso que pronuncia ante los disidentes moderados en
el que explica las condiciones que había puesto a la reina para continuar en el Gobierno. Extraordinaria «tirada oratoria», que se me
antoja una de las mejores y más sutiles caricaturas literarias de tan
amanerada retórica política, característica en el siglo pasado. Al final
de tal «perorata» el intencionado comentario del autor está puesto
en boca de uno de los criados de la casa que busca refugio en la cocina, sediento, luego de haber escuchado, tras de la puerta, tan «to-

---

[8] *Baza de espadas*, Ed. Col. Austral, Madrid, 1961, pág. 11. En adelante será
ésta la edición que citaremos, ya que esta novela no fue incluida en las *O. C.* que
hemos manejado para el resto del trabajo.

rrencial tirada»: «Dame un traguete, Jorge. Oyendo a ese tío se me
ha secado la lengua» *(Baza de espadas,* Col. Austral, Madrid, 1961,
pág. 23. En adelante citaremos por esta edición consignando solamente las páginas).

En los salones del marqués de Salamanca, y para escuchar a Cánovas, se ha dado cita lo más granado de la «disidencia moderada».
No aprueban la política de su majestad: «Los sesudos carcamales de
la disidencia moderada, con pausas y resoplos de ciencia política,
opinaban repartidos en corros. Calvas y levitas, almidonadas pecheras
y bigotes de moco de pavo, asmas y reúmas disidentes de moderan-
tismo, en duelo y apuro por los patrios males, hacían oráculos fumán-
dose los habanos del marqués de Salamanca» (pág. 26).

El libro II lleva por título *La venta de los enanos.* Transcurre
en Cádiz y nos deja ver las intrigas de los unionistas que no acaban
de ponerse de acuerdo para comenzar la revolución. Excelentes cuadritos —XII en total— en los que vemos a los generales Dulce y
Serrano, prisioneros en un fuerte gaditano a la espera de ser embar-
cados camino del destierro. López de Ayala, don Adelardo, el famoso
poeta, intriga a favor de los duques de Montpensier, y ayudado por
unos pocos, no logra convencer al jefe de la escuadra, brigadier Topete, sin cuya colaboración el levantamiento no puede comenzar;
Paúl y Angulo, el liberal jerezano, también quiere iniciarla, pero no
pueden. Finalmente el marqués de Redín, mensajero del Gobierno,
se entrevista con el poeta, al que aconseja prudencia y un compás
de espera en vista de la equívoca postura del brigadier Topete.

El libro III se titula *Alta mar,* y transcurre su acción a bordo
del vapor «Omega», que se dirige a Londres; de extensión mayor
que los otros cuatro capítulos juntos, es, sin lugar a dudas, de lo
mejor que escribió don Ramón del Valle-Inclán. La experiencia creadora de éste, en su mejor momento, sabe mezclar admirablemente las
aventuras en un barco de tres grupos de pasajeros muy diferentes entre
sí, y, sin embargo, unidos por el destino porque, en cierto modo,
todos, por motivos más o menos altruistas, aspiran a tomar parte
en la revolución que se avecina. Está escrito en una prosa que es
una maravilla de exactitud, concisión y, consecuentemente, sobria
belleza. Sin que pueda decirse que el vocabulario sea menos rico y
jugoso que en las otras dos novelas de la inacabada trilogía, *Baza
de espadas* las gana precisamente en llaneza, en una expresividad que
ya no necesita de los brillantes adornos que no por brillantes dejaban
de ser eso, adornos puros; el autor prescinde ahora de ellos con do-

minio pleno del «oficio», y el resultado es la más bella prosa novelística que salió de su pluma. Le bastan unos cuantos admirables toques de pincel para crear un ambiente náutico que sirve de fondo a las peripecias de los personajes. Viajan, como dije, todos ellos a Inglaterra; en tercera clase tropezamos en seguida con un sospechoso trío de «artistas del folklore hispano», dos caballeros y una dama, la Sofi, infeliz bailarina de ligera moral, amante del más joven, Indalecio Meruéndano, chulo de profesión, matón y amigo de don Teodolindo Soto, que se declara «profesor de guitarra por cifra», además de practicar otras «habilidades» menos nobles. Han embarcado en Gibraltar y se dirigen a Londres so protexto de ganarse allí la vida «dando recitales»; pero el verdadero motivo de su viaje sabemos de inmediato que es el de asesinar al general Prim, por lo que se trasluce en una conversación que sostienen con otro personaje, el «Pollo de los Brillantes», don Joselito Cartagena, quien, viajero de primera y entre telones, con las debidas cautelas, lleva la responsabilidad del «golpe».

También en la democrática tercera viaja otro trío que predica la revolución: el «apóstol de la religión anarquista», Miguel Bakunin y dos de sus alumnos, un ruso, Arsenio Petrovich Gleboff, apodado «Boy» por el famoso anarquista, y un español, Fermín Salvochea, especie de «iluminado» idealista rayano casi en el misticismo de la revolución social.

El tercer y más numeroso grupo de pasajeros, todos ellos en clase de lujo, está formado por masones (los «hermanos Tiberio Graco y Claudio Nerón», de la logia gaditana, el segundo de los cuales es el famoso revolucionario republicano Paúl y Angulo, acusado posteriormente del asesinato de Prim, asesinato que no le pudo ser probado), dos militares (los capitanes Estébanez y Meana), un clérigo sin licencias, el señor Alcalá Zamora y por otros pintorescos personajes, entre los que destacan una «doña Baldomera», supuesta hija de Larra, el famoso periodista y crítico de costumbres y un ridiculizado relojero marsellés representante de la pequeña burguesía industrial, de la que Valle se burla despiadadamente.

La tripulación y el resto del pasaje, pintados con un mínimo de detalles, completan este magnífico cuadro marítimo de conspiración y planes más o menos secretos para «solucionar los males de España». El dominio lingüístico de Valle se manifiesta de nuevo en la recreación excelente del habla coloquial y llena de vulgarismos de la Sofi y los dos golfos que la acompañan, al tiempo que logra una comicidad del mejor cuño, caricaturizando con ligerísimos y sabios toques el habla de los tripulantes ingleses del barco, al expresarse en castellano. Sólo un olfato lingüístico tan sutil como el de Valle puede captar —y recrear— matices tan finos y humorísticos sin caer en la fácil y torpe exageración, apuntando errores que ya había subrayado anteriormente en el habla de otra extranjera, madame Collet, la esposa del poeta ciego en *Luces de bohemia*.

Pero con ser muy atractiva la técnica novelística de que se sirve el autor, lo es más todavía el mensaje revolucionario que nos da mezclado con las aventuras de esos personajes sorprendidos en «alta mar». Por boca del «gigante barbudo», Miguel Bakunin, expone Valle-Inclán unos años antes de su muerte sus ideas acerca del anarquismo como solución política y su necesaria puesta en práctica si de verdad España aspiraba a llevar a cabo una revolución verdadera y eficaz. Admira ver la cuidadosa documentación y el profundo conocimiento que de las ideas y el movimiento anarco-bakuninista tenía don Ramón y la sutileza con que tales teorías son expuestas en esta novela escrita precisamente cuando se presagiaba un cambio sociopolítico de gran trascendencia en España, la segunda República, primero, y el Alzamiento Nacional, después, con las crisis consiguientes que tales giros políticos e inevitables cambios sociales llevaban consigo.

Para los que niegan que *El ruedo ibérico* tenga otros valores que los puramente estético-literarios, me parece que una lectura detenida de estas páginas debiera ser la prueba de todo lo contrario. El autor se sirve de una base histórica —las conspiraciones que condujeron al destronamiento de Isabel II en los meses del verano de 1868— para señalar implícita, pero muy significativamente, un paralelo innegable entre aquella situación y la de la España de la segunda y tercera décadas de nuestro siglo. Veamos por qué y cómo.

Muy tempranamente en su carrera de escritor había manifestado Valle-Inclán curiosidad e interés por el anarquismo. En 1892, y en «El Universal» de Méjico, había escrito un artículo sobre *El anarquismo español* y otro sobre Pablo Iglesias, el conocido «apóstol del socialismo español», como el joven periodista lo llama [9]. Aparte del temprano interés por dicha tendencia política, los artículos tienen poco valor y no demuestran gran información. Pero a lo largo de

---

[9] Recogidos ambos por WILLIAM L. FICHTER en su libro *Publicaciones periodísticas de don Ramón del Valle-Inclán*, ed. cit., págs. 126-128 y 136-138.

toda su obra demostró el escritor que su interés iba en aumento.
(Cosa, por otro lado, nada rara entre los hombres de su generación.
Unamuno, Azorín, Manuel Bueno e incluso autores más jóvenes,
como Julio Camba y Alberto Insúa, habían mostrado abiertamente
sus simpatías anarquizantes llegando a colaborar algunos de ellos en
publicaciones ácratas tales como *Ciencia social, Tierra y libertad* y
El productor literario [10].)

Ya señalé, al estudiar las *Comedias bárbaras,* cómo las ideas expuestas por don Juan Manuel al final de *Romance de lobos* eran
anarquizantes; tal concepción —la de que la auténtica revolución
social libertadora de las masas españolas debiera ser llevada a cabo
por los señores de la nobleza «convertidos en cristianos»— se concreta todavía más en un personaje importante de *Baza de espadas,*
Fermín Salvochea, al que Valle-Inclán pintó con indudable simpatía,
convirtiéndolo en auténtico apóstol de caridad y nobleza de alma:
«El compañero Salvochea pasó por el mundo austero y candoroso
como los pescadores que escucharon la sagrada palabra, a la sombra
roja de las velas, en el lago Tiberíades» (pág. 82). Salvochea, abandonando familia y fortuna, acompaña en la novela a Miguel Bakunin
en su predicación de la doctrina anarquista y representa, dicho sea
de pasada, cuanto ésta tenía para Valle-Inclán de generoso y delicado
misticismo; en el episodio con la Sofi y el Inda, especialmente, está
subrayada la pureza y bondad de alma del personaje.

Históricamente sabemos que Salvochea era de una familia aco-
modada gaditana y que contaba veintiséis años de edad cuando el
destronamiento de Isabel II. Había estudiado en Inglaterra las teorías del racionalismo militante de Bradlaugh; tomó parte en la creación de una proyectada república federalista en Cádiz, primero, y
luego en Cataluña, por lo que fue encarcelado; libertado de la prisión en 1871, fue elegido alcalde de su ciudad natal, pero muy pronto se vio envuelto en otra revuelta federalista y enviado a un penal
en la costa africana. Allí leyó y reflexionó acerca de la naturaleza de
la sociedad y se convirtió al anarquismo. Rechazó la libertad que su
familia había obtenido para él, mediante influencias, y en 1886 se
escapó del penal, trasladándose a Cádiz, donde fundó un periódico
anarquista. Muy pronto se convirtió en la cabeza del anarquismo andaluz y por ello nuevamente fue encarcelado; estando en prisión, en

---

[10] Véase A. Ballesteros Beretta, *Historia de España,* vol. VIII, ed. cit., página 704.

1892, se le acusó de haber organizado un levantamiento de campesinos y obreros jerezanos que protestaban contra el injusto encarcelamiento de 157 anarquistas prisioneros del gobierno como represalia por las actividades de la llamada, y tal vez mítica, organización «la mano negra»; la condena de Salvochea fue alargada. Y fueron tales los tratos recibidos por el prisionero, que llegó a intentar el suicidio, antes que sufrirlos. Libertado en 1899, enfermo y muy debilitado, siguió siendo hasta el año de su muerte, 1907, el maestro indiscutible del anarquismo hispano [11]. Vicente Blasco Ibáñez, en la novela *La bodega,* basó el personaje Fernando Salvatierra en la figura de Fermín Salvochea.

En *Luces de bohemia* habíamos subrayado también el anarquismo de Mateo, el joven presidiario, así como en *La rosa de papel,* cuyo protagonista, Simeón Julepe, expresaba simpatías anarcoides, si bien borrosas o anubladas un tanto por el estado de ebriedad y excitación en que lo encontrábamos. No es, pues, nada nuevo el interés del autor por estas ideas; lo que sí me parece novedoso es el detallismo y los matices con que en esta novela las hace aparecer. Por lo que se verá, don Ramón demuestra unos conocimientos nada comunes acerca de la vida y pensamiento del padre del anarquismo, Miguel Bakunin. Y, sin embargo, nuestro autor altera deliberadamente la verdad histórica en cuanto se refiere a la entrada de los primeros «aires anárquicos» en España. ¿No estará, con ello, indicándonos que lo que importa es no tanto la exactitud histórica en lo que se refiere a dicha entrada en España y la penetración subsiguiente de las teorías de extrema izquierda cuanto airear la idea de que la lección de Bakunin era válida todavía en los años en que el autor escribe...? Recordemos que *Baza de espadas* vio la luz en el diario «El Sol» en octubre de 1932, cuando la segunda República contaba con dieciséis meses de edad y ya Valle-Inclán había declarado en público como en privado su franca desilusión con el «nuevo» régimen. Sólo si admitimos que esa «lección política» va dirigida hacia el presente —repito, los años treinta de nuestro siglo— es como esa «invención» del encuentro de Bakunin con los revolucionarios o conspiradores españoles, en el hipotético buque «Omega», camino de Londres, tiene sentido. Un hombre que demuestra conocer tan por lo menudo el pensamiento político de Bakunin, y la misma biografía del «gigante

[11] Véase RUDOLF ROCKER, *Fermín Salvochea,* Ediciones Tierra y Libertad, 1954, y JAMES JOLL, *The anarchists,* Eyre & Spottiswoode, Londres, 1964, págs. 231-232 y 291.

22

barbudo», no podía caer en el error elemental de hacernos ver en su «novelizada» versión no sólo que en julio de 1868 Bakunin y sus «seguidores» hubiesen estado ya en España tratando de ganar adeptos para la revolución anarquista en Málaga y otros lugares de Andalucía (visita que no tuvo lugar nunca, como veremos), sino de hacer aclaraciones finísimas entre las ideas bakuninistas y las de su joven «apóstol» Nechaev, dando una fecha, la del verano de 1868, en la que ¡todavía no se conocían ambos personajes...! Valle-Inclán tenía, repito, motivos e intenciones para servirse de la historia como lo hizo. El principal, a mi entender, ganar adeptos para la causa anárquica, revolución que a él le parecía ser la única realizable en la España de los años treinta, capaz de servir a la causa de renovación de una sociedad que llevaba siglos agonizando y de salvar una República que, de otra manera, en su opinión, estaba condenada a un fracaso seguro. Para hacer más clara y comprensible esta «profética lección» novelizó a su manera acontecimientos y teorías políticas.

Valle-Inclán presenta al padre del anarquismo, acompañado por dos «discípulos», camino de un inventado destierro a Inglaterra. (Históricamente sabemos que Bakunin pasó fuera de Rusia la mayor parte de su vida activa de político, pero en Inglaterra no llegó a vivir más de tres años. La primera temporada, la más larga, después de su escapada del destierro siberiano, llegó a Londres, procedente de los Estados Unidos de América, el 27 de diciembre de 1861, abandonando la capital inglesa el 21 de febrero de 1863. Desde Estocolmo volvió por segunda vez a Inglaterra, donde lo esperaba su mujer —Bakunin se había casado durante su destierro en Siberia, en parte para solucionar sus problemas económicos—, permaneciendo en Londres unas seis semanas a fines del año 1863. Todavía volvió una tercera vez, antes de salir hacia Bruselas y París, y finalmente Italia, pasando otros quince días, a mediados de octubre de 1864; desde Londres, pasando por Estocolmo, se dirigiría después a Florencia) [12].

En la novela el grupo de anarquistas viaja con los conspiradores españoles ya mencionados; el autor acomoda la realidad histórica a las necesidades novelísticas, ya que ni Bakunin viajó a Londres por entonces ni el joven anarquista apodado por Bakunin «Boy» conocía al viejo político; se encontraron en la primavera de 1869. El perso-

---

[12] Véase E. H. CARR, *Mickael Bakunin*, McMillan & Co., Londres, 1937, págs. 235-299 y 305 y ss.

naje de la novela llamado Arsenio Petrovich Gleboff, el «Boy», se llamaba en la realidad Sergei Nechaev, cuyas teorías de acción violenta y amoralidad absoluta acabaron por indisponerle con el maestro. En *Baza de espadas* está admirablemente expuesto el anarquismo de Nechaev en contraposición con el de Bakunin, más moderado, si podemos hablar de moderación en política tan radical. En sus discusiones con los revolucionarios españoles Bakunin expone también muy claramente las ventajas de su doctrina, con ánimo de ganarlos para la revolución anarquista, y vemos por ellas cómo Valle-Inclán, por boca del anarquista ruso, nos hace ver sus temores acerca del marxismo y los peligros de lo que él llama la dictadura más peligrosa: la del Estado [13]. Otra vez el olfato político de Valle-Inclán parece adelantarse a su tiempo para anunciar proféticamente lo que iba a ocurrir en Rusia con la dictadura staliniana y la de sus continuadores. Nos parecen de mucha actualidad las palabras que le hace decir a Bakunin respecto a la necesidad de la destrucción del Estado: «El Estado es la negación más odiosa del concepto de la humanidad: Su ley suprema es el aumento de poderío, con el fracaso de todos los derechos innatos que dignifican al hombre. La vida nunca podrá ser una cristalización jurídica, y la única manera de salvar su íntima esencia es destruir cuanto tienda a concretarla en una moral arbitraria» (págs. 121-122).

Demuestra Bakunin gran interés en relacionarse no sólo con los conspiradores españoles, sino con Indalecio y don Teo, los dos «brigantes», como él los llama: «Con toda certeza, estos nuevos amigos son dos brigantes, y precisamente me interesan por eso... Si los ganásemos para la causa, los haríamos volver a España... Allí necesitamos agentes que nos pongan en relación con los brigantes de la Andalucía. Maduro un proyecto del cual habré de hablarte. La primera idea ha sido del "Boy". ¡Qué diablos, las revoluciones no se hacen con obispos!» (pág. 74).

Este episodio novelístico me parece un admirable ejemplo más de cómo el escritor se sirve de la historia para, alternando ciertos datos, darnos una interpretación más profunda y significativa de la que, con su pretendida objetividad, suele dar el historiador profesional. Si los hechos que nos cuenta no tuvieron lugar jamás, no por

---

[13] Muy sagazmente José A. MARAVALL, en su ensayo citado, ha señalado que «el Bakunin de *Baza de espadas*... puede ser tal vez tomado por el Valle-Inclán de su fase postrera» (*La imagen de la sociedad...*, en «Revista de Occidente», núms. 44-45, nov.-dic. 1966, pág. 249).

ello en la novela dejan de ser verosímiles y, por tanto, nos ayudan
a entender mejor las complejidades de los hechos que condujeron al
destronamiento de Isabel II, a la vez que nos recuerdan maliciosamente que tales acontecimientos no son más que un anuncio de lo
que, a fines del reinado de Alfonso XIII, estaba sucediendo en España. Analicemos de una vez lo que de real tiene —o puede tener,
que a veces para el autor da lo mismo— cuanto ocurre en la parte
central de *Baza de espadas* [14].

Es indudable que en los meses que precedieron a la revolución
de 1868 debieron ser frecuentes los viajes de los conspiradores españoles a Londres, donde se hallaban exiliados los generales Prim y
Cabrera, y en donde hasta el mismo pretendiente carlista residió durante algún tiempo. Paúl y Angulo, significado republicano, pudo
muy bien ser uno de ellos, y lo mismo sus acompañantes. En cuanto
a los que iban a ser los asesinos de Prim, tampoco es difícil imaginar
que quienes llevaron a cabo pocos años más tarde tal asesinato no
estuvieran fraguando ya dicho plan. (Para Valle-Inclán, digamos de
pasada, Paúl y Angulo fue inocente, en contra de la opinión más ge-
neralizada, según expuso en los que iban a ser los últimos artículos
escritos por él y publicados en el diario «Ahora» de Madrid los días
2, 12, 16 y 28 de agosto y el 20 de septiembre de 1935, titulados
Paúl y Angulo y los asesinos del General Prim.)

Tal vez todo el viaje no sea sino un pretexto novelístico más
del autor para exponer con todo detalle las teorías anarquistas que

---

[14] Para cuanto se relaciona con los problemas de la actitud revolucionaria del
campesinado español, véase la obra de JUAN DÍAZ DEL MORAL, *Historia de las agita-
ciones campesinas andaluzas,* Madrid, 1927, y reeditada últimamente por Alianza
Editorial, Madrid, 1967. También la de MELCHOR FERNÁNDEZ ALMAGRO, *Historia
política de la España contemporánea,* reeditada por Alianza Editorial, 3 vols., Madrid,
1968; la de JOSÉ PEIRATS, *Los anarquistas en la crisis política española,* Ed. Alfa-
Argentina, Buenos Aires, 1964; la ya citada de BALLESTEROS BERETTA, así como el
Diccionario de historia de España, Ed. de la Revista Occidente, 2.ª ed., Madrid,
1969. Para el estudio de las teorías marxistas, las de Proudhon y Bakunin y las
diferencias de éste con Nechaev, la bibliografía, naturalmente, es muy abundante.
Sin pretender más que un superficial conocimiento de la materia, recomiendo al
estudiante interesado en estos puntos las obras siguientes: GEORGE WOODCOCK,
Anarchism, Nueva York, 1962; E. H. CARR, *Michael Bakunin,* McMillan & Co. Ltd.,
Londres, 1937; JAMES JOLL, *The anarchists,* Eyre & Spottiswoode, Londres, 1964,
con un excelente y documentado estudio especial sobre el anarquismo español titulado *Anarchism in action: Spain,* págs. 224-286; ISAIAH BERLIN, *Karl Marx* (nueva
edición), Londres, 1952; ALAIN SERGENT y CLAUDE HARMEL, *Histoire de l'Anarchie,*
París, 1949; P. J. PROUDHON, *Oeuvres complètes* (nueva edición), París, 1938; PIE-
RRE HAUBTMANN, *Marx et Proudhon,* París, 1947; M. BAKOUNINE, *Oeuvres,* vol. I,
editado por Max Nettlau; vols. II-VII, editado por James Guillaume (París, 1895-
1913?); MAX NETTLAU, *Miguel Bakunin, la Internacional y la Alianza en España,
1868-1873,* Buenos Aires, 1925.

le interesaban. Me parece problemática la existencia del barco «Omega», en todo caso. No he podido comprobar su matrícula, aunque aquel año de 1868 sí figura un navío de la Mala Real Inglesa, y no de la Mala India, como erróneamente se ha dicho alguna vez [15], el vapor «Delta» que hacía el recorrido regular entre los puertos de Southampton y Nápoles y en el cual, el 12 de septiembre del año de la «Gloriosa» se embarcaría Prim disfrazado «... de ayuda de Cámara de los condes de Bar, ostentando amplia librea y comiendo en segunda mesa», para no levantar sospechas y poder así llegar a Gibraltar de incógnito cinco días más tarde. Con el marqués de los Castillejos viajaban —para comenzar la revolución que destronaría a Isabel II— Sagasta, Merelo y Ruiz Zorrilla [16]. Que el «Omega» de la novela fuese un barco gemelo del «Delta» o simple invención valleinclaniana no me parece detalle importante.

Sí lo es, en cambio, la presencia en él de Miguel Bakunin y sus dos acompañantes, ya que de ninguna manera el viaje del conocido anarquista a Londres tuvo lugar en tales fechas. Valle-Inclán, ya lo hemos dicho, altera los hechos para acomodarlos a su «interpretación» de la historia en la novela. En el verano de 1868 Bakunin se hallaba ya instalado en Suiza, tras el interludio napolitano, preparando el Segundo Congreso de la Liga de la Paz y la Libertad, que había de comenzar exactamente el 21 de septiembre en la capital suiza. En dicho país, salvo breves excursiones a Francia e Italia, residiría en el futuro Bakunin hasta la fecha de su muerte, ocurrida en Berna el 1 de julio de 1876 [17].

Tampoco es cierto que Bakunin hubiese estado en España, ni aquel año ni después. A este respecto dice su mejor biógrafo: «In this very summer of 1873 he had thought of a visit to Spain —a country where he had many followers, but on whose soil he had never set foot.» Falto de dinero, como toda su vida, pospuso sus deseos y la muerte lo alcanzó sin poderlos satisfacer [18].

En cuanto a su estancia en Londres, ya dije que las tres visitas tuvieron lugar entre los años 1861 y 1864. Después no volvió a la capital inglesa. La primera vez que estuvo en Inglaterra era este país

[15] Véase MIGUEL VILLALBA HERVÁS, *Recuerdos de cinco lustros,* ed. cit., pág. 303.
[16] Véase A. BALLESTEROS, *ob. cit.,* vol. VIII, pág. 101; MIGUEL VILLALBA HERVÁS, *ob. cit.,* pág. 302; EMILIO GUTIÉRREZ GAMERO, *Mis primeros ochenta años,* Ed. Aguilar, Madrid, 1962, vol. I, pág. 684; BENITO PÉREZ GALDÓS, *Prim (Episodios Nacionales,* IV serie), Madrid, 1906.
[17] Véase E. H. CARR, *Michael Bakunin,* ed. cit., págs. 321-345 y 486-487.
[18] *Ibíd.,* pág. 458.

el final de un largo viaje, casi la vuelta al mundo, en realidad, tras
su escapatoria, llena de aventuras, de su destierro siberiano. Había
salido de Irkutsk en junio de 1861 y tras varios cambios de ruta
y barcos, vía Japón, se embarcó en el crucero americano «Carrington»
que se dirigía a San Francisco. Durante dicha travesía al parecer Bakunin se comportó de manera muy semejante a como lo hace en *Baza
de espadas* en cuanto se refiere a su magnanimidad con el dinero. El
prestamista en esta ocasión fue un joven clérigo inglés llamado Koe,
con quien Bakunin había hecho gran amistad y del cual tomó «pres-
tadas» varias sumas de dinero que entregaba a los pasajeros más
necesitados o gastaba alegre y despreocupadamente [19]. (Nada más
lejos de mi intención que denunciar otra «fuente» valleinclaniana:
me parece un excelente modo de aprovechar la realidad para novelar-
la, sacándole mucho partido a unos acontecimientos que en sí mismos
no tendrían demasiada relevancia. Con esta breve, pero eficaz, «transformación» alude Valle muy sagazmente a la despreocupada actitud
que con los asuntos monetarios tuvo toda su vida el anarquista
Bakunin. Sabemos por sus biógrafos que a lo largo de toda su existencia anduvo muy escaso de dinero, por la facilidad con que lo
gastaba o lo empleaba en causas más o menos perdidas; recurrió a
los «préstamos» de sus amigos y seguidores en política, sus familiares... y hasta del amante de su mujer y padre de los hijos de ésta,
que llevaban el nombre de Bakunin. Valle-Inclán, con unas breves
alusiones, realza este rasgo del carácter del anarquista sin necesidad
de reiteraciones).

A fines de año, el 27 de diciembre de 1861, y tras una corta
estancia en San Francisco y Nueva York —había cruzado por tierra
el istmo de Panamá—, llegó a Londres, en donde, como indiqué,
permaneció cerca de tres años. En Inglaterra conoció personalmente
a Karl Marx y se rodeó de amigos con ideas revolucionarias semejantes a las suyas. Dos años después de su llegada a Londres tomó parte
en la fracasada «invasión liberadora de Polonia», saliendo en barco
el 21 de febrero de 1863 y uniéndose a la expedición del barco inglés «Ward Jackson» que transportaba una «Legión polaca»; el capitán inglés de dicha nave, al darse cuenta de los peligros que le
acechaban en tal aventura, desembarcó en Copenhague y se negó a
continuar viaje. Desde allí Bakunin y los «legionarios» (muchos de
los cuales eran aventureros internacionales sin escrúpulos) viajaron

---

[19] *Ibíd.*, pág. 234.

hasta Suecia, pero no llegaron a poner los pies en la tierra que «iban a liberar». La proyectada «liberación polaca» fue un fiasco completo y así hubo de admitirlo Bakunin. Tales acontecimientos de la vida del padre del anarquismo nos dicen que si, en efecto, el viaje de Bakunin en la novela es pura ficción, los hechos que «inventa» el novelista están reflejando acontecimientos verídicos y situaciones muy similares de la biografía del revolucionario ocurridas antes o después de 1868; lo que hace Valle-Inclán, al inspirarse en ellos para su novela, es «organizarlos» de manera que sirvan a sus propósitos.

Tampoco en 1868, en el verano al menos, habían entrado en España las teorías marxistas. En 1864 se fundó en Londres «... la primera Internacional (Asociación Internacional de Trabajadores) en la que se patentizó inmediatamente la discrepancia primero entre los marxistas y los proudhonianos franceses y, después, entre aquéllos y los seguidores de Bakunin, que ya había fundado su Alianza Internacional de Trabajadores. Durante la revolución de septiembre... la masa obrera [española] —que aún no sabía nada de la Internacional— procedía al reparto de la tierra y al establecimiento de «talleres nacionales», como los de la revolución francesa de 1848. En noviembre de aquel año, por la presencia y predicación directa del italiano Fanelli, se fundó la sección española de la Alianza, que, en 1869, envió una delegación a la Internacional de Londres. Predomina desde entonces entre el proletariado hispano y sus dirigentes «la tendencia bakuninista», cuyos adeptos «se reunieron por primera vez en Barcelona en 1870». Al romper definitivamente bakuninistas y marxistas y quedar disuelta la primera Internacional los delegados de la Federación española siguieron a Bakunin, reuniéndose a fines de 1872 en Córdoba el primer Congreso anarquista del mundo, organizándose en federaciones locales y gremiales las huestes españolas [20].

Ya dije que el personaje apodado por Bakunin «el Boy» es el famoso anarquista ruso Sergei Nechaev; se habían encontrado los dos anarquistas en Ginebra, en la primavera de 1869 y pasajera, pero inmediatamente, el pensamiento político de Bakunin fue afectado por las ideas extremas de Nechaev [21]. Valle-Inclán, muy delicadamente, prefiere no hacer hincapié —aunque la sugiera muy veladamente

[20] Véase *Diccionario de historia de España,* Ed. de la Revista de Occidente, 2.ª ed., Madrid, 1969, vol. I, pág. 260.
[21] E. H. CARR, *ob. cit.,* págs. 374-393, y JAMES JOLL, *The anarchists,* ed. cit., págs. 93 y ss.

por el súbito rasgo de afectiva ternura del anciano a la vista del joven «calmuco»— a la insinuada por varios historiadores atracción homosexual que Bakunin debió sentir por el joven amigo. Tan «tempestuosas relaciones» *(love-hate relationship,* para decirlo en inglés) debieron llevar a una ruptura inmediata, ya que riñeron violentamente y se separaron en junio de 1870. La innegable inteligencia del joven ruso, su atractivo físico y sus veintidós años, debieron atraer de inmediato y conquistar al «viejo león del anarquismo». Sergei Nechaev, este casi demoníaco personaje —capaz de las atrocidades más repelentes—, sabía ganarse las simpatías de los extremistas y pronto se ganó la admiración y confianza del anciano anarquista ruso: «... Bakunin was infatuated at first sight, as others had so often been infatuated with him. He began to call young Nechaev by the tender nickname of "Boy"... The most affectionate relations were established» [22].

En cuanto a la «ambigüedad» sexual de Bakunin ya dije que Valle prefirió insinuarla muy delicadamente. No menciona para nada la existencia de su esposa la joven Antonia, a la que Bakunin llevaba veinticinco años. Tampoco hace alusión a la más que sospechosa impotencia sexual de Bakunin aludida por James Joll y E. H. Carr en los estudios citados (págs. 85 y 24, respectivamente). Con todo, el personaje recreado por Valle-Inclán, aunque indudablemente refleja las simpatías del novelista, me parece que es un trasunto muy fiel de la imponente figura humana, llena de idealismos y de grandezas, vicios y virtudes, pero siempre adornada por un talento político poco común, de quien fue el creador y más grande apóstol del anarquismo internacional.

El autor contrapone a la figura del «Boy» la del español Fermín Salvochea, todo nobleza y altruismo. Y es precisamente al presentarnos a Bakunin hablando con Fermín cuando Valle nos explica esas «relaciones especiales» que hay entre los dos rusos: «No es un canalla, pero cuando cree actuar en provecho de la causa, nada le detiene. Introducido en tu intimidad, te espiaría, te calumniaría, abriría todos tus cajones, leería toda tu correspondencia... Si le presentaras a un amigo, inmediatamente se propondría enemistaros. Su primer móvil es siempre sembrar el odio y la discordia. Si tienes una hija o una hermana, intentará seducirla, hacerle un chico para arrancarla a las leyes morales de la familia e inducirla a una protesta revolu-

---

[22] E. H. CARR, *ob. cit.,* pág. 377.

cionaria contra la sociedad... Mutuamente nos aborrecemos y nos queremos...» (pág. 69). Tales palabras no son pura invención de Valle-Inclán, como pudiera pensarse, sino extracto de una carta de Bakunin a Nathalie Herzen [23] luego de haber roto con Nechaev; tales datos prueban, sin lugar a dudas, que Valle se dio cuenta de la clase de «amistad» que hubo entre los dos personajes históricos, y que «novelizó» acontecimientos exactos, que sucedieron en la realidad durante un lapso de tiempo mucho mayor que los breves cinco días de viaje en que condensa teorías y acontecimientos con extraordinaria eficacia el novelista. (Ya señalamos cómo Valle-Inclán extiende o comprime el tiempo real según convenga a la estructura de sus obras.) La mayoría de los parlamentos de Bakunin en *Baza de espadas* no son invención de Valle, sino reproducción —en forma muy sincopada y clara— de las teorías y escritos políticos del anarquista. La fuente probable de don Ramón debió ser un «centón» anarquista publicado por el alumno y seguidor suizo de Bakunin, James Guillaume, en la segunda década de nuestro siglo, titulado *L'Internationale. Documents et souvenirs 1864-1878* [24].

Refiriéndose al intento de robo y asesinato que lleva a cabo Indalecio Meruéndano en la persona de Fermín Salvochea, puntualiza Valle los matices del anarquismo de Proudhon por boca del capitán Estébanez: «Yo respeto todas las morales, doña Baldomera. Ese pinta puede ser un proudhoniano y considerar que la propiedad es un robo» (pág. 118); y un poco más adelante, «el Boy» aclara: «El injusto reparto de las riquezas puede, en cierto modo, justificar a ese hombre. La desigualdad social es tan irritante, que los atentados contra la propiedad, cualquiera que sea su forma, son avances en el camino de la revolución comunista. Nuestro deber es defenderlo *(sic)*, ampararlos y provocarlos. No hacerlo es una traición a la causa» (pág. 119). Amoralismo que, como ya indiqué, no respalda totalmente Bakunin; pocas páginas más adelante, en una discusión con los conspiradores españoles, expone el apóstol del anarquismo sus ideas, que modifican notablemente la actitud extrema de su discípulo y amigo: «Es preciso desencadenar todas las malas pasiones,

---

[23] *Ibíd,* pág. 388.

[24] Cuatro volúmenes, París, 1905-1910. Para un conocimiento más completo del pensamiento y la obra política de Bakunin, me parece imprescindible, además de la bibliografía ya mencionada, el estudio publicado por ARTHUR LEHNING el año 1965: *Mikhail Alexandrovich Bakunin et les conflicts dans l'Internationale.* Textes établis et annotés par Arthur Lehning, Archives Bakounine, Leiden, Brill, 1965, y las *Obras completas* de Bakunin, ed. cit.

pero no con un fin particular, sino universal. No contra el individuo, sino contra el Estado. El Estado es la negación más odiosa del concepto de humanidad. Su ley suprema es el aumento de poderío, con el fracaso de todos los derechos innatos que dignifican al hombre... Contra el orden impuesto por los intereses de una minoría burguesa, el proletariado debe imponer un excelente y bienhechor desorden» (pág. 122). Expone luego sus diferencias de criterio respecto a las ideas marxistas, y en sucesivas conversaciones —«interminables y paradojales», las llama el autor— hace una crítica de la revolución española... ¡que va a llevarse a cabo unas cuantas semanas después! En ellas me parece ver la intención clara de Valle de aplicar las ideas bakuninistas a la España de la segunda República y a una inminente (y para él, don Ramón, deseada) revolución en España: «¿Queréis la revolución en España? ¿Por qué la queréis? ¿Qué ideario pretendéis implantar en sustitución del régimen existente?... ¡Es insensato hacer una revolución para buscar un tirano! ¡Las masas no pueden seguiros! Devolved al pueblo sus sagrados derechos, infundidle el sentimiento de dignidad... Haced la revolución, pero encendidos los corazones con la esperanza de ver derrumbarse todas las viejas dinastías europeas para ceder el paso a las masas triunfantes. El sentido militarista de vuestra revolución no puede interesarnos... Vuestra revolución carece de hondura en los propósitos...» (págs. 149-150). Sigue diciendo que lo único que hará la revolución en España es cambiar de tirano, pero no de situación. Ve el peligro de la «dictadura del Estado comunista»: «El socialismo del Estado, conforme a la doctrina marxista, sólo puede alzarse sobre los escombros de las viejas sociedades, por una nueva esclavitud de las masas reducidas, en fuerzas de decretos, a la obediencia, a la inmovilidad y a la muerte: La Europa occidental, servil, corrompida, escéptica, necesita una transfusión de sangre bárbara que la saque de su cretinismo democrático. No puede haber revolución sin anarquismo: La revolución sólo existe donde se abre un horizonte anárquico, y si no se lleva en su seno el rayo destructor de todos los prejuicios sociales, será una apostasía. El régimen parlamentario, piedra angular en las democracias occidentales, es una de las más hipócritas ficciones del sentido burgués» (pág. 151).

Una vez más, y pido perdón por mi machaconería, Valle-Inclán está analizando con ojo clarividente y exacto la lección histórica del pasado... para actualizar sus enseñanzas no sólo con respecto a los movidos meses finales de 1868, sino para los que se avecinaban cuando escribió estas páginas en la tercera década de nuestro siglo.

El libro cuarto, titulado maliciosamente *Tratos púnicos,* nos presenta los manejos revolucionarios en el exilio londinense. Como los dos caudillos de la milicia, Prim y Cabrera, tienen allí su residencia, hasta el mismo pretendiente carlista se desplaza a la capital inglesa para tomar parte en estos «cabildeos» políticos, además de los conspiradores con los que viajamos en el capítulo anterior. Es asombrosa la capacidad intuitiva de Valle para crear paisajes y ambientes ingleses que sólo conocía por referencias literarias o gráficas, ya que, como es sabido, no puso nunca los pies en Inglaterra. Con unos pocos datos acertadísimos logra dar una pintura casi abstracta, pero increíblemente fiel del que debió ser el ambiente londinense de 1868, ya fuera en los barrios residenciales de los alrededores de la capital como en la *mansion-house* del general carlista: «Wentworth —húmedas praderas, nebulosos boscajes, sones de esquilas, verdes reumáticos, rubias claras de sol, ñoñez inglesa de cromo y novela—. El humo de las locomotoras mancha el paisaje con regularidad cronométrica...», ya sea un hotel central donde se hospedará «la jacobina comunión de revolucionarios españoles...»: «Jovial y fraterna, y a la mira de vivir por poco coste, fue unánime el acuerdo de hospedarse en el último piso del Harcourt-Hôtel —largos pasillos con mecheros de gas; olores de cocina y hulla quemándose; panorama de chimeneas; escenas de gatos...—. El hotel Harcourt era una jaula de siete pisos. Escaleras y corredores de numeradas puertas, pasos perdidos, batir de colchones, rodar de camas: un zapato, un cepillo, un hombre que canta bajo una lucerna».

El retrato que nos hace Valle-Inclán del general Prim no es nada favorecedor. Lo presenta como un consumado «zorro político» que «juega muchas cartas»; es vanidoso, teatral y, con tal de salirse con sus soñados planes de «salvador de España», capaz de traicionar a unos y otros sin escrúpulos. La antipatía que siente el autor hacia este personaje se trasluce en la comicidad con que presenta sus enredos y es comparable a la que reserva para el caudillo liberal, don Práxedes Mateo Sagasta, «el simpático señor de Mateo», como Valle lo llama.

El libro quinto, titulado *Albures gaditanos,* nos lleva otra vez al escenario de la revolución en una de las fechas —9 de agosto— señaladas en principio para el comienzo de la sublevación. El capítulo me parece un prodigio de invención novelística, síntesis histórica

y pura belleza literaria; prueba palpable de que don Ramón, al escribir estas páginas finales admirables, había alcanzado una madurez
absoluta en su duro aprendizaje —desde el comienzo un progreso
constante— de escritor honrado. Dura, penosa marcha siempre cuesta arriba por caminos que él mismo iba abriendo (no solamente para
él mismo, sino para los escritores en lengua española que vendrían
detrás) hasta ver coronadas las máximas alturas literarias, que, por
desgracia, no se le han reconocido como se debiera hasta muchos
años después de su muerte. (Espero que no tardará en hacerse un
estudio detallado de la influencia de Valle-Inclán como precursor y
guía sobre la floreciente joven novela hispanoamericana —un segundo «modernismo» al que estamos asistiendo con el alborozo consi-
guiente—; me parece que han sido los novelistas del otro lado del
Atlántico quienes mejor han aprendido la lección del viejo maestro,
en cuanto se refiere a la búsqueda constante de un nuevo lenguaje
y una nueva visión de la realidad; los nombres de García Márquez,
Vargas Llosa, Fuentes, el poeta mejicano Octavio Paz y tantos y
tantos más, están atestiguando tal magisterio que parecen haber des-
oído la mayoría de sus colegas españoles.)

Volviendo al libro quinto de *Baza de espadas,* digamos que describe un ambiente de conjuras y reuniones, pactos y combinaciones,
discursos o simples charlas tabernarias; todo está logrado con una
belleza y una aparente simplicidad de estilo pocas veces igualada
en nuestras letras del siglo xx. El humor, más saltarín y ligero que
antes, parece haber perdido las negruras goyescas de *La corte de los
milagros* y *Viva mi dueño;* se diría que Valle, al cabo ya de las
trampas históricas, lo contempla todo con cierto regocijo menos sarcástico que el empleado en las otras novelas. El resultado es una
auténtica lección de bien novelar en estos dieciocho cuadritos que
constituyen la última parte de *Baza de espadas.*

Los orleanistas, capitaneados por don Adelardo López de Ayala, pactan, en la esperanza de aumentar sus fuerzas, con los mismos
republicanos y el mariscal de Campo sevillano..., «también cabildean-
do con los cortesanos de San Telmo».

Más sutiles, pero tan implacables como antes, me parecen las
burlas antimilitaristas de Valle-Inclán en esta parte de la novela;
son deliciosos los cuadritos dedicados al coronel reumático, a quien
no deja ir al pronunciamiento su amante esposa, cubanita graciosa;
el brigadier Las Heras, que pretexta, para no pronunciarse, tener
que estar junto a un pariente lejano enfermo y las reuniones de los

«gloriosos *milites*» en las que la capacidad inventiva de matices lingüísticos de Valle se luce con los mejores hallazgos.

Contemplamos también al general Prim tomando las aguas de Vichy, para «atender su achaque hepático» y mostrando abiertamente sus recelos y astucias de conspirador que no da el paso decisivo hasta que no está absolutamente convencido de su segura victoria. Muy de refilón asistimos a una corrida de toros («seis de Torre-Mellada, lidiados por las cuadrillas de Antonio Carmona y Salvador Sánchez —El Gordito y Frascuelo—») en la que Paúl y Angulo insulta a Gonzalón Torre-Mellada:

«—Son muy leales estos bichos de Torre-Mellada.

»—Pues no salen a su dueño.

»De arriba, con un bastón, le tocaron en el hombro:

»—¡El marqués de Torre-Mellada es mi padre!

»—¿Está usted seguro?» (pág. 201)[25].

El desfile de estampas revolucionarias pasa ante nuestros ojos con la rapidez, colorido e intención del mejor filme moderno. La capitanía del puerto, donde se reúnen Primo de Rivera y el indeciso brigadier Topete con López de Ayala, Vallín y Sánchez de Castro; reservados en cafés donde Paúl y Angulo atiende los negocios revolucionarios, como la compra, por un puñado de plata, de la «cooperación de la fuerza pública» que hace la vista gorda ante un alijo de armas para el pueblo, y la misma garita de carabineros donde tiene lugar el trato, que recuerda, por el ambiente general, la del infeliz teniente, de *Los cuernos de don Friolera;* calles gaditanas en una noche veraniega preñada de sucesos que acaban en un aburrido compás de espera, por la deliberada falta de interés de Topete y Primo de Rivera. Los republicanos, las masas populares con que cuenta Paúl y Angulo, comienzan a mostrar su desencanto. López de Ayala y Paúl y Angulo, caudillos de unionistas y demócratas, se juramentan para devolver a España los militares desterrados en Tenerife y a Prim desde Londres; no es un entendimiento perfecto, pero se necesitan los unos a los otros, a fin de llevar a cabo la anhelada revolución: «Hacer el juego con todo el palo de espadas» (página 218).

[25] Tal anécdota, de gusto un tanto dudoso, le fue atribuida a don Ramón, quien, al parecer, había hecho la misma pregunta al hijo de un autor teatral cuya obra había condenado, a grandes voces, Valle-Inclán.

Y así, con un fuerte sabor a desencanto que se refleja tanto en los principales personajes instigadores de la revolución, como en el lector —que sabe inacabada tan soberbia novela—, ya que todo lo que conservamos de *Baza de espadas* se queda en una final e intencionadísima «agua de borrajas», llegamos a las últimas páginas de este espléndido retazo novelístico, interrumpido, como se ha dicho, por mil preocupaciones extraliterarias y, probablemente, por la imposibilidad de ser continuado sin una documentación profunda para la cual el ya enfermo de muerte y cansado escritor careció de tiempo.

ÍNDICE ONOMÁSTICO

ÍNDICE GENERAL